W9-BMO-511

BVT

Essen. Beten. Lieben. Das braucht der Mensch zum Glücklichsein. Aber die einfachsten Dinge sind die schwersten, das weiß auch Elizabeth. Mit Anfang 30 hat sie ihren Mann verlassen und steht nun vor einem Scherbenhaufen. Nach tränenreichen Nächten beschließt die New Yorkerin, eine lange Reise anzutreten: In Italien lernt sie die Kunst des Genießens kennen, in einem indischen Ashram alle Regeln der Meditation und in Bali trifft sie auf Felipe und erfährt durch ihn die Balance zwischen innerem und äußerem Glück.

Elizabeth Gilbert ist die Autorin des internationalen Bestsellers *Eat, Pray, Love*, der in 30 Sprachen übersetzt wurde und mit Julia Roberts in der Hauptrolle verfilmt wird. Bei BvT erschienen außerdem *Elchgeflüster* (2009) und *Der Hummerkrieg* (2009). Im August 2010 erscheint ihr Buch *Der letzte amerikanische Mann* bei BvT. Elizabeth Gilbert lebt in einer Kleinstadt in New Jersey.

Elizabeth Gilbert

EAT, PRAY, LOVE

oder

*Eine Frau auf der Suche nach allem quer durch
Italien, Indien und Indonesien*

Aus dem Amerikanischen
von Maria Mill

Berliner Taschenbuch Verlag

Anmerkung der Übersetzerin: Zur Wiedergabe indischer und
balinesischer Begriffe wurde die von der Autorin gewählte
anglisierte Transkriptionsweise verwendet.

August 2007
21. Auflage August 2010
BvT Berliner Taschenbuch Verlags GmbH, Berlin
Die Originalausgabe erschien 2006 unter dem Titel
Eat, Pray, Love
bei Viking, New York
© 2006 Elizabeth Gilbert
Für die deutsche Ausgabe
© 2006 Berlin Verlag GmbH, Berlin
Bloomsbury Berlin
Umschlaggestaltung: Rothfos & Gabler, Hamburg,
unter Verwendung des Designs der
englischen Ausgabe von © Katie Tooke
Druck und Bindung: Clays Ltd, St Ives plc
Printed in Great Britain
ISBN 978-3-8333-0473-6

www.berlinverlage.de

Für Susan Bowen –

die auch aus zwölftausend Meilen Entfernung
eine Zuflucht für mich war

Sag die Wahrheit, sag die Wahrheit, sag die Wahrheit.*
SHERYL LOUISE MOLLER

* Außer man versucht, auf Bali dringende Immobilientransaktionen zum Abschluss zu bringen, wie sie im dritten Buch beschrieben werden.

Einleitung

oder
Wie dieses Buch funktioniert
oder
Die hundertneunte Perle

Wenn man durch Indien reist – und vor allem, wenn man heilige Stätten und Ashrams besucht –, sieht man eine Menge Leute mit Perlen um den Hals. Man sieht auch viele alte Fotos von nackten, dünnen und einschüchternden (oder mitunter auch molligen, freundlichen und strahlenden) Yogis, die ebenfalls Perlenketten tragen. Diese Ketten heißen *japa malas*. In Indien benutzt man sie seit Jahrhunderten, weil sie frommen Hindus und Buddhisten helfen, sich bei der Meditation besser zu konzentrieren. Die Kette wird in der Hand gehalten und wandert in einer Kreisbewegung durch die Finger – für jede Wiederholung des Mantras wird eine Perle berührt. Als die Kreuzfahrer in ihre heiligen Kriege gen Orient zogen, sahen sie unterwegs immer wieder Gläubige, die mit diesen *japa malas* beteten, bewunderten die Technik und brachten die Idee als Rosenkranz mit nach Europa zurück.

Die traditionelle *japa mala* besteht aus hundertacht Perlen. In den esoterischeren unter den östlichen Philosophenzirkeln gilt die Zahl Hundertacht als äußerst glückverheißend, da sie ein dreistelliges Vielfaches der Zahl Drei darstellt und ihre Quersumme neun beträgt. Die Zahl Neun wiede-

9

rum ergibt sich aus der Addition dreier Dreien. Und natürlich ist Drei die Zahl, die für absolute Ausgeglichenheit steht, wie jeder, der jemals die heilige Dreifaltigkeit oder einen Barhocker studiert hat, sofort erkennt. Und da dieses Buch von meiner persönlichen Suche nach innerem Gleichgewicht handelt, habe ich beschlossen, es wie eine *japa mala* zu strukturieren und in hundertacht Geschichten oder Perlen aufzuteilen. Diese Kette von hundertacht Geschichten ist in drei Abschnitte untergliedert: einen über Italien, einen über Indien und einen über Indonesien – jene drei Länder, die ich während meines Jahres der Selbsterforschung besucht habe. Diese Gliederung bewirkt, dass jeder Abschnitt sechsunddreißig Geschichten enthält, was mich wiederum persönlich anspricht, da ich all das in meinem sechsunddreißigsten Lebensjahr niederschreibe.

Doch ich will Sie nicht mit Zahlenmystik langweilen. Die Vorstellung, diese Geschichten der Struktur einer *japa mala* gemäß aufzureihen, gefällt mir auch deshalb so gut, weil sie so …, nun ja, strukturiert ist. Die aufrichtige Wahrheitssuche ist kein wildes Gerangel, nicht einmal in unserem Zeitalter des wilden Rangelns. Als Suchende wie als Schriftstellerin finde ich es hilfreich, mich so weit wie möglich an die Perlen zu halten, um mich umso besser auf das konzentrieren zu können, was ich zu erreichen versuche.

Jede *japa mala* hat noch eine Extraperle – die hundertneunte –, die wie ein Anhänger an jenem ausbalancierten Rund von hundertacht Perlen herabbaumelt. Ich habe mir diese hundertneunte immer als eine Art Ersatzperle vorgestellt, wie der Extraknopf an einem teuren Hemd oder der jüngste Sohn einer Königsfamilie. Anscheinend aber dient sie einem noch höheren Zweck. Wenn nämlich unsere Finger beim Beten diese Perle erreichen, sollen wir unsere Versenkung unterbrechen und unseren Lehrern danken. Also halte ich, noch ehe ich überhaupt anfange, bei meiner hundertneunten Perle inne. Ich danke allen meinen Lehrern, die mir während meines Jahres der Selbsterforschung in so vielen eigenartigen Gestalten erschienen sind.

Ganz besonders aber danke ich meinem Guru, meiner Meisterin, die der Inbegriff des Mitgefühls ist und mir während meines Aufenthalts in Indien so großzügig erlaubte, in ihrem Ashram zu studieren. An dieser Stelle möchte ich auch klarstellen, dass ich über meine Erfahrungen in Indien von einem rein persönlichen Standpunkt aus berichte und weder als Theologin noch als irgendjemandes offizielle Sprecherin. Daher werde ich weder den Namen meiner Meisterin nennen, noch den Namen oder Standort ihres Ashrams verraten. Dadurch erspare ich dieser wunderbaren Einrichtung unnötige Publizität, mit der fertig zu werden sie überfordern würde. Als letzten Ausdruck meiner Dankbarkeit habe ich mich entschlossen, die Namen all der Suchenden – ob Inder oder Westler –, die mir in diesem indischen Ashram begegneten, zu ändern. Dies geschieht aus Respekt vor der Tatsache, dass sich die meisten Leute nicht auf eine spirituelle Pilgerfahrt begeben, um später als Figuren in einem Buch aufzutauchen. (Es sei denn natürlich, es handelt sich dabei um *mich*.) Nur eine Ausnahme habe ich mir gestattet. Richard aus Texas heißt tatsächlich Richard und kommt auch aus Texas. Ich nenne ihn bei seinem wirklichen Namen, weil er in Indien so wichtig für mich war.

Als ich Richard fragte, ob es ihm recht sei, wenn ich in meinem Buch erwähne, dass er einmal Junkie und Alkoholiker war, sagte er, das gehe völlig in Ordnung.

»Hab mir sowieso schon überlegt«, meinte er, »wie ich es den Leuten am besten sage.«

Aber zunächst – Italien …

ERSTES BUCH

ITALIEN

oder
»Sprich, wie du isst«
oder
*Sechsunddreißig Geschichten über das Streben
nach Genuss*

1

Ich wollte, Giovanni würde mich küssen!

Ach, aber es gibt so viele Gründe, warum das eine ganz schlechte Idee wäre. Zunächst einmal ist Giovanni zehn Jahre jünger als ich und wohnt – wie die meisten unverheirateten Italiener in seinem Alter – noch immer bei seiner Mutter. Schon allein das macht ihn zu einem unwahrscheinlichen Liebespartner für mich, Amerikanerin, Freiberuflerin, Mittdreißigerin, die gerade eine gescheiterte Ehe und eine verheerende, langwierige Scheidung hinter sich hat, direkt gefolgt von einer leidenschaftlichen Affäre, die in unerträglichem Kummer endete. Nach all den Verlusten fühle ich mich traurig und zerbrechlich und als wäre ich siebentausend Jahre alt. Schon aus Prinzip würde ich dem netten, unverdorbenen Giovanni mein jämmerliches, völlig fertiges altes Ich nicht aufdrängen. Ganz zu schweigen davon, dass ich endlich in dem Alter bin, in dem eine Frau sich zu fragen beginnt, ob es wirklich so klug ist, sich über den Verlust eines schönen braunäugigen Burschen hinwegzutrösten, indem man sich prompt den nächsten ins Bett holt. Deswegen bin ich nun schon seit vielen Monaten allein. Ja, deswegen habe ich beschlossen, dieses ganze Jahr sexuell enthaltsam zu leben.

Der clevere Beobachter mag an dieser Stelle fragen: »Und warum bist du dann nach Italien gegangen?«

Darauf kann ich – vor allem wenn ich den mir am Tisch gegenübersitzenden schönen Giovanni betrachte – lediglich antworten: »Eine sehr gute Frage.«

Giovanni ist mein Tandem-Austausch-Partner. Das klingt

doppeldeutig, ist es aber leider nicht. Es heißt lediglich, dass wir ein paar Abende die Woche hier in Rom damit verbringen, die Sprache des anderen zu üben. Wir reden zuerst italienisch, und er ist geduldig mit mir; dann reden wir englisch, und ich bin geduldig mit ihm. Entdeckt habe ich Giovanni einige Wochen nach meiner Ankunft in Rom – dank dieses großen Internetcafés an der Piazza Barberini gegenüber dem Brunnen mit der Skulptur von diesem sexy Wassermann, der in sein Tritonenhorn bläst. Er (das heißt Giovanni, nicht der Wassermann) hatte einen Zettel ans schwarze Brett geheftet, auf dem zu lesen stand, dass ein *native speaker* des Italienischen einen englischen Muttersprachler zwecks englisch-italienischer Konversation suche. Direkt neben seiner Anfrage hing ein weiterer Zettel mit der gleichen Bitte, die Wort für Wort und in allen Details bis zur Drucktype mit der seinen identisch war. Der einzige Unterschied bestand in der Kontaktadresse. Auf dem einen Blatt war die E-Mail-Adresse eines gewissen Giovanni angegeben, auf dem anderen die eines Menschen namens Dario. Aber sogar die private Telefonnummer war dieselbe.

Ich verließ mich auf meine Intuition und schrieb gleichzeitig beiden eine E-Mail, in der ich mich auf Italienisch erkundigte: »Seid ihr vielleicht Brüder?«

Darauf schrieb Giovanni sehr *provocativo* zurück: »Noch besser: Zwillinge!«

Ja, viel besser. Große, dunkle und attraktive eineiige Zwillinge, wie sich herausstellte, fünfundzwanzig Jahre alt, mit großen braunen, feucht schimmernden italienischen Augen, die mich um den Verstand bringen. Nachdem ich den Jungs persönlich begegnet war, begann ich mich zu fragen, ob ich meinen Vorsatz, in diesem Jahr enthaltsam zu bleiben, nicht vielleicht ein wenig modifizieren sollte. Vielleicht konnte ich ja völlig enthaltsam leben, mit der einzigen Ausnahme, dass ich mir zwei stattliche fünfundzwanzigjährige italienische Zwillingsbrüder als Liebhaber genehmigte. Was mich ein wenig an eine Freundin erinnerte, die sich rein vegetarisch ernährt, aber bei Speck eine Ausnahme macht ... Im Geiste verfasste ich schon einen Brief an *Penthouse*:

Im flackernden Kerzenschein des römischen Cafés war es unmöglich zu sagen, wessen Hände mich gerade streich...

Aber nein.

Nein und nochmals nein.

Mitten im Wort brach ich meine Fantasie ab. Für mich war jetzt nicht der Moment, nach Liebe Ausschau zu halten und so (wie der Tag auf die Nacht folgt) mein ohnehin schon verfahrenes Leben noch weiter zu verkomplizieren. Für mich war jetzt die Zeit, nach der Heilung und dem Frieden zu suchen, den man nur in der Einsamkeit findet.

Inzwischen, Mitte November, sind der schüchterne, fleißige Giovanni und ich gute Freunde geworden. Dario – dem lässigeren Bruder, der eher mal auf den Putz haut – habe ich meine bezaubernde kleine schwedische Freundin Sofie vorgestellt, und wie die beiden ihre römischen Abende miteinander verbringen, das ist ein Tandem-Austausch ganz anderer Art. Aber Giovanni und ich, wir reden nur. Na ja, wir essen und wir reden. Wir essen und reden jetzt schon seit mehreren netten Wochen, teilen uns Pizzas und beglücken uns mit sanften Grammatikkorrekturen, und der heutige Abend war keine Ausnahme. Ein schöner Abend mit neuen Redewendungen und frischem Mozzarella.

Nun ist es Mitternacht und neblig, und Giovanni begleitet mich durch die römischen Gassen, die organisch – wie sich Wasserläufe um dunkle Zypressenhaine schlängeln – um uralte Gebäude mäandern. Jetzt sind wir vor meiner Tür angelangt. Wir stehen uns gegenüber. Er umarmt mich herzlich. Schon besser; in den ersten paar Wochen wollte er mir nur die Hand schütteln. Wenn ich noch weitere drei Jahre in Italien bliebe, denke ich mir, brächte er eines Tages noch den Mumm auf, mich zu küssen. Andererseits könnte er mich auch einfach jetzt gleich, heute Nacht, direkt hier vor meiner Tür küssen ... Es ist immer noch möglich ... Ich meine, schließlich stehen wir ja immer noch aneinander geschmiegt im Mondschein ... Und natürlich wäre es ein *schrecklicher* Fehler ... Aber es wäre so schön ... Und es besteht ja immer noch die wunderbare Möglichkeit, dass er es tatsächlich jetzt gleich tut ... Vielleicht beugt er sich ja zu mir herunter ... und ... und ...

Nein.

Er löst sich aus der Umarmung.

»Gute Nacht, meine liebe Liz«, sagt er.

»*Buona sera, caro mio*«, erwidere ich.

Ganz allein erklimme ich die Stufen zu meiner Wohnung im vierten Stock. Ganz allein schließe ich die Tür zu meiner winzig kleinen Einzimmerwohnung auf. Ziehe die Tür hinter mir zu. Wieder einmal gehe ich in Rom früh zu Bett. Wieder einmal liegt eine lange geruhsame Nacht vor mir und nichts im Bett außer einem Stapel italienischer Sprachführer und Wörterbücher.

Ich bin allein, total allein, mutterseelenallein.

Als mir das klar wird, lasse ich meine Tasche los, sinke auf die Knie, drücke meine Stirn auf den Boden und richte ein inbrünstiges Dankgebet ans Universum.

Erst auf Englisch.

Dann auf Italienisch.

Und dann – um mein Anliegen auch wirklich rüberzubringen – auf Sanskrit.

2

Und da ich mich nun schon in Bittstellung am Boden befinde, lassen Sie mich kurz in dieser Position verharren, während ich drei Jahre zurückgehe, bis zu dem Augenblick, als diese ganze Geschichte begann – einem Augenblick, in dem Sie mich in exakt der gleichen Haltung angetroffen hätten: auf den Knien, auf dem Fußboden, betend.

Alles andere an der drei Jahre zurückliegenden Szene war jedoch anders. Damals befand ich mich nicht in Rom, sondern im Bad des großen Hauses in einem Vorort von New York, das mein Mann und ich kurz zuvor gekauft hatten. Es war ein kalter Novembermorgen gegen drei Uhr früh. Mein Mann lag schlafend in unserem Bett. Ich versteckte mich wohl die siebenundvierzigste Nacht in Folge im Bad und schluchzte – wie all die Nächte zuvor. Ja, ich schluchzte so sehr, dass sich ein großer See aus Tränen und Rotz vor mir auf den Badezimmerfliesen ausbreitete, ein veritabler Bodensee all meiner Scham, Angst, Verwirrung und Trauer.

Ich will nicht mehr verheiratet sein.

Sosehr ich sie auch zu ignorieren versuchte, die Wahrheit drängte sich mir immer wieder auf.

Ich will nicht mehr verheiratet sein. Ich will nicht in diesem großen Haus leben. Ich will keine Kinder kriegen.

Aber genau das sollte ich mir wünschen. Ich war einunddreißig Jahre alt. Mein Mann und ich – die wir schon acht Jahre zusammen und seit sechs Jahren verheiratet waren – hatten unser ganzes Leben um die gemeinsame Erwartung herum aufgebaut, dass ich, wenn ich nach Überschreiten des hohen Alters von dreißig zu vertrotteln begänne, auch den Wunsch hegen würde, sesshaft zu werden und Kinder zu kriegen. Dann, so sahen wir gemeinsam voraus, würde ich das Reisen endlich satt haben und froh sein, in einem großen geschäftigen Haushalt voller Kinder und selbst genähter Quilts zu leben, mit Garten hinterm Haus und köchelndem Eintopf auf dem Herd. (Die Tatsache, dass dies ein ziemlich zutreffendes Porträt meiner eigenen Mutter war, ist vielleicht ein Indiz dafür, wie schwer es mir damals fiel, zwischen mir und der mächtigen Frau, die mich aufgezogen hatte, zu unterscheiden.) Doch da ich entsetzliche Angst hatte, es herauszufinden, wünschte ich mir nichts von alledem. Stattdessen hing der immer näher rückende dreißigste Geburtstag wie ein Damoklesschwert über mir, und ich merkte, dass ich wirklich nicht schwanger werden wollte. Ich wartete darauf, mir endlich ein Baby zu wünschen, aber es geschah einfach nicht. Und ich weiß, wie es ist, wenn man sich etwas wünscht – das dürfen Sie mir glauben. Ich weiß genau, wie sich ein echter Wunsch anfühlt. Aber es gab keinen. Und zudem musste ich ständig daran denken, was meine Schwester mir einmal gesagt hatte, als sie ihren Erstgeborenen stillte: »Ein Kind zu kriegen ist ungefähr so, als ließe man sich im Gesicht tätowieren. Man muss sich wirklich sicher sein, dass man es will.«

Aber wie konnte ich jetzt noch einen Rückzieher machen? Alles war bereit. In diesem Jahr sollte es passieren. Ja, wir versuchten sogar schon seit einigen Monaten, schwanger zu werden. Doch nichts war geschehen (abgesehen von der Tatsache, dass ich – einer Schwangerschaft geradezu hohnsprechend – unter psychosomatisch bedingter Morgenübelkeit litt und mich täglich vor dem Frühstück erbrach). Und jeden Monat, wenn ich meine Periode kriegte, ertappte ich mich dabei, wie ich heimlich im Bad vor mich hin flüsterte: *Danke, danke, danke, danke, dass du mich noch einen Monat leben lässt* …

Alle Frauen – beschloss ich – mussten sich so fühlen, wenn sie versuchten, schwanger zu werden. Ich redete mir ein, dass meine Gefühle völlig normal waren, trotz aller Beweise des Gegenteils – wie mir etwa die Bekannte vor Augen führte, die ich zufällig traf und die gerade erfahren hatte, dass sie, zum ersten Mal seit zwei Jahren und nachdem sie ein Vermögen für Fruchtbarkeitsbehandlungen ausgegeben hatte, schwanger war. Sie war völlig ekstatisch. Sie habe, erzählte sie mir, schon seit einer Ewigkeit Mutter werden wollen. Und sie gestand, dass sie insgeheim schon seit Jahren Babykleidung kaufte und sie unter ihrem Bett versteckte, damit ihr Mann sie nicht fände. Ich sah die Freude in ihren Augen und erkannte sie wieder. Das war genau die Freude, die ein Jahr zuvor aus meinen Augen geleuchtet hatte, als ich erfuhr, dass die Zeitschrift, für die ich damals arbeitete, mich beauftragen wollte, nach Neuseeland zu reisen, um einen Artikel über die Suche nach Riesentintenfischen zu schreiben. Und ich dachte mir: Solange ich beim Gedanken an ein Baby nicht genauso verzückt bin wie bei der Vorstellung, nach Neuseeland zu fliegen, um einen Riesentintenfisch zu suchen, solange kann ich kein Kind kriegen.

Ich will nicht mehr verheiratet sein.

Am helllichten Tag wies ich diese Vorstellung zurück, nachts aber verzehrte sie mich. Was für eine Katastrophe! Was für eine geradezu verbrecherisch dumme Kuh war ich, mich so weit in eine Ehe hineinzubegeben, nur um mich dann davonzumachen? Wir hatten dieses Haus doch erst vor einem Jahr gekauft! Hatte ich mir dieses schöne Haus nicht gewünscht? Hatte es mir nicht gefallen? Warum also irrte ich nun Nacht für Nacht und heulend wie Medea durch seine Korridore? War ich nicht stolz auf all das, was wir angehäuft hatten – das prestigeträchtige Heim im Hudson Valley, die Wohnung in Manhattan, die acht Telefonanschlüsse, die Freunde und die Picknicks und die Partys, die Wochenenden, die wir damit verbrachten, durch irgendwelche schachtelförmigen Supermärkte unserer Wahl zu streifen und immer mehr Geräte auf Kredit zu kaufen? Ich hatte mich jeden einzelnen Augenblick aktiv am Aufbau unseres gemeinsamen Lebens beteiligt – warum also hatte ich das Gefühl, dass nichts davon mit mir zu tun hatte? Warum fühlte ich mich so überwältigt von Pflichten, hatte ich es so satt, Brotverdienerin und Putzfrau, Organisatorin von Geselligkeit und Gassi-Geherin, Ehefrau und bald auch noch Mutter zu sein und – irgendwann in meinen gestohlenen Momenten – Schriftstellerin …?

Ich will nicht mehr verheiratet sein.

Mein Mann schlief nebenan in unserem Bett. Ich liebte ihn und konnte ihn nicht ausstehen – beides gleichermaßen. Ich konnte ihn nicht wecken, um ihm meine Verzweiflung zu schildern – welchen Sinn hätte es gehabt? Er sah meinem Niedergang ja nun schon seit Monaten zu, sah, dass ich mich aufführte wie eine Wahnsinnige (auf diese Bezeichnung hatten wir uns geeinigt), und ich erschöpfte ihn nur. Wir wussten beide, dass mit mir *etwas nicht stimmte*, und allmählich verlor er die Geduld. Wir hatten gestritten und geweint und waren so müde, wie nur ein Paar, dessen Ehe den Bach runtergeht, müde sein kann. Wir hatten die Augen von Flüchtlingen.

Die vielen Gründe, warum ich nicht mehr die Frau dieses Mannes sein wollte, sind zu persönlich und zu traurig, als dass ich sie hier schildern wollte. Vieles hatte damit zu tun, dass ich mich im Laufe der Jahre emotional gewandelt hatte, aber ein Gutteil unserer Probleme hing auch mit ihm zusammen. Das ist nur natürlich; eine Ehe besteht schließlich immer aus zweien – zwei Stimmen, zwei Meinungen, zwei gegensätzlichen Entscheidungen, Wünschen. Aber ich glaube nicht, dass es mir zusteht, diese Fragen in meinem Buch zu erörtern; noch würde ich jemanden bitten, mir zu glauben, dass ich in der Lage wäre, eine unparteiische Version unserer Geschichte wiederzugeben, und folglich bleibt die Geschichte des Scheiterns unserer Ehe hier unerzählt. Auch all die Gründe, warum ich seine Frau bleiben wollte oder warum ich ihn liebte und warum ich ihn geheiratet hatte und warum ich mir ein Leben ohne ihn nicht vorstellen konnte, beziehungsweise all das, was so wunderbar an ihm war, will ich hier nicht erörtern. Ich werde keins dieser Kapitel aufschlagen. Möge es genügen zu sagen, dass er in dieser Nacht noch immer in gleichem Maße mein Leuchtturm und mein Albatros war. Das Einzige, was mir noch undenkbarer erschien als zu gehen, war, zu bleiben; und das Einzige, was noch unmöglicher war als zu bleiben, war, zu gehen. Ich wollte niemanden und nichts zerstören. Ich wollte nur leise durch die Hintertür hinausschleichen, ohne Aufhebens oder irgendwelche Folgen zu provozieren, und dann nicht mehr aufhören zu laufen, bis ich in Grönland war.

Dieser Teil meiner Geschichte ist nicht glücklich, ich weiß. Aber ich erzähle davon, weil auf diesem Badezimmerfußboden etwas geschah, das mein Leben für immer verändern sollte – fast so wie bei einem dieser verrückten astronomischen Ereignisse, bei denen beispielsweise völlig grundlos ein Planet im Weltraum sich wendet, der flüssige Kern verrutscht, die Pole sich neu ausrichten und die Form sich so radikal verändert, dass die ganze Planetenmasse auf einmal elliptisch ist statt rund. So in etwa.

Das Ereignis bei mir war, dass ich anfing zu beten.

Sie wissen schon – zu Gott und so weiter.

3

Also, das war eine Premiere für mich. Und da ich hier jenes schwer befrachtete Wort »Gott« in mein Buch einführe, und es ein Wort ist, das auf all diesen Seiten noch häufig auftauchen wird, scheint es mir nur recht und billig, hier einen Moment zu verweilen und genau zu erklären, was ich meine, wenn ich es verwende, einfach damit die Leute sofort wissen, wie viel Anstoß sie daran zu nehmen haben.

Den Streit über Gottes Existenz würde ich allerdings gerne vertagen (nein – ich habe eine noch bessere Idee: schenken wir ihn uns doch komplett!) und als Erstes erklären, warum ich das Wort »Gott« verwende, wo ich doch genauso gut Jehova, Allah, Shiva, Brahma, Vishnu oder Zeus sagen könnte. Alternativ wäre auch noch das »Das« denkbar, wie Gott in den alten Sanskritschriften genannt wird und das der allumfassenden und unaussprechlichen Entität, die ich manchmal erfahren habe, wohl nahe käme. Aber dieses »Das« kommt mir zu unpersönlich vor – eher wie ein Ding als ein Wesen –, und ich zumindest kann zu einem *Das* nicht beten. Ich brauche einen Eigennamen, um eine persönliche Anwesenheit wirklich als solche zu spüren. Aus genau diesem Grund wende ich mich, wenn ich bete, nicht ans Universum, die große Leere, die Kraft, das höchste Wesen, das Ganze, den Schöpfer, das Licht, die höhere Macht, ja nicht einmal an die poetischste Manifestation des Namens Gottes, den »Wechsel der Finsternis«, der, glaube ich, den gnostischen Evangelien entnommen ist.

Ich habe nichts gegen all diese Bezeichnungen. Für mich haben sie alle denselben Stellenwert, weil sie gleichermaßen angemessene oder unangemessene Beschreibungen des Unbeschreiblichen sind. Dennoch brauchen wir einen zweckdienlichen Namen für dieses Unbeschreibliche, und »Gott«

ist der Name, der mir am sympathischsten ist und den ich daher verwende. Im Allgemeinen beziehe ich mich auf Gott als »Ihn« – ohne damit eine Aussage über das natürliche Geschlecht machen zu wollen, schon gar nicht sehe ich darin einen Revolutionsgrund. Natürlich habe ich auch nichts dagegen, wenn andere Leute Gott »Sie« nennen, und verstehe auch den Drang, aus dem heraus sie das tun. Noch einmal: Für mich sind das gleichwertige Begriffe, in gleicher Weise angemessen oder unangemessen – obwohl ich finde, dass die Großschreibung der beiden Pronomina eine nette Geste ist, ein Zeichen von Höflichkeit in Gegenwart des Göttlichen.

Kulturell betrachtet, bin ich Christin, nicht aber in theologischer Hinsicht. Geboren wurde ich als Protestantin. Und während ich den großen Lehrer des Friedens, der Jesus hieß, wirklich liebe und mir auch das Recht vorbehalte, mich in schwierigen Situationen zu fragen, was er an meiner Stelle wohl tun würde, kann ich jene unumstößliche Regel des Christentums, die besagt, dass Christus der *alleinige* Weg zu Gott sei, einfach nicht schlucken. Deshalb kann ich mich streng genommen nicht als Christin bezeichnen. Die meisten Christen, die ich kenne, akzeptieren meine diesbezüglichen Gefühle anstandslos und aufgeschlossen. Allerdings nehmen es die Christen, die ich kenne, auch nicht allzu streng. Diejenigen aber, die es streng nehmen (und ebenso denken), kann ich hier nur meines Bedauerns ob eventuell verletzter Gefühle versichern, und ich werde mich fortan aus ihren Angelegenheiten heraushalten.

Normalerweise haben mich die Mystiker aller Religionen fasziniert. Immer habe ich mit atemloser Erregung auf all jene reagiert, die sagen, dass Gott nicht in einer dogmatischen Schrift oder auf einem fernen Thron im Himmel wohnt, sondern uns wirklich ganz nahe ist – und noch viel näher, als wir es uns vorstellen können, ja, dass er direkt durch unsere Herzen atmet. Dankbar begrüße ich jeden, der je in die Mitte dieses Herzens vorgestoßen und dann wieder in die Welt zurückgekehrt ist, um uns Übrigen zu berichten, dass Gott *eine Erfahrung äußerster Liebe* ist. In allen Religionen der Erde hat es Heilige und Mystiker gegeben, die genau von dieser Erfahrung berichten. Leider sind viele von ihnen im Gefängnis gelandet oder wurden getötet. Trotzdem habe ich eine sehr hohe Meinung von ihnen.

Letztlich ist das, was ich über Gott glaube, ganz einfach. Nämlich ungefähr so: Ich hatte mal einen wirklich tollen Hund. Er stammte aus dem Tierheim und war eine Promenadenmischung aus vielleicht zehn verschiedenen Rassen, schien aber von allen nur die besten Eigenschaften geerbt zu haben. Er war braun. Wenn Leute mich fragten: »Was ist das für ein Hund?«, gab ich stets dieselbe Antwort: »Das ist ein brauner Hund.« Stellt nun jemand die Frage: »An welchen Gott glaubst du?«, ist meine Antwort genauso simpel: »Ich glaube an einen großen Gott.«

4

Natürlich hatte ich seit jener Nacht auf dem Badezimmerfußboden viel Zeit gehabt, meine Ansichten über das Göttliche zu formulieren. Mitten in jener Novemberkrise jedoch war mir nicht daran gelegen, meine Ansichten in theologische Begriffe zu fassen. Mich interessierte einzig und allein, mein Leben zu retten. Endlich wurde mir bewusst, dass ich offenbar einen Zustand hoffnungsloser und lebensbedrohlicher Verzweiflung erreicht hatte, und mir fiel ein, dass Menschen in einer solchen Verfassung zuweilen Gott um Hilfe bitten. Ich glaube, ich hatte es in irgendeinem Buch gelesen.

Was ich Gott zwischen meinen heftigen Schluchzern mitteilte, war ungefähr Folgendes: »Hallo, Gott. Wie geht es dir? Ich bin Liz. Ich freue mich, dich kennen zu lernen.«

Ja, richtig – ich unterhielt mich mit dem Schöpfer des Universums, als wäre er mir soeben auf einer Cocktailparty vorgestellt worden. Aber wir arbeiten eben mit dem, was uns vertraut ist, und das sind nun mal die üblichen Worte, die ich zu Beginn jeder neuen Bekanntschaft sage. Fast hätte ich gesagt: »Ich war immer ein großer Fan deines Werks …«, aber das konnte ich mir gerade noch verkneifen.

»Es tut mir Leid, dich so spät in der Nacht noch zu stören«, fuhr ich fort. »Aber ich stecke ganz arg in der Klemme. Und wenn ich es auch bedauere, dich noch nie direkt angesprochen zu haben, so hoffe ich doch, dass ich dir gegenüber stets dankbar war für all die Segnungen, die du mir bisher hast zuteil werden lassen.«

Als ich daran dachte, musste ich noch heftiger schluchzen. Gott wartete, bis ich fertig war. Ich riss mich so weit zusammen, dass ich fortfahren konnte: »Ich bin, wie du weißt, keine Expertin in Sachen Gebet. Aber könntest du mir bitte helfen? Ich brauche ganz dringend Hilfe. Ich weiß nicht, was ich tun soll. Ich brauche eine Antwort. Bitte sag mir, was ich tun soll. Bitte sag mir, was ich tun soll …«

Und so verengte sich das Gebet auf diese schlichte Bitte – *bitte sag mir, was ich tun soll* –, die ich unablässig wiederholte. Ich weiß nicht mehr, wie viele Male ich so drängte. Ich weiß nur, dass ich insistierte wie jemand, der um sein Leben bettelt. Und die Heulerei nahm kein Ende.

Bis sie – ganz plötzlich – aufhörte.

Ganz plötzlich merkte ich, dass ich nicht mehr weinte. Ich hatte tatsächlich mitten in einem Schluchzer aufgehört. Mein Elend war restlos aus mir herausgesaugt worden. Ich löste die Stirn vom Boden, setzte mich überrascht auf und fragte mich, ob ich jetzt das mächtige Wesen zu Gesicht bekäme, das meine Tränen getrocknet hatte. Aber da war niemand. Ich war einfach nur allein. Und doch nicht wirklich allein. Um mich herum war etwas, was ich nur als kleine Blase der Stille beschreiben kann – eine Stille, die etwas so Besonderes war, dass ich aus Angst, sie zu verscheuchen, nicht einmal ausatmen wollte. Ich war ganz ruhig. Ich weiß nicht, ob ich überhaupt schon einmal so ruhig gewesen bin.

Dann hörte ich eine Stimme. Bitte nicht erschrecken – es war weder eine alttestamentarische Charlton-Heston-Hollywood-Stimme noch eine, die mir sagte, ich müsse in meinem Hinterhof ein Baseballfeld anlegen. Es war nur meine eigene Stimme, die aus meinem tiefsten Innern sprach. Aber so hatte ich meine Stimme noch nie gehört. Es war meine Stimme, aber sie klang absolut weise, gelassen und sehr mitfühlend. So würde meine Stimme klingen, wenn ich in meinem ganzen Leben nichts als Liebe und Gewissheiten erfahren hätte. Wie soll ich die Wärme und Zärtlichkeit dieser Stimme beschreiben, da sie mir ja die Antwort gab, die meinen Glauben ans Göttliche für immer besiegeln sollte?

Die Stimme sagte: *Geh wieder ins Bett, Liz.*

Ich atmete aus.

Es war so unmittelbar einleuchtend, es war das Einzige, was ich tun konnte. Eine andere Antwort hätte ich nicht akzeptiert. Einer dröhnenden Stimme, die entweder von mir verlangte, *Du musst dich scheiden lassen!* oder *Du darfst dich nicht scheiden lassen!*, hätte ich nicht getraut. Weil das keine echte Weisheit ist. Echte Weisheit gibt in jedem Moment die einzig denkbare Antwort, und in jener Nacht war die Aufforderung zur Rückkehr ins Bett die einzig mögliche Antwort. *Geh wieder ins Bett*, sagte diese allwissende innere Stimme, weil du um drei Uhr früh an einem Dienstagmorgen im November nicht die endgültige Antwort wissen musst. *Geh wieder ins Bett*, weil ich dich liebe. *Geh wieder ins Bett*, weil das Einzige, was dir momentan Not tut, darin besteht, dich auszuruhen und gut auf dich aufzupassen, bis du die Antwort weißt. *Geh wieder ins Bett*, damit du, wenn der Sturm losbricht, stark genug bist, ihm die Stirn zu bieten. Und der Sturm kommt, meine Liebe. Schon bald. Aber nicht heute Nacht. Und deswegen: *Geh wieder ins Bett, Liz.*

Zwar besitzt diese Episode alle Kennzeichen des typischen christlichen Bekehrungserlebnisses – die dunkle Nacht der Seele, den Hilferuf, die antwortende Stimme, das Gefühl der Verwandlung. Aber ich würde nicht sagen, dass es eine religiöse *Bekehrung* für mich war, nicht in der üblichen Weise des Wiedergeboren- oder Gerettetwerdens. Vielmehr würde ich das, was in dieser Nacht geschah, als den Anfang eines religiösen *Gesprächs* bezeichnen. Die ersten Worte eines offenen und sondierenden Dialogs, der mich Gott zuletzt dann doch sehr nahe bringen sollte.

5

Hätte ich irgendwie ahnen können, dass alles – wie die Schauspielerin Lily Tomlin einmal gesagt hat – erst sehr viel schlimmer wird, ehe es schlimmer wird, dann weiß ich nicht, wie gut ich in jener Nacht geschlafen hätte. Aber sieben sehr schwierige Monate später verließ ich tatsächlich meinen Mann. Als ich mich endlich zu der Entscheidung durchrang, dachte ich, nun sei das Schlimmste vorüber. Was nur zeigt, wie wenig ich von Scheidung verstand.

In der Zeitschrift *The New Yorker* gab es einmal eine Karikatur. Zwei Frauen redeten miteinander, und die eine sagte zur anderen: »Falls du einen Menschen wirklich kennen lernen willst, musst du dich von ihm scheiden lassen.« Natürlich war meine Erfahrung eher das Gegenteil. Ich würde sagen, dass man sich scheiden lassen muss, wenn man den anderen wirklich *nicht mehr* kennen will. Denn so war es bei mir und meinem Mann. Ich glaube, wir erschraken beide über das Tempo, mit dem wir uns aus zwei Menschen, die einander am besten kannten, in zwei Fremde verwandelten, die einander nicht verstanden. Und diese Fremdheit beruhte auf der entsetzlichen Tatsache, dass wir beide etwas taten, was der andere nie für möglich gehalten hätte; nicht im Traum hätte er gedacht, dass ich ihn tatsächlich verlassen würde, und nicht im Entferntesten konnte ich ahnen, dass er mir das Fortgehen so schwer machen würde.

Als ich meinen Mann verließ, war ich davon überzeugt, dass wir unsere praktischen Angelegenheiten mit einem Taschenrechner, gesundem Menschenverstand und ein bisschen gutem Willen in wenigen Stunden lösen würden. Ich schlug vor, das Haus zu verkaufen und alle Vermögenswerte fifty-fifty zu teilen; dass wir anders vorgehen könnten, wäre mir nie in den Sinn gekommen. Er fand diesen Vorschlag nicht fair. Also erhöhte ich meine Offerte, schlug sogar diese etwas andere Art des Teilens vor: Wie wäre es, wenn er sämtliche Vermögenswerte übernähme und ich die gesamte Schuld? Aber nicht einmal dieses Angebot führte zu einer Einigung. Nun war ich wirklich ratlos. Wie soll man weiterverhandeln, wenn man schon alle Angebote auf den Tisch gelegt hat? Jetzt konnte ich nur noch auf seinen Gegenvorschlag warten. Da ich ihn verlassen hatte, verbot mir mein Schuldgefühl, zu glauben, dass mir auch nur ein Zehn-Cent-Stück meines in den letzten zehn Jahren verdienten Geldes zustand. Außerdem war es mir aufgrund meiner neu entdeckten Spiritualität ganz wichtig, dass wir nicht stritten.

Gegen den Rat aller, die sich um mich sorgten, weigerte ich mich lange Zeit sogar, einen Rechtsanwalt hinzuzuziehen, weil ich auch das als feindseligen Akt betrachtete. Ich wollte das alles ganz Gandhi-mäßig abhandeln. Ganz Nelson-Mandela-mäßig. Allerdings wusste ich damals nicht, dass sowohl Gandhi als auch Mandela *Rechtsanwälte* waren.

Monate vergingen. Ich hing in der Luft, wartete auf meine Erlösung, wollte wissen, wie die Bedingungen lauteten. Wir lebten getrennt (er war in unsere Wohnung in Manhattan gezogen), aber nichts war geklärt. Rechnungen stapelten sich, Karrieren gerieten ins Stocken, das Haus kam herunter, und das Schweigen meines Mannes wurde nur von gelegentlichen Mitteilungen unterbrochen, die mich daran erinnerten, was für eine verbrecherisch blöde Kuh ich doch war.

Und dann war da noch David.

All die Komplikationen und Traumata dieser hässlichen Scheidungsjahre wurden durch das Drama mit David – in dessen Arme ich mich während meines Abschieds aus der Ehe stürzte – noch vervielfacht. Habe ich gesagt, »ich stürzte mich«? Damit wollte ich sagen: Ich tauchte aus meiner Ehe auf und in Davids Arme hinein, genauso wie in einer Comiczeichnung ein Zirkusartist von einer hohen Plattform in eine winzige Tasse mit Wasser springt und restlos darin verschwindet. Ich klammerte mich an David, um meiner Ehe zu entkommen, als wäre er der letzte Hubschrauber, der Saigon verließ. Ich setzte all meine Hoffnungen auf Rettung und Glück auf ihn. Und, ja, ich liebte ihn. Aber wenn mir ein stärkeres Wort als »verzweifelt« einfiele, um zu beschreiben, wie ich ihn liebte, so würde ich es hier verwenden, und verzweifelte Liebe ist ja immer die anstrengendste Form von Liebe.

Nachdem ich meinen Mann verlassen hatte, zog ich sofort zu David. Er war beziehungsweise ist ein großartiger junger

Mann. Geboren in New York, Schauspieler und Schriftsteller, mit diesen braunen, feucht schimmernden italienischen Augen, die mich schon immer (hab ich das schon erwähnt?) um den Verstand gebracht haben. Gewitzt, unabhängig, Vegetarier, vulgär, spirituell und verführerisch. Ein rebellischer Dichter-Yogi aus Yonkers. Gottes eigener sexy Nachwuchs-Baseballspieler. Überlebensgroß. Größer als groß. Oder zumindest für mich. Als meine beste Freundin Susan mich das erste Mal über ihn reden hörte, sah sie meine geröteten Bäckchen und meinte: »Oh mein Gott, Süße, da hast du dir ja was eingebrockt.«

Ich lernte David kennen, weil er in einem Stück spielte, das auf Kurzgeschichten von mir basierte. Er spielte eine Figur, die ich erfunden hatte, was schon irgendwie aufschlussreich ist. Bei blinder Liebe ist es ja immer so, nicht wahr? Bei blinder Liebe erfinden wir immer die Charaktere unserer Partner und verlangen dann von ihnen, dass sie so sind, wie wir sie brauchen, und fühlen uns vernichtend geschlagen, wenn sie sich weigern, die Rolle zu spielen, die wir überhaupt erst für sie geschaffen haben.

Aber, oh, was hatten wir in diesen ersten Monaten für eine herrliche Zeit, als er noch mein romantischer Held und ich seine Traumfrau war! Es war Aufregung und Einklang, wie ich mir beides in meinen kühnsten Träumen nicht ausgemalt hätte. Wir erfanden unsere eigene Sprache. Wir machten Tagesausflüge und Kurzreisen. Wir erklommen so manche Gipfel und gingen so manchen Dingen auf den Grund, wir planten gemeinsame Reisen durch die ganze Welt. Wir hatten mehr Spaß dabei, an der Kfz-Zulassungsstelle in der Schlange zu stehen, als die meisten Paare in ihren Flitterwochen. Wir gaben uns denselben Spitznamen, damit uns nichts mehr trennte. Wir setzten uns gemeinsame Ziele, gaben uns Versprechen, taten Schwüre und kochten zusammen. Er las mir vor und er *wusch meine Wäsche*. (Als es das erste Mal passierte, rief ich Susan an, um ihr erstaunt von diesem Wunder zu berichten, als hätte ich soeben ein Kamel erblickt, das ein Münztelefon benutzt. Ich sagte: »Ein Mann hat gerade *meine Wäsche gewaschen*! Ja, sogar meine Feinwäsche mit der Hand gewaschen!« Und sie erwiderte: »Oh mein Gott, Süße, was hast du dir da eingebrockt!«)

Der erste Sommer von Liz und David sah aus wie eine Montage aller Hollywood-Liebesschnulzen, die Sie je gesehen haben, bis hin zum »Tollen in der Brandung« und dem »Hand-in-Hand-durch-goldene-Wiesen-in-den-Sonnenuntergang-Laufen«. Zu dieser Zeit glaubte ich immer noch, dass meine Scheidung problemlos über die Bühne gehen würde, obwohl ich meinen Mann den ganzen Sommer über mit Gesprächen verschonte, damit wir uns beide abregen konnten. Es war ja ohnehin leicht, inmitten solchen Glücks nicht an all die Verluste zu denken. Dann ging der Sommer (auch »Gnadenfrist« genannt) zu Ende.

Am 9. September 2001 traf ich mich zum letzten Mal, von Angesicht zu Angesicht, mit meinem Mann, da ich nicht ahnte, dass jedes weitere Treffen den vermittelnden Beistand von Anwälten erfordern würde. Wir aßen in einem Restaurant zu Abend. Ich versuchte, über unsere Trennung zu reden, aber wir stritten uns nur. Er ließ mich wissen, dass ich eine Lügnerin und Verräterin sei, dass er mich hasse und nie wieder mit mir sprechen werde. Zwei Tage später erwachte ich nach unruhigem Schlaf und musste erleben, wie zwei entführte Passagierflugzeuge in die zwei höchsten Gebäude meiner Stadt krachten und wie sich alles so Unbesiegbare, das einst beisammen gestanden hatte, jetzt in einen schwelenden Schutthaufen verwandelte. Ich rief meinen Mann an, um mich zu vergewissern, dass er sich in Sicherheit befand, und wir weinten gemeinsam über die Katastrophe, aber ich ging nicht zu ihm. In dieser Woche, als sich jeder in New York im Angesicht dieser Tragödie aller persönlichen Feindseligkeiten enthielt, kehrte ich dennoch nicht zu meinem Mann zurück. Da wurde uns beiden klar, dass es definitiv vorbei war.

Es ist keine besondere Übertreibung, wenn ich sage, dass ich in den folgenden vier Monaten nicht mehr schlief.

Ich hatte mich schon vorher am Boden geglaubt, jetzt aber krachte (im Einklang mit dem scheinbaren Zusammenbruch der ganzen Welt) mein gesamtes Leben zusammen. Mich schaudert, wenn ich daran denke, was ich David in diesen Monaten unseres Zusammenlebens gleich nach dem 11. September und nach der Trennung von meinem Mann zumutete. Man stelle sich seine Überraschung vor, als er entdecken musste, dass die glücklichste und selbstbewussteste Frau, die er jemals kennen gelernt hatte, in Wirklichkeit – wenn man sie allein antraf – ein finsterer Schlund abgrundtiefen Jammers war. Wieder einmal konnte ich nicht aufhören zu heulen. Was David mir auch zu geben, wie immer er mir zu helfen versuchte, nie war es genug. Und er bemühte sich wirklich. Bis er es schließlich aufgab, mich zu stützen, und sich stattdessen darauf besann, sich vor meiner Brunst in Sicherheit zu bringen. Und da begann er, sich zurückzuziehen, und ich, die andere Seite meines leidenschaftlichen romantischen Helden zu entdecken – den David, der einsam wie ein Schiffbrüchiger war, kühl bis ins Mark, und mehr persönlichen Freiraum benötigte als eine Herde Bisons.

Davids plötzlicher emotionaler Rückzug wäre wohl auch unter den günstigsten Umständen eine Katastrophe gewesen, da ich die liebevollste und liebeshungrigste Kreatur auf Erden bin (so etwas wie eine Kreuzung zwischen Golden Retriever und Klette). Ich war mutlos und abhängig und brauchte mehr Zuwendung als ein Arm voll zu früh geborener Drillinge. Sein Rückzug machte mich nur noch bedürftiger, und meine Bedürftigkeit ließ ihn noch mehr zurückweichen, bis er dann bald vor meinen schluchzenden Appellen in Deckung ging, Appellen wie *Wo willst du hin?* oder *Was passiert nur mit uns?*.

(Kleiner Tipp am Rande: Männer *lieben* so etwas.)

Tatsache ist: Ich war süchtig nach David geworden, und nun, da seine Aufmerksamkeit nachließ, litt ich unter den leicht vorhersehbaren Folgen. Abhängigkeit ist das Kennzeichen jeder Liebesgeschichte, die auf Vernarrtheit basiert. Das Ganze beginnt, wenn das Objekt unserer Anbetung uns eine berauschende halluzinogene Dosis einer Empfindung kosten lässt, die zu wünschen wir uns niemals einzugestehen wagten – einen Speedball aus stürmischer Liebe und heftiger Erregung. Bald schon beginnt man sich mit der gierigen Besessenheit eines Junkies nach dieser intensiven Aufmerksamkeit zu verzehren. Wird einem die Droge vorenthalten, fühlt man sich sofort krank, verrückt und leer (ganz zu schweigen vom Groll auf den Dealer, der diese Sucht zuallererst nährte, sich jetzt aber weigert, das gute Zeug herauszurücken). Im nächsten Stadium findet man sich dann dünn und zitternd in einer Ecke wieder und weiß nur, dass man seine Seele verkaufen oder seine Nachbarn ausrauben würde, nur um *es* noch ein einziges Mal zu haben. In der Zwischenzeit fühlt sich das Objekt unserer Anbetung von uns abgestoßen. Es sieht uns an, als hätte es uns noch nie gesehen, geschweige denn, leidenschaftlich geliebt. Und die Ironie dabei ist, dass man es ihm nicht einmal verdenken kann. Ich meine, sieh dich doch an! Du bist ein einziger Jammerlappen, erkennst dich selbst nicht wieder.

Und das war es dann. Man hat die Endstation der Vernarrtheit erreicht – die rest- und erbarmungslose Entwertung des Selbst.

Die Tatsache, dass ich heute ruhig darüber schreiben kann, ist ein schlagender Beweis für die heilende Kraft der Zeit, denn damals habe ich es nicht leicht verwunden. David zu verlieren, und das gleich nach dem Scheitern meiner Ehe und dem Terroranschlag auf meine Stadt während der Scheidung (eine Erfahrung, die mein Freund Brian mit »einem wirklich schlimmen Autounfall« verglich, »der sich zwei Jahre lang Tag für Tag wiederholt«) – das war einfach zu viel für mich.

Tagsüber hatten David und ich immer noch manchmal unseren Spaß und ergänzten uns blendend, nachts in seinem Bett aber wurde ich zur einzigen Überlebenden eines nuklearen Winters, da er sich sichtlich und jeden Tag mehr von mir zurückzog, als litte ich unter einer ansteckenden Krankheit. Ich begann die Abende zu fürchten wie einen Folterkeller. Dann lag ich neben dem schönen, unzugänglichen schlafenden David, steigerte mich in eine panische Einsamkeit und schmiedete detaillierte Selbstmordpläne. Alles tat mir weh. Ich fühlte mich wie eine primitive Maschine mit einer Sprungfeder, die unter weit stärkerer Spannung stand, als sie verkraften konnte, und im Begriff war, unter großer Gefahr für alle Umstehenden zu zerreißen. Meist fand mich David morgens in unruhigem Schlaf auf dem Fußboden neben seinem Bett, auf einem Haufen Handtücher und zusammengerollt wie ein Hund.

»Was ist denn nun schon wieder los?«, fragte er dann – noch einer, den ich verschlissen hatte.

Ich glaube, ich habe damals fast fünfzehn Kilo verloren.

6

Aber nicht alles war schlecht in diesen Jahren ...

Mir passierten auch, obzwar überschattet von alldem Kummer, ein paar wunderbare Dinge. Zunächst begann ich endlich, Italienisch zu lernen. Dann fand ich einen indischen Guru. Und schließlich lud mich ein indonesischer Medizinmann ein, für eine Weile bei ihm zu leben.

Aber immer der Reihe nach.

Zunächst einmal ging es schon leicht bergauf, als ich Anfang 2002 bei David auszog und mir zum ersten Mal in meinem Leben eine eigene Wohnung suchte. Zwar konnte ich sie mir nicht leisten, da ich noch immer das große Vororthaus abbezahlte, in dem keiner mehr wohnte und das mir mein Mann zu verkaufen verbot, und rackerte mich ab, damit mir meine Rechnungen und die meines Mannes und all die Rechtsanwalts- und Beratungshonorare nicht über den Kopf wuchsen ... Aber eine eigene Wohnung zu haben, war entscheidend für mein Überleben. Ich betrachtete sie geradezu als Sanatorium, als Genesungsheim für meine Wiederherstellung. Ich strich die Wände in den wärmsten Farben, die ich finden konnte, und kaufte mir jede Woche Blumen, so als würde ich mich selbst im Krankenhaus besuchen. Meine Schwester schenkte mir zum Einstand eine Wärmflasche (damit ich in meinem kalten Bett nicht so allein wäre), und jede Nacht schlief ich mit diesem Ding vor meiner Brust, als müsste ich eine Sportverletzung auskurieren.

David und ich hatten uns endgültig getrennt. Oder vielleicht auch nicht. Inzwischen kann ich mich kaum mehr erinnern, wie viele Male wir uns in diesen Monaten trennten und wieder zusammenkamen. Aber es zeichnete sich ein Muster ab: Ich trennte mich von David, gewann meine Kraft und Zuversicht zurück, und seine Leidenschaft entbrannte (aufgrund meiner Kraft und Zuversicht) aufs Neue. Respektvoll, nüchtern und voller Verständnis erörterten wir dann die Möglichkeit, »es noch einmal zu versuchen«, stets mit einem neuen vernünftigen Plan zur Minimierung unserer scheinbaren Unvereinbarkeiten. Weil es uns so wichtig war, es hinzukriegen. Weil es doch einfach nicht sein konnte, dass zwei Menschen so verliebt ineinander waren und dann nicht für immer glücklich wurden! Es musste doch funktionieren, oder? Wiedervereint und mit neuer Hoffnung verbrachten wir ein paar überglückliche Tage miteinander. Oder zuweilen gar Wochen. Aber schließlich zog sich David wieder von mir zurück und ich klammerte mich an ihn (oder aber ich klammerte mich an ihn und er zog sich zurück – wir kriegten nie heraus, wie das Ganze losging), und ich war wieder völlig zerstört. Und er war wieder weg.

Während der Zeiten jedoch, in denen wir getrennt waren, übte ich – so schwer es mir fiel –, allein zu leben. Und diese Erfahrung brachte einen inneren Wandel in Gang. Allmählich spürte ich, dass ich – auch wenn mein Leben noch immer einem Unfall am New Jersey Turnpike während des Urlaubsverkehrs glich – nahe daran war, ein souveränes Individuum zu werden. Wenn ich mich nicht gerade mit Selbstmordgedanken wegen meiner Scheidung oder meines Dramas mit David herumschlug, fühlte ich mich sogar irgendwie froh angesichts all der freien Momente und Freiräume, die sich auftaten und mir erlaubten, mir die radikal neue Frage zu stellen: »Was willst du eigentlich machen, Liz?«

Die meiste Zeit (die durch meinen Ausstieg aus der Ehe noch immer so belastet war) wagte ich nicht einmal, auf diese Frage zu antworten, freute mich nur heimlich, dass es sie gab. Und als ich schließlich zu antworten begann, war ich zunächst vorsichtig. Nur in kleinen Babyschrittchen erlaubte ich mir, meine Bedürfnisse zu äußern. Etwa so:

Ich will einen Yogakurs besuchen.

Ich möchte diese Party bald verlassen, damit ich nach Hause gehen und ein Buch lesen kann.

Ich will mir einen neuen Federkasten kaufen.

Und dann bekam ich auch immer wieder dieselbe komische Antwort:

Ich möchte Italienisch lernen.

Seit Jahren hatte ich mir gewünscht, Italienisch zu können – eine Sprache, die ich schöner finde als Rosen –, nie aber gelang es mir, das auch sachlich vor mir zu rechtfertigen. Warum paukte ich nicht Französisch oder Russisch, Sprachen, die ich schon vor Jahren gelernt hatte? Oder lernte Spanisch, um besser mit Millionen Lateinamerikanern kommunizieren zu können? Was wollte ich denn mit *Italienisch*? Schließlich zog ich ja nicht nach Italien. Praktischer wäre es, Akkordeon spielen zu lernen.

Aber warum musste es immer für alles praktische Gründe geben? All die Jahre war ich eine so eifrige kleine Soldatin gewesen – hatte geschuftet, produziert, nie einen Termin versäumt, mich um meine Lieben, mein Zahnfleisch und meinen Kontostand gekümmert, die Wahlen und so weiter. Soll es im Leben denn immer nur um Pflichterfüllung gehen? Brauchte ich in dieser düsteren, verlustreichen Zeit irgendeine andere Rechtfertigung fürs Italienischlernen als die, dass es das Einzige war, was mir momentan Vergnügen bereiten würde? Schließlich erklärte ich ja nicht plötzlich im Alter von zweiunddreißig Jahren: »Ich will Primaballerina der New York City Ballet Company werden.« Eine Sprache lernen, das ist etwas, was man wirklich schaffen kann. Also schrieb ich mich für einen Kurs in einem dieser Fortbildungsinstitute ein (anderweitig auch als *Abendschule für geschiedene Frauen* bekannt).

Aber ich liebte es. Jedes Wort war ein tschilpender Spatz,

ein Zauberkunststück, eine Trüffel für mich. Nach dem Kurs stiefelte ich durch den Regen nach Hause, ließ mir ein heißes Bad ein, lag im Schaum und las mir laut aus meinem italienischen Wörterbuch vor, lenkte mich ab von meinem Scheidungsstress und meinem Herzschmerz. Die Wörter ließen mich entzückt auflachen. Mein Handy begann ich *il mio telefonino* (»mein klitzekleines Telefon«) zu nennen. Ich entwickelte mich zu einem dieser nervigen Zeitgenossen, die ständig *Ciao!* sagen. Nur war ich besonders nervig, da ich stets erklärte, woher das Wort *Ciao* eigentlich kam. (Falls es Sie interessiert: Es ist die Verkürzung einer Wendung, die die mittelalterlichen Venezianer als galanten Gruß gebrauchten: *Sono il tuo schiavo!* Was so viel heißt wie: »Ich bin dein Sklave!«) Wenn ich diese Worte nur ausspreche, fühle ich mich schon sexy und glücklich. Ich solle mir deswegen aber keine Sorgen machen, meinte meine Scheidungsanwältin; sie habe eine Mandantin (koreanischer Herkunft) gehabt, die nach einer Scheidung ihren Namen italienisieren ließ, nur um sich wieder sexy und glücklich zu fühlen.

Vielleicht zog ich ja *doch* noch nach Italien ...

7

Die andere wichtige Sache, die sich in meinem Leben tat, war das neu entdeckte Abenteuer spiritueller Disziplin. Unterstützt und begünstigt durch die Begegnung mit einem leibhaftigen indischen Guru – eine Begegnung, für die ich David stets zu Dank verpflichtet sein werde. Mit meinem Guru war ich schon bekannt geworden, als ich David zum ersten Mal besuchte. Irgendwie verliebte ich mich in beide gleichzeitig. Ich marschierte in Davids Wohnung, sah auf seiner Kommode das Bild einer strahlend schönen Inderin stehen und fragte: »Wer ist das?«

»Das ist meine geistige Führerin«, erwiderte er.

Für einen kurzen Moment setzte mein Herz aus, stolperte dann voll über sich selbst und landete auf dem Bauch. Dann rappelte es sich wieder auf, atmete tief durch und verkündete: *Ich will eine geistige Führerin.* Und ich meine damit buchstäblich, dass es mein *Herz* war, das das gesagt hat, indem es durch meinen Mund sprach. Ich spürte diese merkwürdige Gespaltenheit in mir, mein Geist trat für einen Augenblick aus meinem Körper heraus, wirbelte herum, um erstaunt mein Herz anzusehen und stumm zu fragen: *Ist das wahr?*

Ja, erwiderte mein Herz. *Es ist wahr.*

Dann fragte mein Geist mein Herz ein wenig sarkastisch: *Seit wann?*

Aber ich kannte die Antwort schon – seit jener Nacht auf dem Badezimmerfußboden.

Mein Gott, wie sehr ich mir eine spirituelle Führerin wünschte! Sofort malte ich mir aus, wie es wohl wäre, eine zu haben. Ich stellte mir vor, dass diese strahlend schöne Inderin ein paar Abende pro Woche zu mir käme und wir zusammensitzen und Tee trinken und über das Göttliche sprechen würden, und sie gäbe mir Bücher zu lesen und würde mir erklären, was die seltsamen Gefühle zu bedeuten hatten, die ich während des Meditierens verspürte …

Diese Fantasien waren im Nu weggefegt, als David mir von dem internationalen Renommee dieser Frau erzählte, von ihren unzähligen Schülern – von denen viele sie noch nie in ihrem Leben von Angesicht zu Angesicht gesehen hatten. Aber, sagte er, jeden Dienstag träfen sich hier in New York die Anhänger der Meisterin, um gemeinsam zu meditieren und zu chanten. »Wenn du bei der Vorstellung, mit mehreren Hundert Leuten in einem Raum zu sitzen, die Gottes Namen auf Sanskrit chanten, nicht zu sehr ausflippst«, meinte David, »kannst du ja mal mitkommen.«

Ich begleitete ihn am darauf folgenden Dienstagabend. Weit entfernt davon, wegen dieser völlig normal wirkenden Leute, die da Gott singend lobpreisten, auszuflippen, spürte ich vielmehr, wie sich meine Seele im Gefolge dieses Chantens in die Höhe schwang. Als ich an diesem Abend nach Hause ging, war mir, als würde die Luft durch mich hindurchstreichen, als wäre ich ein sauberes Leintuch, das auf einer Wäscheleine flattert. Fortan ging ich jeden Dienstag zum Chanten. Dann meditierte ich allmorgendlich über das uralte Sanskritmantra, das die Meisterin all ihren Schülern aufgibt (das königliche *Om Namah Shivah*, was so viel heißt wie: »Ich ehre die Gottheit, die in mir wohnt«). Und als Nächstes fuhr ich zu den Ashrams, die sie im Norden des Bundesstaats New York betreibt. Dort hörte ich die Meisterin zum ersten Mal persönlich und bekam bei ihren Worten am ganzen Körper Gänsehaut, sogar im Gesicht. Und als ich hörte, dass sie auch einen Ashram in Indien besaß, wusste ich, dass ich da so schnell wie möglich hinmusste.

8

Zwischenzeitlich aber musste ich aus beruflichen Gründen nach Indonesien reisen.

Gerade als ich mir besonders Leid tat, weil ich pleite und einsam war und aus meinem Internierungslager für Scheidungsopfer nicht mehr herauskam, rief mich die Redakteurin eines Frauenmagazins an und fragte, ob sie mir den Flug nach Bali bezahlen könne, damit ich einen Artikel über Yogaurlaub schriebe. Im Gegenzug stellte ich ihr eine Reihe von Fragen, hauptsächlich von der Sorte: *Ist eine Bohne grün?* Oder: *Schafft es James Brown to get down?*

Als ich auf Bali ankam (eine sehr schöne Insel, um es kurz zu machen), fragte uns die Lehrerin, die das Yogazentrum leitete: »Da Sie nun alle hier sind … Möchte vielleicht einer von Ihnen einen balinesischen Medizinmann besuchen, der schon in neunter Generation praktiziert?« Eine Frage, auf die sich die Antwort erübrigte, so dass wir eines Abends geschlossen zu dessen Haus marschierten.

Der Medizinmann war, wie sich herausstellte, ein kleiner bräunlicher alter Knabe mit lustigen Äuglein und fast zahnlosem Mund, dessen in jeder Hinsicht verblüffende Ähnlichkeit mit der *Star-Wars*-Figur Yoda sich gar nicht genug betonen lässt. Er hieß Ketut Liyer. Er sprach ein konfuses und überaus unterhaltsames Englisch, doch für den Fall, dass er dennoch einmal ins Stocken geriet, war auch ein Übersetzer zugegen.

Unsere Yogalehrerin hatte uns schon vorher gesagt, dass jeder von uns dem Medizinmann eine Frage stellen oder ein Problem vorlegen dürfe und dieser versuchen würde, uns zu helfen. Ich hatte tagelang darüber gebrütet, was ich ihn fragen könnte. Meine ersten Einfälle waren ja so kläglich. *Können Sie bewirken, dass mein Mann der Scheidung zustimmt? Können Sie erreichen, dass David sich wieder sexuell von mir angezogen fühlt?* Und ich schämte mich – mit gutem Recht – dafür. Wer reist schließlich um die halbe Welt, um einen uralten Medizinmann in Indonesien zu bitten, bei irgendeinem *Beziehungsknatsch* zu vermitteln?

Und als der alte Mann mich dann persönlich fragte, was ich mir wirklich wünschte, fand ich andere, wahrere Worte.

»Ich wünsche mir eine anhaltende Gotteserfahrung«, sagte ich ihm. »Manchmal habe ich das Gefühl, ich verstünde die Göttlichkeit dieser Welt, aber dann verliere ich dieses Gefühl wieder, weil ich von meinen kleinlichen Wünschen und Ängsten abgelenkt werde. Ich möchte Gott beständig nahe sein. Aber ich will nicht ins Kloster gehen oder den weltlichen Freuden völlig entsagen. Ich glaube, ich will lernen, wie man in dieser Welt leben und ihre Freuden genießen kann, ohne Gott zu vernachlässigen.«

Ketut meinte, er könne meine Frage mit einem Bild beantworten. Er zeichnete mit ein paar groben Strichen eine Skizze und reichte sie mir. Es war eine androgyne Gestalt, aufrecht stehend und die Hände zum Gebet gefaltet. Allerdings hatte diese Figur vier Beine und keinen Kopf. Wo sich der Kopf hätte befinden müssen, war nur wildes Laubwerk aus Farnen und Blumen. Über dem Herzen sah man ein kleines lächelndes Gesicht.

»Damit Sie das Gleichgewicht finden, das Sie sich wünschen«, sprach Ketut aus dem Mund seines Übersetzers, »müssen Sie so werden. Sie müssen mit den Füßen so fest auf dem Boden stehen, als hätten Sie vier und nicht nur zwei Beine. Dann können Sie in der Welt bleiben. Aber Sie müssen aufhören, die Welt mit dem Kopf zu betrachten. Sie müssen sie mit dem Herzen sehen. Auf diese Weise werden Sie Gott erkennen.«

Dann fragte er mich, ob er meine Hand lesen dürfe. Ich reichte ihm meine Linke, und er fing an, mich zusammenzufügen wie ein dreiteiliges Puzzle.

»Sie sind eine Weltreisende«, begann er.

Diese Feststellung zeugte von wenig Hellsicht angesichts der Tatsache, dass ich mich in diesem Augenblick in Indonesien befand, aber ich hakte nicht nach …

»Sie haben mehr Glück als alle, die mir jemals begegnet sind. Sie werden lange leben, viele Freunde haben und zahlreiche Erfahrungen machen. Sie werden die ganze Welt sehen. Nur ein einziges Problem gibt es in Ihrem Leben. Sie machen sich zu viele Sorgen. Und immer reagieren Sie zu emotional, sind zu nervös. Wenn ich Ihnen verspreche, dass Sie fortan keinen Grund mehr haben werden, sich über irgendetwas Sorgen zu machen, glauben Sie mir dann?«

Nervös nickte ich, ohne ihm Glauben zu schenken.

»Beruflich machen Sie etwas Kreatives – vielleicht sind Sie Künstlerin – und werden gut dafür bezahlt. Für diese Arbeit wird man Sie immer gut bezahlen. Mit Geld gehen Sie großzügig um, vielleicht sogar zu großzügig. Auch hier gibt es wieder ein Problem. Einmal in Ihrem Leben werden Sie alles verlieren. Und ich glaube, das könnte schon bald sein.«

»Ich glaube, es wird in den nächsten sechs bis zehn Monaten sein«, sagte ich, da ich an meine Scheidung dachte.

Ketut nickte, als wolle er sagen: *Ja, das kommt ungefähr hin.* »Aber machen Sie sich keine Sorgen«, meinte er. »Nachdem Sie alles verloren haben, bekommen Sie alles wieder zurück. Es wird Ihnen gleich darauf wieder gut gehen. Sie werden zweimal verheiratet sein. Einmal kurz und einmal lang. Und Sie werden zwei Kinder haben …«

Ich wartete, dass er sagte, »eins kurz, das andere lang«, doch plötzlich schwieg er und blickte stirnrunzelnd auf meine Hand. »Merkwürdig …«, sagte er dann – was man weder von einem Wahrsager noch von seinem Zahnarzt hören möchte. Er bat mich, direkt unter die herabhängende Glühlampe zu treten, damit er besser sehen könne.

»Ich habe mich geirrt«, verkündete er. »Sie werden nur ein Kind bekommen. Erst spät, eine Tochter. Vielleicht. Falls Sie sich dafür entscheiden. Liegt an Ihnen. Aber keine zwei Kinder. Ich habe mich geirrt. Was ich für das erste Kind hielt, ist Ihr erster Mann.«

Ich hatte mich von dieser beiläufigen Bemerkung noch nicht ganz erholt, als der alte Mann mich anlächelte und meinte: »Und irgendwann, schon bald, werden Sie nach Bali zurückkehren. Sie müssen. Sie werden drei, vielleicht auch vier Monate bleiben. Und meine Freundin werden. Vielleicht werden Sie bei meiner Familie leben. Ich kann Englisch mit Ihnen üben. Ich hatte nie jemanden, mit dem ich hätte üben können. Ich glaube, Sie können gut mit Wörtern umgehen. Ich glaube, diese kreative Arbeit, die Sie machen, hat mit Wörtern zu tun, nicht wahr?«

»Ja«, erwiderte ich. »Ich bin Schriftstellerin. Ich schreibe Bücher!«

»Sie sind eine Schriftstellerin aus New York«, sagte er zustimmend, bekräftigend. »Also werden Sie nach Bali zurückkehren und hier leben und mich in der englischen Sprache unterrichten. Und ich werde Ihnen alles beibringen, was ich weiß.«

Dann stand er auf und rieb sich die Hände, als wolle er sagen: *Abgemacht.*

»Wenn Sie das ernst meinen«, sagte ich, »meine ich es auch ernst.«

Er strahlte mich zahnlos an und sagte: »*See you later, alligator.*«

9

Wenn ein in neunter Generation praktizierender balinesischer Medizinmann mir sagt, es sei mir bestimmt, ein zweites Mal nach Bali zu reisen und dort vier Monate bei ihm zu leben, dann bin ich der Meinung, dass ich jede denkbare Anstrengung unternehmen sollte, um das auch zu realisieren. Und so begann die Idee eines Reisejahres schließlich Gestalt anzunehmen. Irgendwie musste ich wieder nach Indonesien zurückkehren, und diesmal auf eigene Kosten. Das war offensichtlich. Obwohl ich mir angesichts meines chaotischen Lebens noch nicht so recht vorstellen konnte, wie. (Da war nicht nur eine Scheidung auszuhandeln, gab es nicht nur die Probleme mit David, ich hatte auch immer noch meinen Job bei der Zeitschrift, der mich davon abhielt, drei bis vier Monate am Stück zu verreisen.) Aber ich musste wieder hin. Nicht wahr? Schließlich hatte er es mir *vorhergesagt*! Das Problem bestand darin, dass ich auch nach Indien wollte, um den Ashram meiner Meisterin zu besuchen, und auch eine Reise nach Indien ist eine teure und zeitaufwändige Angelegenheit. Und um das Ganze noch komplizierter zu machen: Ich brannte schon eine Weile darauf, nach Italien zu gehen, in erster Linie, um mein Italienisch vor Ort zu praktizieren, aber auch, weil mich die Vorstellung reizte, einmal eine Zeit lang in einem Land zu leben, in dem man Vergnügen und Schönheit verehrt.

All diese Wünsche waren nicht leicht miteinander in Einklang zu bringen. Vor allem Italien und Indien nicht. Was war wichtiger? Der Teil von mir, der *vongole* in Venedig essen wollte? Oder aber der, der lange vor Sonnenaufgang in der asketischen Umgebung eines Ashrams erwachen wollte, um einen langen Tag der Meditation und des Gebets zu beginnen? Der große Sufi-Dichter und -Philosoph Rumi hat seinen Schülern einmal geraten, ihre drei größten Lebenswünsche niederzuschreiben. Falls ein Wunsch mit einem anderen kollidiere – warnte Rumi –, sei man für das Unglücklichsein prädestiniert. Es sei besser, man konzentriere sich nur auf eine Sache, lehrte er. Doch wie steht es mit den Vorzügen eines harmonischen Lebens, das zwischen zwei Extremen angesiedelt ist? Wie wäre es, wenn man sein Leben so expansiv leben könnte, dass scheinbar unvereinbare Gegensätze in einer einzigen, nichts ausschließenden Weltsicht zusammenfänden? Meine Wahrheit lag in genau dem, was ich dem Medizinmann auf Bali gesagt hatte: Ich wollte *beides* erfahren. Ich wollte weltlichen Genuss und göttliche Transzendenz – den doppelten Triumph eines menschlichen Lebens. Ich wollte, was die Griechen als *kalòs kai agathòs* bezeichneten, die einzigartige Balance von Gutem und Schönem. Während dieser letzten schweren Jahre hatte es mir an beidem gefehlt, weil sowohl Vergnügen als auch Hingabe einen stressfreien Raum erfordern, um zu gedeihen, und mein Leben von unaufhörlicher Angst beherrscht war. Wie man nun das Streben nach Genuss mit der Sehnsucht nach Hingabe in Einklang brachte …, nun ja, es war doch sicher möglich, den dafür nötigen Trick zu erlernen. Und nach meinem Kurzbesuch auf Bali schien mir, als könnte ich das möglicherweise von den Balinesen lernen. Vielleicht sogar vom Medizinmann selbst.

Vier Füße am Boden, ein Kopf voller Laubwerk, die Welt mit dem Herzen sehen …

Also hielt ich inne und versuchte, mich zu entscheiden – für Italien, Indien oder Indonesien. Doch schließlich musste ich mir eingestehen, dass ich in alle drei Länder nacheinander reisen wollte. Für jeweils vier Monate. Ein Jahr insgesamt. Natürlich war das schon ein etwas ehrgeizigeres Vorhaben als »Ich will mir einen neuen Federkasten kaufen«. Aber genau das wünschte ich mir. Und ich wusste auch, dass ich darüber schreiben wollte. Wobei es mir weniger darum ging, die Länder selbst zu erforschen; das hatten andere schon getan. Eher wollte ich jeweils eine Seite meiner selbst in einem Land erkunden, dessen Kultur sich traditionell besonders gut auf die betreffende Sache versteht. Ich wollte die Kunst des Genießens in Italien, die Kunst der Hingabe in Indien und die Kunst, beides miteinander zu verbinden, in Indonesien studieren. Erst später, als ich diesen Traum zuließ, bemerkte ich den glücklichen Zufall, dass all diese Länder mit dem Buchstaben »I« beginnen. Ein ziemlich günstiges Omen, so schien es mir, für eine Entdeckungsreise ins Ich.

Nun stellen Sie sich einmal vor, welche Gelegenheiten zu Hohn und Spott diese Idee meinen klugscheißerischen Freunden bot. Ich wollte also zu den drei »I«. Warum verbrachte ich dann das Jahr nicht im Iran, im Irak und auf Island? Meine Freundin Susan schlug vor, dass ich eine Non-Profit-Hilfsorganisation namens »Geschiedene ohne Grenzen« gründen sollte. Doch all diese Witzeleien waren rein akademisch, solange es mir gar nicht freistand, irgendwohin zu gehen. Denn die Scheidung kam – obwohl ich meine Ehe längst hinter mir gelassen hatte – immer noch nicht zustande. Ich hatte begonnen, juristischen Druck auf meinen Mann auszuüben, ließ anwaltliche Schreiben zustellen, ließ ihn vorladen und verfasste vernichtende Anklagen (die das Gesetz des Staates New York verlangt) über seine angebliche mentale Grausamkeit – Dokumente, die keinen Raum für Subtilitäten ließen, keine Möglichkeit etwa, zum Richter zu sagen: »Hey, hören Sie mal zu, es war wirklich eine komplizierte Beziehung, auch ich habe gewaltige Fehler gemacht, und es tut mir sehr Leid, aber ich will ja nur, dass man mich gehen lässt.«

(Hier halte ich inne, um ein Gebet für Sie, meine geneigte Leserin, zu sprechen: Mögen Sie nie, nie in die Lage geraten, sich in New York scheiden lassen zu müssen.)

Im Frühjahr 2003 erreichte die Sache dann den Siedepunkt. Eineinhalb Jahre, nachdem ich gegangen war, ließ mich mein Mann endlich wissen, was er als Abfindung verlangte. Nämlich: das Haus, die New Yorker Wohnung, das Geld – alles, was ich ihm von vornherein angeboten hatte. Aber er forderte auch noch Unterhalt, einen Anteil an meinen zukünftigen Einnahmen, meinen zukünftigen Tantiemen. Und da musste ich dann schließlich *Nein* sagen. Unsere Rechtsanwälte begaben sich in wochenlange Verhandlungen, und am Ende lag eine Art Kompromiss auf dem Tisch, und es sah aus, als würde mein Mann diesen abgewandelten Deal akzeptieren. Ich würde teuer dafür bezahlen, aber eine Auseinandersetzung vor Gericht würde noch unendlich viel teurer und zeitraubender werden, von ihrer nervenzerrüttenden Wirkung ganz zu schweigen. Falls mein Mann die Vereinbarung unterschrieb, musste ich nur noch zahlen und konnte gehen. Was mir zu diesem Zeitpunkt nur recht war. Da unsere Beziehung völlig ruiniert und sogar die Höflichkeit den Bach runtergegangen war, wollte ich dem Ganzen ohnehin nur noch den Rücken kehren.

Die Frage war: Würde er unterschreiben? Weitere Wochen vergingen, es wurde weiter um Details gefeilscht. Wenn er dieser Regelung nicht zustimmte, würden wir vor Gericht ziehen müssen. Das hieße, dass jede Menge Geld für die Prozesskosten und Anwaltshonorare draufgehen würde. Und am allerschlimmsten: Ein Prozess würde den ganzen Schlamassel um mindestens ein Jahr verlängern. Was immer also mein Mann (und das *war* er ja noch) entschied, würde weitere zwölf Monate meines Lebens bestimmen. Würde ich durch Italien, Indien und Indonesien reisen und ein Buch über die Balance von Genuss und Hingabe schreiben? Oder würde man mich im Untergeschoss irgendeines Gerichtsgebäudes ins Kreuzverhör nehmen, während ich unter Eid meine Aussage machte?

Tag für Tag rief ich etwa vierzehnmal meine Rechtsanwältin an – gab es etwas Neues? –, und Tag für Tag versicherte sie mir, dass sie ihr Bestes tue, dass sie mich, sobald die Einigung unterzeichnet sei, sofort anrufen werde. Die Nervosität, die ich damals empfand, lag irgendwo zwischen der mädchenhaften Aufgeregtheit, die einen beim Warten vor dem

Büro des Schuldirektors quält, und der Spannung, mit der man die Ergebnisse einer Biopsie erwartet. Liebend gern würde ich berichten, dass ich ruhig blieb, doch dem war nicht so. Nächtelang drosch ich in unzähligen Wutanfällen mit einem Softballschläger meine Couch zu Klump. Die meiste Zeit aber war ich nur furchtbar deprimiert.

Inzwischen hatten David und ich wieder einmal Schluss gemacht. Und diesmal, wie es aussah, für immer. Oder vielleicht auch nicht – wir konnten immer noch nicht ganz voneinander lassen. Oft überkam mich auch jetzt noch der Wunsch, für die Liebe zu diesem Mann alles zu opfern. Dann wieder hatte ich den genau entgegengesetzten Wunsch: In der Hoffnung auf Frieden und Glück so viele Kontinente und Ozeane wie möglich zwischen mich und diesen Kerl zu legen.

Ich hatte jetzt Falten im Gesicht, Einkerbungen zwischen den Augenbrauen – sichtbare Folgen all der Tränen und Sorgen.

Und mitten in alledem kam ein Werk, das ich einige Jahre zuvor geschrieben hatte, als Taschenbuch heraus, und ich musste eine kleine Publicity-Tour absolvieren. Ich nahm meine Freundin Iva mit, damit sie mir Gesellschaft leistete. Iva ist so alt wie ich, aber in Beirut aufgewachsen. Während ich an einer Mittelschule in Connecticut Sport trieb oder Musicals einstudierte, kauerte sie fünf Nächte von sieben in einem Bunker und versuchte, dem Tod von der Schippe zu springen. Ich weiß nicht, warum so frühe Begegnungen mit Gewalt eine so beeindruckende psychische Stabilität bewirken können, aber Iva ist einer der gelassensten Menschen, die ich kenne. Außerdem besitzt sie etwas, das ich als »Geheimnummer des Universums« bezeichne, eine Art rund um die Uhr funktionierenden speziellen Draht zum Göttlichen.

Wir fuhren also durch Kansas, ich befand mich aufgrund

des Scheidungsdilemmas in meinem Normalzustand verschwitzter Aufgelöstheit – *unterschreibt er, unterschreibt er nicht?* – und sagte zu Iva: »Ich glaube nicht, dass ich noch ein Jahr vor Gericht durchstehen kann. Hier würde ich mir wirklich mal eine göttliche Intervention wünschen. Ich wünschte, ich könnte eine Petition verfassen und Gott darum bitten, dass das endlich aufhört.«

»Und warum tust du's dann nicht?«

Ich legte Iva meine persönlichen Ansichten über das Beten dar. Nämlich dass es mir unangenehm sei, Gott um konkrete Dinge zu bitten, weil mir das als Glaubensschwäche erscheine. Ich frage nicht gerne: »Könntest du dies oder jenes, das mir schwer fällt, für mich ändern?« Denn – wer weiß? – Gott könnte ja aus irgendeinem Grund wollen, dass ich mich dieser Herausforderung stelle. Es fällt mir leichter, um den Mut zu bitten, alles, was mir im Leben widerfährt, mit Gleichmut zu ertragen, egal, wie sich die Dinge entwickeln.

Iva hörte mir höflich zu, dann fragte sie: »Wo hast du denn diesen Quatsch aufgeschnappt?«

»Was meinst du damit?«

»Woher hast du die Vorstellung, dass du vom Universum nichts erbitten darfst? Du bist Teil dieses Universums, Liz. Du gehörst dazu – und du hast jedes Recht, dich einzubringen und deine Gefühle kundzutun. Also bring dich ein. Sag, was du zu sagen hast. Glaub mir – man wird deine Ansichten oder Argumente zumindest in Betracht ziehen.«

»Tatsächlich?« Das war mir alles neu.

»Wirklich! Hör zu – wenn du jetzt eine Bittschrift an Gott verfassen würdest, was müsste drinstehen?«

Ich überlegte eine Weile, kramte dann ein Heft hervor und schrieb folgende Petition:

Lieber Gott,

bitte greif ein und hilf mir, diese Scheidung durchzuziehen. Mein Mann und ich sind schon an unserer Ehe gescheitert, und jetzt scheitern wir vielleicht auch an der Scheidung. Dieser unselige Prozess bereitet uns und allen, die uns nahe stehen, nur Kummer.

Mir ist klar, dass du mit Kriegen und Tragödien und viel schwereren Konflikten beschäftigt bist als dem Endlos-Disput eines gestörten Ehepaars. Aber ich bin einfach überzeugt, dass der Zustand des Planeten durch die Gesundheit jedes einzelnen Individuums beeinflusst wird. Solange auch nur zwei Seelen im Streit miteinander liegen, wird die ganze Welt davon vergiftet. Ähnlich steigert es das Allgemeinbefinden der gesamten Welt, wenn nur ein oder zwei Seelen von Zwietracht frei sind, so wie ein paar wenige gesunde Zellen in einem Organismus den Allgemeinzustand des ganzen Körpers verbessern.

Deshalb habe ich die ganz bescheidene Bitte: Hilf uns, diesen Konflikt zu beenden, damit zwei Menschen die Chance haben, wieder frei und gesund zu werden, und dadurch ein bisschen weniger Feindseligkeit und Bitterkeit auf der Welt herrscht, die ohnehin schon von viel zu viel Leid geplagt wird.

Ich danke dir für deine freundliche Aufmerksamkeit.

Hochachtungsvoll

Elizabeth M. Gilbert

Ich las es Iva vor, und sie nickte zustimmend.

»Ich würde das unterschreiben«, sagte sie.

Sofort reichte ich ihr die Bittschrift und einen Stift, aber sie war zu sehr mit dem Steuern des Wagens beschäftigt und meinte: »Nein, sagen wir, dass ich es *soeben unterschrieben habe*. Ich hab es in meinem Herzen unterschrieben.«

»Danke, Iva. Ich weiß deine Unterstützung zu schätzen.«

»Nun, wer würde wohl noch unterschreiben?«, fragte sie.

»Meine Familie. Meine Mutter und mein Vater. Meine Schwester.«

»Okay«, sagte sie. »Schon passiert. Ihre Namen stehen unter meinem. Ich hab richtig gespürt, wie sie unterschrieben haben. Sie stehen jetzt auf der Liste. Okay. Wer würde sonst noch unterschreiben? Nenn mir mal ein paar Namen.«

Also zählte ich all die Leute auf, von denen ich glaubte, dass sie die Petition unterzeichnen würden. Ich nannte meine engen Freunde, dann einige Angehörige und einige Arbeitskollegen. Nach jedem Namen meinte Iva voller Zuversicht: »Jawohl. Er hat eben unterschrieben« oder: »Sie hat gerade ihren Namen druntergesetzt.« Manchmal platzte sie mit ihren eigenen Unterzeichnern dazwischen, etwa so: »Auch meine Eltern haben gerade unterschrieben. Sie haben ihre Kinder im Krieg aufgezogen. Sie hassen sinnlose Konflikte. Sie wären froh, wenn deine Scheidung endlich über die Bühne ginge.«

Ich schloss die Augen und wartete darauf, dass mir weitere Namen einfielen.

»Ich glaube, Bill und Hilary Clinton haben gerade unterzeichnet«, sagte ich.

»Worauf du dich verlassen kannst«, meinte sie. »Hör mal, Liz – jeder kann diese Bittschrift unterschreiben. Verstehst du mich? Hau jeden an, ob lebendig oder tot, fang an, Unterschriften zu sammeln.«

»Der heilige Franz von Assisi hat unterschrieben!«

»Na klar!« Iva schlug affirmativ gegen das Lenkrad.

Und jetzt kam ich in Fahrt: »Abraham Lincoln hat soeben unterschrieben! Und Gandhi und Mandela und all die Friedensstifter. Eleanor Roosevelt, Mutter Teresa, Bono, Jimmy Carter, Muhammad Ali, Jackie Robinson und der Dalai-

Lama ... und meine Großmutter, die 1984 gestorben ist, und meine Großmutter, die noch lebt, ... und mein Italienischlehrer und meine Therapeutin und mein Agent ... und Martin Luther King und Katherine Hepburn ... und Martin Scorsese (von dem man es nicht unbedingt erwarten würde, trotzdem ist es nett von ihm) ... und meine Meisterin selbstverständlich ... und Joanne Woodward und Johanna von Orléans und mein ehemaliger Klassenlehrer und Jim Henson ...«

Die Namen flossen mir nur so über die Lippen. Fast eine Stunde lang ging es so weiter, während wir durch Kansas fuhren und die Unterschriftenliste meiner Petition immer länger wurde. Iva fuhr fort, mich zu bestärken – *jawohl, er hat unterschrieben, ja, sie auch* –, und allmählich erfüllte mich das großartige Gefühl, beschützt zu sein, umgeben vom kollektiven guten Willen so vieler mächtiger Geister.

Schließlich erschöpfte sich die Liste und gleichzeitig auch meine Angst. Ich fühlte mich schläfrig. »Mach ein Nickerchen«, sagte Iva. »Ich fahre.« Ich schloss die Augen. Noch ein letzter Name tauchte auf. »Michael J. Fox hat unterschrieben«, murmelte ich und döste langsam ein.

Ich weiß nicht, wie lange ich schlief, vielleicht nur zehn Minuten, aber es war ein tiefer Schlaf. Als ich erwachte, fuhr Iva immer noch. Sie summte ein Liedchen vor sich hin. Ich gähnte.

Mein Handy klingelte.

Ich blickte auf das verrückte *telefonino*, das da im Aschenbecher des Mietwagens vor lauter Aufgeregtheit vibrierte. Ich war verwirrt, irgendwie »high« von meinem Nickerchen und wusste auf einmal nicht mehr, wie ein Telefon funktioniert.

»Geh ran«, sagte Iva, die schon Bescheid wusste. »Antworte!«

Ich griff nach dem Handy, flüsterte: »Hallo.«

»Gute Nachrichten!«, verkündete meine Anwältin aus dem fernen New York. »Gerade hat er unterschrieben!«

10

Wenige Wochen später lebe ich schon in Italien.

Ich habe meinen Job gekündigt, die Abfindung und die Anwaltsrechnungen bezahlt, mein Haus aufgegeben und meine Wohnung, alles, was mir an Habseligkeiten geblieben ist, bei meiner Schwester deponiert und zwei Koffer gepackt. Mein Reisejahr hat begonnen. Und ich kann es mir wirklich *leisten*, weil ein Wunder geschehen ist: Mein Verleger hat das Buch, das ich über meine Reisen schreiben werde, schon im Voraus gekauft. Mit anderen Worten, alles hat sich genau so entwickelt, wie es der indonesische Medizinmann vorausgesagt hatte. Ich würde mein ganzes Geld verlieren, es aber sofort wieder ersetzt bekommen.

Und so bin ich jetzt eine Einwohnerin Roms. Die Wohnung, die ich gefunden habe, ist ein ruhiges Einzimmerappartement in einem historischen Gebäude, nur wenige Schritte von der Spanischen Treppe entfernt, unterhalb der anmutigen Schatten der Borghese-Gärten und direkt an der Straße zur Piazza del Popolo. Natürlich besitzt diese Gegend nicht die Erhabenheit meines alten New Yorker Viertels, aber trotzdem …

Ich bin's zufrieden.

11

Meine erste Mahlzeit in Rom war nicht besonders üppig. Nur hausgemachte Nudeln (Spaghetti *alla carbonara*) mit einer Beilage aus sautiertem Spinat und Knoblauch. (Über die italienische Küche schrieb der große romantische Dichter Shelley einmal einen entsetzten Brief an einen Freund in England: »Junge Damen von Stand essen tatsächlich – du wirst es nie erraten – *Knoblauch*!«) Auch eine Artischocke aß ich, nur um sie zu kosten; die Römer sind furchtbar stolz auf ihre Artischocken. Und dann gab es noch eine überraschende Gratisbeilage: frittierte Zucchiniblüten mit einer weichen Käsefüllung (die Blüten waren so delikat zubereitet, dass sie wahrscheinlich nicht einmal bemerkt hatten, dass sie nicht mehr am Stängel saßen). Nach den Spaghetti probierte ich das Kalbfleisch. Oh, und ich trank auch eine Flasche vom roten Hauswein, ganz allein. Und aß warmes Brot mit Olivenöl. Und zum Nachtisch Tiramisu.

Als ich nach diesem Mahl gegen elf Uhr nach Hause ging, hörte ich aus einem der Gebäude in meiner Straße Lärm dringen, Geräusche, die nach einer Versammlung von Siebenjährigen klangen – eine Geburtstagsfeier vielleicht? Ich stieg die Treppe zu meiner Wohnung hinauf, legte mich in mein Bett und machte das Licht aus. Ich wartete auf die Tränen, die sorgenvollen Gedanken, die mich gewöhnlich im Dunkeln überkamen, aber ich fühlte mich prima. Fühlte so etwas wie die Anfangssymptome der Zufriedenheit.

Und mein müder Körper fragte meinen müden Geist: »Mehr hast du also nicht gebraucht?«

Die Antwort blieb mein Geist schuldig, denn ich schlief bereits tief und fest.

In den großen Städten der westlichen Welt ist vieles ähnlich. Die gleichen Afrikaner verkaufen überall Billigkopien derselben Designerhandtaschen und -sonnenbrillen, und die gleichen guatemaltekischen Musikanten spielen auf ihren Bambusflöten immerfort *I'd rather be a sparrow than a snail.* Aber manches gibt es nur in Rom. Beispielsweise den Mann am Sandwichstand, der mich jedes Mal, wenn wir miteinander sprechen, »Schöne« nennt. *Möchtest du dieses Panino gegrillt oder kalt, bella?*

Und dann die vielen Brunnen. Plinius der Ältere schrieb seinerzeit: »Wenn sich einmal jemand die großzügige öffentliche Wasserversorgung Roms vor Augen führt, ob für Bäder, Zisternen, Abwassergräben, Häuser, Gärten, Villen, und dann noch die weiten Entfernungen berücksichtigt, die das Wasser zurücklegt, die Bögen, die errichtet, die Berge, die durchbohrt, die Täler, die überspannt wurden – so wird er zugeben müssen, dass er auf der ganzen Welt niemals etwas Großartigeres gesehen hat.«

Zwei Jahrtausende später habe ich bereits einige Lieblingsbrunnen auserkoren. Einer befindet sich im Park der Villa Borghese. Die Mitte dieses Brunnens bildet eine ausgelassene, in Marmor gehauene Familie. Der *papa* ist ein Faun, die *mamma* ein Mensch. Sie haben ein kleines Kind, das sich eine Weintraube schmecken lässt. *Papa* und *mamma* nehmen eine merkwürdige Haltung ein – Aug in Auge packen sie einander bei den Handgelenken, wobei sich beide zurücklehnen. Schwer zu sagen, ob sie im Streit aneinander zerren oder fröhlich im Kreis tanzen, jedenfalls ist da eine Menge Energie im Spiel. Wie auch immer, Junior thront auf ihren Händen, genau zwischen ihnen und völlig unbeeindruckt von ihrer Heiterkeit oder ihrem Zwist, und mampft seine

Weintrauben. Seine kleinen gespaltenen Hufe baumeln herunter, während er isst. (Er kommt eher nach dem Vater.)

Es ist Anfang September 2003. Das Wetter ist warm und macht faul. An diesem, meinem vierten Tag in Rom habe ich meinen Fuß noch nicht über eine Kirchen- oder Museumsschwelle gesetzt, noch habe ich auch nur einen Blick in einen Reiseführer geworfen. Aber ich bin viel herumgelaufen und habe schließlich die klitzekleine Eisdiele gefunden, die nach Aussage eines freundlichen Busfahrers das beste Eis von ganz Rom verkauft. Sie heißt »Il Gelato di San Crispino«. Ich probierte eine Kombination aus Honig- und Haselnusseis. Später an diesem Tag ging ich noch einmal hin, um mir Grapefruit und Melone zu kaufen. Und am selben Abend nach dem Essen legte ich ein letztes Mal den ganzen Weg zurück, nur um eine Kugel von dem Zimt-Ingwer-Eis zu kosten.

Ich versuche, jeden Tag einen Zeitungsartikel zu lesen, egal, wie lange es dauert. Etwa jedes dritte Wort schlage ich in meinem Wörterbuch nach. Die Nachricht des heutigen Tages war wirklich umwerfend. Schwer, sich eine dramatischere Schlagzeile vorzustellen als: »*Obesità! I bambini italiani sono i più grassi d'Europa!*« Guter Gott! Fettleibigkeit! Die italienischen Kinder sind die dicksten in Europa! Beim Weiterlesen erfahre ich, dass italienische Kinder bedeutend dicker sind als deutsche und sehr viel fetter als französische. (Gott sei Dank wurde nicht erwähnt, wie sie gegenüber den amerikanischen Kindern abschneiden.) Dem Artikel zufolge sind heutzutage auch italienische Jugendliche fettleibig. (Die Pasta-Industrie verteidigte sich.) Diese alarmierende Statistik über Fettleibigkeit bei italienischen Kindern wurde gestern von *una task force internazionale* veröffentlicht. Ich brauchte fast eine Stunde, um den Artikel in seiner ganzen Länge zu entziffern. Ich weiß nicht, ob ich mich in der letzten Zeile des Artikels verlesen habe, aber offenbar hatte die

Regierung verlauten lassen, dass die einzige Möglichkeit, gegen diese Fettleibigkeit anzugehen, darin bestehe, den Übergewichtigen eine Steuer aufzuerlegen … War das möglich? Werden sie, wenn ich weiterhin so viel esse, hinter mir her sein?

Die tägliche Zeitungslektüre ist auch wichtig, wenn man wissen will, wie es dem Papst geht. Hier in Rom wird über das Befinden des Papstes, fast wie über das Wetter oder das Fernsehprogramm, täglich in der Zeitung berichtet. Heute ist der Papst müde. Gestern war der Papst nicht so müde wie heute. Morgen, so die Erwartung, wird der Papst nicht ganz so müde sein, wie er es heute war.

Für mich ist das hier so etwas wie ein Märchenland der Sprache. Gestern Morgen habe ich eine Buchhandlung entdeckt und hatte das Gefühl, einen verzauberten Palast zu betreten. Ich wanderte durch den Laden, berührte all die Bücher, hoffte, dass man mich für eine Muttersprachlerin hielt. Wie sehr ich mir wünsche, dass sich mir die italienische Sprache erschließt! Dieses Gefühl erinnert mich an die Zeit, als ich noch nicht lesen konnte, aber darauf brannte, es zu lernen. Ich weiß noch, wie ich mit meiner Mutter im Wartezimmer eines Arztes saß und die Zeitschrift *Good Housekeeping* vor mir hielt, langsam die Seiten umblätterte, auf den Text starrte und hoffte, dass die Erwachsenen im Wartezimmer dächten, ich würde tatsächlich lesen. Seit damals habe ich keinen so großen Verständnishunger mehr verspürt. Ich fand ein paar zweisprachige Ausgaben von Werken amerikanischer Dichter in dieser Buchhandlung und kaufte mir einen Band von Robert Lowell sowie einen von Louise Gluck.

Überall ergeben sich spontane Konversationskurse. Heute etwa saß ich auf einer Parkbank, als eine winzige alte Frau in einem schwarzen Kleid zu mir herüberkam, sich neben mich setzte und auf mich einredete. Verwirrt und stumm schüttelte ich den Kopf. Dann fragte sie etwas, und ich entschuldigte mich und erwiderte in sehr freundlichem Italienisch: »Es tut mir Leid, aber ich spreche kein Italienisch«, worauf sie mich ansah, als würde sie mich gleich mit dem Holzlöffel versohlen, falls sie einen zur Hand gehabt hätte. Sie beharrte: »Sie verstehen sehr wohl!« (Interessanterweise hatte sie Recht. Diesen Satz verstand ich in der Tat.) Nun wollte sie wissen, woher ich kam. Ich erzählte ihr, ich sei aus New York, und stellte ihr die gleiche Frage. Ah – sie sei aus Rom. Als ich das hörte, klatschte ich in die Hände wie ein Baby. »Ach, Rom! Das herrliche Rom! Ich liebe Rom! Das schöne Rom!« Sie lauschte meinen primitiven Rhapsodien mit Skepsis. Dann kam sie zum Wesentlichen und fragte, ob ich verheiratet sei. Ich erzählte ihr, ich sei geschieden. Es war das erste Mal, dass ich es überhaupt jemandem sagte, und da saß ich und sagte es auf Italienisch. Natürlich wollte sie wissen: »*Perché?*« Nun … Ich stotterte herum und sagte schließlich: »*L'abbiamo rotto.*« (Wir haben's versemmelt.)

Sie nickte, stand auf, ging zur Straße und zur Haltestelle, stieg in ihren Bus ein und wandte nicht einmal mehr den Kopf, um mir einen letzten Blick zu schenken. War sie sauer auf mich? Merkwürdigerweise wartete ich noch zwanzig Minuten auf dieser Parkbank und dachte gegen alle Vernunft, dass sie möglicherweise zurückkäme, um das Gespräch mit mir fortzusetzen, aber das tat sie nicht. Sie hieß Celeste.

An diesem Tag entdeckte ich auch eine Bibliothek. Ich liebe Bibliotheken. Die besagte Bibliothek befindet sich in einem herrlichen alten Bau mit einem als Garten angelegten Innenhof, den man – wenn man den Bau nur von der Straße aus betrachtet – nie darin vermuten würde. Der Garten ist ein vollkommenes Quadrat, mit Orangenbäumen bestanden und einem Brunnen in der Mitte. Dieser Brunnen ist jedoch nicht in majestätischen Marmor gehauen. Er ist klein, grün, bemoost, organisch und ähnelt einem Farnstrauch. (Tatsächlich sieht er genauso aus wie das wilde Laubwerk, das aus dem Kopf jener betenden Figur spross, die der indonesische Medizinmann für mich gezeichnet hatte.) Aus der Mitte dieses blühenden Strauchs schießt das Wasser in die Höhe und regnet dann wieder auf die Blätter herab, wobei es einen melancholischen, lieblichen Laut erzeugt, der durch den ganzen Hof hallt.

Ich fand einen Sitzplatz unter einem Orangenbaum und öffnete einen der Lyrikbände, die ich am Vortag gekauft hatte. Louise Gluck. Ich las das erste Gedicht auf Italienisch, dann auf Englisch und hielt bei folgender Zeile unvermittelt inne:

Dal centro della mia vita venne una grande fontana ...

»Aus der Mitte meines Lebens entsprang ein mächtiger Quell ...«

Ich legte das Buch in den Schoß und bebte vor Erleichterung.

13

Ich bin, ehrlich gesagt, nicht die beste Reisende der Welt.

Ich weiß das, weil ich viel gereist bin und Leute getroffen habe, die es wirklich großartig können. Echte Naturtalente. Ich habe Reisende getroffen, die körperlich so robust sind, dass sie eine Schuhschachtel voll Wasser aus einem Rinnstein Kalkuttas trinken können und trotzdem nicht krank werden. Leute, die es schaffen, neue Sprachen aufzuschnappen, wo wir anderen uns wahrscheinlich nur ansteckende Krankheiten einfangen. Menschen, die wissen, wie man einen streng dreinblickenden Grenzwächter ablenkt oder wie man einen unkooperativen Beamten an der Visa-Vergabestelle beschwatzt. Leute, die die richtige Größe und Hautfarbe haben, um, wo immer sie hinreisen, halbwegs der ortsüblichen Norm zu entsprechen: In der Türkei könnten sie Türken sein, in Mexiko sind sie plötzlich Mexikaner, in Spanien könnte man sie mit Basken verwechseln und in Nordafrika gehen sie als Araber durch …

Ich verfüge nicht über diese Eigenschaften. Zunächst einmal gehe ich nicht in der Menge unter. Groß, blond und rosig, wie ich bin, ähnele ich eher einem Flamingo als einem Chamäleon. Wo immer ich auch hinkomme – mit Ausnahme von Düsseldorf –, steche ich grell heraus. Als ich in China war, näherten sich mir die Frauen auf der Straße und zeigten mich ihren Kindern, als sei ich aus dem Zoo entlaufen. Und die Kinder – die noch nie ein menschliches Wesen gesehen hatten, das diesem rosahäutigen, gelbhaarigen Gespenst ähnelte – brachen bei meinem Anblick sogar häufig in Tränen aus. Das habe ich wirklich gehasst an China.

Da es mir nicht liegt (oder vielmehr zu mühsam ist), mich schon vor meiner Reise über ein Land zu informieren, tendiere ich dazu, einfach vor Ort aufzukreuzen und zu gucken, was passiert. Reist man nach dieser Methode, »passiert« in der Regel Folgendes: Man verschwendet unendlich viel Zeit damit, verwirrt auf Bahnhöfen herumzustehen, oder lässt – weil man es nicht besser weiß – viel zu viel Geld in überteuerten Hotels. Meinem schlechten Orientierungssinn verdanke ich es, dass ich in meinem bisherigen Leben sechs Kontinente bereist habe, ohne auch nur eine ungefähre Vorstellung gehabt zu haben, wo genau ich jeweils war. Aber nicht nur mein innerer Kompass ist völlig »abgedreht«, es mangelt mir auch an persönlicher Coolness, was auf Reisen zu einer Belastung werden kann. Nie habe ich es gelernt, jene Miene kompetenter Unauffälligkeit zur Schau zu tragen, die bei Reisen in gefährliche fremde Länder so nützlich ist. Sie wissen schon: dieses superentspannte Alles-unter-Kontrolle-Gesicht, mit dem man aussieht, als gehöre man – überall auf der Welt, egal wo, sogar unter Aufständischen in Jakarta – dazu. Oh nein! Wenn ich nicht weiß, was ich tun soll, sehe ich auch so aus. Bin ich aufgeregt und nervös, sieht man es mir an. Und weiß ich mal nicht mehr weiter, was häufig der Fall ist, so merkt man das auch. Von meinem Gesicht kann man jeden meiner Gedanken ablesen. Oder wie David es einmal ausdrückte: »Du hast das Gegenteil von einem Pokerface. Du hast ein … Minigolfgesicht.«

Und dann die Beschwerden, mit denen das Reisen meinem Verdauungstrakt zusetzt! Ich will mich mit dieser *schweren Kost* hier eigentlich gar nicht weiter befassen – mag es genügen zu sagen, dass ich jedes Extrem verdauungsbedingter Notfälle erlebt habe. Im Libanon bekam ich eines Nachts einen so heftigen Brechanfall, dass ich dachte, ich hätte mir eine nahöstliche Variante des Ebola-Virus zugezogen. In Ungarn war ich mit einem Darmleiden geschlagen, das mir zu einem völlig neuen Verständnis des Ausdrucks »Ostblock« verhalf. Doch ist dies nicht meine einzige körperliche Schwäche. An meinem ersten Reisetag in Afrika versagte mein Rücken. In Venezuela war ich das einzige Mitglied meiner Gruppe, das mit infizierten Spinnenbissen aus dem Dschungel zurückkehrte. Und wer – frage ich Sie – holt sich in *Stockholm* einen Sonnenbrand?

Gleichwohl und trotz alledem ist Reisen die große und wahre Liebe meines Lebens. Seit ich im Alter von sechzehn Jahren mit meinem beim Babysitten zusammengesparten Geld nach Russland reiste, war ich stets der Meinung, dass Reisen jeden Preis und jedes Opfer rechtfertigt. In meiner Liebe zum Reisen bin ich so treu und beständig, wie ich es in meinen anderen Lieben nicht immer war. Meine Gefühle fürs Reisen sind wie die einer glücklichen frischgebackenen Mutter für ihr von Koliken geplagtes, unruhiges, neugeborenes Kind – es ist mir einfach egal, was ich dabei durchstehen muss. Weil ich es so liebe. Weil es mir gehört. Weil es mir so ähnlich sieht. Es kann mich voll kotzen, wenn es möchte – es ist mir einfach egal.

Wie auch immer, selbst als Flamingo bin ich nicht völlig hilflos da draußen in der Welt. Ich habe meine Überlebenstechniken. Ich bin geduldig. Ich verstehe mich aufs Reisen mit leichtem Gepäck. Ich bin eine furchtlose Esserin. Mein vielleicht größtes Talent besteht jedoch darin, dass ich mich mit *jedem* anfreunden kann. Notfalls auch mit Toten. Einmal habe ich mich mit einem serbischen Kriegsverbrecher angefreundet, der mich zu seiner Familie in den Bergen einlud. Nicht, dass ich stolz darauf wäre, serbische Massenmörder zu meinem engsten Freundeskreis zu zählen (ich musste es wegen eines Zeitschriftenartikels tun und damit er mir nicht eine vor den Latz knallte), ich will damit nur sagen: Ich kann mich auch mit solchen Leuten unterhalten. Deswegen habe ich auch keine Angst, in die fernsten Orte der Welt zu reisen, nicht, wenn man dort Menschen treffen kann. Ehe ich nach Italien reiste, wurde ich gefragt: »Haben Sie Freunde in Italien?« Und ich schüttelte den Kopf und dachte: *Jetzt zwar noch nicht, aber bald.*

Potenzielle Freunde trifft man auf Reisen meist *en passant*, weil man etwa neben ihnen im Zug oder im Restaurant oder in der Gefängniszelle sitzt. Doch das sind Zufallsbegegnungen, und man sollte sich nie allein auf sein Glück verlassen. Um das Ganze systematischer anzugehen, kann man auch heute noch auf die althergebrachte Methode des »Empfehlungsschreibens« zurückgreifen (das heutzutage wahrscheinlich eher eine E-Mail ist), mit dem man ganz offiziell den Bekannten eines Bekannten vorgestellt wird. Falls Sie unverfroren genug sind, unaufgefordert bei wildfremden Leuten aufzukreuzen und sich selbst zum Abendessen einzuladen, ist ein solches Empfehlungsschreiben der beste Garant, Leute kennen zu lernen. Ehe ich also nach Italien reiste, fragte ich jeden, den ich kannte, ob er vielleicht Freunde in Rom habe, und gelangte auf diese Weise zu einer umfangreichen Liste italienischer Kontakte.

Unter all den aufgelisteten Freundschaftskandidaten fasziniert mich vor allem ein Bursche namens – halten Sie sich fest – Luca Spaghetti. Luca Spaghetti ist ein guter Freund meines Freundes Patrick McDevitt, den ich noch aus Collegetagen kenne. Und der heißt ganz ehrlich so, ich schwöre es, ich saug mir das nicht aus den Fingern.

Wie auch immer, ich habe vor, mich so schnell wie möglich mit Luca Spaghetti in Verbindung zu setzen.

I 4

Zunächst aber muss ich mich in der Schule anmelden. Heute beginnen meine Kurse am Spracheninstitut *Leonardo da Vinci*, wo ich fünf Tage die Woche und vier Stunden pro Tag Italienisch lernen werde. Ich freue mich sehr auf die Schule. Ich bin eine so hemmungslose *Schülerin*. Gestern Abend habe ich meine Kleider bereitgelegt, genau wie an meinem ersten Schultag die Lackschuhe und meine neue Lunchbox. Hoffentlich mag mich der Lehrer.

Am ersten Tag am *Leonardo da Vinci* müssen wir alle einen Einstufungstest schreiben. Als ich das höre, hoffe ich sofort, dass ich nicht in der Stufe eins lande, denn das wäre zu beschämend, nachdem ich an meiner Abendschule für geschiedene Frauen in New York schon ein ganzes, geschlagenes Semester Italienisch gelernt habe, den Sommer mit dem Auswendiglernen von Karteikärtchen verbracht habe, schon eine Woche in Rom bin und die Sprache bereits praktisch angewandt und sogar mit Großmüttern über Scheidung geplaudert habe. Tatsache ist, dass ich nicht einmal weiß, wie viele Stufen in dieser Schule unterrichtet werden, doch als ich das Wort »Stufe« höre, beschließe ich, dass ich mindestens Stufe zwei erreichen muss.

Also prasselt heute der Regen herunter, und ich bin zu früh in der Schule (wie zu Collegezeiten) und schreibe den Test. Er ist so schwer! Ich schaffe nicht einmal ein Zehntel! Ich kann so viel Italienisch, kenne *Dutzende* von Wörtern, aber sie fragen nicht nach denen, die ich kenne. Die mündliche Prüfung ist noch schlimmer. Da sitzt diese dünne Italienischlehrerin, die mich interviewt und meiner Meinung nach viel zu schnell redet, und ich sollte eigentlich viel besser sein, aber ich bin nervös und mache Fehler bei Sachen, die ich eigentlich weiß (warum habe ich etwa *vado a scuola* gesagt statt *sono andata a scuola*? Ich weiß es doch!).

Schließlich geht aber doch alles gut. Die dünne Lehrerin sieht sich meinen Test an und entscheidet:

Stufe zwei!

Der Unterricht beginnt am Nachmittag. Also gehe ich Mittag essen (gegrillte Endivienblätter), schlendere dann zur Schule zurück, spaziere selbstgefällig an all den Stufe-eins-Studenten vorbei (man muss schon *molto stupido* sein!) und stolziere in meine erste Unterrichtsstunde. Mit meinesgleichen. Nur, dass sich ziemlich schnell herausstellt, dass die nicht meinesgleichen sind und ich hier nichts verloren habe, weil Stufe zwei wirklich unglaublich *schwer* ist. Mir ist, als käme ich zwar mit, aber nur mit Mühe und Not. Als ob ich bei jedem Satz ins Keuchen geriete. Der Lehrer, ein dürrer

Kerl (warum sind die Lehrer so dünn hier? Ich traue mageren Italienern nicht), geht viel zu schnell vor, überspringt ganze Kapitel mit den Worten »Das kennt ihr schon, das wisst ihr schon ...« und unterhält sich im Schnellfeuertempo mit meinen offensichtlich fließend Italienisch sprechenden Klassenkameraden. Mein Magen krampft sich zusammen, ich schnappe nach Luft und bete darum, dass er mich nicht aufruft. Sobald wir Pause haben, verlasse ich auf wackligen Beinen das Klassenzimmer und haste fast in Tränen aufgelöst hinüber zum Sekretariat, wo ich in unmissverständlichem Englisch darum bitte, in einen Kurs der Stufe eins wechseln zu dürfen. Man erfüllt mir den Wunsch. Und jetzt bin ich hier.

Dieser Lehrer ist wohlbeleibt und redet langsam. Das ist viel besser.

15

Das Interessante an meinem Italienischkurs ist, dass eigentlich niemand gezwungen ist, hier zu sein. Zu zwölft studieren wir hier miteinander, Leute aus allen Altersgruppen, aus der ganzen Welt, und alle sind wir aus demselben Grund nach Rom gekommen – um Italienisch zu lernen, einfach weil wir Lust darauf haben. Keiner kann auch nur einen einzigen praktischen Grund für seine Anwesenheit anführen. Kein Boss hat von irgendjemandem hier verlangt: »Um unsere Auslandsgeschäfte zu führen, müssen Sie unbedingt Italienisch lernen.« Alle, sogar der verklemmte deutsche Ingenieur, teilen das Motiv, das ich für mein ganz persönliches hielt: Wir alle wollen Italienisch sprechen, weil wir uns so toll dabei fühlen. Eine Russin mit traurigen Augen erzählt uns, sie gönne sich Italienischstunden, weil »ich glaube, dass ich etwas Schönes verdient habe«. Der deutsche Ingenieur sagt: »Ich möchte Italienisch lernen, weil ich *la dolce vita* liebe.« (Nur klingt das mit seinem harten deutschen Akzent, als liebe er »la deutsche vita«, von dem er, wie ich fürchte, schon genug abgekriegt hat.)

Wie ich in den nächsten Monaten in Erfahrung bringe, gibt es tatsächlich einige gute Gründe, warum man Italienisch als verführerischste und schönste Sprache der Welt bezeichnen kann und warum ich mit dieser Meinung nicht allein dastehe. Um dies zu begreifen, muss man zunächst einmal wissen, dass Süd- und Westeuropa einst ein Pandämonium unzähliger lateinischer Dialekte waren, die sich allmählich, über die Jahrhunderte, zu mehreren unterschiedlichen Sprachen ausformten – unter anderen Französisch, Portugiesisch, Spanisch und Italienisch. In Frankreich, Portugal und Spanien vollzog sich dies als quasi organische und natürliche Evolution: Der Dialekt der bedeutendsten Stadt entwickelte sich allmählich zur Sprache der gesamten Region. Daher ist das, was wir heute Französisch nennen, eigentlich eine Fortsetzung des mittelalterlichen Pariserisch. Portugiesisch ist im Grunde Lissabonerisch. Und Spanisch im Wesentlichen Madrilenisch. Dies waren wirtschaftliche und politische Siege; die ökonomisch stärkste Stadt, die zugleich auch die Residenz des Königs war, bestimmte letztendlich die Sprache des ganzen Landes.

In Italien war das anders. Ein entscheidender Unterschied bestand darin, dass Italien während der längsten Zeit der europäischen Geschichte überhaupt kein geeintes Land war. Zusammenschluss und Einigung erfolgten erst relativ spät (1861); zuvor bestand die Halbinsel aus zahlreichen Kleinstaaten, die von stolzen örtlichen Fürsten oder anderen europäischen Mächten beherrscht wurden. Teile Italiens gehörten zu Frankreich, andere zu Spanien, wieder andere gehörten der Kirche und noch einmal andere jedem, dem es gelang, die örtliche Festung oder den Stadtpalast zu erobern. Das Volk fühlte sich durch all diese Herrschaften zuweilen gedemütigt, zuweilen setzte es sich unbekümmert über sie hinweg. Den meisten gefiel es zwar nicht besonders, von anderen Europäern beherrscht zu werden, doch letztlich nahmen sie es gleichmütig hin. So sagten etwa die Römer: »*Francia o Spagna, purchè se mangia*«, was so viel heißt wie: »Frankreich oder Spanien – Hauptsache, ich hab zu essen.«

Die politische Zersplitterung bewirkte, dass auch die Sprache lange Zeit sehr uneinheitlich blieb und die Menschen in ihren Dialekten sprachen und schrieben. Ein Wissenschaftler aus Florenz war nicht in der Lage, sich mit einem Dichter aus Sizilien oder einem Kaufmann aus Venedig auszutauschen (es sei denn auf Latein). Im sechzehnten Jahrhundert versammelten sich einige italienische Intellektuelle und befanden, dass dies ein unhaltbarer Zustand sei. Das Volk brauche eine *italienische* Sprache, wenigstens in geschriebener Form, die alle als offizielle Sprache der gesamten Halbinsel anerkennen konnten. So wählten diese Intellektuellen den schönsten aller Stadtdialekte und krönten ihn zur italienischen Sprache.

Den schönsten Dialekt Italiens fanden sie in Florenz. Als korrektes Italienisch sollte betrachtet werden, was im vierzehnten Jahrhundert die Sprache des großen Florentiner Dichters Dante Alighieri und seiner Dichterkollegen Petrarca und Boccaccio gewesen war. Als Dante 1321 seine *Göttliche Komödie* veröffentlichte, die eine visionäre Wanderung durch Hölle, Fegefeuer und Paradies schildert, schockierte er die literarische Welt, weil er sie nicht auf Latein verfasst hatte. Er empfand das Lateinische als eine korrumpierte, elitäre Sprache und meinte, seine Verwendung in ernster Prosa habe »die Literatur zur Hure gemacht«, weil sie das universelle Erzählen zu einem Privileg gemacht habe, das nur für Geld und im Falle adliger Abkunft zu haben sei. Dante zog es vor, in der Sprache des Volkes zu schreiben, seiner eigenen Sprache, der Mundart von Florenz.

Im von ihm so genannten *dolce stil novo*, dem »süßen neuen Stil« der Volkssprache, schrieb er seine frühen Gedichte, und mit der Abfassung der *Göttlichen Komödie* formte er schließlich diese Sprache und wirkte so persönlich auf sie ein wie Shakespeare auf das elisabethanische Englisch.

Das Italienisch, das wir heute sprechen, ist folglich weder römisch noch venezianisch (obwohl Rom kirchliches Machtzentrum und Venedig eine bedeutende Militär- und Handelsmacht war) noch auch wirklich rein florentinischer Dialekt. Es ist eine Sprache Dante'scher Prägung. Keine andere europäische Sprache kann auf eine so »edle« Herkunft verweisen. Und vielleicht war kein Idiom jemals so sehr dazu ausersehen, menschliche Empfindungen zum Ausdruck zu bringen, wie dieses von einem der größten Dichter der abendländischen Kultur veredelte Florentiner Italienisch des vierzehnten Jahrhunderts. Dante schrieb seine *Göttliche Komödie* in *terza rima* (Terzinen), einem Dreireimer oder Dreizeiler beziehungsweise einer Kette von Reimen, in der sich jeder Reim innerhalb von fünf Zeilen zweimal wiederholt, was seiner hübschen Florentiner Mundart das verleiht, was Gelehrte als »fallenden Rhythmus« bezeichnen – einen Rhythmus, der in den poetischen Kadenzen italienischer Taxifahrer, Metzger und Regierungsbeamten weiterlebt. Die letzte Zeile der *Göttlichen Komödie*, in der Dante Gott selbst schaut, gibt eine Empfindung wieder, die jeder, der mit dem modernen Italienisch vertraut ist, leicht nachvollziehen kann. Dante schreibt, dass Gott nicht nur eine blendende Vision herrlichen Lichtes sei, sondern vor allem *l'amor che move il sole e l'altre stelle* … (»die Liebesallgewalt, die im Kreise führt die Sonne und die Sterne«).

Mein so unbedingter Wunsch, diese Sprache zu lernen, ist also wirklich verständlich.

16

Nach etwa zehn Tagen in Italien holen mich Depression und Einsamkeit ein. Eines Abends spaziere ich nach einem glücklichen Schultag durch den Park der Villa Borghese, während hinter dem Petersdom die Sonne untergeht. Ich fühle mich glücklich in dieser romantischen Szenerie, obwohl ich völlig allein bin, während alle anderen im Park entweder ihre Liebsten streicheln oder mit lachenden Kindern spielen. Doch ich halte inne, um mich auf eine Brüstung zu stützen und den Sonnenuntergang zu betrachten, und ich denke ein bisschen zu viel nach und gerate schließlich ins Grübeln, und da holen die beiden mich ein.

Sie kommen völlig lautlos wie Pinkerton-Detektive, und sie nehmen mich – Mr Depression zu meiner Linken, Mr Einsamkeit zur Rechten – in ihre Mitte. Ihre Dienstmarken brauchen sie mir nicht zu zeigen. Ich kenne meine Pappenheimer. Schließlich spielen wir schon seit Jahren Katz und Maus miteinander. Wenn ich auch zugeben muss, dass es mich überrascht, sie bei Anbruch der Dunkelheit in diesem romantischen italienischen Park anzutreffen. Sie haben hier nichts verloren.

»Wie habt ihr mich hier gefunden?«, frage ich sie. »Wer hat euch gesagt, dass ich in Rom bin?«

Depression, schon immer der Schlauere von beiden, erwidert: »Wie? Freust du dich etwa nicht, uns zu sehen?«

»Verschwinde«, sage ich ihm.

Einsamkeit, der Sensiblere, meint: »Tut mir Leid, *ma'am*. Aber vielleicht muss ich Sie auf Ihrer gesamten Reise beschatten. Das ist mein Auftrag.«

»Es wäre mir wirklich lieber, wenn Sie es ließen«, erwidere ich, und er zuckt fast entschuldigend die Achseln, rückt mir aber noch mehr auf die Pelle.

Dann filzen sie mich. Sie leeren mir die Taschen, berauben mich jeder Freude, die ich bei mir hatte. Depression konfisziert sogar meinen Ausweis; aber das macht er ja immer. Dann beginnt Einsamkeit sein Verhör, das ich fürchte, weil es sich stets über Stunden hinzieht. Er ist höflich, aber unerbittlich, und am Ende stellt er mir immer ein Bein. Er fragt, ob ich ihm denn irgendeinen Grund nennen könne, warum ich überhaupt glücklich sein sollte. Und weshalb ich heute Abend, wieder einmal, ganz allein sei. Er will wissen (obwohl wir diese Fragen schon Hunderte Male durchgegangen sind), warum ich keine Beziehung durchstehen kann, warum ich meine Ehe ruiniert, warum ich David vergrault, warum ich es mir mit jedem Mann, mit dem ich jemals zusammen war, verdorben habe. Er fragt mich, wo ich die Nacht meines dreißigsten Geburtstags verbracht habe und warum seither alles so schief gelaufen ist. Warum ich nichts auf die Reihe kriege, warum ich nicht zu Hause bin, in einem schönen Heim, und brave Kinder großziehe, wie es sich für eine anständige Frau in meinem Alter gehört. Weshalb ich mir einbilde, ich hätte einen Urlaub in Rom verdient, nachdem ich mein Leben in einen Trümmerhaufen verwandelt habe. Warum ich mir einbilde, nach Italien abzuhauen wie eine Collegestudentin könne mich glücklich machen. Und wo ich wohl glaube, im Alter mal zu enden, wenn ich so weitermache.

Ich gehe nach Hause, hoffe, die beiden abzuschütteln, aber

sie bleiben mir auf den Fersen. Depression legt mir seine schwere Hand auf die Schulter, und Einsamkeit liegt mir mit seinen penetranten Fragen in den Ohren. Ich mag nicht einmal mehr zu Abend essen; ich will nicht, dass sie mir dabei zusehen. Ich will sie auch nicht die Treppe zu meiner Wohnung hinauflassen, aber ich kenne Depression, er hat einen Knüppel, so dass man ihn unmöglich am Hereinkommen hindern kann, falls er es vorhat.

»Es ist nicht fair, mich bis nach Rom zu verfolgen«, sage ich zu Depression. »Ich hab schon gebüßt. Ich habe meine Strafe in New York abgesessen.«

Aber er wirft mir nur dieses finstere Lächeln zu, macht es sich in meinem Lieblingssessel bequem, legt die Füße auf den Tisch, zündet sich eine Zigarette an und qualmt mir die Bude voll. Einsamkeit schaut ihm dabei zu und seufzt, dann steigt er in voller Montur, samt Schuhen und allem, in mein Bett und zieht sich die Decke unters Kinn. Er wird mich wieder zwingen, mit ihm zu schlafen. Ich weiß es.

17

Erst wenige Tage zuvor hatte ich meine Medikamente abgesetzt. Weil es mir einfach verrückt erschien, in Italien Antidepressiva zu schlucken. Wer konnte denn hier deprimiert sein?

Ich hatte das Zeug ja von Anfang an nicht nehmen wollen. Hatte lange dagegen angekämpft, vor allem wegen unzähliger Vorbehalte (wie etwa: Amerikaner schlucken zu viele Pillen; wir kennen die Langzeitwirkungen dieser Medikamente auf das menschliche Gehirn noch nicht; es ist ein Verbrechen, dass heutzutage sogar amerikanischen Kindern Antidepressiva verschrieben werden; wir behandeln die Symptome und nicht die Ursachen eines nationalen mentalen Notstands ...). Doch in den letzten Jahren hatte kein Zweifel mehr daran bestanden, dass ich mich in ernsten Schwierigkeiten befand und diese auch nicht so schnell wieder verschwinden würden. Als meine Ehe in die Binsen ging und sich das Drama mit David abzuzeichnen begann, entwickelte ich irgendwann sämtliche Symptome einer schweren Depression: Schlaf- und Appetitlosigkeit, Verlust der Libido, unkontrollierbares Heulen, chronische Rücken- und Magenschmerzen, Entfremdung und Verzweiflung, Konzentrationsprobleme bei der Arbeit, Unfähigkeit, sich darüber zu ärgern, dass die Republikaner die Demokraten um die Präsidentschaft betrogen hatten ... und so weiter und so fort.

Wenn man sich in einem solchen Wald verirrt, dauert es manchmal eine Weile, bis man es merkt. Lange redet man sich ein, man sei nur ein paar Schritte vom rechten Pfad abgekommen, werde jeden Moment auf den Weg zurückfinden. Dann bricht wieder und wieder die Nacht herein, und immer noch hat man keine Ahnung, wo man ist, und es wird Zeit, sich einzugestehen, dass man so weit vom Weg abgekommen ist, dass man nicht einmal mehr weiß, wo die Sonne aufgeht.

Ich rang mit meiner Depression, als ginge es um mein Leben, um das es natürlich ging (und immer noch geht). Ich begann meine Niedergeschlagenheit zu studieren, versuchte, ihre Ursachen zu entwirren. Was war die Wurzel all dieser Verzweiflung? War sie psychologisch bedingt? (Mamas und Papas Schuld?) War sie etwas Vorübergehendes, eine »schlimme Zeit« in meinem Leben? (Wenn die Scheidung durchgestanden ist, verschwindet dann auch die Depression?) War sie genetisch bedingt? (Die Melancholie, die viele Namen trägt, liegt bei uns, gemeinsam mit ihrem traurigen

Gefährten, dem Alkoholismus, seit Generationen in der Familie.) Hatte sie kulturelle Gründe? (Ist es nur der Fall-out eines postfeministischen amerikanischen Karrieregirls, das sich in einer zunehmend von Stress und Entfremdung geprägten urbanen Welt bemüht, sein Gleichgewicht zu finden?) Hatte sie astrologische Ursachen? (Bin ich so traurig, weil ich ein dünnhäutiger Krebs bin?) Hatte sie mit der Kunst zu tun? (Leiden kreative Menschen nicht immer unter Depressionen, weil sie so hypersensibel und eigen sind?) Oder aber mit der Evolution? (Trage ich noch etwas von der Panik in mir, die meine Spezies bei ihrem jahrtausendelangen Überlebenskampf in einer brutalen Welt entwickelt hat?) War es Karma? (Sind all diese Leidensanfälle lediglich die Folgen meines Fehlverhaltens in früheren Leben, die letzten Hürden vor der Befreiung?) War die Depression hormonell bedingt? Philosophisch? Saisonal? Ernährungsbedingt? Oder war die Umwelt schuld? Hatte ich mich von einer universellen Sehnsucht nach Gott anstecken lassen? Oder litt ich nur unter einem physiologischen Ungleichgewicht? Musste ich es mal wieder besorgt kriegen?

Wie viele Faktoren ein einzelnes menschliches Wesen bedingen! Und auf wie vielen Ebenen operieren wir, und wie vielen Einflüssen sind wir durch unseren Geist, unseren Körper, unsere Geschichte, unsere Familie, unsere Städte, unsere Seele und unser Mittagessen ausgesetzt! Allmählich glaubte ich, dass meine Depression wohl ein in ständigem Wandel befindliches Sammelsurium all dieser Faktoren war und wohl auch auf so manches zurückzuführen, was ich weder benennen noch ausmachen konnte. Also nahm ich den Kampf auf allen Ebenen auf. Ich kaufte mir all diese peinlich betitelten Ratgeber (wobei ich darauf achtete, die Bücher stets in den neuesten *Hustler* zu schlagen, damit niemand sehen konnte, was ich wirklich las). Ich begann die professionelle Hilfe einer Therapeutin in Anspruch zu nehmen, die so gütig wie einsichtsvoll war. Ich betete wie eine Novizin im Kloster. Ich aß (wenigstens für kurze Zeit) kein Fleisch mehr, da mir jemand erzählt hatte, dass ich damit »die Angst der Tiere im Augenblick ihres Todes« äße. Irgendeine New-Age-Massagetherapeutin erzählte mir, ich solle orangefarbene Slips tragen, um meine Sexchakren auszubalancieren, und – hört, hört – ich hab es wirklich getan. Ich trieb Sport. Ich hütete mich sorgsam vor traurigen Filmen, Büchern und Liedern (wenn jemand im selben Satz »Leonard« und »Cohen« sagte, musste ich das Zimmer verlassen).

Ich bemühte mich, das endlose Schluchzen zu unterdrücken. Als ich mich eines Nachts wieder mal in derselben alten Ecke meiner selben alten Couch zusammengerollt hatte und wieder einmal bei denselben traurigen Gedanken in Tränen schwamm, fragte ich mich: »Gibt es denn *irgendetwas* an dieser Situation, das du verändern könntest, Liz?« Und mir fiel nichts anderes ein, als mich – weiterhin schluchzend – aufzurappeln und zu versuchen, mitten in meinem Wohnzimmer auf einem Bein zu stehen. Nur um zu beweisen, dass ich – obwohl ich die Tränen nicht aufhalten und meinen trostlosen inneren Dialog nicht beeinflussen konnte – noch nicht alle Gewalt über mich verloren hatte: Wenigstens konnte ich hysterisch weinen und gleichzeitig auf einem Bein stehen.

Ich überquerte die Straße, um in der Sonne zu gehen. Ich stützte mich auf mein Netzwerk, besann mich auf meine Familie und pflegte die Freundschaften, die meine Selbsterkenntnis am meisten beförderten. Und wenn jene vor Eifer sich überschlagenden Frauenzeitschriften mir immer wieder erzählten, dass mein geringes Selbstwertgefühl bei so einer Depression gar nicht hilfreich sei, dann ließ ich mir einen flotten Haarschnitt verpassen, kaufte tolles Make-up und ein schönes Kleid. (Wenn eine Freundin mir dann ein Kompliment wegen meines neuen Looks machte, konnte ich nur grimmig erwidern: »Operation Selbstwertgefühl – Tag eins.«)

Nach zweijährigem Kampf gegen den Kummer waren die Medikamente mein letzter Versuch. Und falls ich Sie hier mit meiner Meinung belästigen darf: Ich finde, Medikamente sollten immer das Letzte sein, was man ausprobiert. Die Entscheidung für diesen Weg fiel bei mir nach einer Nacht, in der ich Stunde um Stunde auf dem Fußboden meines Schlafzimmers hockte und versuchte, mich davon abzuhalten, mir mit dem Küchenmesser die Pulsadern aufzuschneiden. In jener Nacht siegte ich in der Debatte mit meinem Messer – aber nur knapp. Ich hatte damals noch ein paar andere gute Ideen: etwa, mein Leiden zu beenden, indem ich von einem Hochhaus sprang oder mir mit einer Knarre das Hirn wegpustete. Irgendwie jedoch hatte jene Nacht mit dem Messer in der Hand etwas bei mir bewirkt.

Am nächsten Morgen, als die Sonne aufging, rief ich meine Freundin Susan an und bat sie, mir zu helfen. Ich glaube nicht, dass schon einmal eine Frau aus meiner Familie sich auf diese Art »mitten auf die Straße« gesetzt und gesagt hat: »Ich kann nicht mehr – irgendjemand muss mir jetzt helfen.« Abgesehen davon, dass es diesen Frauen auch nichts genutzt hätte. Niemand hätte ihnen geholfen oder ihnen helfen können. Im Höchstfalle hätte es ihnen passieren können, dass sie und ihre Familien verhungert wären. Immer wieder musste ich an diese Frauen denken.

Und nie werde ich Susans Gesicht vergessen, als sie etwa eine Stunde nach meinem Notruf in meine Wohnung gestürzt kam und mich kraftlos auf der Couch liegen sah. Das Bild meiner Qual, das sie mir mit der unverkennbaren Angst in ihren Augen zurückspiegelte, ist eine meiner unheimlichsten Erinnerungen an diese unheimlichen Jahre. Ich kauerte mich aufs Sofa, während Susan sich ans Telefon schwang und einen Psychiater für mich aufzutreiben versuchte, der mir noch am selben Tag einen Termin geben würde und bereit wäre, mir Antidepressiva zu verschreiben. Ich hörte zu, wie Susan mit den Ärzten verhandelte, hörte, wie sie sagte: »Ich fürchte, meine Freundin ist im Begriff, sich ernsthaft wehzutun.« Auch ich hatte diese Angst.

Als ich am Nachmittag dem Psychiater gegenübersaß, fragte er mich, warum ich erst jetzt Hilfe suchte. Ich nannte ihm meine Vorbehalte gegenüber Antidepressiva. Ich legte ihm Exemplare meiner drei bereits veröffentlichten Bücher auf den Schreibtisch und sagte: »Ich bin Schriftstellerin. Bitte tun Sie nichts, was meinem Gehirn schaden könnte.« – »Wenn Sie ein Nierenleiden hätten«, entgegnete er, »würden Sie sofort die entsprechenden Medikamente einnehmen – warum zögern Sie *hier*?« Aber das zeigte im Grunde nur, wie wenig er von meiner Familie verstand; eine Gilbert wäre durchaus in der Lage, ein Nierenleiden nicht medizinisch behandeln zu lassen, da wir nun einmal eine Familie sind, in der jede Krankheit als Zeichen persönlichen Scheiterns oder moralischen Versagens betrachtet wird.

Er verschrieb mir abwechselnd oder gleichzeitig verschiedene Medikamente, bis wir das richtige Präparat und die Dosierung herausfanden, von der mir nicht schlecht wurde und die meine Libido nicht in eine ferne, verschwommene Erinnerung verwandelte. Schnell, nach knapp einer Woche, spürte ich, dass ein wenig mehr Tageslicht in mein Gemüt fiel. Auch schlafen konnte ich endlich wieder. Und das war ein echtes Geschenk, weil man, wenn man nicht schlafen kann, auch nicht aus seinem Loch herauskommt – man hat einfach keine Chance. Die Pillen gaben mir die erholsame Nachtruhe zurück, unterbanden auch das Händezittern, lösten den

Schraubstock um meine Brust und schalteten den Panik-
alarm in meinem Herzen ab.

Dennoch habe ich diese Tabletten, obwohl sie sofort und
spürbar halfen, nie ruhigen Gewissens eingenommen. Es
spielte keine Rolle, wer mir sagte, dass derartige Medikamente absolut unbedenklich seien. Auch wenn diese Mittel
mir zweifellos halfen, die Brücke zum normalen Leben zu
schlagen, wollte ich sie so schnell wie möglich wieder abset-
zen. Im Januar 2003 hatte ich mit der Einnahme begonnen.
Im Mai reduzierte ich die Dosis bereits beträchtlich. Diese
vier Monate waren ohnehin die härtesten gewesen – die End-
phase meiner Scheidung, die letzten tragischen Monate mit
David. Hätte ich diese Zeit mit ein bisschen mehr Ausdauer
auch ohne die Medikamente durchstehen können? Hätte ich
auch so, nur auf mich gestellt, überleben können? Ich weiß
es nicht. Es gibt keine Möglichkeit, in Erfahrung zu bringen,
wie oder was wir geworden wären, hätte man irgendeine Va-
riable verändert.

Sicher weiß ich nur, dass sich mein Elend durch diese Medikamente weniger katastrophal anfühlte. Und dafür bin ich
dankbar. Aber meine Einstellung zu Psychopharmaka ist immer noch zutiefst ambivalent. Ihre Macht ängstigt mich, ihre
Verbreitung macht mir Sorgen. In Amerika sollten sie mit
sehr viel mehr Vorsicht verschrieben und eingenommen werden, und nie ohne gleichzeitige psychotherapeutische Behandlung. Das Symptom einer Krankheit zu behandeln,
ohne seine Ursache zu erforschen, ist nur eine Ausprägung
der idiotischen westlichen Überzeugung, dass es irgendjemandem jemals besser gehen könnte. Diese Pillen mögen mir
zwar das Leben gerettet haben, aber sie taten es nur in Verbindung mit etwa zwanzig anderen Maßnahmen, die ich damals gleichzeitig zu meiner Rettung ergriff, und ich hoffe,
dass ich nie wieder solche Medikamente einnehmen muss.

Wenn auch ein Arzt andeutete, dass ich wegen meiner *Neigung zur Melancholie* möglicherweise immer wieder in meinem Leben zu Antidepressiva würde greifen müssen. Hoffentlich täuscht er sich. Ich jedenfalls werde alles tun, um ihm seinen Irrtum zu beweisen beziehungsweise diesen Hang zur Melancholie mit jedem mir zur Verfügung stehenden Mittel bekämpfen. Ob ich mir mit dieser Sturheit eher schade oder ob sie meiner Selbsterhaltung dient, kann ich nicht sagen.

Aber so weit bin ich immerhin gekommen.

18

Oder vielmehr: *So* weit bin ich gekommen. Ich befinde mich in Rom und in Schwierigkeiten. Die lästigen Zeitgenossen Depression und Einsamkeit haben sich wieder in mein Leben gedrängt, nachdem ich erst vor drei Tagen mein letztes Wellbutrin genommen habe. In meiner untersten Schublade habe ich zwar noch ein paar andere Pillen, aber die will ich nicht nehmen. Doch ich mag auch Depression und Einsamkeit nicht ständig um mich haben, folglich bin ich unentschieden und steigere mich in eine Panik hinein – wie immer, wenn ich unentschieden bin. Heute Nacht also greife ich erst mal zu meinem ganz privaten Notizbuch, das ich für den Fall, dass ich in Not gerate, neben meinem Bett aufbewahre. Ich schreibe:

»Ich brauche deine Hilfe.«

Dann warte ich. Nach einer Weile erfolgt eine Reaktion, in meiner eigenen Handschrift:

Ich bin da. Was kann ich für dich tun?

Und nun beginnt mein so merkwürdiges und heimliches Gespräch aufs Neue. Hier, in diesem ganz privaten Notizbuch, spreche ich mit mir selbst. Unterhalte ich mich mit der Stimme, die mir in jener Nacht im Badezimmer begegnet ist, als ich Gott zum ersten Mal unter Tränen um Hilfe anflehte und etwas (oder jemand) antwortete: *Geh wieder ins Bett, Liz.* In den Jahren, die seither vergangen sind, habe ich diese Stimme in Zeiten großer Verzweiflung – Alarmstufe Orange! – wiedergefunden und gelernt, dass ich sie am besten mit Hilfe eines geschriebenen Dialogs erreichen kann. Überrascht stellte ich fest, dass ich fast immer Zugang zu dieser Stimme finde, egal wie schwarz meine Verzweiflung auch sein mag. Sogar im tiefsten Leid ist diese ruhige, mitfühlende, zärtliche und unendlich weise Stimme (die vielleicht ich selbst bin oder vielleicht doch nicht so ganz) zu jeder Tages- und Nachtzeit für mich da und gesprächsbereit.

Ich habe beschlossen, mir Luft zu verschaffen und mich nicht darum zu sorgen, ob Selbstgespräche auf Papier wohl bedeuten, dass ich ein Schizo bin. Vielleicht ist die Stimme, an die ich mich wende, Gott, vielleicht ist es auch meine Meisterin, die sich auf diese Weise äußert, oder vielleicht ist es der Engel, dem man meinen Fall anvertraut hat, oder aber mein höheres Selbst oder vielleicht auch nur ein Konstrukt meiner unterbewussten Einbildungskraft, dazu gedacht, mich vor meinen selbstquälerischen Anwandlungen zu schützen. Die heilige Teresa von Ávila nannte solche göttlichen inneren Stimmen »Lokutionen« – Worte aus dem Übernatürlichen, die, in unsere Sprache übersetzt, spontan in unsere Gedanken eindringen und uns himmlischen Trost spenden. Natürlich weiß ich sehr wohl, was Freud zu solchen spirituellen Tröstungen gesagt hätte – dass sie irrational sind und »keinen Glauben verdienen. Die Erfahrung lehrt uns, dass die Welt keine Kinderstube ist.« Ich stimme ihm zu – die Welt ist keine Kinderstube. Aber gerade die Tatsache, dass diese Welt so ungeheuer herausfordernd ist, ist auch der Grund, warum man manchmal außerhalb ihres Gültigkeitsbereichs nach Hilfe suchen und an eine höhere Instanz appellieren muss, um Trost zu finden.

Zu Beginn meines spirituellen Experiments hatte ich nicht immer solches Vertrauen in diese innere Stimme der Weisheit. Einmal griff ich in einem heftigen Anfall von Wut und Schmerz nach meinem privaten Notizbuch und krakelte eine Botschaft an meine innere Stimme – an meinen göttlichen inneren Trost –, die mit ihren Großbuchstaben eine ganze Seite einnahm:

VERDAMMTE SCHEISSE, ICH GLAUB NICHT AN DICH!

Nach einer Weile und immer noch schwer atmend spürte ich, wie sich in mir ein winziges Licht entzündete, und schrieb – amüsiert und gelassen – folgende Antwort:

Und mit wem redest du dann?

Seither habe ich ihre Existenz nicht mehr angezweifelt. Und heute Nacht wende ich mich aufs Neue an diese Stimme. Es ist das erste Mal, seit ich in Italien bin. Dass ich mich schwach und ängstlich fühle, schreibe ich in mein Tagebuch. Depression und Einsamkeit seien wieder aufgekreuzt, und ich hätte nun Angst, dass sie nie wieder verschwänden. Ich wolle die Medikamente nicht mehr nehmen, schreibe ich, fürchtete jedoch, dass ich es müsse. Ich hätte entsetzliche Angst, mein Leben vielleicht nie wieder wirklich in den Griff zu bekommen.

Als Reaktion erhebt sich irgendwo in meinem Innern eine nun schon vertraute Stimme, die mir all die Gewissheiten anbietet, die ich in früheren Notzeiten immer von anderen Menschen hören wollte:

Ich bin da. Ich liebe dich. Es stört mich nicht, wenn
du die ganze Nacht wach bleibst und heulst. Ich bleibe

*bei dir. Wenn du die Medikamente brauchst, dann nimm
sie doch – auch das steh ich mit dir durch. Und wenn du
keine brauchst, dann lieb ich dich auch. Egal, was du
tust, meine Liebe kannst du nicht verlieren. Ich werde
dich beschützen bis zu deinem Tod und darüber hinaus.
Ich bin stärker als Mr Depression, mutiger als Mr Einsamkeit, und nichts kann mich jemals erschöpfen.*

Diese seltsame innere Geste der Freundschaft heute Nacht –
diese hilfreiche Hand, die ich mir selbst reiche, wenn kein anderer da ist, der mich trösten könnte – erinnert mich an etwas,
das ich einmal in New York erlebt habe. Eines Nachmittags
betrat ich eilig ein Bürogebäude und rannte zum wartenden
Aufzug. Beim Sprint in den Fahrstuhl erhaschte ich in einem
Sicherheitsspiegel einen Blick auf mich. In diesem Moment
tat mein Gehirn etwas Merkwürdiges – es feuerte in Sekun-
denschnelle folgende Botschaft ab: »Hey! Die kennst du! Das
ist eine Freundin von dir!« Und tatsächlich lief ich lächelnd
auf mein eigenes Spiegelbild zu, bereit, dieses Mädchen, dessen Namen ich vergessen hatte, aber dessen Gesicht mir so
vertraut war, zu begrüßen. Natürlich erkannte ich im selben
Moment meinen Irrtum und lachte verlegen über meine fast
hündische Verwirrung. Doch aus irgendeinem Grund fällt
mir dieser Vorfall heute Nacht wieder ein, und ich notiere
zum Abschluss folgenden tröstlichen Merksatz:

*Vergiss nie, dass du dich einstmals, in einem unbedachten
Moment, als deine Freundin wiedererkannt hast.*

Das Buch an die Brust gedrückt, schlafe ich ein. Als ich am
nächsten Morgen aufwache, liegt immer noch eine leise Spur
von Depressions Zigarettenrauch in der Luft, doch er selbst
ist nirgends mehr zu sehen. Irgendwann in der Nacht ist er
aufgestanden und gegangen. Und Kamerad Einsamkeit hat
sich ebenfalls verzogen.

Eins aber ist merkwürdig. Seit ich in Rom bin, scheint es mit dem Yoga nicht mehr zu klappen. Seit Jahren habe ich es stetig und ernsthaft praktiziert und sogar – begleitet von meinen besten Vorsätzen – meine Yogamatte nach Rom mitgebracht. Aber es klappt einfach nicht. Ich meine, wann soll ich meine Yogadehnübungen denn machen? Vor meinem italienischen Aufputschfrühstück aus Schokoladenhörnchen und doppeltem Cappuccino? Oder danach? In den ersten Tagen rollte ich träge jeden Morgen meine Yogamatte aus und stellte fest, dass ich sie nur ansehen musste und schon lachte. Einmal sagte ich sogar laut zu mir selbst: »Okay, kleine Miss *Penne ai quattro formaggi*, mal sehen, wie es dir heute geht.« Beschämt ließ ich die Matte im untersten Teil meines Koffers verschwinden (um sie, wie sich herausstellen sollte, bis zu meiner Ankunft in Indien nie wieder auszurollen). Dann machte ich einen Spaziergang und aß ein Pistazieneis.

Die römische Kultur entspricht einfach nicht der Yogakultur, wenigstens soweit ich das erkennen kann. Ja, ich bin zu dem Schluss gelangt, dass Rom und Yoga rein gar nichts miteinander zu tun haben.

Außer mir selbst kenne ich inzwischen schon zwei weitere Elizabeths in Rom. Beide Amerikanerinnen, beide Schriftstellerinnen. Die eine Roman-, die andere *Food*-Autorin. Mit ihrer Wohnung in Rom, ihrem Haus in Umbrien, ihrem italienischen Ehemann und ihrem Job, der darin besteht, durch ganz Italien zu reisen, zu essen und für die Zeitschrift *Gour-*

met darüber zu schreiben, scheint es, als habe Elizabeth Nummer zwei in einem früheren Leben unzählige Waisenkinder vor dem Ertrinken gerettet und werde nun dafür belohnt. Es überrascht daher kaum, dass sie die besten Restaurants Roms kennt, einschließlich einer *gelateria*, die einen gefrorenen Reispudding serviert (und wenn sie den nicht im Himmel servieren, will ich da gar nicht hin). Vorgestern lud sie mich zum Mittagessen ein, und wir aßen nicht nur Lammfleisch mit Trüffeln und ein Carpaccio, das um eine Haselnussmousse drapiert war, sondern auch eine kleine Portion *lampascioni*, was – wie jedermann weiß – die eingelegten Knollen einer wilden Hyazinthe sind.

Natürlich habe ich mich inzwischen auch mit Giovanni und Dario, meinen Tandem-Sprachaustausch-Zwillingen, angefreundet. Giovannis nette Art macht ihn meiner Meinung nach zu einem der nationalen »Schätze« Italiens. Schon an unserem ersten Abend schloss ich ihn ins Herz – denn als meine verzweifelte Suche nach den richtigen Worten mich zunehmend frustrierte, legte er mir die Hand auf den Arm und meinte: »Liz, wenn du etwas Neues lernst, musst du sehr liebevoll mit dir umgehen.« Zuweilen kommt er mir mit seiner Denkerstirn, seinem Philosophiediplom und seinen politischen Ansichten älter vor als ich. Ich bringe ihn gern zum Lachen, doch er versteht meine Witze nicht immer. Humor ist in einer fremden Sprache nur schwer zu fassen. Vor allem, wenn man ein so ernsthafter junger Mann wie Giovanni ist. Vorgestern Abend sagte er zu mir: »Wenn du ironisch bist, hinke ich immer ein wenig hinterher. Ich bin langsamer als du. Als ob du der Blitz wärst und ich der Donner.«

Und ich dachte: *Yeah, baby! And you are the magnet and I am the steel! Bring to me your leather, take from me my lace!*

Aber geküsst hat er mich immer noch nicht.

Dario, den anderen Zwilling, sehe ich nicht sehr oft, obwohl er viel mit Sofie zusammen ist. Sofie ist meine beste Freundin aus der Sprachenschule und mit Sicherheit jemand, mit dem man, wäre man Dario, ebenfalls gern seine Zeit verbrächte. Sofie ist Schwedin, Ende zwanzig und so verdammt süß, dass man sie an einem Haken festbinden und als Köder verwenden könnte, um damit Männer aller Nationalitäten und jeglichen Alters anzulocken. Sehr zum Entsetzen ihrer Familie und zur Verwirrung ihrer Kollegen hat sich Sofie soeben für vier Monate von ihrem guten Job in einer schwedischen Bank beurlauben lassen, nur um Italienisch zu lernen. Jeden Tag nach der Schule setzen wir uns an den Tiber, schlecken unser Eis und lernen miteinander. Man kann es nicht einmal mit Recht »lernen« nennen, was wir da tun. Es ist mehr ein gemeinsames Genießen der italienischen Sprache, ein fast andächtiges Ritual, und wir bieten einander immer neue wunderbare Redewendungen an. So wie wir vorgestern beispielsweise lernten, dass *un'amica stretta* »eine enge Freundin« bedeutet. Wobei *stretto* vor allem »knapp sitzend«, »zu eng« heißt, zum Beispiel in Bezug auf Kleidung, etwa einen engen Rock. Eine enge Freundin ist also auf Italienisch eine, die einem auf die Pelle rücken darf, und genau so ein Mensch ist meine schwedische Freundin Sofie im Begriff zu werden.

Anfangs bildete ich mir gerne ein, dass Sofie und ich wie Schwestern aussähen. Doch vorgestern nahmen wir ein Taxi, und der Bursche am Steuer erkundigte sich, ob Sofie meine Tochter sei. Also, ich bitte Sie – die Frau ist nur sieben Jahre jünger als ich. Mein Denkapparat arbeitete emsig daran, das Gesagte zu entschärfen. *(Vielleicht,* dachte ich, *spricht dieser römische Taxifahrer nicht besonders gut Italienisch und wollte in Wirklichkeit wissen, ob wir* Schwestern *seien.)* Aber nein. Er sagte »Tochter«, und er meinte »Tochter«. Oh, was soll ich sagen? Ich habe in den letzten Jahren viel durchgemacht. Muss ganz schön alt und ramponiert aussehen nach dieser Scheidung. Doch wie es in dem alten Country-Western-Song aus Texas so schön heißt: »*I've been screwed and sued and tattooed, and I'm still standin' here in front of you ...*«

Zu meinen neuen Freunden zählt auch ein cooles Paar, Maria und Giulio. Meine Freundin Anne, eine amerikanische Malerin, die bis vor einigen Jahren in Italien lebte, hat mir die beiden vorgestellt. Maria stammt aus Amerika, Giulio aus dem Süden Italiens. Er ist Filmemacher, sie arbeitet für eine internationale Organisation für Agrarpolitik. Sein Englisch ist nicht besonders gut, dafür spricht sie fließend Italienisch (und ebenso fließend Französisch und Chinesisch, so dass ich ohnehin nicht mithalten kann). Giulio will Englisch lernen und hat mich gefragt, ob wir nicht (in einem zweiten Tandem-Austausch) Konversation miteinander machen könnten. Falls Sie sich wundern, warum er nicht bei seiner amerikanischen Ehefrau Englisch lernt: Es liegt daran, dass sie verheiratet sind und sich, wann immer der eine dem anderen etwas beizubringen versucht, in die Haare kriegen. Also verabreden Giulio und ich uns nun zweimal die Woche zum Mittagessen, um unser Italienisch beziehungsweise Englisch aufzumöbeln – eine schöne Aufgabe für zwei Menschen, die einander nicht gewohnheitsmäßig auf die Nerven gehen.

Giulio und Maria haben eine wunderschöne Wohnung, deren beeindruckendstes Merkmal meiner Meinung nach die Wand ist, die Maria irgendwann einmal mit wütenden Flüchen (in dicken schwarzen Magic-Marker-Krakeln) gegen Giulio bedeckte, weil sie sich gestritten hatten und »er stets lauter brüllt als ich« und sie auch mal zu Wort kommen wollte.

Ich finde Maria wahnsinnig sexy, und diese von Wut und Leidenschaft zeugenden Graffiti sind nur ein weiterer Beleg dafür. Interessanterweise jedoch sieht Giulio in der voll gekrakelten Wand ein unverkennbares Zeichen für Marias Unterdrückung, weil sie ihre Flüche nicht in ihrer Muttersprache geschrieben hat, sondern auf Italienisch, einer Sprache, in der sie erst kurz nachdenken muss, ehe sie etwas sagt. Er meint, falls sich Maria wirklich von ihrem Zorn hätte überwältigen lassen – was sie *niemals* tut, da sie eine brave angelsächsische Protestantin ist –, hätte sie ihre Muttersprache verwendet. Alle Amerikaner seien letztlich unterdrückt. Was sie gefährlich mache und potenziell tödlich, wenn sie dann nämlich explodieren.

»Ein wildes Volk«, diagnostiziert er.

Dass wir diese Unterhaltung bei einem netten, entspannten Abendessen führen und dabei auf diese Wand schauen, finde ich einfach toll.

»Mehr Wein, Schatz?«, fragt Maria.

Aber mein bester Freund in Italien ist natürlich Luca Spaghetti. Sogar hier zu Lande findet man es übrigens überaus lustig, mit Nachnamen Spaghetti zu heißen. Ich bin sehr dankbar für Luca, denn seinetwegen kann ich mit meinem Freund Brian gleichziehen, der das Glück hatte, neben einem Indianerjungen namens Dennis Ha-Ha zu wohnen, und folglich immer damit prahlen konnte, den Freund mit dem coolsten Namen der Welt zu haben. Endlich habe ich ihm etwas entgegenzusetzen.

Luca spricht auch hervorragend Englisch und ist ein guter Esser (auf Italienisch *una buona forchetta* – »eine tüchtige Gabel«), so dass er für hungrige Leute wie mich die ideale Gesellschaft ist. Oft ruft er mich an und sagt: »Hey, ich bin gerade bei dir in der Nähe. Sollen wir uns auf einen Kaffee treffen? Oder auf einen Teller Ochsenschwanz?« Wir verbringen eine Menge Zeit in diesen schmutzigen kleinen Spelunken in den Seitensträßchen Roms. Wir mögen die Restaurants mit Neonbeleuchtung und ohne Namensschild. Rotweiß karierte Plastiktischdecken. Selbstgebrannten *Lemoncello*. Roten Hauswein. Pasta, die man in unglaublichen Mengen von »kleinen Julius Cäsars« serviert bekommt – so nennt Luca die stolzen, aufdringlichen Kellner mit ihren behaarten Pranken und leidenschaftlich toupierten Haaren. »Mir scheint«, sagte ich einmal zu Luca, »dass diese Burschen sich erstens als Römer, zweitens als Italiener und drittens als Europäer betrachten.« – »Nein«, korrigierte er mich, »sie sind erstens Römer, zweitens Römer und drittens ebenfalls Römer. Und jeder Einzelne von ihnen ist ein Imperator.«

Luca ist Steuerberater. Ein *italienischer* Steuerberater und damit – so seine eigenen Worte – »ein Künstler«, denn es gibt mehrere Hundert Steuergesetze in Italien, die oftmals einander widersprechen. Folglich erfordert eine Einkommensteuererklärung hier geradezu jazzähnliche Improvisationskünste. Ich finde es komisch, dass er Steuerberater ist; für einen so unbekümmerten Burschen scheint mir das eine so penible Arbeit zu sein. Luca wiederum findet es komisch, dass es an mir noch diese andere Seite gibt – diese »Yogaseite« –, die er nie erlebt hat. Es ist ihm völlig schleierhaft, warum ich nach Indien will – und dann auch noch ausgerechnet in einen Ashram! –, da ich doch ebenso gut das ganze Jahr in Italien verbringen könnte, wo ich offensichtlich hingehöre. Immer, wenn er mir zusieht, wie ich die Saucenreste mit einem Stück Brot auftunke und mir danach die Finger ablecke, sagt er: »Was wirst du nur *essen*, wenn du in Indien bist?« Manchmal bezeichnet er mich ironisch als Gandhi, meistens, wenn ich die zweite Flasche Wein aufmache.

Luca ist schon ziemlich viel herumgekommen, obwohl er

behauptet, nirgendwo anders als in Rom leben zu können, in der Nähe seiner Mutter, denn schließlich ist er Italiener – oder? Aber nicht nur seine *mamma* hält ihn hier fest. Er ist Anfang dreißig, und seit seiner Teenagerzeit hat er dieselbe Freundin (die reizende Giuliana, die Luca zärtlich und treffend als *acqua e sapone* – »Wasser und Seife« – beschreibt). Alle seine Freunde kennt er schon seit seiner frühesten Kindheit, und alle stammen aus demselben Viertel. Jeden Sonntag sehen sie sich zusammen die Fußballspiele an – entweder im Stadion oder (falls die römischen Mannschaften auswärts spielen) in einer Bar, und anschließend kehren sie alle wieder in die Wohnblöcke zurück, in denen sie aufgewachsen sind, um das von ihren Müttern und Großmüttern zubereitete Abendessen zu verspeisen.

Wenn ich Luca Spaghetti wäre, würde ich auch nicht aus Rom wegziehen.

Luca ist allerdings schon einige Male durch Amerika gereist. New York findet er faszinierend, glaubt aber, dass die Menschen dort zu viel arbeiten – wenn er auch zugibt, dass sie es zu genießen scheinen. Während die Römer hart arbeiten und sich maßlos darüber aufregen.

Luca war dabei, als ich die Kutteln eines Milchlamms probierte. Das ist eine römische Spezialität. Gastronomisch betrachtet, ist Rom im Grunde ein raues Pflaster und bekannt für seine derben Traditionsgerichte wie Kutteln und Zungen – all die Innereien, die die reichen Leute anderswo wegwerfen. Meine Lammkutteln schmeckten ganz gut – solange ich nicht darüber nachdachte, worum es sich handelte. Sie wurden in einer buttrigen Sauce serviert, die unheimlich lecker war, aber die Innereien hatten eine irgendwie …, na ja …, *innereiartige* Konsistenz. So ähnlich wie Leber, nur breiiger. Ich aß sie brav, bis ich zu überlegen begann, wie ich dieses Gericht wohl beschreiben würde, und dachte: *Es sieht gar nicht aus wie Innereien. Im Grunde erinnert es mich an Spulwürmer.* Und da schob ich es beiseite und bat um einen Salat.

»Schmeckt es dir nicht?«, fragte Luca, der das Zeug liebt.

»Ich wette, Gandhi hat in seinem ganzen Leben keine Lamminnereien gegessen«, sagte ich.

»Warum denn nicht?«

»Nein, hat er nicht, Luca. Gandhi war Vegetarier.«

»Aber Vegetarier dürfen das essen«, beharrte Luca. »Weil Därme nicht mal als Fleisch gelten, Liz. Die sind nur Scheiße.«

21

Zugegeben: Manchmal frage ich mich, was ich hier tue.

Obwohl ich nach Italien gekommen bin, um dem Genuss zu frönen, wusste ich in den ersten Wochen nicht so recht, wie ich das anstellen sollte. Vergnügen pur ist – offen gesagt – nicht mein kulturelles Paradigma. Ich entstamme einem alten krankhaft pflichtbewussten Geschlecht. Die Vorfahren meiner Mutter waren schwedische Bauern, die auf Fotos aussehen, als ob sie, falls ihnen je etwas Schönes unter die Augen käme, es mit ihren genagelten Stiefeln zertreten würden. (Mein Onkel bezeichnet den Clan als »Ochsen«.) Die Familie meines Vaters stammt von englischen Puritanern ab, diesen großen vertrottelten Liebhabern von Spaß und Vergnügen. Wenn ich den Stammbaum meines Vaters bis ins siebzehnte Jahrhundert zurückverfolge, finde ich tatsächlich puritanische Vorfahren mit Namen wie *Diligence* (»Eifer«) oder *Meekness* (»Sanftmut«).

Auch meine Eltern haben eine kleine Farm, und Arbeit ist

meiner Schwester und mir von Kindesbeinen an vertraut. Man lehrte uns, verlässlich und verantwortungsvoll zu sein, Klassenbeste und die ordentlichsten und vertrauenswürdigsten Babysitter der Stadt, Miniaturausgaben unserer schwer arbeitenden Mutter (die Bäuerin und Krankenschwester war), kurz, zwei kleine Schweizer Armeemesser: vielseitig und multifunktional. Wir hatten eine Menge Spaß zu Hause, es wurde viel gelacht, aber die Wände waren mit *Aufgabenlisten* tapeziert, und Muße habe ich nie erlebt, weder bei mir noch bei anderen, kein einziges Mal in meinem ganzen Leben.

Allerdings gilt diese Unfähigkeit, sich dem reinen Vergnügen hinzugeben, für Amerikaner generell. Wir sind eine Nation, die eher nach Unterhaltung strebt als nach Vergnügen. Amerikaner geben Milliarden aus, um sich bei Laune zu halten, und zwar für alles Mögliche – von Pornos über Themenparks bis hin zu Kriegen –, was aber mit stillem Genießen nicht viel zu tun hat. Amerikaner arbeiten schwerer, länger und angestrengter als so manch anderes Volk auf der Welt. Allerdings scheinen wir es – wie Luca Spaghetti meint – zu mögen. Alarmierende Statistiken stützen diese Beobachtung und zeigen, dass sich viele Amerikaner in ihren Büros glücklicher fühlen als in ihren Familien. Natürlich arbeiten wir nur notgedrungen so schwer, am Ende der Woche aber fühlen wir uns ausgebrannt und müssen das ganze Wochenende in unseren Pyjamas verbringen. Dann essen wir die Cornflakes direkt aus der Packung und hängen vor der Glotze (was zwar gewiss das Gegenteil von arbeiten ist, aber nicht dasselbe wie Vergnügen). Auf das *Nichtstun* verstehen sich Amerikaner im Grunde überhaupt nicht. Das ist der Grund für jenes traurige amerikanische Stereotyp – den völlig gestressten Manager, der in Urlaub fährt, aber nicht ausspannen kann.

Ich habe Luca Spaghetti einmal gefragt, ob auch Italiener

dieses Problem kennen. Er lachte so schallend, dass er sein Motorrad fast in einen Brunnen gefahren hätte.

»Oh nein!«, sagte er. »Wir sind die Meister des *dolce far niente*.«

Eine hinreißende Wendung. *Dolce far niente* heißt »das süße Nichtstun«. Doch ob Sie es glauben oder nicht: Die Italiener waren immer fleißige Leute, vor allem jene schwer geprüften Arbeiter aus dem Süden, die man *braccianti* nannte (und die so hießen, weil sie nichts als die Kraft ihrer Arme – *braccia* – besaßen, um auf dieser Welt zu überleben). Aber auch vor dem Hintergrund schwerer Arbeit war *dolce far niente* immer ein hochgeschätztes italienisches Ideal. Ziel aller Arbeit, die größte Errungenschaft, zu der man am meisten beglückwünscht wird, ist das süße Nichtstun. Und je exquisiter und wunderbarer man es zelebriert, umso beachtlicher ist die Lebensleistung. Und man muss auch nicht reich sein, um es zu erleben. Eine andere sympathische Redewendung lautet: *l'arte d'arrangiarsi* – die Kunst, aus nichts etwas zu machen. Aus ein paar schlichten Zutaten ein Festmahl und aus einem Treffen von Freunden eine Party. Das kann jeder, der das Talent zum Glücklichsein hat, nicht nur die Reichen.

Das Haupthindernis, das mir beim Streben nach Genuss im Wege stand, war allerdings mein tief verwurzeltes puritanisches Schuldgefühl. Steht mir dieses Vergnügen denn überhaupt zu? Und auch das ist sehr amerikanisch – diese Unsicherheit bei der Antwort auf die Frage, ob wir uns unser Glück auch verdient haben. Bei der amerikanischen Firma *Planet Advertising* dreht sich alles darum, den unsicheren Konsumenten davon zu überzeugen, dass er eine Belohnung auch tatsächlich verdient hat. *Heute haben Sie sich eine Pause verdient! Weil Sie es wert sind! Du hast einen weiten Weg hinter dir, Baby!* Und der unsichere Verbraucher denkt: *Ja-*

wohl! Danke! Und jetzt kauf ich mir 'n Sixpack, verdammt!
Ja, vielleicht sogar zwei! Und dann kommt das Saufgelage.
Gefolgt von der Reue. Derartige Werbekampagnen würden
in Italien, wo die Menschen seit jeher wissen, dass sie in diesem Leben auch ein Recht auf Freude und Genuss haben,
wohl kaum so verfangen. Die italienische Antwort auf *Heu-*
te haben Sie sich eine Pause verdient! wäre wohl: *Ja, klar.*
Deswegen will ich ja um zwölf Uhr Pause machen – um mal
bei dir vorbeizuschauen und deine Frau flachzulegen.

Das ist wohl auch der Grund, warum meine italienischen
Freunde sich nicht wunderten, als ich ihnen sagte, ich sei
nach Italien gekommen, um mal vier Monate lang nur zu genießen. *Complimenti! Vai avanti!* Nur zu! Streng dich an!
Weiter so! Keiner hat je gesagt: »Wie absolut unverantwort-
lich von Ihnen!« Oder: »Wie hemmungslos!« Doch obgleich
mir die Italiener jeglichen Genuss bedingungslos zugestehen,
kann ich selbst immer noch nicht vollkommen loslassen.
Während meiner ersten Wochen schrillten meine protestan-
tischen Synapsen und suchten verzweifelt nach einer Aufgabe. Ich wollte das Vergnügen angehen wie eine Facharbeit
oder ein riesiges »Jugend forscht«-Projekt. Ich wälzte Fragen wie die folgende: »Wie lässt sich der Genuss am effizien-
testen maximieren?« Und überlegte, ob ich vielleicht meine
gesamte Zeit in Italien in Bibliotheken verbringen sollte, um
die Geschichte des Genusses zu erforschen. Oder sollte ich
die Italiener interviewen, sie fragen, wie sie die zahllosen
Freuden in ihrem Leben empfunden haben, und dann eine
Hausarbeit darüber schreiben? (Mit doppeltem Zeilenab-
stand und zweieinhalb Zentimeter breitem Rand, abzugeben
Montag früh.)

Als mir dämmerte, dass die einzig nahe liegende Frage lautete: »Was verstehe *ich* unter Vergnügen?«, und dass ich mich
in einem Land aufhielt, in dem man mir erlaubte, dieser Fra-

ge ungehindert nachzugehen, veränderte sich alles. Alles wurde ... köstlich. Ich musste mich nur – zum ersten Mal in meinen Leben – jeden Tag fragen: »Was würdest du heute gerne tun, Liz? Was würde dir jetzt Spaß machen?« Da ich auf niemandes Tagesablauf Rücksicht nehmen musste und auch sonst keine Verpflichtungen hatte, destillierte sich diese Frage schließlich ganz klar heraus.

Nachdem ich mir selbst die Genussgenehmigung erteilt hatte, fand ich es interessant festzustellen, was in Italien ich dann doch nicht tun wollte. Es gibt so viele Ausprägungen des Genusses in Italien, ich musste nicht alle ausprobieren. Man muss sich hier irgendwie auf ein »Hauptfach« festlegen, sonst wächst einem das Vergnügen über den Kopf. Da das bei mir der Fall war, befasste ich mich gar nicht erst mit Mode, Oper, Kino, tollen Autos oder Skifahren in den Alpen. Nicht einmal allzu viel Kunst wollte ich sehen. Zwar schäme ich mich ein wenig, es zuzugeben, aber ich habe während meiner vier Monate in Italien kein einziges Museum besucht. (Doch, noch schlimmer: Ich war in einem einzigen Museum: dem Nationalmuseum der Nudel.) Ich stellte fest, dass ich im Grunde nur gut essen und möglichst oft Italienisch sprechen wollte. Das war alles. Im Grunde also entschied ich mich für ein Doppelstudium – Reden und Essen (mit dem Schwerpunkt auf *gelato*).

All das Vergnügen, das mir dieses Essen und Reden bereitete, war unschätzbar und trotzdem so einfach. Mitte Oktober genoss ich einige Stunden, die dem Leser vielleicht unbedeutend erscheinen, die ich aber stets zu den glücklichsten meines Lebens zählen werde. Ich entdeckte einen Markt unweit meiner Wohnung, nur ein paar Straßen entfernt, der mir aus irgendeinem Grund vorher nie aufgefallen war. Dort ging ich zu einem kleinen Stand, an dem eine Italienerin und ihr Sohn eine erstklassige Auswahl an Gemüse feilboten –

zum Beispiel prachtvollen, fast algengrünen Spinat, blutrote Tomaten oder champagnerfarbene Trauben mit Häuten prall wie das Trikot eines Revuegirls.

Ich entschied mich für ein Bund weißen Spargel. Ich fragte die Frau auf Italienisch, ob ich nur die Hälfte des Spargels haben könne. Ich sei allein, erklärte ich ihr, und bräuchte nicht viel. Sofort nahm sie mir den Spargel aus der Hand und halbierte das Bund. Ich fragte sie, ob es diesen Markt jeden Tag hier gebe, und sie sagte, ja, jeden Tag ab sieben Uhr früh sei sie da. Und der hübsche Sohn warf mir einen verschmitzten Blick zu und meinte: »Na ja, sie versucht es zumindest ...« Wir lachten. Dieses kurze Gespräch fand auf Italienisch statt – in einer Sprache, von der ich wenige Monate zuvor noch kein einziges Wort beherrscht hatte.

Ich ging nach Hause und kochte mir zum Lunch zwei frische braune Eier. Ich schälte sie und legte sie auf einen Teller neben die sieben Spargelstangen (die so dünn und knackig waren, dass sie nicht gekocht werden mussten). Ich legte auch noch ein paar Oliven dazu und die vier Stückchen Ziegenkäse, die ich am Vortag in der *formaggeria* in meiner Straße gekauft hatte, sowie zwei Scheiben öligen Lachs. Zum Nachtisch gab es einen schönen Pfirsich, den mir die Marktfrau geschenkt hatte und der noch warm war von der römischen Sonne. Lange könnte ich das alles nicht einmal anrühren, weil es ein solches Meisterwerk war – authentischer Ausdruck der Kunst, aus nichts etwas zu machen. Schließlich, als ich die Schönheit meiner Mahlzeit ausgiebig genossen hatte, setzte ich mich in einen sonnigen Fleck auf meinem Dielenboden und aß das Ganze, während ich meinen täglichen italienischen Zeitungsartikel las, restlos auf. Ich spürte das Glück in jeder Faser meines Herzens.

Bis dann – wie es mir in den ersten Monaten meines Reisejahrs oft in solchen Glücksmomenten passierte – mein

Schuldalarm schrillte. Ich hörte die Stimme meines Exmannes, der mir verächtlich ins Ohr zischte: »Dafür also hast du alles aufgegeben? Deswegen hast du unser gemeinsames Leben zerstört? Für ein paar Spargelstangen und eine italienische Zeitung?«

Da erhob ich die Stimme. »Zunächst einmal: Es tut mir sehr Leid, aber *das hier* geht dich nichts mehr an. Und zweitens, um deine Frage zu beantworten: *ja.*«

22

Was nun meine Jagd nach Vergnügen in Italien angeht, bleibt eines natürlich noch anzusprechen: Wie steht es mit Sex?

Um diese Frage ganz einfach zu beantworten: Ich will keinen. Um sie gründlicher und ehrlicher zu beantworten: Selbstverständlich fehlt er mir manchmal ganz furchtbar, aber ich habe beschlossen, mich in dieser Hinsicht eine Weile zurückzuhalten. Ich will mich mit niemandem einlassen. Natürlich vermisse ich es, geküsst zu werden, weil ich das Küssen einfach liebe. (Und ich beklage mich bei Sofie so häufig darüber, dass sie vorgestern schließlich verzweifelt meinte: »Um Himmels willen, Liz – wenn es ganz schlimm wird, küss *ich* dich halt.«) Aber vorerst werde ich nichts dagegen unternehmen. Wenn ich mich in diesen Tagen einsam fühle, denke ich mir: *Dann fühl dich eben einsam, Liz. Versuch, damit zurechtzukommen. Studier die Einsamkeit. Setz dich, einmal im Leben, damit auseinander. Mach mal eine echte Erfahrung. Aber missbrauche nie wieder den Körper oder die Gefühle eines anderen Menschen als Kratzbaum für deine unerfüllten Sehnsüchte.*

Es ist in erster Linie eine Art lebensrettende Notfallmaßnahme. Mit der Suche nach Sex- und Liebesfreuden habe ich schon früh im Leben begonnen. Bereits mit vierzehn hatte ich meinen ersten Freund, und seitdem hatte es stets einen Jungen oder einen Mann (oder manchmal auch beides) in meinem Leben gegeben. Das sind fast zwei geschlagene Jahrzehnte, die ich mit irgendeinem Kerl in irgendein Drama verstrickt war. Wobei sich stets das eine mit dem nächsten überschnitt und nie auch nur eine einwöchige Atempause dazwischen lag. Meinem Reifeprozess war das nicht unbedingt förderlich, gebe ich zu.

Abgesehen davon, habe ich bei Männern ein Abgrenzungsproblem. Oder vielleicht ist das nicht ganz richtig ausgedrückt. Um ein Problem zu haben, müsste ja erst mal eine Abgrenzung erfolgt sein, nicht wahr? Ich aber gehe völlig in dem geliebten Menschen auf. Ich bin eine durchlässige Membran. Wenn ich jemanden liebe, kann er alles von mir haben. Meine Zeit, meine Hingabe, meinen Arsch, mein Geld, meine Familie, meinen Hund, das Geld meines Hundes, die Zeit meines Hundes – *alles*. Wenn ich jemanden liebe, lade ich mir all seinen Kummer auf, übernehme all seine Schulden (und zwar jeglicher Art), beschütze ihn vor seiner eigenen Unsicherheit, projiziere alle möglichen guten Eigenschaften auf ihn, die er nie wirklich entwickelt hat, und kaufe Weihnachtsgeschenke für seine gesamte Familie. Ich schenke ihm Sonne und Regen, und wenn beides nicht erhältlich ist, überreiche ich ihm einen Sonnen- und Regengutschein. Das alles und mehr gebe ich, bis ich so erschöpft und ausgelaugt bin, dass die einzige Möglichkeit, meine Batterien wieder aufzuladen, darin besteht, mich in jemand anderen zu verknallen.

Ich erzähle diese Dinge über mich wahrlich nicht mit Stolz, aber so ist es stets gewesen.

Einige Zeit, nachdem ich meinen Mann verlassen hatte,

war ich auf einer Party, und ein Mann, den ich kaum kannte, sagte zu mir: »Weißt du, dass du völlig verändert wirkst, seit du diesen neuen Freund hast? Früher hast du wie dein Mann ausgesehen, jetzt aber ähnelst du David. Sogar darin, wie du dich anziehst und wie du redest. Manche Leute ähneln ihren Hunden, du hingegen siehst wohl immer wie deine Männer aus.«

Mein Gott, ich könnte wahrlich eine kleine Unterbrechung vertragen, um mir ein wenig Freiraum zu schaffen und dabei vielleicht zu entdecken, wie ich aussehe und rede, wenn ich mal nicht versuche, mit jemandem zu verschmelzen. Außerdem – seien wir ehrlich – könnte es ein wertvoller Dienst an der Allgemeinheit sein, wenn ich für eine Weile die Finger von Beziehungen lasse. Denn die Bilanz meiner »Liebes«-Leistungen sieht nicht so gut aus. Im Grunde war mein Liebesleben eine Abfolge von Katastrophen. Mit wie vielen Männern kann ich es wohl noch probieren und wieder scheitern? Und auf wie viele Weisen kann ich noch versuchen, meine Unzufriedenheit und Rastlosigkeit anderen in die Schuhe zu schieben? Wenn ich je erwachsen werden und Achtung vor mir selbst haben will, muss ich aufhören, nach erfüllender Liebe zu suchen, und selbst Verantwortung für mein Leben übernehmen. Und das heißt, ich brauche eine Männerpause. Betrachten Sie es doch mal so: Wenn Sie zehn schwere Autounfälle hintereinander hatten, würde man Ihnen doch wohl den Führerschein abnehmen! Ja, das würden Sie sich dann vielleicht sogar wünschen!

Es gibt noch einen letzten Grund, weshalb ich zögere, mich mit jemandem einzulassen. Allem Anschein nach bin ich noch immer in David verliebt, und ich glaube nicht, dass das dem nächsten Mann gegenüber fair wäre. Ich weiß nicht einmal, ob David und ich schon völlig auseinander sind. Vor meiner Abreise haben wir noch ziemlich viel Zeit miteinander verbracht, obwohl wir schon lange nicht mehr miteinander schliefen. Aber wir gestanden uns ein, dass wir immer noch Hoffnungen hegten, vielleicht eines Tages …

Ich weiß nicht.

Eines aber weiß ich: Erschöpft bin ich von den Folgen ständiger überstürzter Entscheidungen und chaotischer Leidenschaften, die mir über den Kopf wuchsen. Vor meinem Abflug nach Rom war ich körperlich und geistig am Ende. Ich fühlte mich wie die Scholle eines verzweifelten Landpächters – so ausgelaugt, dass sie unbedingt mal eine Saison brachliegen muss. Das war der Grund für meinen Ausstieg.

Der Ironie, die darin liegt, in einer Phase selbst auferlegter Enthaltsamkeit nach Italien zu reisen, um dort dem Genuss zu frönen, bin ich mir durchaus bewusst. Aber ich bin überzeugt, dass Abstinenz momentan das Richtige für mich ist. Besonders sicher war ich mir dessen in der Nacht, als eine Mitbewohnerin aus dem Stockwerk über mir (eine sehr hübsche Italienerin mit einer erstaunlichen Kollektion hochhackiger Stiefel) mit dem neuesten glücklichen Besucher ihrer Wohnung den längsten, lautesten und knochenbrecherischsten Liebesakt vollführte, den ich jemals gehört hatte. Inklusive Hyperventilier-Sound-Effekten und Raubtierstimmen dauerte dieser Slam-Dance etwa eine Stunde. Eine Stunde lang lag ich allein und müde in meinem Bett und konnte nur denken: *Wie entsetzlich anstrengend das alles klingt …*

Natürlich überkommt mich manchmal die Lust. Täglich sehe ich durchschnittlich ein Dutzend italienischer Männer, die ich mir ohne weiteres in meinem Bett vorstellen könnte. Oder ihrem. Oder wo auch immer. Die römischen Männer sind für meinen Geschmack geradezu lächerlich, unerträglich, blödsinnig schön. Noch schöner sogar, um ehrlich zu sein, als die italienischen Frauen. Die italienischen Männer sind ähnlich schön wie die französischen Frauen, das heißt, ihr Perfektionswahn macht vor nichts Halt. Sie sind wie Pudel auf Hundeschauen. Manchmal sehen sie so gut aus, dass ich applaudieren möchte. Und will ich die hiesigen Männer beschreiben, bin ich gezwungen, auf kitschige Phrasen zurückzugreifen. Sie sind »höllisch attraktiv« oder von »grausamer Schönheit« oder »überraschend muskulös«.

Allerdings würdigen mich diese Römer auf der Straße – falls ich etwas gestehen darf, das mir nicht unbedingt schmeichelt – im Grunde keines zweiten Blickes. Eigentlich nicht mal viele erste Blicke. Am Anfang fand ich das irgendwie alarmierend. Mit neunzehn war ich schon einmal in Italien gewesen und hatte vor allem in Erinnerung, dass mich auf der Straße ständig Männer belästigten. Und in den Pizzerias. Und im Kino. Und im Vatikan. Es war schrecklich. Eine echte Belastung, etwas, das einem fast den Appetit verderben konnte. Und nun, im Alter von vierunddreißig Jahren, bin ich anscheinend unsichtbar geworden. Gewiss, zuweilen macht einer eine freundliche Bemerkung – »Sie sehen heute wunderbar aus, *signorina*« –, aber es passiert nicht mehr oft, und nie ist es aufdringlich. Und obwohl es natürlich angenehm ist, nicht von irgendeinem Fremden im Bus begrapscht zu werden, habe ich ja dennoch meinen weiblichen Stolz und frage mich: *Wer hat sich hier eigentlich verändert? Ich? Oder sie?*

Also höre ich mich ein bisschen um, und alle sind sich einig, dass sich, tja, während der letzten zehn bis fünfzehn Jahre ein echter Wandel vollzogen hat in Italien. Vielleicht ist es ein Sieg des Feminismus oder eine kulturelle Evolution. Vielleicht ist es auch nur schlicht und einfach Verlegenheit auf Seiten der jungen Männer angesichts der berüchtigten Lüsternheit ihrer Väter und Großväter. Doch was immer die Ursache ist, es scheint, als sei die italienische Gesellschaft zu dem Schluss gelangt, dass diese Art von bedrängendem und zu Leibe rückendem Verhalten gegenüber Frauen nicht mehr akzeptabel ist. Nicht einmal meine hübsche junge Freundin Sofie wird auf der Straße belästigt, und die blonden Nordeuropäerinnen traf es früher wirklich am schlimmsten.

Es scheint also, als dürften sich die italienischen Männer die Auszeichnung für diese verbesserten Umgangsformen an die Brust heften.

Was mich natürlich erleichtert, weil ich schon befürchtet hatte, es läge an *mir*. Ich meine, ich fürchtete schon, man beachte mich womöglich deswegen nicht, weil ich nicht mehr neunzehn und hübsch war. Ich hatte Angst, dass vielleicht mein Freund Scott Recht hatte, als er letzten Sommer behauptete: »Ach, mach dir keine Sorgen, Liz – diese Italiener werden dir nicht mehr zu schaffen machen. Es ist nicht wie in Frankreich, wo sie auch auf die Alten stehen.«

23

Gestern Nachmittag war ich mit Luca Spaghetti und seinen Freunden beim Fußball. Wir wollten uns *Lazio* anschauen. In Rom gibt es zwei Fußballvereine, *Lazio* und *Roma*. Die Rivalität zwischen den beiden Mannschaften und ihren Fans ist immens und kann glückliche Familien spalten und friedliche Stadtviertel in bürgerkriegsähnliche Zustände versetzen. Schon früh im Leben gilt es, sich zu entscheiden, ob man *Lazio*-Fan oder *Roma*-Fan wird; und dies ist deshalb so wichtig, weil davon abhängt, mit wem man viele Jahre lang seine Sonntagnachmittage verbringt.

Luca hat etwa zehn enge Freunde, die sich nahe stehen wie Brüder. Nur dass sie zur Hälfte *Lazio*-Fans sind und zur Hälfte Anhänger von *Roma*. Im Grunde können sie gar nichts dagegen tun; alle wurden sie in Familien hineingeboren, in denen die Treue zum jeweiligen Verein bereits fest etabliert war. Lucas Großvater (den man hoffentlich *Nonno Spaghetti* nennt) schenkte dem Jungen sein erstes himmelblaues *Lazio*-Trikot, als der gerade seine ersten Schritte machte. Und nun wird Luca bis zu seinem Tod *Lazio*-Fan bleiben.

»Unsere Frau können wir wechseln«, sagte er. »Auch unsere Arbeitsstelle, die Staatsangehörigkeit oder sogar die Konfession, aber unsere Mannschaft – niemals.«

Das italienische Wort für »Fan« heißt übrigens *tifoso* und leitet sich von *tifo* (»Typhus«) ab. Mit anderen Worten: Ein Fan ist einer, der unter einem heftigen Fieber leidet.

Mein erster Stadionbesuch mit Luca Spaghetti war für mich ein Ohrenschmaus der italienischen Sprache. Ich schnappte alle möglichen neuen und interessanten Wörter auf, die man in der Schule nicht lernt. Ein alter Mann etwa, der hinter mir saß, wand mir einen großartigen Blütenkranz aus Flüchen, mit denen er unablässig die Spieler auf dem Feld überschüttete. Ich verstehe nicht viel von Fußball, zumal europäischem, mit Sicherheit aber wollte ich keine Zeit damit verschwenden, Luca irgendwelche dummen Fragen zum Spielverlauf zu stellen. Alles, was ich wissen wollte, war: »Luca, was hat der Kerl hinter mir gerade gesagt? Was heißt *cafone*?« Und Luca – der kein Auge vom Spielfeld wandte – erwiderte: »Arschloch. Das heißt Arschloch.«

Ich schrieb es mir auf. Und schloss dann die Augen, um einer weiteren Schimpfkanonade des Alten zu lauschen, die etwa so ging:

»Dai … dai … dai, Albertini, dai … va bene, va bene, mio ragazzo, perfetto, bravo, bravo … Dai! Dai! Via! Via! Nella porta! Eccolo, eccola, eccola, mio bravo ragazzo, caro mio, eccola, eccola, ecco … Ahh!! Vaffanculo! Figlio di mignotta!

Stronzo, cafone, traditore! Madonna … Ah, dio mio, perchè, perchè, perchè, questo stupido, perchè lo scemo, scemo … Che casino, che bordello … Non hai un cuore, Albertini, fai finta. Niente è successo … Dai, dai, ah … Molto migliore, Albertini, molto migliore, sì sì sì, eccola, bello, bravo, anima mia, ah, ottimo, eccola, adesso … Nella porta, nella porta, nell … Vaffanculo!«

Was ich vielleicht so übersetzen könnte:

»Komm, komm, komm, Albertini, komm schon … Okay, okay, Junge, wunderbar, bravo, bravo, komm, los, los! Ins Tor! Das ist es, mein Guter, mein Lieber, das ist es, das ist es … Ahhhh! Ach, fick dich doch! Blöder Scheißkerl! Bastard! Arschloch! Verräter! … Mutter Gottes … Oh Gott, warum, warum, warum, das ist doch blöd, warum denn das, Schwachkopf, Schwachkopf … Was für ein Durcheinander (Anmerkung der Autorin: Leider gibt es keine treffende Übersetzung für die italienischen Ausdrücke *che casino* und *che bordello*, die man wortwörtlich mit »was für ein Bordell« übersetzen müsste, im Grunde aber »was für ein Schlamassel« bedeuten) … Du hast keinen Mumm, Albertini! Du bist ein Simulant! Guck, nichts passiert … Mein Gott, komm schon … Hey! Ja! Viel besser, Albertini, viel besser, ja, ja, so geht das, schön, großartig, oh, hervorragend, so macht man das, und jetzt, ins Tor, ins Tor, ins Tor, ins … Fick dich!«

Oh, was für ein einmaliger und glücklicher Moment in meinem Leben es doch war, direkt vor diesem Mann zu sitzen. Ich genoss jedes Wort aus seinem Mund. Ich wollte den Kopf in seinen alten Schoß legen, damit er mir stundenlang seine eloquenten Flüche einflößte. Und nicht nur er war so wortgewaltig! Das ganze Stadion war von solchen Monologen erfüllt. Und mit welcher Inbrunst sie geführt wurden! Wann immer der Schiedsrichter einen groben Fehler beging, erhob sich das gesamte Stadion, ein jeder wedelte empört und fluchend mit den Armen, als ob alle zwanzigtausend Zuschauer gleichzeitig in einen einzigen Verkehrsunfall verwickelt wären. Die *Lazio*-Spieler waren nicht weniger dramatisch und wälzten sich nach einem Foul mit schmerzverzerrten Gesichtern am Boden wie Julius Cäsar in der Sterbeszene, sprangen jedoch zwei Sekunden später wieder auf die Füße, um einen weiteren Angriff aufs Tor zu starten.

Trotzdem verlor *Lazio*.

Da Luca Spaghetti nach dem Spiel Aufmunterung brauchte, fragte er seine Freunde: »Gehen wir noch irgendwohin?«

Das hieß wohl (vermutete ich): »Gehen wir in eine Bar?« Denn das würden Sportfans in Amerika tun, wenn ihre Mannschaft gerade verloren hätte. Sie würden in eine Bar gehen und sich tüchtig einen hinter die Binde kippen. Und nicht nur Amerikaner – auch Engländer, Australier, Deutsche ... Aber Luca und seine Freunde gingen nicht in eine Bar, um sich auf andere Gedanken zu bringen. Sie gingen in eine Bäckerei. Eine kleine Bäckerei im Kellergeschoss eines Hauses in einem unscheinbaren Viertel. An diesem Sonntagabend war sie brechend voll. Doch so voll ist es dort immer nach den Spielen. Die *Lazio*-Fans kommen auf ihrem Heimweg hier vorbei, um stundenlang auf der Straße zu stehen, an ihren Mopeds zu lehnen, das Spiel zu bereden, wahnsinnig männlich auszusehen und Windbeutel zu essen.

Ich liebe Italien.

24

Ich lerne etwa zwanzig neue italienische Wörter pro Tag. Ständig pauke ich Vokabeln und gehe, während ich durch die Stadt spaziere und den Passanten ausweiche, meine Karteikärtchen durch. Wo nehme ich bloß die nötige Gehirnkapazität her, um mir all diese Wörter zu merken? Hoffentlich kommt mein Geist auf die Idee, ein paar negative und traurige Erinnerungen auszurangieren und sie durch diese neuen Vokabeln zu ersetzen.

Ich lerne zwar sehr fleißig Italienisch, hoffe aber immer noch, dass eines Tages ein Knoten platzt. Dass ich eines Tages den Mund aufmache und wie durch Zauberhand fließend Italienisch spreche. Dann werde ich eine waschechte kleine Italienerin sein. Am liebsten würde ich ganz ins Italienische eintauchen, aber es gibt so viele Untiefen in dieser Sprache. Warum beispielsweise haben die italienischen Wörter für »Baum« und »Hotel« so viel Ähnlichkeit miteinander (*albero* versus *albergho*)? Das führt dazu, dass ich Leuten immer wieder versehentlich erkläre, dass ich auf einer »Weihnachtshotel-Farm« aufgewachsen bin statt auf einer – wie es zutreffender heißen müsste und weniger surrealistisch klingen würde – »Weihnachtsbaum-Farm«. Und dann gibt es auch noch Wörter mit doppelter oder gar dreifacher Bedeutung, wie etwa *tasso* – was entweder »Zinssatz«, »Dachs« oder »Eibe« heißen kann. Am meisten ärgere ich mich, wenn ich auf Wörter stoße, die hässlich sind. Ich empfinde sie fast als persönlichen Affront. Tut mir Leid, aber ich bin nicht nach Italien gekommen, um zu lernen, wie man ein Wort wie *schermo* (»Bildschirm«) ausspricht.

Trotzdem, im Großen und Ganzen hat sich mein Sprachstudium absolut gelohnt. Zum überwiegenden Teil ist es das pure Vergnügen. Giovanni und mir macht es unglaublichen Spaß, uns gegenseitig englische und italienische Redewendungen beizubringen. Vorgestern haben wir über Ausdrücke geredet, die man gebraucht, wenn man jemanden trösten will. Ich habe ihm erzählt, dass wir im Englischen zuweilen sagen: »*I've been there.*« – »Da war ich auch schon.« Zunächst stutzte er: Wo sei ich gewesen? Doch ich erklärte ihm, dass tiefer Kummer im übertragenen Sinne ein Ort sei, quasi eine Koordinate auf der Landkarte der Zeit. Wenn man in einem Wald der Trauer stehe, könne man sich nicht vorstellen, dass man je wieder heraus- und an einen besseren Ort findet. Aber wenn einem jemand versichern könne, dass er schon an derselben Stelle gestanden habe und weitergegangen sei, so mache einem das zuweilen Mut.

»Traurigkeit ist also ein Ort?«, fragte Giovanni.

»Manchmal leben Menschen jahrelang dort«, sagte ich.

Im Gegenzug erzählte mir Giovanni, dass mitfühlende Italiener sagen: *L'ho provato sulla mia pelle*. Das heißt: »Ich habe es auf der eigenen Haut verspürt.« Soll heißen: Ich bin ein genauso gebranntes Kind wie du und weiß, was du durchmachst.

Bisher allerdings ist mein Lieblingsausdruck im Italienischen ein schlichtes, ganz alltägliches Wort:

Attraversiamo.

Es bedeutet: »Gehen wir rüber!« Freunde sagen es andauernd zueinander, wenn sie nämlich die Straße entlangspazieren und plötzlich der Meinung sind, es sei Zeit, auf die andere Seite zu wechseln. Eigentlich nichts Besonderes. Und trotzdem geht es mir irgendwie durch und durch. Als Giovanni es zum ersten Mal zu mir sagte, trieben wir uns in der Nähe des Kolosseums herum. Plötzlich hörte ich ihn dieses schöne Wort aussprechen, blieb wie angewurzelt stehen und wollte wissen: »Was heißt das? Was hast du eben gesagt?«

»*Attraversiamo.*«

Er konnte nicht begreifen, warum es mir so sehr gefiel. *Gehen wir auf die andere Seite?* Aber für mein Ohr ist es eine perfekte Kombination italienischer Laute. Das wehmütige *A* der Einleitung, das rollende *R*, das sanfte *S*, die nachklingende »*ii-aa-moo*«-Combo am Ende. Ich liebe dieses Wort. Ich sage es jetzt andauernd. Ich erfinde alle möglichen Vorwände, um es zu sagen. Es treibt Sofie in den Wahnsinn. *Gehen wir rüber! Gehen wir rüber!* Ständig zerre ich sie von einer Straßenseite auf die andere, ungeachtet des wahnsinnigen Verkehrs. Ich werde uns zwei mit diesem Wort eines Tages noch umbringen.

Giovannis englisches Lieblingswort ist *half-assed* – »schludrig«. Lucas hingegen ist *surrender* – »Kapitulation«.

25

In Europa wird ein Machtkampf ausgetragen. Einige große Städte konkurrieren darum, *die* europäische Metropole des einundzwanzigsten Jahrhunderts zu werden. Wird es London sein? Paris? Berlin? Zürich? Oder vielleicht Brüssel? Alle versuchen, einander kulturell, architektonisch oder politisch auszustechen. Rom allerdings, das muss wirklich einmal gesagt werden, beteiligt sich gar nicht erst an diesem Prestige-Gerangel. Rom konkurriert nicht. Das ist unter seiner Würde. Rom sieht dem Treiben nur zu, ungerührt und mit einer Miene, als wolle es sagen: *Hey – macht ihr doch, was ihr wollt, ich bin und bleibe Rom.* Das immense Selbstvertrauen dieser Stadt, die sich – so trutzig und monumental – ihres Platzes in der Geschichte sicher ist, beeindruckt mich. Wenn ich einmal sehr alt bin, wäre ich gerne wie Rom.

Heute unternehme ich eine sechsstündige Wanderung durch die Stadt. Das ist leicht zu schaffen, vor allem, wenn man häufig pausiert, um sich mit Espresso und Gebäck zu stärken. Ich beginne vor meiner Haustür, schlendere dann durch das Shoppingviertel in meiner unmittelbaren Nachbarschaft. (Wenngleich ich nicht von *Nachbarschaft* im traditionellen Sinne sprechen würde. Denn wenn das meine Nachbarschaft ist, sind meine Nachbarn all diese stinknormalen Durchschnittsbürger, die da heißen: Valentino, Gucci, Armani.) Ein Nobelviertel war es schon immer. Rubens, Stendhal, Balzac, Liszt, Wagner, Thackeray, Byron, Keats – alle haben sie hier gelebt. Ich wohne in einer Gegend, die früher das »Englische Ghetto« hieß und wo sich all die vornehmen Aristokraten auf ihrer Grand Tour durch Europa ausruhten. Ein Londoner Touring-Club nannte sich tatsächlich *The Society of Dilettanti*! Welch herrliche Schamlosigkeit doch darin liegt ...

Ich spaziere hinüber zur Piazza del Popolo mit ihrem großartigen Torbogen, den Bernini zu Ehren der Königin Christine von Schweden schuf. (Diese Monarchin war eine echte »Neutronenbombe« der Geschichte, behauptet meine schwedische Freundin Sofie. »Sie konnte reiten, sie konnte jagen, sie war eine Gelehrte, sie trat zum katholischen Glauben über und verursachte dadurch einen Riesenskandal. Manche behaupten, sie sei ein Mann gewesen, vermutlich war sie lesbisch. Sie trug Hosen, ging auf archäologische Ausgrabungen, sammelte Kunst und weigerte sich, einen Erben zu hinterlassen.«) Neben dem Bogen steht eine Kirche, in der man zwei Caravaggio-Gemälde besichtigen kann, Darstellungen des Martyriums des heiligen Petrus und der Bekehrung des heiligen Paulus (den die göttliche Gnade so überwältigt hat, dass er verzückt zu Boden gestürzt ist; nicht mal sein Pferd kann es fassen). Diese Caravaggios machen mich immer ganz weinerlich und gerührt, aber ich heitere mich dann jedes Mal wieder auf durch einen Abstecher zur anderen Kirchenseite, wo ich das Fresko des glücklichsten und lustigsten Jesuskinds von ganz Rom bewundere.

Ich setze meine ziellose Wanderung fort und passiere den Palazzo Borghese, ein Gebäude, das vielen berühmten Menschen als Domizil gedient hat, unter anderem der berühmten Pauline, Napoleons skandalöser Schwester, die sich hier zahllose Liebhaber hielt. Sie benutzte auch gern ihre Zofen als Fußschemel. (Man hofft, dass man diesen Satz im *Companion Guide to Rome* falsch gelesen hat, aber nein – genau so steht es da. Pauline gefiel es auch – so erfahren wir –, sich von »einem riesigen Neger« ins Bad tragen zu lassen.)

Danach schlendere ich am Tiber entlang bis hinunter zur Tiberinsel, die einer meiner Lieblingsorte in Rom ist. Diese Insel war stets mit der Heilung von Kranken verbunden. Nach einer Pestepidemie wurde hier im Jahre 291 vor Christus ein Äskulaptempel errichtet; im Mittelalter gründete eine Gruppe von Mönchen, die man *Fatebenefratelli* nannte (die *Do-Good-Brothers*), ein Spital; und ein Krankenhaus gibt es auf der Insel bis auf den heutigen Tag.

Ich laufe weiter in Richtung Trastevere – dem Viertel, das für sich in Anspruch nimmt, von den waschechtesten Römern bewohnt zu sein. Ich esse in einer ruhigen Trattoria zu Mittag und bleibe stundenlang sitzen, weil einen in Trastevere, wenn einem der Sinn danach steht, niemand davon abhält. Ich bestelle eine Auswahl an *bruschette,* Spaghetti *cacio e pepe* (ein schlichtes römisches Nudelgericht, das mit Käse und Pfeffer serviert wird) und danach ein Brathähnchen, das ich mir mit dem herrenlosen Hund teile, der mich beim Essen beobachtet hat, wie es nur ein herrenloser Hund fertig bringt.

Dann überquere ich wieder den Tiber und schlendere durch das ehemalige jüdische Ghetto, ein Ort des Jammers und der Tränen, der Jahrhunderte überdauerte, bis er schließlich von den Nazis geräumt wurde. Ich wende mich nach Norden, überquere die Piazza Navona mit ihrem Mammutbrunnen zu Ehren der vier großen Flüsse der Erde (zu denen sich stolz, wenn auch völlig unzutreffend, der träge Tiber zählt). Dann werfe ich einen Blick ins Pantheon. Seit ich in Rom bin, nutze ich – immerhin – jede Gelegenheit, mir das Pantheon anzusehen, da ein altes Sprichwort behauptet, dass »ein Esel ist und bleibt«, wer in Rom war und das Pantheon nicht gesehen hat.

Auf dem Heimweg mache ich noch einen kleinen Abstecher und bleibe vor der für mich am meisten befremdenden römischen Adresse stehen – dem Augustusmausoleum. Dieses große, runde Monument erbaute Augustus einst als Grabstätte, auf dass es für alle Zeiten seine sterblichen Überreste und die seiner Familie beherberge. Für den Imperator muss es damals unvorstellbar gewesen sein, dass Rom je etwas anderes als die Hauptstadt eines mächtigen Imperiums sein könne. Wie hätte er auch den Zusammenbruch seines Reiches vorhersehen sollen? Oder wissen können, dass seine Stadt – nachdem die Barbaren alle Wasserleitungen zerstört und alle großen Straßen dem Verfall preisgegeben hatten – verwaisen und es fast zwanzig Jahrhunderte dauern würde, bis sie wieder so viele Einwohner hatte wie auf der Höhe ihrer Macht?

In der Spätantike verfiel das Mausoleum und war zahllosen Plünderungen ausgesetzt. Irgendjemand stahl die Asche des Imperators – wer es war, weiß niemand zu sagen. Im zwölften Jahrhundert allerdings wurde das Grabmal zur Festung umgebaut und diente der mächtigen Familie Colonna zum Schutz vor Angriffen verschiedener feindlicher Fürsten. Später verwandelte sich das Mausoleum in einen Weinberg, dann in einen Renaissancegarten, in eine Stierkampfarena, ein Munitionsdepot, eine Konzerthalle. In den dreißiger Jahren ließ Mussolini das Monument beschlagnahmen und restaurieren, auf dass es eines Tages als letzte Ruhestätte für seine eigenen sterblichen Überreste diene.

Doch weder währte die Ära Mussolini sehr lange, noch erhielt er ein imperiales Begräbnis.

Heute ist das Augustusmausoleum einer der stillsten und einsamsten Orte Roms, zur Hälfte in der Erde versunken. Im Lauf der Jahrhunderte ist die Stadt ringsum in die Höhe gewachsen (zwei Zentimeter pro Jahr, so lautet die Daumenregel). Der Verkehr flutet um das Monument herum, und kaum einer geht jemals die Stufen hinunter, es sei denn, um die verborgenen Winkel als öffentliche Toilette zu benutzen.

Irgendwie finde ich die Unverwüstlichkeit des Augustusmausoleums ungeheuer tröstlich, die wechselvolle Karriere dieses Baus, dessen Verwendung stets dem Wahnsinn der jeweiligen Zeit entsprach. Mir erscheint das Augustusmausoleum wie ein Mensch, der ein völlig verrücktes Leben geführt hat – vielleicht als Hausfrau begann, dann unerwartet Witwe wurde, als Nächstes, um sich durchzubringen, aufs Tanzen verfiel, schließlich als erste Zahnärztin im Weltraum um die Erde kreiste, um sich zuletzt noch als Politikerin zu versuchen – es jedoch stets schaffte, sich ein intaktes Selbstwertgefühl zu bewahren.

Ich blicke auf das antike Monument und denke, dass mein Leben vielleicht doch nicht so chaotisch war. Chaotisch ist nur diese Welt, die bei uns allen Veränderungen bewirkt, mit denen wir niemals gerechnet hätten. Das Augustusmausoleum mahnt mich, nicht an obsoleten Vorstellungen festzuhalten, Vorstellungen von dem, was ich bin, wofür ich stehe, oder bezüglich der Rolle, die ich mir einst zudachte. Gestern war ich vielleicht ein herrliches Monument, gewiss – morgen aber könnte ich schon ein Munitionsdepot sein. Sogar in der Ewigen Stadt, gibt mir das Augustusmausoleum schweigend zu verstehen, muss man stets auf einen plötzlichen Wandel gefasst sein.

26

Unmittelbar vor meiner Abreise aus New York hatte ich mir bereits eine Kiste mit Büchern vorausgeschickt. Garantiert innerhalb von sechs Tagen sollte die Kiste an meiner römischen Adresse eintreffen, aber ich glaube, dass die italienische Post meine Anweisung als »sechsundvierzig Tage« missverstanden hat, denn inzwischen sind zwei Monate vergangen, und von meiner Kiste fehlt immer noch jede Spur. Meine italienischen Freunde meinen, ich solle die Kiste abschreiben. Zwar könne sie noch eintreffen, vielleicht aber auch nicht, doch lägen derartige Dinge nicht in meiner Hand.

»Könnte sie jemand gestohlen haben?«, frage ich Luca Spaghetti. »Zum Beispiel ein Postangestellter?«

Er schlägt die Hände vors Gesicht. »Stell nicht solche Fragen«, sagt er. »Damit machst du dich bloß verrückt.«

Eines Abends löst der rätselhafte Verbleib meiner verschwundenen Kiste eine lange Diskussion zwischen mir, meiner amerikanischen Freundin Maria und ihrem Mann Giulio aus. Maria findet, dass man sich in einer zivilisierten Gesellschaft darauf verlassen können sollte, dass ein Dienstleistungsunternehmen wie die Post unsere Briefe und Päckchen schnellstmöglich ausliefert, Giulio aber sieht das anders. Er weist darauf hin, dass die Post keine Sache der Menschen sei, sondern der Schicksalsgöttinnen, und dass die Auslieferung von Briefen und Paketen daher nichts sei, was irgendjemand garantieren könne.

Mehrere Male gehe ich zur Post, um nach meiner Kiste zu fragen – jedoch vergeblich. Die Postangestellte ist ganz und gar nicht beglückt, ihr Telefonat mit ihrem Freund durch mein Erscheinen unterbrochen zu sehen. Und mein Italienisch ist zwar – ehrlich! – besser geworden, versagt jedoch in solchen Stresssituationen. Während ich mir Mühe gebe, in verständlichen Worten über meine vermisste Bücherkiste zu sprechen, guckt die Frau mich nur an, als würde ich Luftblasen absondern.

»Vielleicht ist sie nächste Woche hier?«, frage ich auf Italienisch.

Sie zuckt die Achseln. »*Magari.*«

(Ein weiteres unübersetzbares Wort, das wohl irgendetwas zwischen »hoffentlich« und »träumst wohl, Tusse« bedeutet.)

Ach, vielleicht ist es ja besser so. Ich kann mich nicht mal erinnern, welche Bücher ich überhaupt eingepackt hatte. Bestimmt waren es Sachen, die ich meinte, durcharbeiten zu müssen, um Italien wirklich zu verstehen. Ich hatte diese Kiste mit allem möglichen Recherchematerial voll gepackt, das zwar von gebührendem Eifer zeugte, mir aber jetzt, wo ich hier bin, unwichtig erscheint. Ich glaube, ich habe sogar die ungekürzte Ausgabe von Gibbons *The History of the Decline and Fall of the Roman Empire* in dieser Kiste verstaut. Vielleicht bin ich ja glücklicher ohne *Decline and Fall*. Will ich wirklich, wo doch das Leben so kurz ist, ein Neunzigstel meiner verbleibenden Tage auf Erden mit der Lektüre von Edward Gibbon verbringen?

27

Letzte Woche habe ich eine junge Australierin getroffen, die zum ersten Mal in ihrem Leben mit dem Rucksack durch Europa reist. Ich erklärte ihr, wie sie zum Bahnhof kommt. Sie wollte nach Slowenien, nur um sich dort mal umzugucken. Als ich von ihren Plänen hörte, packte mich sofort eine blödsinnige Eifersucht, und ich dachte: *Ich will auch nach*

*Slowenien! Warum komme ich eigentlich nie dazu, irgend-
wohin zu reisen?*

Also, dem Leser mag es ja vorkommen, als befände ich
mich bereits auf Reisen. Und sich nach dem Reisen zu sehnen, während man reist, klingt irgendwie unersättlich. So
ähnlich, als wünsche man sich, mit seinem Lieblingsschauspieler zu schlafen, während man gerade mit seinem anderen
Lieblingsschauspieler schläft. Aber die Tatsache, dass diese
junge Frau mich nach dem Weg fragte (mich also für eine Römerin hielt), legt nahe, dass ich mich hier in Rom nicht auf
Reisen befinde, sondern zu Hause bin. Wie temporär dieser
Status auch sein mag, ich bin eine Einwohnerin Roms. Als
ich der Australierin begegnete, war ich nämlich auf dem Weg
zur Bank, um meine Stromrechnung zu bezahlen, womit
sich Reisende in der Regel ja nicht herumschlagen müssen.
Die Energie, die man aufbringt, um irgendwohin zu reisen,
und die Energie, die es kostet, irgendwo zu wohnen, sind
zwei grundlegend verschiedene Energien, aber irgendwie
hatte mir die Begegnung mit der Australierin *en route* nach
Slowenien wahnsinnig Lust gemacht abzuhauen.

Und deswegen rief ich meine Freundin Sofie an und
schlug ihr vor: »Lass uns doch heute zum Pizzaessen nach
Neapel fahren!«

Gesagt, getan. Nur wenige Stunden später sind wir dort.
Ich liebe Neapel auf den ersten Blick. Wildes, raues, lautes,
dreckiges Neapel. Ein gefährliches und fröhliches Irrenhaus.
Ein Freund von mir war in den siebziger Jahren in Neapel
und wurde – in einem *Museum* – fast überfallen. Die ganze
Stadt ist mit Wäsche garniert, die von jedem Fenster herun-
terhängt und über allen Gassen baumelt; jedermanns frisch
gewaschene Unterhemden und Büstenhalter flattern im
Wind wie tibetanische Gebetsfahnen. In jeder Straße brüllen
sich irgendwelche Knirpse in kurzen Hosen und zwei ver-

schiedenen Socken etwas zu. In jedem Haus sitzt mindestens eine gebeugte Alte am Fenster und beobachtet das Treiben auf der Straße.

Die Leute sind so wahnsinnig abgedreht und verrückt hier, weil sie aus Neapel sind. Und warum auch nicht? Schließlich ist das die Stadt, die der Welt Pizza *und* Eiscreme geschenkt hat. Die Neapolitanerinnen sind stimmgewaltig, großmäulig, generös und neugierig, furchtbar herrisch und direkt bis zum Gehtnichtmehr, weil sie dir ja, verdammt noch mal, nur helfen wollen, du dumme Gans. Der neapolitanische Akzent klingt wie eine freundliche Ohrfeige. Als schlendere man durch eine Stadt von Schnellköchen, die alle gleichzeitig herumbrüllen. Dennoch verstehe ich die Neapolitaner besser als die meisten anderen Italiener. Weshalb? Weil sie wollen, dass man sie versteht, verdammt noch mal. Sie reden laut und emphatisch, und wenn man sie nicht versteht, kann man das Gemeinte in der Regel auch ihrer Gestik entnehmen. Wie im Falle dieses kleinen Miststücks, der Zweitklässlerin, die hinter ihrem älteren Cousin auf dem Moped sitzt und mir im Vorbeifahren den Finger *und* ein charmantes Lächeln zeigt, um mir begreiflich zu machen: *Hey, nichts für ungut, Lady. Ich bin erst sieben und kann schon erkennen, dass du eine total bescheuerte Kuh bist, aber das ist cool – ich glaube, du bist trotzdem halbwegs in Ordnung, und irgendwie mag ich dein blödes Arschgesicht. Wir wissen beide, dass du am liebsten ich wärst, aber tut mir Leid – das geht nicht. Wie auch immer, hier ist mein Mittelfinger, und viel Spaß noch in Neapel, ciao!*

Wie überall in Italien sieht man auch hier auf den öffentlichen Plätzen Jungen, die Fußball spielen. In Neapel aber kann man noch anderes entdecken. Heute beispielsweise sah ich Kinder – ich rede von einer Gruppe achtjähriger Jungen –, die ein paar alte Obstkisten zusammengerückt hatten, um ein paar Stühle und einen Tisch zu improvisieren, und dann auf der Piazza mit so ungeheurer Leidenschaft Poker spielten, dass ich Angst bekam, einer von ihnen könnte erschossen werden.

Giovanni und Dario, meine Tandem-Austausch-Zwillinge, stammen aus Neapel. Ich kann es mir nicht vorstellen. Kann mir den schüchternen, fleißigen, sympathischen Giovanni als kleinen Buben unter diesem …, tja, Mob – und ich verwende dieses Wort nicht leichtherzig – einfach nicht vorstellen. Aber er ist tatsächlich Neapolitaner. Vor unserer Abfahrt aus Rom nannte er mir noch den Namen einer Pizzeria, die ich unbedingt ausprobieren müsse, weil es dort angeblich die beste Pizza von ganz Neapel gibt. Angesichts der Tatsache, dass die beste Pizza Italiens aus Neapel stammt und die beste Pizza der Welt aus Italien, fand ich diese Aussicht wahnsinnig aufregend, denn es bedeutet, dass es in dieser Pizzeria …, ich bin fast zu abergläubisch, es auszusprechen, … *die beste Pizza der Welt* gibt. Giovanni nannte mir den Namen des Lokals mit solchem Nachdruck, dass ich fast das Gefühl hatte, in einen Geheimbund eingeführt zu werden. Er drückte mir die Adresse in die Hand und sagte in feierlichstem und vertraulichstem Ton: »Bitte geh in diese Pizzeria und bestell die Pizza Margherita mit Extra-Mozzarella. Solltest du es *nicht* tun, dann lüg mich hinterher bitte an und sag mir, du wärst dort gewesen.«

So sind Sofie und ich in der Pizzeria *Da Michele* gelandet, und diese Teigfladen bringen uns um den Verstand. Ich bin tatsächlich so hin und weg von meiner Pizza, dass ich mir einbilde, meine Pizza erwidere meine Gefühle. Ich habe eine alles verschlingende Beziehung zu dieser Pizza. Sofie ist mittlerweile über der ihren in Tränen ausgebrochen, sie macht gerade eine metaphysische Krise durch und fragt mich in beschwörendem Ton: »Warum versuchen sie *überhaupt noch*, in Stockholm Pizza zu backen? Ja, warum essen wir *überhaupt noch irgendetwas* in Stockholm?«

Die Pizzeria *Da Michele* ist ein kleines Lokal mit zwei Gasträumen und einem Ofen, der nie erkaltet. Sie liegt etwa fünfzehn Minuten Fußweg vom Bahnhof entfernt – überlegen Sie erst gar nicht, gehen Sie einfach hin! Man sollte schon ziemlich früh am Tag dort sein, weil ihnen manchmal der Teig ausgeht, was einem das Herz bricht. Gegen ein Uhr mittags sind die Straßen vor der Pizzeria von Neapolitanern verstopft, die versuchen hineinzukommen und dabei drängeln, als wollten sie einen Platz auf einem Rettungsboot ergattern. Eine Speisekarte gibt es nicht. Sie verkaufen hier nur zwei Sorten von Pizza: normal und mit einer Extraportion Käse. Nichts von diesem südkalifornischen New-Age-Oliven-und-getrocknete-Tomaten-Möchtegernpizza-Quatsch. Der Teig ähnelt geschmacklich – und ich brauche eine halbe Stunde, um das herauszukriegen – indischem Naan. Er ist weich und feucht und nachgiebig, aber unglaublich dünn. Ich dachte immer, in Bezug auf Pizzaböden gebe es nur zwei Optionen: dünn und knusprig oder dick und weich. Wie hätte ich ahnen können, dass es auf dieser Welt einen Pizzaboden gibt, der dünn *und* weich ist? Bei allem, was heilig ist! Auf den Teig wird eine süße Tomatensauce gestrichen, die cremig aufschäumt und Bläschen wirft, wenn sie den frischen Büffel-Mozzarella zum Schmelzen bringt. Der Basilikumzweig in der Mitte verbreitet sein Aroma über die gesamte Pizza, so ähnlich wie ein einziger Filmstar auf einer Party allen Anwesenden durch sein Auftauchen zu einem Glamour-Hoch verhilft. Natürlich ist es schier unmöglich, dieses Gebilde zu essen. Man versucht, ein Stück abzubeißen, und der weiche Boden gibt nach, und der heiße Käse läuft davon wie die Ackerkrume bei einem Erdrutsch, und man bekleckert sich und seine Tischnachbarn.

Die Burschen, die dieses Wunder vollbringen, schaufeln

Pizzas in den Holzofen hinein und hinaus und wirken fast wie Heizer im Bauch eines Ozeandampfers, die Kohlen in die tosenden Kessel schippen. Sie haben die Ärmel über den verschwitzten Unterarmen hochgerollt, ihre Gesichter sind rot vor Anstrengung, ihre Augen blinzeln wegen der Hitze des Feuers, und zwischen den Lippen klemmt eine Zigarette. Sofie und ich bestellen noch eine zweite ganze Pizza für jede von uns und verdrücken sie restlos.

Ein Wort zu meiner Figur. Natürlich nehme ich Tag für Tag zu. Mit diesen Unmengen an Käse und Pasta, Brot, Wein, Schokolade und Pizza, die ich hier in Italien täglich verdrücke, mute ich meinem Körper einiges zu. Ich treibe keinen Sport, ich nehme nicht genügend Ballaststoffe zu mir, ich schlucke keine Vitamintabletten. In meinem wirklichen Leben kannte man mich als jemanden, der mit Weizenkeimen bestreuten Ziegenmilchjoghurt zum Frühstück aß. Aber mein wirkliches Leben ist weit weg. Daheim in Amerika erzählt meine Freundin Susan den Leuten, ich sei auf einer Tour mit dem Motto »Jede Kalorie wird mitgenommen«. Aber mein Körper nimmt es so gleichmütig auf. Gegenüber all meinen Vergehen und Ausschweifungen drückt er ein Auge zu, als wolle er sagen: »Okay, Kleines, leb ruhig in Saus und Braus, ich weiß ja, dass es was Vorübergehendes ist. Sag mir Bescheid, wenn dein kleines Genussexperiment vorbei ist, dann will ich mal schauen, was ich in puncto Schadensbegrenzung tun kann.«

Dennoch erblicke ich, als ich mich im Spiegel der besten Pizzeria Neapels betrachte, strahlende Augen, reine Haut, ein glückliches und gesundes Gesicht. So ein Gesicht habe ich lange nicht mehr an mir gesehen.

»Danke«, flüstere ich. Dann laufen Sofie und ich in den Regen hinaus, um nach süßem Gebäck Ausschau zu halten.

28

Wahrscheinlich bringt mich dieses Glück (das inzwischen schon einige Monate zurückliegt) bei meiner Rückkehr nach Rom auf den Gedanken, dass ich im Hinblick auf David wirklich etwas unternehmen sollte. Dass es vielleicht Zeit für uns wird, unsere Geschichte endgültig abzuschließen. Wie waren wir verblieben, als wir im letzten Winter Schluss gemacht hatten? Offiziell waren wir zwar getrennt, hatten aber ein Fenster offen gelassen für den Fall, dass wir es möglicherweise eines Tages (nach meinen Reisen, nach einem Trennungsjahr) noch einmal probieren wollten. Wir liebten uns. Daran hatte nie ein Zweifel bestanden. Wir wussten nur nicht, wie wir aufhören konnten, uns auf so furchtbare, quälende Weise so extrem unglücklich zu machen.

Im letzten Frühjahr hatte David sogar eine verrückte Lösung für unser Leiden vorgeschlagen: »Könnten wir nicht einfach anerkennen, dass wir eine miese Beziehung haben, und es trotzdem durchziehen? Einfach zugeben, dass wir uns gegenseitig in den Wahnsinn treiben, andauernd streiten, fast nie miteinander schlafen, aber nicht ohneeinander leben können, und irgendwie damit fertig werden? Auf diese Weise könnten wir zusammenbleiben, unglücklich zwar, aber auch wieder glücklich, nicht getrennt zu sein.«

Wie wahnsinnig ich diesen Mann liebe, mag die Tatsache bezeugen, dass ich in den letzten zehn Monaten immer wieder über sein Angebot nachgedacht habe.

Die andere Möglichkeit, mit der wir insgeheim rechneten, war natürlich, dass sich einer von uns ändern könnte. Er könnte liebevoller und zärtlicher werden und sich abgewöhnen, sich jede ihn liebende Frau – aus Angst, sie könnte ihn verschlingen – vom Leib zu halten. Oder ich könnte lernen oder versuchen, ihn … nicht mehr zu verschlingen.

Wie oft hatte ich mir in meiner Zeit mit David gewünscht, so sein zu können wie meine Mutter – unabhängig, stark, selbstgenügsam. Eine Selbstversorgerin. Die auch leben kann, ohne regelmäßige Dosen an Schmeicheleinheiten von meinem eigenbrötlerischen Vater zu bekommen. Die imstande ist, fröhlich Gänseblümchenbeete um die unerklärlichen Steinwälle des Schweigens anzulegen, die mein Vater zuweilen um sich herum hochzieht. Mein Vater ist mein liebster Mensch auf Erden, aber er ist auch ein etwas eigenartiger Kauz. Ein Exfreund von mir hat ihn einmal so beschrieben: »Dein Vater steht nur mit einem Bein auf dem Boden, und er hat sehr, sehr lange Beine ...«

Ich habe meine Mutter als eine Frau in Erinnerung, die die Zärtlichkeiten und die Liebe ihres Ehemannes dankbar annahm, wann immer dieser sich darauf besann, sich aber ebenso damit abfand, dass ihr Mann sich die meiste Zeit in seine eigene Welt zurückzog und sich um sich selbst kümmerte. So jedenfalls wirkte es auf mich, wobei man berücksichtigen muss, dass niemand die Geheimnisse einer Ehe wirklich kennt (vor allem die Kinder nicht). Ich hielt meine Mutter für eine Frau, die von niemandem etwas verlangt. Sie war immerhin eine Frau, die sich als Heranwachsende in einem kalten See in Minnesota und mit einem aus der Gemeindebibliothek entliehenen Buch mit dem Titel *How to Swim* selbst das Schwimmen beigebracht hatte. In meinen Augen gab es nichts, was diese Frau nicht alleine zuwege bringen würde.

Doch dann führte ich nicht lange vor meiner Abreise nach Rom ein aufschlussreiches Gespräch mit meiner Mutter. Sie war nach New York gekommen, um ein letztes Mal mit mir zu Mittag zu essen, und fragte mich – sämtliche Kommunikationsregeln unserer Familie außer Kraft setzend – ganz direkt, was zwischen mir und David vorgefallen sei. Und ebenso unverblümt erzählte ich es ihr. Erzählte ihr alles. Wie sehr ich David liebte, aber wie einsam und traurig es mich machte, mit diesem Menschen zusammen zu sein, der ständig aus dem Zimmer, aus dem Bett, vom Planeten verschwand.

»Klingt irgendwie wie dein Vater«, sagte sie. Ein mutiges und generöses Eingeständnis.

»Das Problem ist nur«, sagte ich, »ich bin nicht wie meine Mutter. Ich bin nicht so taff wie du, Mom. Es gibt da ein Quantum an Zuneigung und Nähe, das ich von einem Menschen, den ich liebe, einfach brauche. Ich muss mich darauf verlassen können, dass er da ist, sonst gehe ich ein. Ich wünschte, ich wäre so wie du, dann könnte ich diese Liebe mit David leben. Aber nicht auf seine Zärtlichkeit bauen zu können, wenn ich sie brauche, macht mich kaputt.«

Und dann schockierte mich meine Mutter. Sie sagte: »All die Dinge, die du dir in deiner Beziehung wünschst, Liz – all diese Dinge habe ich mir auch immer gewünscht.«

In diesem Moment war es, als ob meine starke Mutter die Hand über den Tisch ausgestreckt, die Faust geöffnet und mir einige der sauren Äpfelchen gezeigt hätte, in die sie im Lauf der Jahrzehnte hatte beißen müssen, um glücklich verheiratet zu sein (und sie *ist* – den Umständen entsprechend – glücklich verheiratet). Nie zuvor, kein einziges Mal, hatte ich diese Seite von ihr zu Gesicht bekommen. Nie hatte ich mir darüber Gedanken gemacht, was sie sich vielleicht gewünscht, was sie vermisst und worauf sie verzichtet hatte, weil ihr der Kampf darum angesichts der Umstände nicht lohnenswert erschien. Als mir das klar wurde, spürte ich, wie meine Weltsicht sich radikal veränderte.

Wenn sogar sie sich wünscht, was ich mir wünsche, dann …?

Meine Mutter setzte die beispiellose Serie von Vertraulichkeiten fort und sagte: »Du musst wissen, dass ich nicht mit der Vorstellung erzogen wurde, mir stehe irgendetwas im

Leben zu, Liebes. Denk daran – ich komme aus einer anderen Zeit und aus einer anderen Welt als du.«

Ich schloss die Augen und sah meine Mutter, zehn Jahre alt, auf der Farm ihrer Familie in Minnesota, wo sie schuftete wie eine Bauernmagd, ihre kleinen Brüder aufzog, die Kleider ihrer älteren Schwester auftrug und Zehn-Cent-Stücke sparte, um irgendwann einmal da herauszukommen …

»Und du musst auch verstehen, wie sehr ich deinen Vater liebe«, meinte sie abschließend.

Meine Mutter hat – wie wir alle – in ihrem Leben Entscheidungen getroffen und sich mit ihnen abgefunden. Das sieht man. Sie ist nicht aus ihrem Leben ausgestiegen. Sie hat es sich ihren wichtigsten Bedürfnissen entsprechend eingerichtet. Die Gewinne, die ihr ihre Entscheidungen einbrachten, sind beträchtlich: eine stabile Ehe mit einem Mann, den sie immer noch ihren besten Freund nennt; eine Familie, zu der inzwischen auch schon Enkel gehören, die ganz verrückt nach ihr sind; ein Vertrauen in die eigene Kraft. Vielleicht hat sie einiges geopfert, und auch mein Vater hat Zugeständnisse gemacht – doch wer von uns macht sie nicht?

Für mich aber lautet jetzt die Frage: Wie soll *ich* mich entscheiden? Was steht mir meiner Meinung nach in diesem Leben zu? Wo kann ich Zugeständnisse machen und wo nicht? Mir ein Leben ohne David vorzustellen war so schwer für mich. Allein der Gedanke, nie wieder einen Ausflug mit meinem Lieblingsreisegefährten zu machen, nie wieder mit heruntergekurbelten Fenstern, Springsteen im Autoradio, einem unerschöpflichen Vorrat an Snacks und Gesprächsstoff, unterwegs zu einem Ort am Meer, der uns am Ende des Highways erwartet, am Straßenrand anzuhalten, war unerträglich. Wie aber kann ich dieses Glück akzeptieren, wenn es stets mit so vielen Kehrseiten einhergeht: mit niederschmetternder Einsamkeit, nagender Unsicherheit, heimtückischem Groll und natürlich der unvermeidlichen Demontage meines Ichs? Ich kann nicht mehr. Irgendetwas an meiner Freude in Neapel hat mich davon überzeugt, dass ich das Glück nicht nur ohne David finden kann, sondern muss. Egal wie sehr ich ihn liebe (und ich liebe ihn wirklich, ja, in törichtem Übermaß), ich muss mich von diesem Menschen verabschieden. Und zwar so, dass dieser Abschied endgültig ist.

Also schreibe ich ihm eine E-Mail.

Es ist November. Im Februar haben wir uns getrennt, seit Juli haben wir keinen Kontakt mehr. Traurig, ohne einen echten Schlusspunkt zu setzen, haben wir uns getrennt, mit einem sehnsüchtigen Vielleicht kokettierend … Trotzdem habe ich ihn gebeten, sich während meiner Reise nicht bei mir zu melden, da ich wusste, dass meine Gefühle für ihn zu stark waren, als dass ich mich auf meine Reise hätte konzentrieren können.

Ich hoffe, schreibe ich ihm, es gehe ihm gut, um dann dasselbe von mir zu berichten. Ich scherze ein wenig. Im Witzereißen waren wir immer gut. Dann erkläre ich ihm, ich sei der Ansicht, dass wir diese Beziehung endgültig beenden sollten. Es werde Zeit, sich einzugestehen, dass es niemals klappen werde, dass es nie klappen *sollte*. Die Mitteilung ist nicht allzu dramatisch. Wir hatten schon weiß Gott genug Dramen erlebt. Ich fasse mich kurz. Eines aber muss ich noch loswerden. Mit angehaltenem Atem tippe ich: »Selbstverständlich drücke ich dir, falls du dich nach einer anderen Partnerin umsehen möchtest, beide Daumen.« Meine Hände zittern. Ich verabschiede mich mit herzlichen Grüßen und versuche so heiter wie möglich zu klingen.

Mir ist, als habe man mir einen Schlag versetzt.

In der darauf folgenden Nacht schlafe ich wenig, stelle mir vor, wie er meine Mail liest. Am nächsten Tag laufe ich immer wieder zum Internetcafé, um nachzusehen, ob er geantwortet hat. Ich versuche, den Teil von mir zu ignorieren, der darauf brennt, von ihm zu hören: Komm zurück! Geh nicht fort! Ich werde mich ändern! Ich versuche, das Mädchen in mir zu ignorieren, das im Handumdrehen zu ihm zurückkehren würde, das im Tausch gegen seine Wohnungsschlüssel diese großartige Idee, um die Welt zu reisen, erleichtert fallen ließe. Gegen zehn Uhr an diesem Abend bekomme ich schließlich meine Antwort. Eine wunderbar formulierte E-Mail – selbstverständlich. David hat immer wunderbar formuliert. Er stimme mir zu, jawohl, dass es Zeit werde, sich endgültig Lebewohl zu sagen. Auch er habe schon einige Male daran gedacht.

Er hätte es gar nicht schöner sagen können. Seine Gefühle des Verlusts und Bedauerns teilt er mir mit jener Zärtlichkeit mit, zu der er manchmal auf so ergreifende Weise fähig ist. Er hoffe, ich wisse, wie sehr er mich anbete, weil er mit Worten gar nicht ausdrücken könne, wie sehr. »Aber wir sind nicht das füreinander, was wir voneinander brauchen.« Sagt er. Dennoch sei er sicher, dass ich irgendwann in meinem Leben die große Liebe finden werde. Denn, meint er, »Schönheit zieht Schönheit an«.

Was ja wirklich schön ist. Und vielleicht das Schönste ist, was die Liebe unseres Lebens uns sagen kann, wenn sie nicht sagt: *Komm zurück! Geh nicht fort! Ich werde mich ändern!*

Schweigend sitze ich da und starre lange und traurig auf den Bildschirm. Es ist am besten so, ich weiß es. Ich entscheide mich fürs Glück – anstelle des Leidens –, ich weiß es. Ich schaffe Raum für eine unbekannte Zukunft, um dem Leben und seinen Überraschungen wieder eine Chance zu geben. Das alles weiß ich. Und dennoch …

Es ist wegen *David*. Der jetzt für mich verloren ist.

Noch trauriger lasse ich den Kopf in die Hände sinken.

Schließlich blicke ich auf und stelle fest, dass eine der albanischen Reinemachefrauen im Internetcafé ihre Arbeit unterbrochen hat, an der Wand lehnt und mich beobachtet. Müde schauen wir uns an. Dann nicke ich ihr grimmig zu und sage laut: »Das haut auch die Stärkste um.« Sie nickt mitfühlend. Sie versteht meine Worte nicht, auf ihre Art aber versteht sie mich völlig.

Mein Handy klingelt.

Es ist Giovanni. Er klingt verwirrt. Schon über eine Stunde, sagt er, warte er an der Piazza Fiume, also dort, wo wir uns donnerstagabends zu unseren Konversationsstunden treffen. Er sei irritiert, weil sonst immer nur er zu spät komme oder unseren Termin vergesse, heute aber sei er ausnahmsweise pünktlich gewesen. Wir hätten doch eine Verabredung heute Abend, oder?

Ich hatte es vergessen. Ich erkläre ihm, wo ich bin. Er werde vorbeikommen, meint er, und mich abholen. Zwar bin ich gerade nicht in der Stimmung, Leute zu sehen, aber angesichts unserer begrenzten Sprachkenntnisse ist das am *telefonino* nur schwer zu vermitteln. Ich gehe nach draußen und warte in der Kälte auf ihn. Ein paar Minuten später fährt sein kleines rotes Auto vor, und ich klettere hinein. Er fragt mich auf Italienisch, was denn los sei. Ich mache den Mund auf, will antworten und breche in Tränen aus. Beziehungsweise in ein Geheule. In jenes furchtbare Stakkato, das meine Freundin Susan als »Doppelpumpe« bezeichnet, weil man auf jeden Schluchzer zwei hastige Atemzüge nehmen muss. Ich hatte dieses Kummerbeben nicht vorausgesehen, wurde völlig davon überrascht.

Armer Giovanni! In unsicherem Englisch fragt er mich, ob er denn etwas falsch gemacht habe. Ob ich vielleicht sauer auf ihn sei. Ob ich meine Gefühle verletzt habe. Ich kann nicht antworten, schüttle nur den Kopf und heule weiter.

Am liebsten würde ich im Boden versinken, und der gute Giovanni, der mit dieser schluchzenden, wirren Alten – die völlig *in pezzi* ist, ein einziges Häufchen Elend – hier in diesem Auto festsitzt, tut mir entsetzlich Leid.

Schließlich schaffe ich es, ihm krächzend zu versichern, dass mein Elend nichts mit ihm zu tun habe. Versuche, eine Entschuldigung für meinen jämmerlichen Zustand hervorzuwürgen. Giovannis Reaktion beweist, wie reif er ist. »Entschuldige dich nicht für deine Tränen«, sagt er. »Ohne Gefühle sind wir nur Roboter.« Er reicht mir ein paar Papiertaschentücher aus einer Box hinten im Wagen und meint: »Fahren wir.«

Er hat Recht – der Platz vor diesem Internetcafé ist ein viel zu öffentlicher und grell beleuchteter Ort für einen Zusammenbruch. Er fährt ein Stückchen, um dann auf der Piazza della Repubblica zu parken, gegenüber dem prächtigen Brunnen mit den splitternackten Nymphen, die lüstern mit einem Schwarm steifhalsiger Riesenschwäne herumtollen. Nach römischen Maßstäben wurde der Brunnen erst kürzlich errichtet, nämlich 1885. Meinem Führer zufolge waren die Frauen, die für die Nymphen Modell saßen, ein Schwesternpaar und populäre Varieté-Tänzerinnen ihrer Zeit. Nach Fertigstellung des Brunnens gelangten sie zu zweifelhaftem Ruhm, denn monatelang versuchte die Kirche, die Enthüllung des Kunstwerks zu verhindern, weil es ihrer Ansicht nach zu pornografisch war. Die Schwestern aber wurden ziemlich alt, und noch in den zwanziger Jahren konnte man die beiden alten Damen jeden Tag zur Piazza spazieren sehen, um einen Blick auf »ihren« Brunnen zu werfen. Und einmal in jedem Jahr kam der französische Bildhauer, der die beiden Schwestern in der Blüte ihrer Jugend in Marmor verewigt hatte, nach Rom und führte sie zum Mittagessen aus, wo sie gewiss in gemeinsamen Erinnerungen schwelgten und der Tage gedachten, als sie noch so jung und schön und wild waren.

Giovanni parkt also dort und wartet darauf, dass ich mich wieder fange. Ich kann nur meine Handballen auf die Augen pressen und versuchen, die Tränen zurückzuhalten. Noch nie haben wir ein persönliches Gespräch miteinander geführt, Giovanni und ich. In all diesen Wochen, bei all den gemeinsamen Abendessen haben wir immer nur über Kunst und Philosophie, Politik, Kultur und Essen gesprochen. Wir wissen nichts voneinander. Er weiß nicht einmal, dass ich geschieden bin und in Amerika eine Liebe zurückgelassen habe. Ich weiß nichts über ihn, außer dass er Schriftsteller werden will und in Neapel geboren ist. Jetzt aber sind meine Tränen im Begriff, eine völlig neue Dimension zu eröffnen. Ich wünschte, sie täten es nicht. Nicht unter diesen scheußlichen Umständen.

»Tut mir Leid«, sagt er, »aber ich verstehe nicht. Ist dir heute etwas Schlimmes zugestoßen?«

Aber ich kann immer noch nicht reden, weiß einfach nicht, wie. Giovanni lächelt und meint ermutigend: »*Parla come mangi.*« Er weiß, dass dieser römische Spruch eine meiner Lieblingsredensarten ist, und will damit sagen: »Sprich, wie du isst«, oder in meiner persönlichen Übersetzung: »Sag's, als würdest du's essen.« Wenn man sich mordsmäßig anstrengt, etwas zu erklären, und nach den passenden Worten ringt, ist es eine Mahnung daran, sich so unkompliziert auszudrücken, wie man einen Teller Nudeln verspeist. Also mach kein Riesending daraus. Stell es einfach auf den Tisch.

Ich hole tief Luft und liefere ihm eine stark gekürzte (aber dennoch irgendwie durchaus vollständige) Zusammenfassung meiner persönlichen Lage in italienischer Sprache: »Es geht um eine Liebesgeschichte, Giovanni. Ich hab mich heute von jemandem verabschieden müssen.«

Dann schlage ich wieder die Hände vors Gesicht, und die Tränen rinnen mir durch die zusammengepressten Finger. Gott sei Dank versucht Giovanni weder, mich zu trösten oder in den Arm zu nehmen, noch äußert er das geringste Unbehagen über meinen Tränenausbruch. Stattdessen bleibt er schweigend sitzen, bis ich mich wieder beruhigt habe. Um dann mit bewundernswerter Einfühlungsgabe, jedes seiner Worte mit Bedacht wählend (als seine Englischlehrerin bin ich an diesem Abend besonders stolz auf ihn!), langsam, klar und warmherzig zu sagen: »Ich versteh dich, Liz. Da war ich auch schon.«

29

Die Ankunft meiner Schwester Catherine in Rom einige Tage später trug dazu bei, mich aus meinen wehmütigen Gedanken an David herauszureißen und wieder auf Touren zu bringen. Meine Schwester legt in allem, was sie tut, Tempo vor, und ihre Energie wirbelt in kleinen Zyklonen um sie herum. Catherine ist drei Jahre älter als ich und knapp acht Zentimeter größer. Sie ist Sportlerin, Wissenschaftlerin und Mutter. Während ihres gesamten Romaufenthalts hat sie für einen Marathon trainiert, stand also schon vor Tagesanbruch auf und war in der Zeit, die ich im Allgemeinen benötige, um einen Zeitungsartikel zu lesen und zwei Cappuccini zu trinken, bereits achtzehn Meilen gerannt. Wenn sie rennt, sieht sie übrigens aus wie ein Reh. Als sie mit ihrem ersten Kind schwanger war, durchschwamm sie mal im Dunkeln einen ganzen See. Ich dagegen wollte nicht mitschwimmen, obwohl ich nicht mal schwanger war. Ich hatte zu große Muffe. Angst kennt meine Schwester im Grunde nicht. Als sie mit ihrem zweiten Kind schwanger war, fragte die Hebamme sie einmal, ob sie irgendwelche unausgesprochenen Befürchtungen habe, Ängste in Bezug auf das Baby – wie etwa genetische Defekte oder Komplikationen während der Geburt. Catherine antwortete: »Meine einzige Angst ist, dass er mal Republikaner werden könnte.«

Außer Catherine habe ich keine Geschwister. Während unserer Kindheit auf der elterlichen Farm in Connecticut gab es nur uns zwei. Keine anderen Kinder weit und breit. Catherine war stark und dominant, Oberkommandierende meines Lebens. Ja, ich lebte in Furcht und Schrecken vor ihr; niemandes Meinung zählte – außer ihrer. Ich schummelte, wenn ich mit ihr Karten spielte, um zu verlieren, damit sie nicht sauer auf mich wurde. Nicht immer waren wir Freundinnen. Sie war genervt von mir, und ich hatte Angst vor ihr – bis, ja, bis ich achtundzwanzig wurde und es allmählich satt hatte. Das war das Jahr, in dem ich mich endlich behauptete, und ihre Reaktion darauf klang etwa so: »Warum hast du nur so lange dazu gebraucht?«

Als wir gerade dabei waren, die neuen Bedingungen unserer Beziehung festzuklopfen, geriet meine Ehe ins Schleudern. Und es wäre Catherine ein Leichtes gewesen, meine Niederlage zu ihrem Sieg umzumünzen. Immer war ich das gehätschelte Glückskind gewesen, Liebling der Familie wie auch der Götter. Und stets war die Welt für mich ein bequemerer Ort gewesen als für meine Schwester, die zuweilen so schwer vom Schicksal gebeutelt wurde. Auf meine Scheidung und meine Depression hätte Catherine leicht mit einem »Ha, nun seht es euch jetzt mal an, unser sonniges Gemüt!« reagieren können. Stattdessen stand sie mir tatkräftig zur Seite. Wann immer ich in Not war, auch mitten in der Nacht, konnte ich sie anrufen, und sie tröstete mich. Hörte mir zu, wenn ich mich immer wieder fragte, warum ich so traurig war. Die längste Zeit war sie mittelbar an meiner Therapie beteiligt. Nach jeder Sitzung rief ich sie an und erstattete ihr Bericht über alles, was ich auf der Couch meiner Therapeutin erkannt hatte, und sie sagte dann: »Ah … Das erklärt ja einiges.« Was hieß: »Das erklärt ja einiges über *uns beide*.«

Inzwischen telefonieren wir fast jeden Tag miteinander – oder taten es wenigstens, bis ich nach Rom zog. Ehe sich eine von uns ins Flugzeug setzt, ruft sie immer die andere an und sagt ihr: »Ich weiß, wie morbide das ist, aber ich wollte dir nur sagen, dass ich dich liebe. Du weißt …, nur für den Fall.« Und die andere entgegnet stets: »Nur für den Fall …, ich weiß.«

Gut vorbereitet, wie stets, trifft sie in Rom ein. Fünf Führer hat sie dabei, die sie alle schon gelesen hat, und auch den Stadtplan hat sie bereits in groben Zügen im Kopf. Noch ehe sie Philadelphia verließ, war sie komplett informiert und im Bilde. Das ist ein klassisches Beispiel für den Unterschied zwischen uns. Diejenige, die ihre ersten Wochen in Rom zu neunzig Prozent ahnungslos und hundertprozentig glücklich mit ziellosen Streifzügen verbringt, da ihr alles wie ein unerklärliches schönes Geheimnis erscheint, das bin ich. Aber so kommt mir die Welt eigentlich immer vor. In den Augen meiner Schwester dagegen gibt es nichts, was sich nicht erklären ließe – vorausgesetzt, man hat Zugang zu einer guten Bibliothek. Sie ist eine Frau, die in der Küche neben ihren Kochbüchern *The Columbia Encyclopedia* stehen hat – und sie auch *liest*, und zwar zu ihrem Vergnügen.

Es gibt ein Spiel, das ich gern mit meinen Freunden spiele und das ich manchmal *Pass auf!* nenne. Wann immer jemand über etwas Ausgefallenes nachdenkt (etwa: »Wer war der heilige Ludwig?«), sage ich: »Pass auf!« Dann greife ich nach dem nächsten Telefonhörer und wähle die Nummer meiner Schwester. Manchmal erwische ich sie im Auto, weil sie gerade die Kinder von der Schule abholt, und sofort beginnt sie laut zu grübeln: »Der heilige Ludwig ... Hm, das war ein französischer König, der ... übrigens ein härenes Gewand trug, was interessant ist, weil ...«

Meine Schwester kommt also nach Rom und zeigt mir meine Stadt. Das ist Rom à la Catherine. Ihr Kopf steckt voller Fakten und Daten, mit denen ich mich bisher nicht befasst habe, weil mein Verstand einfach nicht so funktioniert. Das Einzige, was mich an einem Ort oder einer Person interessiert, ist die Story, nur auf sie achte ich, nie aber auf ästhetische Details. (Erst als Sofie mich einen Monat nach meinem Umzug in meiner neuen Wohnung besuchte und meinte: »Hübsches rosa Badezimmer«, fiel mir auf, dass es tatsächlich pink war. Strahlend pink vom Boden bis zur Decke – was mir, ehrlich gesagt, vorher völlig entgangen war.) Viele Dinge, die das geübte Auge meiner Schwester sofort entdeckt – die gotischen, romanischen oder byzantinischen Elemente eines Gebäudes, das Mosaik eines Kirchenbodens oder die blasse Vorzeichnung eines unvollendeten Freskos, das sich hinter dem Altar verbirgt –, sehe ich einfach nicht. Auf ihren langen Beinen schreitet Catherine durch Rom (»Catherine-mit-den-drei-Fuß-langen-Oberschenkeln« nannten wir sie einst), und ich haste hinter ihr her wie in Kindertagen, stolpere zwei eilige Schrittchen vorwärts, während sie einen macht.

»Siehst du, Liz«, sagt sie, »siehst du, wie sie diese neuzeitliche Fassade an das alte Mauerwerk geklatscht haben? Ich wette, wenn wir um die Ecke biegen ... Ja! ... Siehst du, sie haben tatsächlich die alten römischen Monolithen als Träger verwendet, wahrscheinlich weil sie nicht genug Leute hatten, um sie wegzuschaffen ... Ja, die Flohmarktatmosphäre dieser Basilika gefällt mir recht gut ...«

Catherine trägt ihren Stadtplan und ihren *Michelin Green Guide* und ich unser Picknick (zwei von diesen fußballgroßen Semmeln, pikante Wurst, fleischige grüne Oliven, umwickelt mit eingelegten Sardellen, eine Pilzpastete, die wie ein ganzer Wald schmeckt, geräucherte Mozzarella-Kugeln, gepfefferter und gegrillter Aragula, Kirschtomaten, Pecorino-Käse, Mineralwasser und eine kleine Flasche gekühlten Weißwein), und während ich überlege, wann wir wohl endlich vespern, macht sie sich laut ihre Gedanken: »Warum wird eigentlich nicht vermehrt über das Konzil von Trient diskutiert?«

Sie schleppt mich in Dutzende Kirchen, aber ich kriege sie nicht mehr auf die Reihe: St. Dies und St. Das und St. Irgendwer von den Barfüßigen Büßern vom Rechtschaffenen Elend … Aber nur weil ich mich nicht mehr an alle Details oder die Bezeichnungen für all diese Säulen und Gesimse erinnere, heißt das nicht, dass ich nicht gerne mit meiner Schwester unterwegs wäre, deren kobaltblauen Augen nichts entgeht. Ich weiß nicht mehr, wie jene Kirche hieß, mit den Fresken, die so sehr an die heroische amerikanische Wandmalerei aus der Zeit des *New Deal* erinnern, aber ich weiß noch, dass Catherine mich auf sie hinwies und sagte: »Diese Franklin-D.-Roosevelt-Päpste müssten dir doch eigentlich gefallen …« Und auch der Morgen, als wir in aller Frühe aufstanden und zur Messe nach Santa Susanna gingen, ist mir im Gedächtnis geblieben, als wir uns an den Händen hielten und den Nonnen lauschten, die ihr gregorianisches Morgenlob sangen, und uns bei der hallenden Eindringlichkeit ihrer Gebete die Tränen kamen. Meine Schwester ist nicht religiös. Eigentlich auch sonst niemand in meiner Familie. (Ich nenne mich gern das »weiße Schaf« der Familie.) Meine spirituellen Erkundungen interessieren meine Schwester hauptsächlich in intellektueller Hinsicht. »Ich finde diese Art von Glauben so schön«, flüstert sie mir in der Kirche zu, »aber ich kann das nicht, ich kann es einfach nicht …«

Und hier ist noch ein Beispiel für unseren unterschiedlichen Blick auf die Welt: Vor kurzem wurde eine Familie aus der Nachbarschaft meiner Schwester von einer zweifachen Tragödie heimgesucht. Sowohl bei der jungen Mutter als auch bei ihrem dreijährigen Sohn hatte man Krebs diagnostiziert. Als Catherine mir am Telefon davon erzählte, war ich schockiert und konnte lediglich erwidern: »Mein Gott, die Familie braucht wirklich Gnade.« Worauf sie mir entschieden entgegnete: »Die Familie braucht was zu essen«, und sich umgehend anschickte, sämtliche Nachbarn zu mobilisieren, die dann abwechselnd ein ganzes Jahr lang Abend für Abend für die Familie kochten. Ob meine Schwester begreift, dass auch das Gnade ist, weiß ich nicht.

Als wir Santa Susanna verlassen, sagt sie: »Weißt du, warum die Päpste im Mittelalter Stadtplanung betreiben mussten? Vor allem, weil man Jahr für Jahr mit zwei Millionen Pilgern zu rechnen hatte, die aus dem gesamten Abendland in die Stadt kamen. Um die Pilgerströme zu lenken und zu bewältigen, musste man eine entsprechende Infrastruktur schaffen.«

Meine Schwester glaubt an den Wert der Bildung. Das *Oxford English Dictionary* ist ihre Heilige Schrift. Wenn sie den Kopf darüber beugt und ihre Finger über die Seiten eilen, ist sie bei ihrem Gott. Später an diesem Tag erlebe ich meine Schwester »im Gebet«: Mitten auf dem Forum Romanum fällt sie auf die Knie, schiebt (als würde sie eine Tafel wischen) ein wenig Abfall beiseite, nimmt dann ein Steinchen und ritzt den Grundriss einer römischen Basilika in den Boden. Dann zeigt sie auf die vor uns stehende Ruine und macht mir begreiflich (sogar ich mit meiner Sehbehinderung begreife es), wie dieses Bauwerk vor etwa achtzehn Jahrhunderten einmal ausgesehen haben muss.

Im Italienischen gibt es eine etwas obskure Zeitform namens *passato remoto*, die »entfernte Vergangenheit« oder das historische Perfekt. Und man benutzt dieses Tempus unter anderem, um Ereignisse der fernen Vergangenheit zu beschreiben, Ereignisse, die so weit zurückliegen, dass wir keinerlei persönlichen Bezug mehr zu ihnen haben – wie etwa die Geschehnisse der Antike. Meine Schwester allerdings würde in diesem Tempus, so sie denn Italienisch spräche, wohl kaum die römische Antike erörtern. Für sie ist das Forum Romanum weder fern noch vergangen, sondern so gegenwärtig und nah, wie ich es ihr bin.

Am nächsten Tag reist sie ab.

»Hör zu«, sage ich, »ruf mich an, wenn dein Flugzeug sicher gelandet ist. Ich will ja nicht morbide sein, aber …«

»Ich weiß, Süße«, antwortet sie. »Ich liebe dich auch.«

30

Manchmal, wenn ich darüber nachdenke, bin ich überrascht, dass meine Schwester Ehefrau und Mutter geworden ist und ich nicht. Irgendwie hatte ich es mir immer umgekehrt vorgestellt. Ich würde diejenige sein, hatte ich geglaubt, die sich eines Tages in einem Haus voller schmutziger Stiefel und brüllender Kinder wiederfindet, während Catherine als Single leben und sich die Nächte lesend im Bett um die Ohren schlagen würde. Doch wir entwickelten uns anders, als es uns irgendjemand hätte vorhersagen können. Und ich glaube, dass es besser so ist. Denn entgegen allen Prophezeiungen führen wir heute beide ein Leben, das uns entspricht. Ihre einzelgängerische Natur verlangt quasi nach einer Familie, damit diese sie vor der Einsamkeit bewahrt; mein geselliges Wesen hingegen hat zur Folge, dass ich mir – auch als

Single – ums Alleinsein nie Gedanken machen musste. Ich bin froh, dass sie wieder zu ihrer Familie heimkehrt, und auch froh, dass ich noch neun Monate meines Reisejahres vor mir habe, in denen ich lediglich essen, lesen, beten und schreiben muss.

Ich weiß immer noch nicht, ob ich mir Kinder wünsche oder nicht. Es war so verblüffend für mich, als ich mit dreißig feststellte, dass ich keine wollte; die Erinnerung daran ist mir eine Warnung, lieber nicht darauf zu wetten, wie ich mit vierzig darüber denke. Ich kann nur sagen, wie ich mich jetzt fühle: nämlich froh und dankbar, allein zu sein. Ich weiß auch, dass ich nicht hingehen und Kinder kriegen werde, nur für den Fall, dass ich meine Kinderlosigkeit später bedauern könnte; ich glaube nicht, dass das ein hinreichender Grund ist, um Kinder in die Welt zu setzen. Obwohl ich vermute, dass die Menschen sich zuweilen aus diesem Grund fortpflanzen – als Versicherung gegen späteres Bedauern. Ich denke, die Leute kriegen aus allen möglichen Gründen Kinder – manchmal aus dem reinen Bedürfnis heraus, ein Wesen zu hegen und aufwachsen zu sehen, zuweilen, weil es keine andere Wahl für sie gibt, dann vielleicht, um einen Partner zu halten oder einen Erben zu haben, oder aber auch, weil sie nicht darüber nachgedacht haben. Die Gründe fürs Kinderkriegen sind äußerst verschieden, und nicht alle sind unbedingt selbstlos. Aber auch die Gründe *gegen* das Kinderkriegen sind vielfältig. Und erst recht nicht unbedingt egoistischer Natur.

Ich sage das, weil ich mich immer noch mit dem Vorwurf herumschlage, den mein Mann im Endstadium unserer Ehe so viele Male gegen mich erhob: dem Vorwurf des *Egoismus*. Seiner Ansicht nach war meine Weigerung, Kinder zu bekommen, purer Egoismus. Und jedes Mal, wenn er diesen Vorwurf wiederholte, stimmte ich ihm uneingeschränkt zu, nahm alle Schuld auf mich, kaufte ihm alles ab. Mein Gott, ich hatte die Kinder ja noch nicht mal in die Welt gesetzt und vernachlässigte sie bereits, war mir jetzt schon wichtiger als sie. War jetzt schon eine Rabenmutter. Häufig waren diese Babys – diese Phantombabys – Thema unserer Auseinandersetzungen. Wer würde sich um die Kinder kümmern? Wer würde bei ihnen zu Hause bleiben? Wer würde für sie aufkommen? Wer würde die Babys nachts füttern? Ich erinnere mich, dass ich einmal, als meine Ehe immer unerträglicher wurde, zu meiner Freundin Susan sagte: »Ich will nicht, dass meine Kinder in einem solchen Haushalt aufwachsen.« Und Susan erwiderte: »Warum lässt du diese so genannten Kinder nicht mal außen vor? Es gibt sie doch noch gar nicht, Liz. Warum kannst du nicht einfach zugeben, dass du nicht mehr länger in diesem Elend leben willst? Dass das keiner von euch will. Und es wäre im Übrigen besser, das jetzt zu tun, als erst im Kreißsaal, wenn dein Muttermund schon offen ist.«

Um diese Zeit herum besuchte ich einmal eine Party in New York. Ein erfolgreiches Künstlerpaar hatte ein Baby bekommen, und die Mutter, mit der ich befreundet war, feierte im eigenen Loft die Vernissage ihrer neuen Bilder, die zuvor in einer Galerie stattgefunden hatte. Ich weiß noch, wie ich diese Frau, die junge Mutter und Künstlerin, dabei beobachtete, wie sie sich bemühte, die Gastgeberin zu spielen und gleichzeitig den Säugling zu versorgen und sich professionell zu ihrem Werk zu äußern. In meinem ganzen Leben habe ich keinen Menschen mit derartigem Schlafdefizit erlebt. Nie werde ich den Anblick vergessen, den sie bot, als sie nach Mitternacht in ihrer Küche stand, die Arme bis zu den Ellbogen in einer Spüle voller Geschirr, und sauber machte. Ihr Mann (es tut mir Leid, es sagen zu müssen, und mir ist völlig klar, dass sein Verhalten durchaus nicht typisch für alle Ehemänner ist) befand sich im Nebenraum, hatte buchstäblich die Füße auf den Tisch gelegt und guckte fern. Irgendwann fragte sie ihn, ob er ihr nicht helfen wolle, die Küche aufzuräumen, und er meinte nur: »Lass, Liebling – das machen wir morgen.« Wieder begann das Baby zu weinen. Die auslaufende Milch hatte das Cocktailkleid meiner Freundin durchweicht.

Mit an Sicherheit grenzender Wahrscheinlichkeit haben andere Gäste diese Party mit anderen Eindrücken verlassen. Viele könnten diese schöne Frau mit ihrem gesunden Baby sehr beneidet haben, um ihre erfolgreiche Karriere als Künstlerin, ihre Ehe mit einem liebenswerten Mann, ihre schöne Wohnung, ihr Cocktailkleid. Es gab Leute auf dieser Party, die – hätten sie die Möglichkeit gehabt – wohl sofort mit ihr getauscht hätten. Sie selbst verbuchte das Ganze im Nachhinein – sofern sie überhaupt darüber nachdachte – vermutlich als ermüdenden, aber absolut lohnenden Abend in ihrem insgesamt befriedigenden Leben als Mutter, Ehefrau und Künstlerin. Ich jedenfalls zitterte während der ganzen Party geradezu panisch und dachte: *Wenn du jetzt nicht begreifst, Liz, dass auch dir eine solche Zukunft bevorsteht, dann ist dir nicht mehr zu helfen. Tu was dagegen!*

Aber stand ich denn in der Verantwortung, eine Familie zu haben? Gott – *Verantwortung.* Dieses Wort machte mir lange Zeit zu schaffen – bis ich es mir vornahm, bis ich es mir genauer ansah und in seine Bestandteile zerlegte, die seine wahre Bedeutung enthüllten: die Fähigkeit nämlich, *eine Antwort zu geben* ...

Und das, worauf ich letztendlich eine Antwort finden musste, war die Tatsache, dass jede Faser meines Wesens von mir verlangte, mich aus dieser Ehe zu retten. Ein Frühwarnsystem irgendwo in meinem Innern prophezeite mir, dass ich, wenn ich so verkrampft und verbissen weitermachte, irgendwann an Krebs erkranken würde. Und wenn ich trotzdem Kinder in die Welt setzte – nur weil ich mich dem Druck oder der Schmach, einige unangenehme Tatsachen über mich ans Licht zu bringen, nicht stellen wollte –, so wäre dies ein Akt äußerster Verantwortungslosigkeit.

Was mich am Ende jedoch am nachhaltigsten beeinflusste, waren die Worte meiner Freundin Sheryl in jener Nacht auf ebenjener Party, als sie mich im Bad des schicken Lofts unserer Freundin antraf, wo ich mir schlotternd vor Angst Wasser ins Gesicht spritzte. Sheryl wusste damals nicht, wie es um meine Ehe stand. Keiner wusste es. Und ich erzählte es ihr auch nicht. Konnte nicht darüber sprechen. Brachte es einfach nicht über die Lippen. Ich konnte nur sagen: »Ich weiß nicht, was ich tun soll.« Und ich weiß noch, wie sie mich an den Schultern packte, mir ruhig lächelnd in die Augen schaute und einfach nur meinte: »Sag die Wahrheit, sag die Wahrheit, sag die Wahrheit.«

Also habe ich es getan.

Der Ausstieg aus einer Ehe ist jedoch alles andere als leicht, und nicht nur wegen der damit verbundenen juristischen Komplikationen und finanziellen Probleme oder der massiven Veränderung des ganzen Lebens. (»Niemand ist je an der Aufteilung von Möbeln gestorben«, versicherte mir allerdings meine Freundin Deborah.) Der emotionale Rückstoß macht einen fertig, der Schock, aus dem Geleise eines konventionellen Lebens geraten zu sein und all jene beruhigenden Sicherheiten verloren zu haben, die viele Menschen für immer in diesem Geleise festhalten. Mit dem Ehepartner eine Familie zu gründen ist in der amerikanischen (aber wohl auch jeder anderen) Gesellschaft eine der elementarsten Möglichkeiten, um Kontinuität und Sinn zu erleben. Jedes Mal, wenn ich zu einem großen Familientreffen meiner mütterlichen Sippe in Minnesota fahre und sehe, wie jeder Einzelne über die Jahre hinweg auf so beruhigende Weise seine

Stellung hält, erlebe ich diese Wahrheit aufs Neue. Erst ist man Kind, dann Teenager, dann jung verheiratet, dann Mutter oder Vater, dann geht man in Rente, und schließlich ist man Großvater oder Großmutter – in jedem Stadium weiß man, wer man ist, welche Pflichten man hat und welchen Platz man beim Familientreffen einnimmt. Man sitzt jeweils bei den anderen Kindern, Teenagern, jungen Eltern oder Rentnern. Bis man schließlich bei den Neunzigjährigen ein wenig abseits sitzt und befriedigt seine Nachkommenschaft überblickt. Und wer ist man dann? Nun? Natürlich derjenige, der *das* alles geschaffen hat. Die Befriedigung, die man aus diesem Wissen schöpft, ist nicht nur unmittelbar, sondern sie ist universal anerkannt. Von wie vielen Menschen habe ich schon gehört, dass sie ihre Kinder als die größte Leistung und den größten Trost ihres Lebens betrachten! Sie sind das, worauf sie sich in einer metaphysischen Krise oder Momenten des Selbstzweifels stützen können: *Wenn ich auch sonst nichts in meinem Leben vollbracht habe, so habe ich wenigstens meine Kinder gut erzogen.*

Was ist jedoch, wenn man – aus freier Entscheidung oder erzwungenermaßen – schließlich nicht teilhat an dieser tröstlichen Familienkontinuität? Was, wenn man aus der Bahn gerät? Wo sitzt man dann beim Familientreffen? Wie nutzt man die Zeit, ohne am Ende fürchten zu müssen, seine Frist auf Erden sinnlos verplempert zu haben? Wozu war unser Leben dann gut? Wir werden dann wohl ein anderes Maß zur Beurteilung unseres Lebens finden müssen. Ich liebe Kinder, doch wenn ich keine bekomme, wer bin ich dann am Ende meiner Tage?

Virginia Woolf schrieb: »Über den weiten Kontinent eines Frauenlebens fällt der Schatten eines Schwerts.« Auf der einen Seite dieses Schattens, meinte sie, liege Konvention, Tradition und Ordnung, dort »geht alles korrekt zu«. Sei man jedoch verrückt genug, über den Schatten hinwegzuspringen und ein Leben jenseits der Konvention zu wählen, so erlebe man auf der anderen Seite »nichts als Chaos. Nichts folgt einem geregelten Gang.« Der Sprung über den Schatten aber könne – so Woolfs Argument – einer Frau ein weit interessanteres Leben bescheren, wenn es auch sicherlich mit größeren Gefahren einhergehe.

Ich kann von Glück reden, dass ich wenigstens meine Schriftstellerei habe. Das ist etwas, was die Menschen begreifen. *Ah, sie hat ihre Ehe aufgegeben, um ihre Kunst zu retten.* Was zwar irgendwie zutrifft, aber doch nicht so ganz. Viele Schriftstellerinnen haben Familie. Toni Morrison, um nur ein Beispiel zu nennen, hinderte die Erziehung ihres Sohnes nicht daran, ein Pokälchen zu gewinnen, das man Nobelpreis nennt. Aber Toni Morrison hat ihren Weg gefunden, und ich muss den meinen suchen. Es sei besser, sein eigenes Schicksal unvollkommen zu leben, behauptet die *Bhagavadgita*, jener altindische yogische Text, als das Leben eines anderen auf vollkommene Weise nachzuahmen. Nun also habe ich begonnen, mein eigenes Leben zu leben. Und so unvollkommen und unbeholfen es auch sein mag, es sieht mir jetzt wirklich ähnlich.

Ich gebe zu, dass ich – verglichen mit meiner Schwester, die ein eigenes Heim und Kinder hat und in einer intakten Beziehung lebt – einen ziemlich instabilen Eindruck mache. Sogar mich verblüfft der Kontrast zuweilen. Nicht mal einen festen Wohnsitz habe ich, was ja wohl geradezu als Verbrechen gegen die Normalität gilt. Ja, all meine Habseligkeiten sind bei Catherine untergestellt, die mir auch eine provisorische Bleibe im obersten Stock ihres Hauses eingerichtet hat (die wir »das Stübchen des alten Tantchens« nennen, da es ein Dachfenster hat, durch das ich – in mein altes Brautkleid gewandet – aufs Moor hinausstarren und meiner verlorenen

Jugend nachtrauern kann). Catherine scheint mit dieser Regelung einverstanden zu sein, und für mich ist sie auf jeden Fall bequem. Aber ich muss auch aufpassen, dass ich – wenn ich zu lange ziellos durch diese Welt drifte – nicht eines Tages noch zur »abgedrehten Tante mit Dachschaden« mutiere. Vielleicht ist es ja auch schon passiert. Letzten Sommer hatte meine fünfjährige Nichte eine kleine Freundin zum Spielen zu Besuch. Ich fragte die Kleine, wann sie Geburtstag habe. Am 25. Januar, antwortete sie.

»Oh!«, sagte ich. »Dann bist du also ein Wassermann! Wassermänner bedeuten Ärger, das kann ich dir flüstern, ich war mit vielen liiert.«

Die beiden Fünfjährigen guckten verwirrt und auch ein bisschen beunruhigt und verunsichert. Und plötzlich sah ich das entsetzliche Bild der Frau vor mir, die ich werden würde, wenn ich nicht aufpasste: *die bekloppte Tante Liz*. Die Geschiedene im Negligé mit den orange gefärbten Haaren, die keine Milchprodukte isst, aber Mentholzigaretten raucht, immer von irgendeiner Astrologie-Kreuzfahrt zurückkommt oder aber mit ihrem Freund, dem Aromatherapeuten, Schluss gemacht hat, die Kindergartenkindern die Tarotkarten legt und Sachen sagt wie: »Bring Tantchen Liz noch 'nen Weinkühler, Kleines, dann darfst du auch meinen *Mood-Ring* tragen …«

Schließlich und endlich werde ich wieder bodenständiger werden müssen, darüber bin ich mir im Klaren.

Aber *bitte* jetzt noch nicht. Nur nicht jetzt gleich.

Im Laufe der folgenden sechs Wochen reise ich nach Bologna, Florenz, Venedig, Sizilien, Sardinien, dann noch einmal nach Neapel und schließlich nach Kalabrien. Meist sind es Kurztrips (eine Woche hier, ein Wochenende da) – gerade genug Zeit, um ein Gefühl für den jeweiligen Ort zu kriegen, sich umzusehen, Menschen auf der Straße zu fragen, wo man gut isst, und dann im genannten Lokal zu speisen. Ich melde mich vom Sprachunterricht ab, da er mich ans Klassenzimmer fesselt und mich daran hindert, *Italien* zu erkunden; ich beschließe, mein Italienisch im direkten Kontakt mit den Italienern auszuprobieren.

Diese Wochen spontanen Reisens sind eine herrliche Zeit, in der ich mich so ungebunden fühle wie selten zuvor. Ich eile zum Bahnhof und kaufe links und rechts Tickets und fange endlich an, meine Freiheit wirklich zu genießen, weil ich begriffen habe, dass ich *überall hinreisen kann*. Eine Weile sehe ich meine Freunde in Rom nicht mehr. »*Sei una trottola*«, sagt mir Giovanni am Telefon. (»Du bist ein Kreisel.«) Eines Nachts weckt mich in einer Stadt irgendwo am Meer, in einem Hotelzimmer direkt am Wasser, tatsächlich mein eigenes Gelächter aus tiefstem Schlaf. Ich bin verblüfft. Wer lacht da in meinem Bett? Als mir klar wird, dass nur ich es bin, muss ich wieder lachen. An meinen Traum erinnere ich mich zwar nicht mehr. Aber ich glaube, er hatte etwas mit Booten zu tun.

An einem Freitagmorgen fahre ich mit dem Zug nach Florenz, um Onkel Terry und Tante Deb zu sehen, die zum ersten Mal in ihrem Leben über den Großen Teich geflogen sind. Sie wollen durch Italien reisen und natürlich auch ihre Nichte sehen. Bei ihrer Ankunft ist es schon Abend, und ich mache mit ihnen einen Spaziergang zum Dom, der stets einen beeindruckenden Anblick bietet.

Mein Onkel ist begeistert. »Wow!«, sagt er, hält dann inne und meint einschränkend: »Aber vielleicht ist das der falsche Ausdruck, um sich bewundernd über eine katholische Kirche zu äußern …«

Wir gucken zu, wie im Skulpturengarten die Sabinerinnen vergewaltigt werden, ohne dass jemand auch nur einen Finger rührt, um dagegen einzuschreiten, erweisen Michelangelo die Ehre sowie dem Naturwissenschaftlichen Museum und genießen all die Aussichten von den Hügeln rings um die Stadt. Dann verlasse ich Onkel und Tante, damit sie den Rest ihres Urlaubs ohne mich genießen können, und fahre weiter nach Lucca, jene kleine toskanische Stadt mit den gefeierten Metzgereien, wo die schönsten Fleischstücke, die ich je in Italien gesehen habe, mit jener »Du-weißt-dass-du-mich-willst«-Sinnlichkeit überall in der Stadt in den Schaufenstern baumeln. Würste von jeder nur vorstellbaren Größe, Farbe und Herkunft sind wie Damenbeine in aufreizende Strümpfe gestopft und hängen von den Decken der Metzgereien. Wollüstige Schinken prangen in den Fenstern und locken wie Amsterdamer Edelnutten. Sogar im Tod wirken die Hühnchen noch so prall und zufrieden, dass man glauben möchte, sie hätten sich stolz zur Schlachtung dargeboten, nachdem sie im Leben darum gewetteifert hätten, welches von ihnen das saftigste und fetteste werden würde.

Aber nicht nur das Fleisch ist wunderbar in Lucca; auch die Kastanien, die Pfirsiche, die Feigen, mein Gott, diese Feigen ...

Selbstverständlich ist die Stadt auch berühmt dafür, der Geburtsort Puccinis zu sein. Ich sollte mich dafür interessieren, ich weiß, interessiere mich aber mehr für das Geheimnis, das mir ein einheimischer Lebensmittelhändler soeben anvertraut hat – dass es nämlich in einem Restaurant *gegenüber* Puccinis Geburtshaus die besten Pilze der Stadt gibt. Also schlendere ich durch Lucca und erkundige mich auf Italienisch nach dem Weg: »Können Sie mir sagen, wo das Haus von Puccini ist?« Schließlich führt mich ein freundlicher Mann direkt dorthin und ist vermutlich sehr überrascht, als ich »*grazie*« sage, auf dem Absatz kehrtmache, dem Museumseingang den Rücken zuwende und in die entgegengesetzte Richtung marschiere, um das Restaurant auf der anderen Straßenseite zu betreten, wo ich bei einer Portion *risotto ai funghi* das Ende des Regens abwarte.

Ich erinnere mich nicht mehr, ob ich vor oder nach Lucca in Bologna war – einer Stadt, die so schön ist, dass ich während meiner ganzen Zeit dort nicht mehr aufhören konnte zu singen: »*My Bologna has a first name! It's P-R-E-T-T-Y.*« Traditionell hat man Bologna – wegen seiner herrlichen Ziegelarchitektur und seines Reichtums – »die Rote, die Dicke und die Schöne« genannt. (Doch, ja, auch das war als Titel für dieses Buch im Gespräch.) Das Essen ist hier eindeutig besser als in Rom, aber vielleicht nehmen sie auch einfach nur mehr Butter. Sogar das *gelato* ist besser (es kommt mir treulos vor, das zu sagen, aber es stimmt). Die Pilze hier sind wie große geile Zungen, und der *prosciutto* ist über die Pizza drapiert wie ein dünner Spitzenschleier über einen eleganten Damenhut. Und natürlich gibt es die berühmte *salsa bolognese*, die jedes andere *ragù* in den Schatten stellt.

In Bologna kommt mir in den Sinn, dass es im Englischen für den Ausdruck *buon appetito* keine wörtliche Übersetzung gibt. Das ist schade und auch sehr aufschlussreich. Natürlich gibt es auch in den Zügen zu essen – kleine Sandwiches und feine heiße Schokolade. Wenn es draußen regnet, ist es sogar noch schöner, zu schnabulieren und gleichzeitig dahinzubrausen. Während einer langen Fahrt teile ich mein Zugabteil mit einem süßen jungen Italiener, der, während ich lese und meinen Oktopussalat verspeise, stundenlang schläft. Kurz bevor wir in Venedig ankommen, reibt er sich die Augen, mustert mich eingehend von Kopf bis Fuß und murmelt leise: »*Carina.*« Was so viel wie »hübsch« bedeutet.

»*Grazie mille*«, erwidere ich mit übertriebener Höflichkeit. Tausend Dank.

Er ist überrascht. Ihm war nicht klar, dass ich Italienisch kann. Ebenso wenig wie mir, übrigens, doch wir unterhalten uns etwa zwanzig Minuten lang, und zum ersten Mal habe ich das Gefühl, dass ich es tatsächlich spreche. Ich habe irgendeine Schwelle überschritten und spreche nun tatsächlich Italienisch. Ich übersetze nicht, ich rede einfach. Natürlich mache ich in jedem Satz einen Fehler und beherrsche auch nur drei grammatische Zeiten, aber ich kann ohne große Mühe mit diesem jungen Mann kommunizieren. *Me la cavo*, würde man auf Italienisch sagen, was ungefähr heißt: »Ich komme klar«, aber eigentlich bedeutet das Verb *cavare* so viel wie »herausziehen« (zum Beispiel einen Korken aus einer Flasche Wein), so dass man die Redewendung auch treffender übersetzen könnte: »Ich kann mich selber aus der Patsche ziehen.«

Er steht auf mich, dieser Bursche! Was mir ein bisschen schmeichelt. Und er ist auch nicht unattraktiv. Wenn er auch alles andere als bescheiden auftritt. Irgendwann sagt er auf Italienisch, wobei er natürlich glaubt, mir ein Kompliment zu machen: »Für eine Amerikanerin sind Sie nicht zu dick.«

»Für einen Italiener«, erwidere ich auf Englisch, »bist du nicht zu schmierig.«

Come?

Ich wiederhole – in leicht abgewandelter Form – auf Italienisch: »Und Sie sind so zuvorkommend wie alle italienischen Männer.«

Ich spreche diese Sprache! Der Kleine denkt, ich mag ihn, aber ich flirte nur mit den Wörtern. Gott – ich hab mich selbst entkorkt! Ich hab meine Zunge entkorkt, und Italienisch sprudelt mir über die Lippen! Er will sich mit mir in Venedig treffen, aber ich habe nicht das geringste Interesse an ihm. Ich bin nur verliebt in die Sprache, will lediglich Fragen stellen und Fragen beantworten, und lasse ihn daher ziehen. Ich hab sowieso schon eine Verabredung in Venedig. Ich werde dort meine Freundin Linda treffen.

Crazy Linda, wie ich sie gerne nenne, obwohl sie nicht verrückt ist, kommt aus dem verregneten Seattle ins neblige Venedig. Da sie mich unbedingt in Italien besuchen wollte, habe ich sie nach Venedig eingeladen, weil ich mich dagegen sträube – mich absolut weigere –, die romantischste Stadt der Welt allein zu besuchen: nein, nicht jetzt, nicht in diesem Jahr. Ich konnte es mir richtiggehend ausmalen, wie ich mutterseelenallein im hinteren Teil einer Gondel saß und von einem schnulzenden Gondoliere durch den Nebel gestakt wurde. Es ist ein trauriges Bild, ähnlich wie die Vorstellung, ganz allein auf einem Tandem einen Hügel hinaufzustrampeln. Also wird Linda meine Begleiterin sein – und eine gute obendrein.

Linda (mit ihren Dreadlocks und ihren Piercings) habe ich vor knapp zwei Jahren auf Bali bei diesem Yogaseminar kennen gelernt. Seither waren wir auch schon mal zusammen in Costa Rica. Sie ist eine meiner liebsten Reisegefährtinnen, ein unerschütterlicher, unterhaltsamer und überraschend gut organisierter kleiner Kobold in enger roter Knittersamthose.

Linda verfügt über eine der intaktesten Psychen der Welt. Depressionen sind ihr völlig fremd, und sie legt ein Selbstwertgefühl an den Tag, das nicht anders als hoch einzuschätzen ist. Als sie sich einmal im Spiegel betrachtete, meinte sie zu mir: »Zugegeben, ich sehe zwar nicht in jeder Hinsicht fantastisch aus, aber ich kann einfach nicht anders, ich muss mich einfach lieb haben.« Sie hat die Fähigkeit, mich zum Schweigen zu bringen, wenn ich mich mit metaphysischen Fragen herumquäle, Fragen wie: »Was ist das Wesen des Universums?« (Lindas Antwort: »Ich frag dich nur eins: Wozu diese Frage?«) Gern würde sie ihre Dreadlocks einmal richtig lang wachsen lassen und dann so flechten, dass ihr Kopf »wie ein beschnittenes Parkbäumchen« aussähe, in dem vielleicht ein Vogel sein Nest bauen könnte. Die Balinesen liebten Linda. Die Costa Ricaner ebenfalls. Wenn sie sich nicht um ihre Hauseidechsen und -frettchen kümmert, managt sie ein Team von Softwareentwicklern in Seattle und verdient mehr Geld als wir alle zusammen.

Also treffen wir uns in Venedig, und Linda blickt stirnrunzelnd auf unseren Stadtplan, dreht ihn um hundertachtzig Grad, lokalisiert unser Hotel, orientiert sich und verkündet mit der ihr eigenen Bescheidenheit: »Wir sind die Bürgermeisterinnen dieser Stadt.«

Ihre Begeisterung und ihr Optimismus passen überhaupt nicht zu dieser stinkenden, sinkenden, trägen, lautlosen, geheimnisvollen und unheimlichen Stadt. Der Tod ist nicht nur *in* Venedig, sondern lauert hinter jeder Ecke. Die Stadt erscheint mir als wunderbarer Ort, um sich zu Tode zu saufen, einen geliebten Menschen zu verlieren beziehungsweise die Mordwaffe loszuwerden, mit der der geliebte Mensch ins Jenseits befördert wurde. Als ich Venedig sehe, bin ich froh über meine Entscheidung, in Rom zu leben. Ich glaube nicht, dass ich hier so schnell von den Antidepressiva weggekommen wäre. Venedig ist schön, aber eher so schön wie ein Bergman-Film; ich bewundere und bestaune die Stadt, würde aber nicht dort leben wollen.

Die ganze Stadt wirkt abgeblättert und verblichen wie alte Herrenhäuser, die ehemals reiche Familien – wenn ihnen der Unterhalt zu kostspielig wird – verbarrikadieren, weil es leichter ist, einfach die Türen und Fenster zuzunageln und die sterbenden Schätze dahinter zu vergessen. Das ist Venedig. Das Wasser der Adria nagt an den maroden Fundamenten der Gebäude und testet die Haltbarkeit dieses Forschungsprojekts aus dem vierzehnten Jahrhundert: Hey, wie wär's, wenn wir mal eine Stadt bauen würden, die für alle Zeiten von Wasser umspült wird?

Venedig wirkt gespenstisch unter dem bewölkten Novemberhimmel. Die Stadt knarrt und schwankt wie ein Anglersteg. Trotz Lindas anfänglicher Zuversicht, dass wir uns diese Stadt gewissermaßen aneignen könnten, verirren wir uns jeden Tag, vor allem nachts, biegen in Gassen ein, die in finstere Winkel beziehungsweise ins Kanalwasser führen. Eines nebligen Abends kommen wir an einem alten Gebäude vorbei, das tatsächlich vor Schmerz zu stöhnen scheint. »Kein Grund zur Aufregung«, zwitschert Linda. »Das ist nur der gierige Höllenschlund.« Ich bringe ihr mein italienisches Lieblingswort – *attraversiamo* (»gehen wir rüber!«) – bei, und nervös gehen wir denselben Weg wieder zurück, den wir gekommen sind.

Die schöne Venezianerin und Inhaberin des kleinen Hotels, in dem wir abgestiegen sind, hadert mit ihrem Schicksal. Sie hasst Venedig. Alle, die in Venedig lebten, schwört sie, empfänden die Stadt als Grab. Vor Jahren hatte sie sich in einen sizilianischen Künstler verliebt, der ihr eine andere Welt des Lichts und der Sonne versprach. Er nahm sie mit in seine Heimat, ließ sie dann aber mit drei Kindern sitzen – den

Kindern und keiner anderen Wahl, als nach Venedig zurückzukehren und das familieneigene Hotel zu übernehmen. Sie ist so alt wie ich, sieht sogar *noch* älter aus, aber ich kann mir den Kerl, der einer derart attraktiven Frau *so etwas* antut, einfach nicht vorstellen. (»Er war stark«, sagt sie, »und ich bin vor lauter Liebe in seinem Schatten eingegangen.«) Venedig ist konservativ. Die Frau hat hier ein paar Affären gehabt, sogar mit verheirateten Männern, aber alle mit traurigem Ende. Die Leute tratschen, reden über ihre »Schande«. Verstummen, wenn sie ein Zimmer betritt. Nur der Form halber solle sie einen Ehering tragen, habe ihre Mutter sie gebeten und hinzugefügt: *Liebes, wir leben nicht in Rom, wo man sich so skandalös aufführen kann, wie man will.* Jeden Morgen, wenn Linda und ich zum Frühstück hinuntergehen und unsere traurige jung-alte Inhaberin fragen, welches Wetter für diesen Tag gemeldet sei, krümmt sie die Finger ihrer rechten Hand zu einer Pistole, setzt sie an die Schläfe und sagt: »Wieder Regen.«

Trotzdem bin ich nicht deprimiert. Für die wenigen Tage genieße ich Venedigs Untergangsmelancholie sogar irgendwie. Irgendetwas in mir erkennt, dass diese Schwermütigkeit nichts mit mir zu tun hat, sondern zu dieser Stadt gehört, und inzwischen bin ich gesund genug, um zwischen Venedig und mir unterscheiden zu können. Es ist ein Zeichen der Heilung, der Festigung meines Selbst. Einige Jahre hatte ich mich in grenzenloser Verzweiflung verloren und alle Traurigkeit der Welt als meine eigene erfahren. Alles Schmerzliche drang in mich ein und hinterließ seine Spuren.

Wie auch immer, man bleibt schwerlich deprimiert, wenn Linda einen voll quasselt und zum Kauf einer riesigen violetten Pelzmütze zu überreden versucht oder wenn sie angesichts eines miesen Essens – das wir eines Abends serviert bekommen – die Frage stellt: »Nennen die sich wohl Gourmet-Kalbsstäbchen?« Sie ist ein Leuchtkäfer, diese Linda. In Venedig gab es im Mittelalter den Beruf des *codega*. Der *codega* war ein Bursche, der nachts mit einer Laterne vor einem herlief, um einem den Weg zu zeigen, Diebe und Dämonen zu verscheuchen und einem in den düsteren Gassen Zuversicht zu geben und Schutz zu gewähren. Das ist Linda – mein eigens eingeflogener *codega*.

33

Einige Tage später bin ich wieder in Rom. Es ist heiß, die Sonne brennt, und in den Straßen herrscht das übliche Chaos. Als ich den Bahnhof verlasse, schallen mir die an das Zuschauergebrüll im Fußballstadion erinnernden Rufe einer nahen *manifestazione*, einer Demo, entgegen. Wogegen man diesmal demonstriert, kann mir mein Taxifahrer nicht verraten. »*Sti cazzi*«, sagt er über die Streikenden. (Wörtliche Übersetzung: »Diese Schwänze!« Oder anders ausgedrückt: »Die gehen mir auf den Sack.«) Es ist schön, nach den Tagen im gesetzten, nüchternen Venedig wieder in Rom zu sein. Die Stadt ist so hellwach und lebendig, so aufgebrezelt und sexy.

Mir kommt in den Sinn, was der Mann meiner Freundin Maria, Giulio, einmal zu mir gesagt hat. Wir saßen in einem Straßencafé, hatten unsere Konversationsstunde, und er fragte mich, was ich denn von Rom hielte. Ich sei ganz hingerissen von dieser Stadt, erwiderte ich natürlich, wisse allerdings auch, dass es nicht meine Stadt sei und ich nicht den Rest meines Lebens hier verbringen wollte. Denn Rom habe etwas an sich, das nicht zu mir gehöre, obwohl ich nicht so recht sagen könne, was. Während wir redeten, spazierte ein hilfreiches Anschauungsbeispiel an uns vorüber: ein schmücküberladenes etwa vierzig Jahre altes Weib in Schuhen mit zehn Zentimeter hohen Absätzen, einem knallengen Rock mit einem Schlitz so lang wie mein Arm und mit einer dieser Sonnenbrillen auf der Nase, die so windschnittig wie Rennwagen aussehen (und wahrscheinlich auch so viel kosten). An einer edelsteinbesetzten Leine führte sie ihr Schoßhündchen Gassi, und der Pelzkragen an ihrem knappen Jäckchen sah aus, als sei er aus dem Fell des vormaligen Schoßhündchens gemacht. Sie hatte eine unglaublich glamouröse Ausstrahlung, die in etwa besagte: »Du musst mich anstarren, ich weiß, nie aber werd ich dich eines Blickes würdigen.« Diese Frau war in jeder Hinsicht das genaue Gegenteil von mir, die ich einen Stil pflege, den meine Schwester als »Stevie Nicks geht in ihrem Pyjama zur Yogastunde« umschreibt.

Ich machte Giulio auf diese Frau aufmerksam und sagte: »Sieh mal, Giulio! Das ist eine Römerin. Sie ist die weibliche Verkörperung von Rom. Rom kann nicht gleichzeitig ihre und meine Stadt sein. Nur eine von uns gehört wirklich hierher. Und ich glaube, wir wissen beide genau, wer.«

Giulio meinte: »Vielleicht haben Rom und du ja nur verschiedene Worte dafür.«

»Was meinst du damit?«

Er erwiderte: »Weißt du nicht, dass der Schlüssel zum Verständnis einer Stadt und ihrer Menschen darin liegt, dass man lernt, wie das ›Wort der Straße‹ lautet?«

Und er fuhr fort und erklärte mir in einer Mischung aus Englisch, Italienisch und Gesten, dass zu jeder Stadt ein Wort gehöre, mit dem man sie und auch ihre Bewohner charakterisieren könne. Wenn man die Gedanken der Menschen lesen könne, während sie auf der Straße an einem vorübergingen, werde man feststellen, dass an jedem Ort der Welt

die meisten denselben Gedanken hätten. Und dieser mehr-
heitliche Gedanke sei auch das Wort der jeweiligen Stadt. Es
erkläre alles an diesem Ort: die Ambitionen der dort lebenden Menschen, ihre Lebensform und so weiter. Und wenn
dein persönliches Wort nicht zum Wort der Stadt passt, dann
gehörst du nicht wirklich dorthin.

»Und was ist das Wort für ›Rom‹?«, fragte ich.

»*Sex*«, verkündete er.

»Ist das nicht ein absolutes Klischee?«

»Nein.«

»Aber es gibt doch mit Sicherheit auch Römer, die auch
mal an andere Dinge denken?«

»Nein.« Giulio beharrte darauf: »Alle denken den lieben
langen Tag an nichts anderes als *Sex*.«

»Sogar im Vatikan?«

»Das ist was anderes. Der Vatikan gehört nicht zu Rom.
Dort haben sie ein anderes Wort. Ihr Wort heißt *Macht*.«

»Glaubst du nicht, dass es *Glaube* ist?«

»Es ist *Macht*«, wiederholte er. »Glaub mir. Aber Roms
Wort ist *Sex*.«

Also wenn Sie Giulio glauben wollen, dann pflastert dieses kleine Wörtchen – *Sex* – hier in Rom die Straßen unter
Ihren Füßen, plätschert über römische Brunnenbecken, erfüllt wie Verkehrslärm die Atmosphäre der Stadt. An Sex
denken, sich entsprechend kleiden, Sex suchen, erwägen,
verweigern, offerieren, einen Sport und ein Spiel daraus machen – nichts anderes tun hier alle andauernd. Was vielleicht
ein wenig erklären würde, warum sich Rom trotz all seiner
Großartigkeit nicht ganz wie meine Heimatstadt anfühlt.
Derzeit jedenfalls nicht. Weil *Sex* im Moment nicht mein
Wort ist (zu anderen Zeiten meines Lebens war es das). Daher prallt Roms Wort, wenn es durch die Straßen hallt und
einmal zufällig auch auf mich trifft, von mir ab, ohne einen

Eindruck zu hinterlassen. Ich bin also gar nicht ganz hier. Eine verrückte Theorie ist das, unmöglich zu beweisen, aber irgendwie gefällt sie mir.

»Was«, fragte Giulio, »ist das Wort für ›New York‹?«

Ich überlegte eine Weile und kam zu folgendem Schluss: »Natürlich ist es ein Verb. Ich glaube, es heißt *erreichen*.«

(Ein Wörtchen, das sich, wie ich glaube, geringfügig, aber grundlegend von dem Wort für »Los Angeles« unterscheidet, nämlich *Erfolg haben*. Später übrigens werde ich diese ganze Theorie meiner schwedischen Freundin Sofie erläutern, und Sofie wird feststellen, dass das Wort auf den Straßen Stockholms *anpassen* lautet, was uns beide deprimiert.)

»Wie heißt das Wort für ›Neapel‹?«, fragte ich Giulio.

»*Kämpfen*«, meinte er. »Und wie hieß das Wort in deiner Familie, als du ein Kind warst?«

Das war eine schwierige Frage. Ich versuchte, mir ein Wort zu überlegen, das irgendwie *genügsam* und *respektlos* in sich vereinte. Aber Giulio war schon bei der nächsten und nahe liegenden Frage: »Welches ist *dein* Wort?«

Und diese Frage konnte ich definitiv nicht beantworten.

Auch nach einigen Wochen des Nachdenkens weiß ich keine Antwort. Mir fallen einige Wörter ein, die es mit Sicherheit nicht sind. Es ist nicht *Ehe*, das ist offensichtlich. Es ist auch nicht *Familie* (obwohl es das Wort des Städtchens war, in dem ich einige Jahre mit meinem Mann lebte – wobei die Unvereinbarkeit meiner Lebensvorstellungen mit diesem Wort zu einem beträchtlichen Teil für mein damaliges Leiden verantwortlich war). Es ist, dem Himmel sei Dank, nicht mehr *Depression*. Ich mache mir auch keine Sorgen, dass ich eventuell etwas mit der Stockholmer *Anpasserei* gemein haben könnte. Doch kommt es mir auch vor, als würde mein Lebensstil nicht mehr so völlig mit dem New Yorker *erreichen* übereinstimmen, obwohl das zehn Jahre lang mein

Wort war. Mein Wort könnte *suchen* heißen. (Andererseits, seien wir ehrlich, könnte es genauso gut *verstecken* sein.) Während der letzten Monate in Italien lautete mein Wort vor allem *Genuss*; allerdings deckt dieses Wort nicht alles bei mir ab, sonst wäre ich ja nicht so erpicht darauf, nach Indien zu reisen. Mein Wort könnte *Hingabe* heißen, obwohl mich das musterhafter erscheinen lässt, als ich bin, und nicht berücksichtigt, wie viel Wein ich in letzter Zeit getrunken habe.

Ich weiß die Antwort einfach nicht und nehme an, dass es in meinem Reisejahr genau darum geht. Darum nämlich, mein Wort zu finden. Eines jedoch kann ich mit Sicherheit sagen: *Sex* ist es nicht.

Würde ich wenigstens behaupten. Deshalb soll mir mal einer verraten, weshalb mich heute meine Füße fast von selbst zu einer Boutique an der Via de' Condotti trugen, wo ich – unter sachkundiger Anleitung der schmeichlerischen jungen Verkäuferin – ein paar verträumte Stunden damit verbrachte (und das Geld für einen Interkontinentalflug verbriet), genug Wäsche zu kaufen, um eine Sultanskonkubine für tausendundeine Nacht auszustatten. Ich kaufte BHs in allen Formen und Farben. Erstand dünne, zarte Mieder und freche knappe Höschen in sämtlichen Ostereierfarben; ich kaufte Unterröcke in cremefarbenem Satin und handgenähte Winzigkeiten und so weiter und so fort.

Nie im Leben habe ich so etwas besessen. Woher also dieses plötzliche Verlangen? Als ich den Laden mit meiner Tarntasche voller, in Seidenpapier geschlagener Ungezogenheiten unterm Arm verließ, kam mir plötzlich die gequälte und vorwurfsvolle Frage in den Sinn, die ich den römischen Fußballfan im Stadion hatte brüllen hören, als *Lazios* Starspieler Albertini den Ball in einem kritischen Augenblick völlig grundlos ins Nichts schoss und so das Spiel völlig vergeigte ...

»*Per chi?*«, hatte der Fan am Rande des Wahnsinns geschrien. »*Per chi?!*«

Für wen? Für wen war dieser Ball gedacht, Albertini? Da ist doch keiner!

Nach meinem mehrstündigen Kaufrausch kam mir diese Frage wieder in den Sinn, und leise, flüsternd wiederholte ich sie: »*Per chi?*«

Für wen, Liz? Für wen all die dekadente Verführung? Da ist doch keiner! Mir blieben nur noch ein paar Wochen in Italien, und ich hatte absolut nicht die Absicht, es mit jemandem zu treiben. Oder vielleicht doch? Hatte mich das allgegenwärtige Wort der römischen Straße schließlich doch noch beeinflusst? War das ein verzweifelter Versuch, mich zu italianisieren? War es ein Geschenk für mich selbst oder für irgendeinen Liebhaber, den ich mir bis jetzt noch nicht einmal vorstellen konnte? Ein Versuch, meine Libido nach dem Desaster meiner letzten Beziehung wieder zu heilen?

Und ich fragte mich: Willst du etwa all das Zeug mit nach Indien schleppen?

34

Luca Spaghettis Geburtstag fällt in diesem Jahr auf das amerikanische *Thanksgiving*-Fest, weswegen er zu seiner Geburtstagsparty einen Truthahn machen will. Er hat noch nie einen großen, fetten gebratenen *Thanksgiving*-Truthahn gegessen, kennt ihn aber von Bildern. Er hält es für eine Kleinigkeit, ein solches Festmahl zuzubereiten (zumal mit der tatkräftigen Unterstützung einer echten Amerikanerin). Wir könnten, meint er, die Küche seiner Freunde Mario und Simona benutzen, die ein schönes großes Haus außerhalb

Roms besäßen und regelmäßig seine Geburtstagspartys aus-richteten.

Und so lautete Lucas Plan für die Festivitäten: Gegen sieben Uhr abends, nach Arbeitsschluss, würde er mich abholen, um mit mir zum Haus seiner Freunde zu fahren, das etwa eine Autostunde nördlich von Rom liegt (wo die anderen Gäste der Geburtstagsparty auf uns warteten). Wir würden ein bisschen Wein trinken und uns miteinander bekannt machen und dann, vermutlich gegen neun Uhr, damit beginnen, den zehn Kilo schweren Truthahn zuzubereiten …

Ich brauchte einige Zeit, um Luca klar zu machen, wie lange es dauert, einen Zehnkilotruthahn zu rösten. Ich sagte ihm, dass sein Geburtstagsbraten bei dieser Planung wahrscheinlich erst im Morgengrauen des nächsten Tages gar sein würde. Er war am Boden zerstört. »Aber wenn wir einen sehr kleinen Truthahn kaufen? Einen frisch geschlüpften?«

»Luca«, sagte ich, »wozu diese Umstände? Lass uns Pizza essen, wie es jede zweite normal-gestörte amerikanische Familie an *Thanksgiving* tut.«

Aber er ist immer noch ein bisschen traurig. Doch in Rom herrscht momentan sowieso eine allgemeine Melancholie. Es ist kalt geworden. Die Kanalarbeiter, die Eisenbahner und das Personal der Alitalia haben alle am gleichen Tag gestreikt. Kürzlich wurde eine Studie veröffentlicht, der zufolge sechsunddreißig Prozent der italienischen Kinder eine Allergie gegen Gluten haben, das unter anderem in Pasta, Pizza und Brot enthalten ist – und so geht sie dahin, die italienische Kultur. Schlimmer noch: Vor kurzem las ich einen Artikel mit der schockierenden Überschrift: »*Insoddisfatte 6 donne su 10!*« Sechs von zehn Italienerinnen sind sexuell unbefriedigt. Zudem berichten fünfunddreißig Prozent der Italiener über Schwierigkeiten mit *un'erezione*, was die Forscher in der Tat sehr *perplessi* zurückließ. Ich frage mich, ob nach alledem *Sex* noch als das Wort für Rom gelten sollte.

Doch es gibt noch schlechtere Nachrichten: Kürzlich wurden neunzehn italienische Soldaten im Krieg der Amerikaner (wie er hier genannt wird) im Irak getötet – die größte Anzahl von Opfern bei einem italienischen Militäreinsatz seit dem Zweiten Weltkrieg. Die Römer waren schockiert, und am Tag der Beerdigung waren sämtliche Geschäfte geschlossen. Die große Mehrheit der Italiener will mit George Bushs Krieg nichts zu tun haben. Die Beteiligung daran war die Entscheidung Silvio Berlusconis, des italienischen Ministerpräsidenten (der hier zu Lande gemeinhin als *idiota* bezeichnet wird). Dieser gänzlich intellektfreie Medienzar, Großindustrielle und Fußballklubbesitzer mit seinen Korruptionsaffären und Skandalgeschichten, der die Kunst, *aria fritta* (»gebratene oder heiße Luft«) zu reden, beherrscht, der geschickt die Medien manipuliert (was nicht schwer ist, wenn sie einem gehören) und sich im Allgemeinen nicht wie ein vernünftiger Staatsmann verhält, sondern eher wie ein Bürgermeister aus Waterbury (das ist ein Insider-Witz für die Einwohner Connecticuts – *sorry*), hat die Italiener nun in einen Krieg hineingezogen, der sie ihrer Meinung nach nicht das Geringste angeht.

»Sie sind für die Freiheit gestorben«, erklärt Berlusconi beim Begräbnis der neunzehn italienischen Soldaten, doch die meisten Römer sind anderer Meinung: *Sie sind in George Bushs privatem Rachefeldzug gestorben.* Man könnte meinen, für einen zu Besuch weilenden Amerikaner sei es in einem derartigen politischen Klima nicht leicht, und bei meiner Ankunft in Italien machte ich mich daher auf Ressentiments gefasst. Ich habe jedoch von Seiten der meisten Italiener nur herzliches Mitgefühl erlebt. Sobald man auf George Bush zu sprechen kommt, deuten die Leute mit einem Kopfnicken in Richtung Berlusconi und seufzen: »Wir kennen das – wir haben ja auch so einen.«

Wir waren schon dort.

Angesichts dieser Umstände ist es daher schon verwunderlich, dass Luca ausgerechnet an seinem Geburtstag ein amerikanisches *Thanksgiving* feiern will, aber mir gefällt die Idee. *Thanksgiving* ist ein schönes Fest, etwas, worauf Amerikaner uneingeschränkt stolz sein können, unser einziger nationaler Feiertag, der einigermaßen vom Kommerz verschont geblieben ist. Es ist ein Tag der Gnade, des Danks, der Geselligkeit und – ja – auch des Vergnügens. Und genau das brauchen wir alle jetzt vielleicht.

Meine Freundin Deborah ist übers Wochenende aus Philadelphia nach Rom gekommen, um den Tag mit mir zu feiern. Deborah ist eine international anerkannte Psychologin, Schriftstellerin und Feministin, aber ich betrachte sie noch immer als meine Lieblingsstammkundin – aus der Zeit, als ich in Philly kellnerte und sie zum Lunch kam, Diätcola ohne Eis bestellte und mir über die Theke hinweg allerlei kluge Dinge erzählte. Sie hat dem Laden wirklich so was wie Klasse verliehen. Inzwischen sind wir seit über fünfzehn Jahren befreundet. Auch Sofie kommt zu Lucas Party. An *Thanksgiving* ist jeder willkommen. Vor allem, wenn das Fest zufällig auf Luca Spaghettis Geburtstag fällt.

Spätabends verlassen wir Rom in Richtung Norden. Da Luca amerikanische Musik liebt, drehen wir die *Eagles* voll auf und singen »*Take it ... to the limit ... one more time!*«, was unsere Fahrt durch Olivenhaine und vorbei an antiken Aquädukten mit einem kalifornischen Soundtrack unterlegt. Wir erreichen das Haus von Lucas Freunden Mario und Simona, Eltern der beiden zwölfjährigen Zwillingsmädchen Julia und Sara. Paolo, ein Freund Lucas, den ich beim Fußballspiel kennen gelernt habe, ist ebenfalls gekommen und hat seine Freundin mitgebracht. Und natürlich ist auch Lucas Freundin da, die hübsche Giuliana. Es ist ein wunderschönes Haus, das sich in einem Hain aus Oliven-, Klementinen- und Zitronenbäumen versteckt. Im offenen Kamin hat man bereits ein Feuer entfacht. Das Olivenöl ist selbst gepresst.

Für das Braten eines Zehnkilotruthahns bleibt selbstverständlich keine Zeit, doch Luca sautiert ein paar schöne Putenbrustschnitzel, und ich improvisiere – mit tatkräftiger Unterstützung einiger anderer Gäste – eine *Thanksgiving*-Füllung, die wir aus Brotkrumen und kulturbedingten Ersatzzutaten (Datteln statt Aprikosen, Fenchel statt Sellerie) zusammenmixen. Irgendwie wird sie toll. Angesichts der Tatsache, dass die Hälfte der Gäste kein Englisch und die andere Hälfte kein Italienisch kann (und nur Sofie Schwedisch spricht), hatte sich Luca um die Unterhaltung bei Tisch Sorgen gemacht, aber seine Befürchtungen erweisen sich als unbegründet: Alle verstehen einander, oder der Nachbar kann zumindest beim Übersetzen helfen – falls mal ein Wort auf der Strecke zu bleiben droht.

Als Deborah den Vorschlag macht, an diesem Abend einem schönen amerikanischen Brauch zu folgen, indem wir uns an den Händen fassen, um uns dann – reihum – mitzuteilen, wofür wir dankbar sind, zähle ich die Flaschen sardischen Weins, die wir trinken, schon längst nicht mehr. In drei Sprachen entsteht dann eine Montage der Dankbarkeit.

Deborah eröffnet den Reigen und sagt, sie sei dankbar, dass Amerika bald die Chance bekomme, einen neuen Präsidenten zu wählen. Sofie erklärt (zuerst auf Schwedisch, dann auf Italienisch und schließlich auf Englisch), sie sei dankbar für die Herzlichkeit der Italiener und für die vier Monate, in denen sie so viel Freude habe erleben dürfen. Die ersten Tränen fließen, als Mario, unser Gastgeber, Gott aufrichtig für seine Arbeit dankt, die es ihm ermöglicht habe, zur Freude seiner Familie und seiner Freunde dieses schöne Häuschen zu bauen. Als Paolo sagt, auch er sei dankbar, dass Amerika bald die Chance erhalte, einen neuen Präsidenten zu wählen, erntet er einen Lacher. Wir lauschen respektvoll den Worten der kleinen Sara (einem der Zwillingsmädchen), die uns mutig mitteilt, sie sei dankbar, heute mit so netten Leuten zusammen zu sein, da sie es in letzter Zeit in der Schule schwer gehabt habe – einige ihrer Mitschülerinnen seien gemein zu ihr gewesen. »Also danke, dass ihr heute Abend so nett zu mir seid und nicht so gemein wie sie.« Lucas Freundin sagt, sie sei dankbar für Lucas jahrelange Treue und dafür, wie aufopferungsvoll er sich in schwierigen Zeiten um ihre Familie gekümmert habe. Simona – die Gastgeberin – weint sogar noch ungehemmter als ihr Mann, als sie ihre Dankbarkeit dafür ausdrückt, dass durch die Gäste aus Amerika ein neuer Brauch des Dankens in ihrem Haus eingeführt worden sei, durch diese Fremden, die eigentlich gar keine Fremden seien, sondern Freunde von Luca und daher Freunde des Friedens.

Als ich an der Reihe bin, muss ich das, was mir wirklich durch den Kopf geht, verschweigen. Etwa, wie dankbar ich bin, dass mich die Depression, die in den letzten vier Jahren wie eine Ratte an mir genagt hat, heute Abend verschont – eine Depression, die mich so sehr mitnahm, dass ich bisweilen nicht in der Lage war, schöne Abende wie diesen zu genießen. Ich erwähne nichts von alledem, weil ich die Kinder nicht erschrecken will. Stattdessen halte ich mich an eine schlichtere Wahrheit – dass ich dankbar bin für alte und neue Freunde. Dass ich, besonders heute Abend, dankbar bin für Luca Spaghetti. Dass er – hoffentlich – ein langes Leben vor sich hat, um anderen Männern als Beispiel dafür zu dienen, wie man ein großzügiger, treuer und liebevoller Mensch sein kann. Und dass sich hoffentlich niemand daran stört, dass ich die ganze Zeit weine – obwohl ich nicht glaube, dass es irgendjemandem etwas ausmacht, da alle anderen ebenfalls weinen.

Luca ist so überwältigt von seinen Gefühlen, dass er sie nicht in Worte fassen kann: »Eure Tränen sind meine Gebete.«

Immer wieder wird sardischer Wein kredenzt. Und während Paolo das Geschirr spült, Mario seine müden Töchter ins Bett bringt, Luca Gitarre spielt und alle betrunken und mit verschiedenen Akzenten Neil-Young-Lieder singen, sagt Deborah, die Feministin und Psychologin, leise zu mir: »Nun schau dir mal diese braven Italiener an. Siehst du, wie offen sie ihre Gefühle äußern und wie liebevoll sie mit ihren Angehörigen und Freunden umgehen? Siehst du, wie rücksichtsvoll und respektvoll sie ihre Frauen und Kinder behandeln? Glaub nicht, was du in den Zeitungen liest, Liz. Diesem Land geht es sehr, sehr gut.«

Erst im Morgengrauen geht unsere Party zu Ende. Luca Spaghetti chauffiert Deborah, Sofie und mich zurück nach Rom. Wir helfen ihm, wach zu bleiben, indem wir bei Sonnenaufgang Weihnachtslieder singen. *Silent night, sainted night, holy night* singen wir immer wieder in allen uns vertrauten Sprachen.

35

Ich hab's nicht durchgehalten. Nach fast vier Monaten in Italien passt mir keine meiner Hosen mehr. Nicht einmal die Klamotten, die ich mir erst letzten Monat gekauft habe (als ich gerade aus meinen »Zweitmonatshosen« herausgewachsen war), passen mir noch. Ich kann mir nicht alle paar Wochen eine neue Garderobe leisten, doch auch wenn ich weiß, dass ich bald nach Indien reise, wo die Pfunde nur so purzeln werden: Ich kann in dieser Hose nicht mehr laufen. Ich halte es nicht mehr aus.

Was alles völlig logisch ist, denn vor kurzem stieg ich in einem schicken Hotel auf eine Waage und stellte fest, dass ich während meiner vier Monate in Italien etwa elf Kilo zugenommen habe – eine wahrhaft bewundernswerte Leistung. Etwa sieben von diesen elf Kilo musste ich allerdings zunehmen, weil ich in den letzten Jahren infolge meiner Scheidung und meiner Depression so abgemagert war. Die nächsten zwei Kilo legte ich zum Spaß zu. Und die letzten zwei wahrscheinlich, um etwas zu beweisen.

Und so kommt es, dass ich mich auf Shoppingtour und auf der Suche nach einem Kleidungsstück befinde, das ich mein Leben lang als kostbares Andenken aufheben werde: meine »Letztmonatsjeans aus Italien«. Die niedliche junge Dame im Laden ist so nett und schleppt immer größere Größen an, reicht sie mir eine nach der anderen kommentarlos durch den Vorhang, wobei sie sich lediglich besorgt erkundigt, ob *die* denn nun besser passe. Mehrere Male habe ich nun schon den Kopf durch den Vorhang gestreckt und gefragt: »Entschuldigen Sie – haben Sie vielleicht eine, die ein bisschen größer ist?« Bis mir die junge Dame schließlich eine Jeans mit einer Bundweite reicht, die nun wirklich mein Auge beleidigt. Ich trete aus der Umkleidekabine und präsentiere mich der Verkäuferin.

Sie zuckt mit keiner Wimper. Sie fasst mich ins Auge wie eine Kunstkuratorin, die den Wert einer Vase schätzt. Einer ziemlich großen Vase.

»*Carina*«, meint sie schließlich. Niedlich.

Ich bitte sie auf Italienisch, mir ehrlich zu sagen, ob ich in diesen Jeans nicht wie eine Kuh aussehe.

»Nein, *signorina*«, wird mir beschieden. »Sie sehen nicht wie eine Kuh aus.«

»Dann vielleicht wie ein Schwein?«

»Nein«, versichert sie mir ernst. Auch mit einem solchen könne sie nicht die geringste Ähnlichkeit feststellen.

»Vielleicht wie ein Büffel?«

Allmählich wird das zu einer ausgezeichneten Wortschatzübung. Natürlich versuche ich auch, der Verkäuferin ein Lächeln zu entlocken, doch sie ist zu sehr auf Professionalität bedacht.

»Vielleicht sehe ich ja wie ein Büffel-Mozzarella aus?«, versuche ich es ein letztes Mal.

»Okay, *vielleicht*«, räumt sie mit einem winzigen Lächeln ein. »Vielleicht sehen Sie ja tatsächlich ein *bisschen* so aus ...«

36

Mir bleiben nur noch wenige Wochen in Rom. Bevor ich nach Indien reise, möchte ich für die Weihnachtsfeiertage nach Amerika fliegen, nicht nur, weil ich die Vorstellung, Weihnachten ohne meine Familie zu verbringen, schwer erträglich finde, sondern auch, weil es die nächsten acht Monate meiner Reise – nach Indien und Indonesien – nötig machen, dass ich meine Koffer völlig neu packe. Nur sehr wenige Sachen, die man für das Leben in Rom benötigt, kann man auch auf einem Streifzug durch Indien gebrauchen.

Doch bevor ich nach Amerika zurückkehre, will ich nach Sizilien reisen, um meinen Italienaufenthalt abzurunden. Denn wie sagte einst Goethe? »Italien ohne Sizilien macht gar kein Bild in der Seele: Hier erst ist der Schlüssel zu allem.«

Also setze ich mich sonntags in den Zug und fahre an die Stiefelspitze der italienischen Halbinsel. Dort besteige ich eine Fähre und setze nach Messina über. (Messina ist eine beängstigende und argwöhnische sizilianische Hafenstadt, die hinter verbarrikadierten Türen zu jammern scheint: »Dass ich hässlich bin, ist nicht meine Schuld! Ich hab Erdbeben und Flächenbombardierungen erlebt, und obendrein wurde ich von Mafiosi vergewaltigt!«) Sobald ich in Messina bin, muss ich einen Busbahnhof (verrußt wie eine Raucherlunge) ausfindig machen sowie den Mann, dessen Job es ist, hinter dem Ticketschalter zu sitzen (wo er sein Leben beklagt), und ihn beknien, mir eine Fahrkarte nach Taormina zu verkaufen. Dann rattere ich die Klippen und Strände der sizilianischen Ostküste entlang, bis ich Taormina erreiche, wo ich zuerst ein Taxi und dann ein Hotel suche. Zuletzt muss ich dann noch den richtigen Menschen finden, dem ich meine Lieblingsfrage stellen kann: »Wo isst man denn hier am besten?« In Taormina entpuppt sich dieser Mensch als schläfriger Polizist. Er überreicht mir einen winzigen Zettel, auf den er den Namen eines obskuren Restaurants gekritzelt hat, sowie eine handgezeichnete Karte, die erklärt, wie man das Lokal findet.

Das Restaurant entpuppt sich als kleine Trattoria. Die freundliche ältere Inhaberin steht ohne Schuhe auf einem Tisch und putzt die Fenster, immer darauf achtend, dass sie nicht die Weihnachtskrippe umstößt. Ich benötige keine Speisekarte, sage ich ihr, sie solle mir nur bitte – da dies mein erster Abend auf Sizilien sei – das Beste bringen, was sie hätten. Vergnügt reibt sie sich die Hände und schreit ihrer noch älteren Mutter in der Küche etwas auf Sizilianisch zu, und schon nach zwanzig Minuten bin ich eifrig dabei, das zweifellos erstaunlichste Mahl zu verspeisen, das mir bisher in Italien serviert wurde. Es ist Pasta, aber in einer Form, wie ich sie noch nie zuvor gesehen habe – große, frische Teigblätter, die ravioliartig zur Form (wenn auch nicht zur Größe) einer Bischofsmütze gefaltet sind, gefüllt mit einem aromatischen Püree aus Oktopus und Tintenfisch, die, angemacht mit frischen Muscheln und Gemüsejulienne wie ein heißer Salat, in einer nach Oliven und Ozean schmeckenden Brühe serviert werden. Gefolgt von einem in Thymian geschmorten Kaninchen.

Am nächsten Tag reise ich weiter nach Syrakus. Bei kaltem Regen spuckt mich hier der Bus am frühen Abend an einer Straßenecke aus. Sofort bin ich in diese Stadt verliebt. Fast dreitausend Jahre Geschichte habe ich in Syrakus unter den Sohlen. Dem Mythos zufolge soll Dädalus von Kreta aus hierher geflogen sein und Herkules einmal hier übernachtet haben. Syrakus war eine griechische Kolonie, die Thukydides als »eine Stadt« bezeichnete, »die Athen in nichts nachsteht«. Die einstmals mächtige Hafenstadt war das Verbindungsglied zwischen dem antiken Griechenland und dem alten Rom. Viele große Dichter und Wissenschaftler der Antike lebten hier. Platon bezeichnete Syrakus als den idealen Ort für ein utopisches Experiment, an dem durch »unergründliche göttliche Bestimmung« Herrscher zu Philosophen werden könnten und Philosophen zu Herrschern.

Ich streife über die Märkte dieser Stadt, und mein Herz stolpert fast vor Liebe, für die ich keine Erklärung habe, als ich einen alten Mann mit schwarzer Wollmütze einen Fisch für einen Kunden ausnehmen sehe (er hat sich die Zigarette zwischen die Lippen geklemmt, so wie eine Näherin beim Nähen ihre Stecknadeln zwischen den Zähnen hält; meisterlich und hingebungsvoll bearbeitet er mit seinem Messer die Filets). Schüchtern frage ich diesen Fischer, wo man in Syrakus am besten zu Abend essen kann, und nach unserem Gespräch halte ich wieder einen Zettel in der Hand, der mich zu einem kleinen namenlosen Restaurant lotst. Kaum habe ich dort Platz genommen, serviert mir der Kellner eine luftige Wolke pistazienbestreuten Ricottas, Brotstücke, die in aromatischen Ölen schwimmen, winzige Teller dünn geschnittenen Fleischs mit Oliven, einen Salat aus gekühlten Orangen mit einem Dressing aus roher Zwiebel und Petersilie. Und das, bevor mir überhaupt etwas von den Calamari, der Spezialität des Hauses, zu Ohren kommt.

»Ungeachtet ihrer Verfassung kann keine Stadt in Frieden leben«, schrieb Platon, »wenn ihre Bürger nichts anderes tun … als zu schmausen und zu trinken und sich ganz in den Belangen der Liebe zu erschöpfen.«

Aber ist es so schlimm, wenn wir eine Weile so leben? Nur für einige Monate unseres Lebens? Ist es so verwerflich, mit keinem größeren Ehrgeiz durch die Zeit zu reisen als dem, die nächste herrliche Mahlzeit aufzutreiben? Oder eine Sprache lediglich zu lernen, um sein Ohr an ihr zu erfreuen? Oder in einem Park neben seinem Lieblingsbrunnen in der Sonne zu dösen? Und es am nächsten Tag wieder zu tun?

Natürlich kann man nicht ewig so leben. Letztendlich kommen uns Realität, Krieg, Traumata und Sterblichkeit in die Quere. Auch den Sizilianern ist die harte Realität fortwährend im Bewusstsein. Jahrhundertelang war die Mafia auf Sizilien der einzig erfolgreiche Geschäftszweig (der das Geschäft betrieb, die Bürger vor sich selbst, also der Mafia, zu beschützen), und noch heute steckt sie ihre Hände in jedermanns Taschen. Palermo bezeichnete Goethe einst als eine Stadt von unmöglich zu beschreibender Schönheit – ihr heutiger Zustand lässt die glanzvolle Vergangenheit nur erahnen. Die scheußlichen und einsturzgefährdeten Mietskasernen, die man in den achtziger Jahren hochzog, haben die Stadt systematisch und auf eine jeder Beschreibung spottende Weise verschandelt. Ein Sizilianer, den ich fragte, ob diese Gebäude aus Billigbeton errichtet seien, erwiderte mir: »Oh nein – das ist sehr teurer Beton. In jeder Ladung stecken die Leichen von Leuten, die die Mafia umgebracht hat, und das kostet Geld. Aber natürlich macht die Verstärkung durch all diese Knochen und Zähne den Beton noch härter.«

In einer solchen Umgebung ist es vielleicht etwas oberflächlich, immer nur an die nächste Mahlzeit zu denken. Oder ist es, angesichts der harten Realität, vielleicht das Beste, was man tun kann? Luigi Barzini hat in seinem Meisterwerk *Die Italiener* aus dem Jahre 1964 (das er schrieb, als er es schließlich satt hatte, sich anzuhören, was Ausländer, die Italien entweder zu sehr liebten oder zu sehr hassten, über sein Land sagten) versucht, die Leistungen und den Ruf seiner Kultur ins rechte Licht zu rücken und realistisch zu beurteilen. Dabei versuchte er auch, die Frage zu beantworten, warum die Italiener zwar die größten künstlerischen Genies aller Zeiten hervorgebracht haben, es aber dennoch nie zu einer Weltmacht brachten. Warum sind sie individuell so kühn, doch im Kollektiv, beispielsweise als Armee, so unfähig? Wie kommt es, dass sie auf persönlicher Ebene so gewitzte Kaufleute sind, als Nation aber so schlechte Kapitalisten?

Seine Antworten auf diese Fragen sind komplexer, als ich hier andeuten kann, haben aber viel mit der italienischen Geschichte – der Korruption örtlicher Potentaten und der Ausbeutung durch fremde Herren – zu tun. Diese Erfahrungen führten die Italiener im Allgemeinen zu dem Schluss, dass man niemandem und nichts auf der Welt trauen darf. Weil die Welt so korrupt und verlogen, so wechselhaft und ungerecht ist, sollte man nur der eigenen Sinneserfahrung trauen, und daher seien die Sinne in Italien stärker als irgendwo sonst in Europa. Und deswegen, behauptet Barzini, tolerierten Italiener inkompetente Generäle, Präsidenten, Despoten, Professoren, Bürokraten, Journalisten und Industriekapitäne, würden aber niemals unfähige »Opernsänger, Dirigenten, Ballerinen, Kurtisanen, Schauspieler, Filmregisseure, Köche oder Schneider ...« hinnehmen. Irgendwie kann man in einer Welt der Unordnung, der Katastrophen und des Betrugs nur der Schönheit trauen. Nur künstlerische Höchstleistung ist unkorrumpierbar. Vergnügen lässt sich nicht herunterhandeln. Und manchmal ist das Essen die einzig reale Währung.

Sich der Schönheit zu widmen, kann also ein ernsthaftes Geschäft sein – und ist nicht zwangsläufig ein Mittel, um der Realität zu entfliehen, sondern zuweilen auch eines, um sich am Wirklichen festzuhalten, wenn nämlich alles andere dahinschwindet. Vor nicht allzu langer Zeit verhafteten die sizilianischen Behörden die Mitglieder einer katholischen Bruderschaft, die in enger Verbindung zur Mafia stand – wem kann man da noch trauen? Was darf man glauben? Die Welt ist unfreundlich und ungerecht. Sagt man aber etwas gegen diese Ungerechtigkeit, so endet man möglicherweise, wenigstens in Sizilien, im Fundament eines hässlichen neuen Gebäudes. Was kann man in einer solchen Umgebung tun, um sich seiner menschlichen Würde zu versichern? Vielleicht überhaupt nichts. Vielleicht nichts, außer stolz darauf zu sein, dass man seinen Fisch stets perfekt filetiert oder den lockersten Ricotta der ganzen Stadt herstellt.

Ich will niemanden beleidigen, indem ich zu viele Vergleiche zwischen mir und den leidgeprüften Sizilianern ziehe. Die Tragödien in meinem Leben sind persönlicher und weitgehend hausgemachter Natur und haben nichts mit Unterdrückung oder Ausbeutung zu tun. Ich habe eine Scheidung und eine Depression hinter mir, nicht einige Jahrhunderte Tyrannei. Ich hatte eine Identitätskrise, aber auch die (finanziellen und emotionellen) Mittel, um darüber hinwegzukommen. Dennoch würde ich sagen, dass dasselbe, was Generationen von Sizilianern geholfen hat, ihre Würde zu bewahren, auch mir geholfen hat, die meine wiederzufinden – nämlich die Vorstellung, dass der Sinn für Genuss ein Anker für das eigene Menschsein ist. Das, glaube ich, hat Goethe gemeint, als er sagte, dass man hierher, nach Sizilien, kommen müsse, um Italien zu verstehen. Und genau das habe ich wohl instinktiv gespürt, als ich zu dem Schluss kam, hierher, nach Italien, reisen zu müssen, um mich selbst zu verstehen.

In einer Badewanne in New York habe ich begonnen, meine Seele zu heilen, indem ich laut in einem italienischen Wörterbuch las. Mein Leben war zerbrochen, und es fiel mir so schwer, mich wiederzuerkennen, dass ich mich bei einer polizeilichen Gegenüberstellung wahrscheinlich nicht hätte identifizieren können. Aber als ich anfing, Italienisch zu lernen, verspürte ich ein Quäntchen Glück, und wenn man nach so dunklen Zeiten die leiseste Chance auf Glück bekommt, dann muss man dieses Glück festhalten und darf es nicht mehr loslassen, bis es einen aus dem Dreck zieht – und das ist kein Egoismus, sondern moralische Verpflichtung. Du hast ein Leben geschenkt bekommen; daher ist es deine Pflicht (und dein Recht), irgendetwas Schönes, wie winzig auch immer, darin zu entdecken.

Mager und verhärmt kam ich nach Italien. Ich wusste noch nicht, dass mir etwas zusteht. Vielleicht ist mir das ja auch heute noch nicht ganz klar. Aber ich weiß, dass ich mich in letzter Zeit – durch harmlose Genüsse – zu einem sehr viel stabileren Menschen entwickelt habe. Die einfachste und zutiefst menschliche Ausdrucksweise dafür ist: *Ich habe zugenommen*. Ich bin existenter als noch vor vier Monaten. Ich werde Italien merklich dicker verlassen, als ich bei meiner

Ankunft war. Und ich verlasse dieses Land mit der Hoffnung, dass die Expansion einer Person, die Erweiterung eines Lebens, tatsächlich einen Wert hat in dieser Welt. Auch wenn dieses Leben, dieses eine Mal, nur mein eigenes ist.

ZWEITES BUCH

Indien

oder
»Gratuliere, Sie kennen zu lernen«
oder
*Sechsunddreißig Geschichten über das Streben
nach Hingabe*

37

In meiner Kindheit hielten wir Hühner. In der Regel waren es etwa ein Dutzend, und wann immer uns eine Henne wegstarb – von einem Habicht oder Fuchs geholt oder einer obskuren Hühnerkrankheit dahingerafft wurde –, ersetzte mein Vater das verlorene Tier. Er fuhr dann zu einer benachbarten Geflügelfarm und kehrte mit einem neuen Huhn zurück. Allerdings muss man, wenn man ein neues Tier in die Hühnerschar einführt, sehr vorsichtig sein. Man kann es nicht einfach zu den angestammten Hennen hineinwerfen, sonst betrachten diese es als Eindringling. Vielmehr gilt es, die neue Henne mitten in der Nacht, während die anderen schlafen, in den Hühnerstall zu schmuggeln. Setzen Sie sie auf eine Stange neben die anderen und schleichen Sie sich auf Zehenspitzen davon. Am Morgen, wenn die Hühner erwachen, nehmen sie von der Neuen keine Notiz, sondern glauben nur: Sie muss schon immer da gewesen sein, da ich sie nicht habe kommen sehen. Das Entscheidende dabei aber ist, dass sich nicht einmal die Neue selbst erinnert, dass sie neu ist, und lediglich denkt: Ich muss schon immer hier gewesen sein …

Genauso gestaltet sich meine Ankunft in Indien.

Gegen halb zwei nachts landet mein Flugzeug in Mumbai. Es ist der 30. Dezember. Ich suche mein Gepäck und anschließend ein Taxi, das mich dann Stunde um Stunde aus der Stadt hinaus zum Ashram trägt, der sich in einem abgelegenen Dorf befindet. Ich döse auf dieser Fahrt durchs nächtliche Indien, wache hin und wieder auf, um aus dem Fenster zu schauen, wo ich seltsame Spukgestalten dünner Frauen in Saris erblicke, die mit Feuerholzbündeln auf dem Kopf die Straße entlangwandern. *Um diese Zeit?* Busse ohne Scheinwerfer überholen uns, wir überholen Ochsenkarren. Die Banyanbäume breiten ihr elegantes Wurzelwerk über die Straßengräben.

Um halb vier halten wir am Eingangstor des Ashrams, direkt vor dem Tempel. Als ich aus dem Taxi steige, löst sich ein junger Mann in westlicher Kleidung aus der Dunkelheit und stellt sich vor – es ist Arturo, ein vierundzwanzigjähriger Journalist aus Mexiko und Anhänger meiner Meisterin, und er ist da, um mich willkommen zu heißen. Während wir uns flüsternd vorstellen, höre ich die ersten vertrauten Takte meiner Lieblingssanskrithymne. Es ist die Morgen-*Arati*, das erste Morgengebet, das jeden Tag um halb vier, wenn der Ashram erwacht, gesungen wird. Ich deute auf den Tempel und frage Arturo: »Darf ich …?«, worauf er mir mit einer einladenden Geste antwortet. Also bezahle ich den Taxifahrer, verstaue meinen Rucksack hinter einem Baum, streife die Schuhe ab, knie nieder und berühre mit der Stirn die Tempelstufe, schiebe mich dann behutsam hinein und geselle mich zu der kleinen Gruppe größtenteils indischer Frauen, die diese wunderbare Hymne singen.

Es ist die Hymne, die ich als »*Amazing Grace* des Sanskrit« bezeichne, ein Gesang voll andächtigen Verlangens. Und es ist das einzige religiöse Lied, das ich auswendig kann, nicht, weil ich mich darum bemüht hätte, sondern aus Liebe. Ich beginne, die vertrauten Worte auf Sanskrit zu singen, von der schlichten Einleitung über die heiligen Lehren des Yoga bis zu den anschwellenden Tönen des Gebets (»Ich bete an die Ursache des Universums … Ich bete an den Einen, dessen Augen die Sonne, der Mond und das Feuer sind … Du bist alles für mich, o Gott der Götter …«) und zur letzten großartigen Summe allen Glaubens (»Dies ist vollkommen, jenes ist vollkommen; nimmst du das Vollkommene vom Vollkommenen, bleibt das Vollkommene«).

Die Frauen beenden ihren Gesang. Sie verbeugen sich schweigend, gehen dann durch eine Seitentür über einen dunklen Hof in einen kleineren Tempel, der von einer Öllampe schwach erhellt und vom Duft des Weihrauchs erfüllt ist. Ich folge ihnen. Der Raum ist voller andächtiger Menschen – Inder und Westler –, die sich gegen die frühmorgendliche Kälte in Wolltücher gehüllt haben. Alle meditieren im Sitzen, wie Hühner auf der Stange, und völlig unbemerkt schlüpfe ich, die neue Henne, zwischen sie. Ich sitze mit gekreuzten Beinen, lege die Hände auf die Knie und schließe die Augen.

Seit vier Monaten habe ich nicht mehr meditiert. Seit vier Monaten habe ich nicht einmal mehr ans Meditieren *gedacht.* Ich sitze da. Mein Atem beruhigt sich. Ganz langsam und bewusst, Silbe für Silbe spreche ich mir das Mantra einmal vor.

Om.

Na.

Mah.

Shi.

Va.

Ya.

Om Namah Shivaya.

Ich ehre die Gottheit, die in mir wohnt.

Dann wiederhole ich das Ganze. Wiederhole es noch einmal. Und noch einmal. Eigentlich ist es für mich weniger ein Meditieren als vielmehr ein behutsames Auswickeln des Mantras, so wie Sie das »gute« Porzellan Ihrer Großmutter auspacken würden, nachdem es lange unbenutzt in einer Kiste auf dem Dachboden gestanden hat. Ich weiß nicht, ob ich einschlafe oder irgendeinem Zauber verfalle oder wie viel

Zeit vergeht. Doch als an diesem Morgen endlich die Sonne aufgeht und alle Anwesenden die Augen aufschlagen und um sich blicken, scheint Italien zehntausend Meilen entfernt zu sein, und mir ist, als hätte ich schon immer zu dieser Schar gehört.

38

»Weshalb praktizieren wir Yoga?«

Im Laufe einer besonders anspruchsvollen Yogastunde stellte einer meiner Lehrer daheim in New York einmal diese Frage. Wir hatten Rumpf und Glieder zu einer anstrengenden Dreiecksstellung verrenkt, und der Lehrer ließ sie uns länger halten, als uns allen angenehm war.

»Warum praktizieren wir Yoga?«, fragte er noch einmal. »Damit wir ein bisschen gelenkiger werden als unsere Nachbarn? Oder verfolgen wir vielleicht einen höheren Zweck?«

Das Sanskritwort »Yoga« lässt sich als »Vereinigung« übersetzen. Es leitet sich von der Wurzel *yuj* her, was »ins Joch spannen« bedeutet oder auch, sich einer anstehenden Aufgabe mit der Disziplin eines Ochsen zu widmen. Und im Yoga geht es darum, die Vereinigung von Körper und Geist, Individuum und Gott, Gedanken und deren Quelle, Lehrer und Schüler und sogar von uns selbst und unseren zuweilen doch sehr unflexiblen Nächsten zu bewerkstelligen. Im Westen assoziieren wir Yoga vor allem mit den inzwischen schon berühmten brezelartigen Körperverrenkungen, doch das ist nur *Hatha-Yoga*, nur ein Teil der Philosophie. Die Alten entwickelten diese Dehnübungen nicht, um sich fit zu halten, sondern um Muskeln und Geist zu lockern und so auf die Meditation vorzubereiten. Denn schließlich ist es kein Kinderspiel, stundenlang still zu sitzen, während dich die Hüfte plagt und davon abhält, die dir innewohnende Gottheit zu betrachten, weil du nur andauernd denkst: Gott, tut mir diese Hüfte weh.

Aber Yoga kann auch bedeuten, Gott mittels Meditation zu suchen, oder durch Studium und Gelehrsamkeit, durch die Praxis des Schweigens, durch religiösen Dienst oder durch Mantras – die Wiederholung heiliger Sanskritworte. Obwohl einige dieser Praktiken sehr hinduistisch anmuten, ist Yoga weder gleichbedeutend mit Hinduismus, noch sind alle Hindus Yogis. Wahrer Yoga konkurriert weder mit anderen Religionen, noch schließt er sie aus. Sie können sich Ihres Yogas – Praktiken der heiligen Vereinigung – bedienen, um Krishna oder Jesus, um Mohammed, Buddha oder Jahwe näher zu kommen. Während meiner Zeit im Ashram traf ich Anhänger, die sich als praktizierende Christen, Juden, Buddhisten, Hindus oder sogar Moslems bezeichneten. Und ich habe andere kennen gelernt, die über ihre Religionszugehörigkeit lieber nicht reden wollten – was man ihnen in dieser streitsüchtigen Welt wohl kaum vorwerfen kann.

Dem yogischen Weg geht es um die Entwirrung der Konstruktionsfehler der *condition humaine*, die ich grob vereinfacht als herzzerreißende Unfähigkeit, über längere Zeit zufrieden zu sein, definieren würde. Verschiedene Denkschulen fanden im Lauf der Jahrhunderte unterschiedliche Erklärungen für die offenbar von Grund auf mangelhafte Beschaffenheit des Menschen. Taoisten sprechen von Ungleichgewicht, der Buddhismus von Unwissenheit, der Islam macht die Rebellion gegen Gott für unser Elend verantwortlich, und die jüdisch-christliche Tradition schreibt all unser Leiden der Erbsünde zu. Freudianer behaupten, unser Unglück sei das unvermeidliche Resultat des Zusammenpralls unserer natürlichen Triebe mit den Erfordernissen der Kultur. (Oder wie meine Freundin Deborah, die Psychologin, es salopp formuliert: »Das Begehren lässt uns nicht zu Potte kommen.«) Die Yogis allerdings behaupten, Unzufriedenheit sei einfach ein Fall von falsch verstandener Identität. Wir sind unglücklich, weil wir uns einbilden, nur Individuen zu sein, allein mit unseren Ängsten und Mängeln, unserem Groll und unserer Sterblichkeit. Irrtümlicherweise sind wir überzeugt, unser Wesen gehe ganz und gar in unseren beschränkten kleinen Egos auf. Unsere tiefere göttliche Natur erkennen wir nicht. Wir sehen nicht, dass irgendwo in uns allen tatsächlich ein höheres Selbst existiert, das in ewigem Frieden lebt. Dieses höhere Selbst aber, universal und göttlich, ist unsere wahre Identität. Solange man diese Wahrheit nicht erkennt, sagen die Yogis, wird man immer verzweifelt sein – eine Vorstellung, die in folgendem Ausspruch des griechischen Stoikers Epiktet schön zum Ausdruck kommt: »Du trägst Gott in dir, du armer Wicht, und weißt es nicht.«

Yoga ist der Versuch, unsere Göttlichkeit ganz persönlich zu erfahren und diese Erfahrung für immer festzuhalten. Im Yoga geht es um Selbstbeherrschung und das fortwährende Bemühen, die Gedanken vom endlosen Brüten über die Vergangenheit und den nicht enden wollenden Sorgen um die Zukunft loszulösen, so dass es einem möglich wird, nach einem Ort immerwährender *Präsenz* zu suchen, von dem aus man sich selbst und seine Umgebung mit Gleichmut betrachten kann. Denn nur einem derart ausgeglichenen Geist wird sich das wahre Wesen der Welt (und unserer selbst) offenbaren. Aus ihrer gelassenen Sitzhaltung heraus sehen wahre Yogis die ganze Welt als Ausfluss der schöpferischen Energie Gottes, die sich in allem gleichermaßen manifestiert – in Männern, Frauen, Kindern, Steckrüben, Wanzen, Korallen: Das alles ist Gott in Verkleidung. Ein menschliches Leben jedoch halten sie für eine besondere Chance, denn nur

in Menschengestalt und mit menschlichem Geist ist Gottes-
erkenntnis möglich. Steckrüben, Wanzen, Korallen hingegen
haben nie die Chance, zu entdecken, wer sie wirklich sind.
Wir aber sehr wohl.

»Uns kann es daher um nichts anderes gehen«, schrieb der
heilige Augustinus ziemlich yogisch, »als darum, die Gesundheit unseres Herzensauges wiederherzustellen, welches
Gott zu schauen vermag.«

Wie jeder große philosophische Gedanke ist auch dieser
leicht zu verstehen – ihn sich zu Eigen zu machen aber praktisch unmöglich. Okay, wir sind also alle eins, und die Göttlichkeit wohnt in uns allen gleichermaßen. Kein Problem.
Schon kapiert. Aber versuchen Sie mal, davon ausgehend zu
leben. Versuchen Sie mal, das vierundzwanzig Stunden am
Tag in die Praxis umzusetzen. Das ist nicht ganz so einfach.
Daher betrachtet man es in Indien als selbstverständlich, dass
man für Yoga einen Lehrer braucht. Sofern man nicht als einer der seltenen strahlenden Heiligen geboren wurde, die
schon voll verwirklicht auf die Welt gekommen sind, wird
man auf dem Pfad der Erleuchtung Anleitung benötigen.
Und wenn man Glück hat, findet man einen lebenden Guru.
Das ist der Grund, warum Suchende seit Urzeiten nach Indien pilgern. Im vierten Jahrhundert vor Christus schickte
Alexander der Große einen Kundschafter nach Indien, dem
er auftrug, einen dieser berühmten Yogis zu finden und mit
ihm an seinen Hof zurückzukehren. (Der Botschafter fand,
seinem Bericht zufolge, tatsächlich einen Yogi, konnte den
Gentleman jedoch nicht zur Reise bewegen.) Im ersten Jahr-
hundert nach Christus schrieb der Grieche Apollonius von
Tyana über seine Reise durch Indien: »Ich sah indische Brah-
manen, die auf Erden lebten und es doch nicht taten, die ohne
Befestigungen gefestigt waren und nichts besitzend alle
Reichtümer der Welt ihr Eigen nannten.« Sogar Gandhi woll-

te bei einem Guru studieren, fand jedoch zu seinem Leidwesen nie die Zeit und Gelegenheit, sich einen zu suchen. »Ich glaube«, schrieb er, »es liegt viel Wahrheit in dem Satz, dass wirkliches Wissen ohne einen Guru unmöglich ist.«

Ein großer Yogi ist jemand, der den anhaltenden Glückszustand der Erleuchtung erreicht hat. Und ein Guru ist ein großer Yogi, der diesen Zustand tatsächlich an andere weitergeben kann. Das Wort »Guru« besteht aus zwei Sanskritsilben. Die erste bedeutet »Finsternis«, die zweite »Licht«. Aus der Finsternis ins Licht. Das, was vom Meister auf den Schüler übergeht, wird *Mantravirya* genannt, »die Macht des erleuchteten Bewusstseins«. Man geht also zu seinem Guru nicht nur, um sich, wie von jedem Lehrer, unterweisen zu lassen, sondern um tatsächlich des Gnadenzustands des Gurus teilhaftig zu werden.

Solche Gnadenübertragungen können sich auch in den allerflüchtigsten Begegnungen mit einem großen Wesen vollziehen. In New York ging ich einmal zu einer Veranstaltung, um den großen vietnamesischen Mönch, Dichter und Friedensstifter Thich Nhat Hanh sprechen zu hören. Es war ein typisch hektischer Wochentagabend in der Stadt, und als sich die Menge ins Auditorium schob, war die Atmosphäre durch den kollektiven Stress aller Anwesenden zum Zerreißen gespannt. Und dann betrat der Mönch die Bühne. Ziemlich lange saß er nur schweigend da, bis er zu reden begann, und das Publikum wurde – man spürte, wie es einen nach dem anderen ergriff – von seinem Schweigen buchstäblich *kolonisiert*. Bald war die Unruhe verschwunden. Innerhalb von vielleicht zehn Minuten hatte der kleine Vietnamese jeden von uns in sein Schweigen hineingezogen. Oder vielleicht müsste man zutreffender sagen, dass er jeden von uns in sein *eigenes* Schweigen zog, in jenen Frieden, der zwar jedem von uns potenziell innewohnte, den wir aber noch nicht entdeckt oder uns zunutze gemacht hatten. Seine Fähigkeit, diesen Zustand allein durch seine Präsenz in uns allen hervorzurufen – das ist göttliche Macht. Und deshalb gehen wir zu einem Guru: in der Hoffnung, dass die Meriten unseres Meisters uns unsere eigene verborgene Größe offenbaren.

Drei Faktoren gebe es, schrieben die klassischen indischen Weisen, die anzeigten, ob eine Seele mit der höchsten und am meisten glückverheißenden Bestimmung des Universums gesegnet sei:

1) Als Mensch mit der Fähigkeit zu bewusstem Fragen geboren zu sein.
2) Mit der Sehnsucht, das Wesen des Universums zu verstehen, geboren zu sein – oder sich diese erworben zu haben.
3) Einen lebenden geistigen Führer gefunden zu haben.

Eine Theorie besagt, dass man, wenn man sich nur aufrichtig genug nach einem Guru sehnt, diesen auch finden wird. Das Universum bewegt sich, die Moleküle des Schicksals ordnen sich neu, und schon bald kreuzt sich Ihr Weg mit dem des Meisters, den Sie brauchen. Schon einen Monat nach jener Nacht inbrünstigen Gebets auf den Badezimmerfliesen – eine Nacht, in der ich Gott unter Tränen um Antwort bat – fand ich den meinen, als ich in Davids Wohnung spazierte und auf das Foto dieser umwerfenden Inderin stieß. Natürlich plagten mich bei der Vorstellung, einen Guru zu haben, zwiespältige Gefühle. Im Allgemeinen ist uns Westlern nicht wohl bei dem Wort. Wir haben in der jüngeren Vergangenheit mit dem dahinter stehenden Phänomen flüchtige Bekanntschaft gemacht. In den siebziger Jahren stießen einige reiche, eifrige und empfängliche junge westliche Suchende mit einer Hand voll charismatischer, aber dubioser indischer

Gurus zusammen. Die Aufregung hat sich zwar inzwischen gelegt, das Misstrauen aber hallt immer noch nach. Auch ich schrecke vor dem Wort »Guru« bisweilen zurück. Für meine Freunde in Indien ist das kein Problem; sie sind mit dem »Guru-Prinzip« aufgewachsen, sie sehen das entspannter. Oder wie ein indisches Mädchen mir einmal sagte: »Jeder in Indien hat fast einen Guru!« Ich weiß, was sie sagen wollte (dass *fast* jeder in Indien einen Guru hat), aber noch stärker sprach mich ihr Lapsus an, weil auch ich zuweilen dieses Gefühl habe – als hätte ich *fast* einen Guru. Manchmal aber kann ich mir das offenbar nicht eingestehen, weil Skepsis und Pragmatismus das intellektuelle Erbteil meiner neuenglischen Vorfahren sind. Doch schließlich habe ich mich nicht bewusst nach einer Meisterin umgesehen. Sie ist einfach aufgetaucht. Und als ich sie zum ersten Mal auf dem Foto erblickte, da war es, als sähe sie mich an – die dunklen Augen, die vor Verständnis und Mitgefühl glühten –, als wollte sie sagen: »Du hast mich gerufen und nun bin ich da. Willst du das also jetzt in Angriff nehmen oder nicht?«

Und alle nervösen Witze und das Unbehagen gegenüber der fremden Kultur beiseite lassend, muss ich mich stets daran erinnern, womit ich an jenem Abend geantwortet habe: nämlich mit einem direkten und unbedingten *Ja*.

39

Eine meiner ersten Zimmergenossinnen im Ashram war eine Afroamerikanerin mittleren Alters, fromme Baptistin und Meditationslehrerin aus South Carolina. Im Lauf der Zeit leisteten mir dann unter anderem eine argentinische Tänzerin und eine Schweizer Homöopathin Gesellschaft, eine mexikanische Sekretärin, eine fünffache Mutter aus Australien, eine junge Computerprogrammiererin aus Bangladesch, eine Kinderärztin aus Maine und eine philippinische Buchhalterin. Auch andere kamen und gingen, da die Schüler durch die Wohnheime rotierten.

Dieser Ashram ist kein Ort, wo man, weil man gerade in der Gegend ist, mal kurz vorbeischaut. Zunächst einmal ist er gar nicht jedem zugänglich. Ziemlich weit von Mumbai entfernt, liegt er an einer unbefestigten Straße in einem Flusstal und in der Nähe eines hübschen kleinen Dorfs (bestehend aus einer Straße, einem Tempel, einer Hand voll Läden und einer Population von Kühen, die frei umherstreifen und manchmal in die Schneiderwerkstatt laufen und sich dort niederlegen). Eines Abends fiel mir eine nackte Sechzig-Watt-Glühbirne auf, die mitten im Dorf an einem Draht von einem Baum hängt; es ist die einzige Straßenlaterne des Ortes. Der Ashram leistet einen bedeutenden Beitrag zur lokalen Wirtschaft und ist der Stolz des Dorfs. Außerhalb der Ashram-Mauern gibt es nichts als Staub und Armut. Innerhalb des Ashrams nichts als bewässerte Gärten, Blumenbeete, verborgene Orchideen, Vogelgezwitscher, Mangobäume, Jackfruitbäume, Cashewbäume, Palmen, Magnolien, Banyans. Die Gebäude sind hübsch, aber schlicht. Es gibt einen Speisesaal im Cafeteria-Stil, eine Bibliothek, die die spirituellen Schriften sämtlicher Weltreligionen beherbergt, sowie einige Tempel für unterschiedliche Zusammenkünfte. Auch zwei Meditations-»Höhlen« – dunkle und stille Kellerräume mit bequemen Kissen, die den Meditierenden Tag und Nacht offen stehen. Es gibt einen überdachten Pavillon im Freien, in dem morgens Yogakurse abgehalten werden, und einen ovalen Park, den ein Fußweg umgibt, auf dem die Schüler zum sportlichen Ausgleich joggen können. Ich schlafe in einer Betonzelle.

Während meines Besuchs hielten sich nie mehr als ein paar Hundert Leute im Ashram auf. Wäre die Meisterin dort gewesen, wäre die Zahl der Besucher beträchtlich gestiegen, aber solange ich dort war, kam sie nicht. Damit hatte ich schon gerechnet; in letzter Zeit hatte sie sich immer wieder für einige Wochen oder Monate in Amerika aufgehalten, aber man konnte ja nie wissen, wann sie überraschend irgendwo aufkreuzte. Für das Studium in ihrem Ashram wird ihre Anwesenheit nicht als zwingend erachtet. Natürlich versetzt einen die Gegenwart eines lebenden yogischen Meisters in einen unvergleichlichen Glückszustand – das hatte ich ja schon erlebt. Viele Langzeitschüler sind allerdings der Ansicht, dass es zuweilen sogar ablenkend wirken kann: Wenn man nicht aufpasse, könne man in dem ganzen Trubel rund um den Guru leicht sein wahres Ziel aus dem Blick verlieren. Wenn man hingegen einfach in einen ihrer Ashrams gehe und sich an den Stundenplan der Übungen halte, finde man es zuweilen leichter, aus seiner persönlichen Meditation heraus mit der Meisterin zu kommunizieren, statt sich durch Massen eifriger Schüler zu drängeln, nur um zwei Worte mit ihr zu wechseln.

Es gibt zwar ein paar langjährige bezahlte Kräfte im Ashram, der Großteil der Arbeit aber wird von den Schülern selbst erledigt. Auch einige Dorfbewohner arbeiten hier gegen Lohn. Andere Dörfler sind Anhänger der Meisterin und leben als Schüler hier.

Einem der jungen Inder im Ashram gelang es irgendwie, mich zu fesseln. Er war unglaublich dünn (wenngleich das in Indien kein ungewöhnlicher Anblick ist) und zog sich an wie früher die Computerfreaks an meiner Junior High School zum Auftritt des Schulorchesters – dunkle Hose und ein gebügeltes weißes Hemd, das viel zu groß für ihn war und aus dessen Kragen sein stängelartiger Hals herausragte wie ein einzelnes Gänseblümchen aus einem riesigen Blumentopf. Das Haar war stets mit Wasser ordentlich zurückgestrichen. Der Gürtel war der eines älteren Mannes und reichte ihm fast zweimal um eine Taille, die keine fünfzig Zentimeter maß. Er trug immer dasselbe, offenbar weil er nichts anderes besaß. Jeden Abend muss er eigenhändig das Hemd gewaschen und es am Morgen wieder gebügelt haben. (Die Menschen achten hier sehr auf adrette Kleidung; die indischen Teenager mit ihren gestärkten Kleidern beschämten mich, so dass ich meinen Knitterlook schnell ablegte und mich ordentlicher und dezenter kleidete.) Was also war mit diesem Jungen? Warum war ich jedes Mal so gerührt, wenn ich sein Gesicht sah – ein Gesicht, so mit Licht getränkt, dass man meinte, er käme von einem langen Urlaub auf der Milchstraße zurück. Schließlich fragte ich eine junge Inderin, wer er sei. Nüchtern erwiderte sie: »Er ist der Sohn eines Händlers aus dem Dorf. Seine Familie ist sehr arm. Die Meisterin hat ihn eingeladen, im Ashram zu leben. Wenn er trommelt, kannst du Gottes Stimme hören.«

Es gibt einen Tempel im Ashram, der allgemein zugänglich ist und in den tagsüber viele Inder kommen, um dem Siddha Yogi (oder »vollkommenen Meister«) ihren Tribut zu entrichten, einem Guru, der diese Richtung der Lehre in den zwanziger Jahren begründet hat und immer noch in ganz Indien als großer Heiliger verehrt wird. Der übrige Teil des Ashrams aber ist den Schülern vorbehalten. Er ist weder Hotel noch Ferienort. Eher ähnelt er einer Universität. Man muss sich bewerben, und um aufgenommen zu werden, muss man nachweisen, dass man diesen Yoga schon eine Weile ernsthaft studiert. Ein Mindestaufenthalt von einem Monat ist vorgeschrieben. (Ich habe beschlossen, sechs Wochen zu bleiben, um dann auf eigene Faust in Indien herumzureisen und mich auch in anderen Tempeln, Ashrams und religiösen Stätten umzusehen.)

Die Schülerschaft besteht etwa zu gleichen Teilen aus Indern und Westlern (und die Westler sind ungefähr zu gleichen Teilen Amerikaner und Europäer). Unterrichtet wird sowohl auf Hindi als auch auf Englisch. Bei der Bewerbung muss der Kandidat einen Aufsatz schreiben, Referenzen nennen und Fragen zu seinem geistigen und körperlichen Befinden beantworten, zu eventuellem früherem Drogen- oder Alkoholmissbrauch sowie zu seiner finanziellen Situation. Die Meisterin will nicht, dass jemand ihren Ashram aufsucht, um vor irgendeinem Chaos, das er in seinem Leben angerichtet hat, zu flüchten; denn das würde niemandem nützen. Außerdem gilt bei ihr folgender Grundsatz: Falls Angehörige und nahe stehende Personen deinen Entschluss, einem Guru zu folgen und in einem Ashram zu leben, nicht respektieren können, dann solltest du es lieber lassen. Dann solltest du zu Hause bleiben, ganz normal weiterleben und dich bemühen, ein guter Mensch zu sein. Kein Grund, dich darüber aufzuregen.

Die Sensibilität und das pragmatische Wesen dieser Frau sind mir immer wieder ein Trost.

Daher muss man auch unter Beweis stellen, dass man sensibel und praktisch veranlagt ist. Man muss zeigen, dass man arbeiten kann, denn es wird erwartet, dass man sich mit täglich etwa fünf Stunden *Seva* oder »selbstlosem Dienst« am Gesamtbetrieb des Ashrams beteiligt. Und falls man in den vorangegangenen sechs Monaten ein größeres emotionales Trauma erlitten hat (Scheidung, Todesfall), bittet die Ashram-Leitung darum, den Aufenthalt auf einen späteren Termin zu verschieben, denn es bestehe die Gefahr, dass man sich nicht auf seine Studien konzentriere und, falls es zu irgendeiner Art von Zusammenbruch komme, auch seine Mitschüler ablenke. Ich hatte den Schnitt nach der Scheidung gerade erst selbst vollzogen. Und wenn ich an die geistigen und seelischen Qualen denke, die ich direkt nach dem Ausbruch aus meiner Ehe durchmachte, habe ich keinen Zweifel, dass ich damals für jeden Mitschüler in diesem Ashram eine gewaltige Last gewesen wäre. Es war besser, viel besser, dass ich mich zuerst in Italien ausgeruht, neue Kräfte getankt und mich erholt hatte. Denn diese Stärke kann ich jetzt gebrauchen.

Sie wollen, dass man stark ist, wenn man hier ankommt, denn das Leben im Ashram ist hart. Und dies – mit Tagen, die um drei Uhr früh beginnen und um neun Uhr abends enden – nicht nur in körperlicher Hinsicht, sondern auch in psychischer. Viele Stunden des Tages verbringt man in stummer Meditation und Kontemplation, und nur wenig lenkt einen in dieser Zeit ab beziehungsweise verschafft einem Erleichterung. Auf engstem Raum lebt man mit Fremden zusammen im ländlichen Indien. Es gibt Kakerlaken, Schlangen und Nagetiere. Das Wetter ist mitunter extrem – manchmal wüten wochenlang Regenstürme, manchmal zeigt das Thermometer schon vor dem Frühstück vierzig Grad im Schatten.

Nur eines werde geschehen, wenn man in den Ashram geht, behauptet meine Meisterin: Man werde entdecken, wer man ist. Wenn Sie also bereits am Rande des Wahnsinns stehen, wäre es ihr in der Tat lieber, Sie kämen nicht. Weil nämlich, offen gestanden, keiner Lust hat, Sie mit einem Holzlöffel zwischen den Zähnen hier rauszutragen.

40

Meine Ankunft fällt fast mit dem Beginn des neuen Jahres zusammen. Mir bleibt kaum ein Tag, um mich zu akklimatisieren, dann ist schon Silvester. Nach dem Essen füllt sich der Hof mit Menschen. Wir sitzen auf dem Boden – manche von uns auf dem kühlen Marmor, manche auf Strohmatten. Die Inderinnen sind herausgeputzt wie für eine Hochzeit. Die Haare, eingeölt und dunkel, fallen ihnen – zu langen Zöpfen geflochten – über den Rücken. Sie tragen ihre schönsten Seidensaris und goldene Armreife, und jede von ihnen hat einen strahlenden, edelsteinbesetzten Bindi auf der Stirn – ein schwaches Echo des Sternenlichts über uns. Bis Mitternacht, bis zum Jahreswechsel wollen wir im Freien chanten.

»Chanten« ist ein Wort, das ich gar nicht mag für eine Praxis, die ich überaus liebe. Irgendwie assoziiere ich mit »Chanten« einen dröhnenden und beängstigend eintönigen Gesang, wie Druiden ihn vielleicht um ein Opferfeuer anstimmten. Aber wenn wir im Ashram chanten, klingt es wie Engelsgesang. Normalerweise wird das Chanten als Responsorium ausgeführt. Einige junge Männer und Frauen mit den schönsten Stimmen beginnen, indem sie einen Vers vorsingen, den wir Übrigen dann wiederholen. Es ist eine meditative Übung – man versucht, sich auf den musikalischen Fortgang zu konzentrieren und die eigene Stimme mit der des Nachbarn zu verschmelzen, bis schließlich alle wie aus einem Munde singen. Ich leide unter dem Jetlag und fürchte, dass ich mich nicht bis Mitternacht wach halten kann und erst recht nicht die Energie aufbringe, so lange zu singen. Doch dann beginnt die musikalische Soiree mit einer Solo-Violine, die im Dunkeln einen lang gezogenen Ton des Verlangens intoniert. Anschließend fällt das Harmonium ein, die trägen Trommeln, dann all die Stimmen …

Ich sitze im hinteren Teil des Hofs bei den Müttern, den Inderinnen, die so bequem im Schneidersitz hocken und auf dem Schoß ihre schlafenden Kinder halten. Der »Cantus« dieses Abends ist ein Schlaflied, ein Klagegesang, geschrieben in einer *Raga* (Melodie), die Mitgefühl und Hingabe ausdrücken soll. Wir singen in Sanskrit, wie stets (einer alten Sprache, die in Indien nur noch für Gebet und religiöse Studien gebräuchlich ist), und ich versuche, die Stimme der Vorsänger stimmlich zu spiegeln, greife ihre Tongebungen auf wie kleine Ketten aus blauem Licht. Sie geben die heiligen Worte an mich weiter, ich trage die Worte eine Weile und gebe sie wieder zurück, und so gelingt es uns, ohne zu ermüden, singend Meilen um Meilen zurückzulegen. Wie Seetang in der Brandung wiegen wir uns in der dunklen Strömung der Nacht. Die Kinder um mich herum sind in Seide verpackt, wie Geschenke.

Obwohl ich so müde bin, lasse ich meine kleine blaue Gesangskette nicht fallen, sondern gerate in einen Zustand, in dem ich meine, Gottes Namen im Schlaf zu rufen, aber vielleicht falle ich auch nur in den Brunnenschacht dieses Universums. Um halb zwölf jedoch hat das Orchester den Rhythmus des Chantens aufgegriffen und die Anwesenden zu purer Begeisterung aufgepeitscht. Prächtig gekleidete Frauen mit Glöckchenarmreifen klatschen und tanzen und versuchen, sich wie Tamburine zu schütteln. Die Trommeln schlagen – rhythmisch, erregend. Während die Minuten verstreichen, ist mir, als würden wir gemeinsam das Jahr 2004 zu uns heranziehen. Als hätten wir es mit unserer Musik gefesselt und holten es jetzt über den Nachthimmel ein, als sei dieser ein gewaltiges Fischernetz, das unter der Last all unserer Schicksale fast zu zerreißen droht. Und was für ein schweres Netz es doch ist, da es schließlich all die Geburten und Todesfälle, Tragödien, Kriege, Liebesgeschichten, Erfindungen, Verwandlungen und Kalamitäten in sich birgt, die uns allen im kommenden Jahr bestimmt sind. Und weiter singen wir und ziehen es Minute um Minute, Stimme um Stimme, Hand über Hand näher und näher an uns heran. Die Sekunden tröpfeln auf Mitternacht zu, und wir singen noch einmal aus Leibeskräften, und mit einem letzten unerschrockenen Kraftakt ziehen wir schließlich das Netz des neuen Jahres *über* uns, decken den Himmel und uns mit ihm zu. Nur Gott weiß, was dieses Jahr für uns bereithält, doch jetzt ist es da, und wir alle sind unter ihm.

Das ist, wenn ich mich recht erinnere, die erste Silvesterfeier meines Lebens mit lauter Unbekannten. Es gibt niemanden, den ich zur Mitternacht umarmen kann. Aber dass ich mich in dieser Nacht einsam gefühlt hätte, würde ich nicht behaupten.

Nein, ganz bestimmt nicht.

41

Man gibt jedem von uns hier Arbeit, und mir hat man – wie sich herausstellt – das Schrubben der Tempelböden zugedacht. Da also findet man mich nun mehrere Stunden am Tag – mit Bürste und Eimer bewaffnet, auf kaltem Marmor kniend und vor mich hin schuftend wie die Stiefschwester im Märchen. (Nebenbei bemerkt: Ich weiß um die Symbolhaftigkeit – das Schrubben des Tempels, der eigentlich mein Herz ist, das Polieren der Seele, die profane alltägliche Anstrengung, die es auch auf die spirituelle Praxis zu verwenden gilt, auf dass das Selbst gereinigt werde, und so weiter.)

Meine Mit-Schrubber sind meist indische Teenager. Man gibt diese Arbeit in der Regel jungen Leuten, weil sie zwar körperliche Energie, aber kein ausgeprägtes Verantwortungsgefühl voraussetzt; der Schaden, den man anrichten kann, ist begrenzt. Ich mag meine Mit-Arbeiter. Die Mädchen sind wie flatternde kleine Schmetterlinge, die viel jünger wirken als achtzehnjährige Amerikanerinnen, und die Burschen gebärden sich wie ernste kleine Autokraten, die einem viel älter vorkommen als ihre amerikanischen Altersgenossen. Eigentlich herrscht im Tempel Sprechverbot, aber die Teenager halten sich nicht daran, so dass die ganze Zeit über ein unaufhörliches Geschnatter im Gange ist. Einer der Jungen, der den ganzen Tag neben mir schrubbt, hält mir todernste Vorträge über die Art und Weise, wie ich meine Arbeit angehen soll: »Nimm ernst. Mach pünktlich. Sei cool und locker. Nicht vergessen – alles, was du machst, du tust für Gott. Und alles, was Gott macht, er macht für dich.«

Es ist eine ermüdende und anstrengende Tätigkeit, dennoch fallen mir meine täglichen Arbeitsstunden beträchtlich leichter als die täglichen Meditationsstunden. Die Wahrheit ist, dass ich wohl kein großes Meditationstalent bin. Ich weiß, ich bin aus der Übung, aber ich war – ehrlich gesagt – nie gut darin. Ich schaffe es wohl einfach nicht, meinen Geist zum Stillhalten zu überreden. Als ich mich einmal bei einem indischen Mönch darüber beklagte, meinte der: »Das ist bedauerlich, denn du bist die einzige Person in der gesamten Weltgeschichte, die je mit diesem Problem zu kämpfen hatte.« Dann zitierte er mir aus der *Bhagavadgita*, dem heiligsten der alten Yogatexte: »O Krishna, der Geist ist rastlos, aufgewühlt, stark und unbeugsam. Und so schwer zu bezähmen, scheint mir, wie der Wind.«

Meditation ist der Anker des Yoga und seine Schwingen. Meditation ist *der Weg*. Meditation und Gebet sind nicht dasselbe, obwohl es in beiden Praktiken um die Kommunion mit dem Göttlichen geht. Gebet, so habe ich sagen hören, sei Sprechen mit Gott, Meditation aber bedeute Zuhören. Nun raten Sie mal, was mir leichter fällt. Ich kann Gott den lieben langen Tag mit all meinen Gefühlen und Problemen voll quasseln. Wenn es allerdings Zeit würde, zu schweigen und zuzuhören …, na ja, das ist eine ganz andere Geschichte. Wenn ich meinen Geist auffordere, still zu sein, ist es wirklich verblüffend, wie schnell er sich 1. langweilt, 2. wütend, 3. deprimiert, 4. ängstlich oder 5. alles zugleich wird.

Wie die meisten Humanoiden trage ich schwer an dem, was die Buddhisten *monkey mind* nennen, an diesen Gedanken, die sich von Ast zu Ast schwingen und nur kurz innehalten, um sich zu kratzen, auszuspucken oder einen Schrei zu tun. Von der fernen Vergangenheit bis in die Zukunft schwingt sich mein Geist durch die Zeit, streift ungezügelt und undiszipliniert Dutzende von Ideen pro Minute. Eigentlich wäre das kein Problem; Schwierigkeiten bereiten mir jedoch die Emotionen, die mit den Gedanken einhergehen. Glückliche Gedanken machen mich zwar glücklich, aber – hopp! – wie rasch falle ich wieder in besessenes Grübeln zurück, das diese Stimmung vertreibt; und plötzlich ist da die Erinnerung an einen Moment der Wut, und ich rege mich auf und werde stocksauer; und daraus folgert dann mein Geist, dass der Zeitpunkt gekommen ist, mir selbst Leid zu tun, und prompt stellen sich Einsamkeitsgefühle ein. Letztlich ist man dann doch, was man denkt. Unsere Gefühle sind die Sklaven unserer Gedanken und wir die Sklaven unserer Gefühle.

Das andere Problem bei alldem Schwingen durch den Gedankendschungel besteht darin, dass man sich nie da befindet, wo man gerade ist. Immer gräbt man in der Vergangenheit oder stochert in der Zukunft herum, nur selten aber verweilt man im Hier und Jetzt. Bei meiner lieben Freundin Susan ist das zu einer festen Gewohnheit geworden, so dass sie – wann immer sie einen schönen Ort erblickt – geradezu panisch ausruft: »Wie schön es hier ist! Irgendwann muss ich noch mal hierher kommen.« Und es erfordert all meine Überredungskünste, sie davon zu überzeugen, dass sie *bereits* da ist. Wenn man die Vereinigung mit dem Göttlichen sucht, ist dieses Wirbeln der Gedanken ein Problem. Nicht umsonst bezeichnet man Gott als *Präsenz* – weil Gott nämlich da ist und in diesem Augenblick da ist. Nur in der Gegenwart finden wir Ihn, nur im Jetzt.

Im Jetzt zu bleiben erfordert jedoch Hingabe und zielgerichtete Konzentration. Unterschiedliche Meditationstechniken lehren diese Zielgerichtetheit auf verschiedene Weise, zum Beispiel solle man einen Lichtpunkt fixieren oder das An- und Abschwellen seines Atems beobachten. Meine Meisterin lehrt Meditation mit Hilfe von Mantras, heiligen Worten oder Silben, die man konzentriert wiederholt. Mantras besitzen eine doppelte Funktion. Zum einen geben sie dem Geist eine Beschäftigung. Es ist, als habe man dem Affen zehntausend Knöpfe hingeschoben und ihm gesagt: »Schichte diese Knöpfe nun Stück für Stück zu einem Haufen auf.« Das fällt dem Affen beträchtlich leichter, als wenn man ihn nur in einen Winkel verbannt und von ihm verlangt, brav sitzen zu bleiben. Der zweite Zweck der Mantras besteht darin, uns buchstäblich in einen anderen Zustand zu transportieren, und zwar als säßen wir in einem Ruderboot und ruderten über die windgepeitschte See des Geistes. Wann immer wir in eine gedankliche Gegenströmung geraten, kehren wir einfach zum Mantra zurück, klettern wieder ins Boot und rudern weiter. Die großen Sanskritmantras bergen angeblich unvorstellbare Kräfte und die Fähigkeit, uns – sofern wir dabeibleiben – bis zu den Ufern des Göttlichen zu rudern.

Eins meiner zahllosen Probleme mit dem Meditieren besteht darin, dass das mir aufgegebene Mantra – *Om Namah Shivaya* – einfach nicht richtig in meinem Hirn einrastet. Ich mag seinen Klang, ich liebe seine Bedeutung, aber von mühelosem Hineingleiten in die Meditation kann keine Rede sein. Im Gegenteil, wenn ich versuche, *Om Namah Shivaya* zu wiederholen, bleibt es mir im Hals stecken, mir wird eng um die Brust und ganz flattrig. Und nie hab ich's geschafft, die Silben und meinen Atemrhythmus in Einklang zu bringen.

Schließlich spreche ich eines Nachts meine Zimmergenossin Corella darauf an. Das Eingeständnis, wie schwer es mir fällt, mich auf die Wiederholung des Mantras zu konzentrieren, ist mir zwar peinlich, aber sie ist Meditationslehrerin. Vielleicht kann sie mir helfen. Auch bei ihr, erzählt sie mir, seien anfangs beim Meditieren die Gedanken auf Wanderschaft gegangen, heute jedoch sei das Meditieren die große und alles verwandelnde Freude ihres Lebens.

»Eigentlich setz ich mich nur hin und mach die Augen zu«, sagt sie, »und dann muss ich nur ans Mantra *denken* und bin im Himmel.«

Als ich das höre, wird mir fast übel vor Neid. Doch Corella praktiziert schon seit ebenso vielen Jahren Yoga, wie ich auf der Welt bin. Ich frage sie, ob sie mir zeigen kann, *wie genau* sie das *Om Namah Shivaya* in ihrer Meditation spricht. Atmet sie bei jeder Silbe einmal ein? (Wenn ich das tue, finde ich das Mantra endlos und nervtötend.) Oder macht sie einen Atemzug pro Wort? (Aber die Wörter sind unterschiedlich lang! Wie kann man das ausgleichen?) Oder spricht sie das ganze Mantra, während sie einatmet, und dann ein zweites Mal beim Ausatmen? (Wenn ich das versuche, klingt es sehr gehetzt, und ich werde nervös.)

»Ich weiß nicht«, meint Corella. »Ich sag es nur … irgendwie.«

»Singst du es vielleicht?«, insistiere ich, schon ein bisschen verzweifelt. »Hältst du einen bestimmten Rhythmus ein?«

»Ich sag es einfach.«

»Kannst du es mir vielleicht laut vorsprechen?«

Meine Zimmergenossin schließt die Augen und spricht laut das Mantra, so wie es ihr in den Sinn kommt. Und tatsächlich: Sie sagt es einfach nur. Sagt es ruhig, normal, leise lächelnd. Tatsächlich wiederholt sie es sogar ein paarmal, bis ich unruhig werde und ihr das Wort abschneide.

»Aber langweilt es dich denn nicht?«, frage ich sie.

»Ah«, meint Corella und schlägt lächelnd die Augen auf. Sie schaut auf ihre Uhr. »Zehn Sekunden sind vergangen, Liz. Und schon langweilen wir uns?«

42

Am nächsten Morgen erscheine ich pünktlich um vier zum Meditationskurs, mit dem hier jeder Tag beginnt. Eine Stunde lang sollen wir schweigend dasitzen, aber ich absolviere die Minuten, als wären es Meilen – sechzig brutale Meilen, die ich durchzustehen habe. Nach vierzehn Meilen/Minuten verliere ich die Nerven, mir zittern die Knie, und ich bin völlig frustriert. Was verständlich ist angesichts der Gespräche zwischen mir und meinem Geist beim Meditieren, die ungefähr so ablaufen:

Ich: Okay, meditieren wir also. Wenden wir uns unserem Atem zu und konzentrieren wir uns auf das Mantra. *Om Namah Shivaya. Om Namah Shiv...*

Geist: Ich kann dir helfen!

Ich: Okay, gut, Hilfe kann ich immer gebrauchen. Weiter also. *Om Namah Shivaya. Om Namah Shiv…*

Geist: Beim Ausdenken hübscher Meditationsbilder. Zum Beispiel … Stell dir vor, du wärst ein Tempel. Ein Tempel auf einer Insel! Und die Insel liegt im Meer!

Ich: Oh, das ist wirklich hübsch!

Geist: Danke schön. Ist auf meinem Mist gewachsen.

Ich: Aber an welches Meer hast du dabei gedacht?

Geist: Das Mittelmeer. Stell dir vor, du wärst eine von diesen griechischen Inseln, mit einem alten Tempel darauf. Nein, lass, das ist zu touristisch. Weißt du was? Vergiss das Meer. Meere sind zu gefährlich. Ich hab eine bessere Idee – stell dir vor, die Insel liegt in einem See.

Ich: Können wir jetzt vielleicht meditieren? *Om Namah Shiv…*

Geist: Ja! Natürlich! Aber stell dir bloß nicht vor, der See ist voller … Wie heißen die Dinger …?

Ich: Jet-Skis?

Geist: Genau! Jet-Skis! Die Dinger verbrauchen ja so viel Sprit! Sind wirklich eine Gefahr für die Umwelt! Weißt du, welche Geräte auch so viel Sprit verbrauchen? Laubbläser. Würde man nicht meinen, aber …

Ich: Gut, gut, aber lass uns jetzt bitte *meditieren*, ja? *Om Namah …*

Geist: Genau, und ich werde dir dabei helfen. Weshalb ich dieses Bild von der Insel in einem See oder im Meer jetzt sofort vergesse, denn das funktioniert ja offensichtlich nicht. Stellen wir uns also vor, du wärst eine Insel in … einem Fluss!

Ich: Oh, meinst du so etwas wie Bannerman Island im Hudson?

Geist: Ja! Genau! Super. Lass uns also – zu guter Letzt – über dieses Bild meditieren, stell dir vor, du wärst eine Insel in einem Fluss. All die Gedanken, die beim Meditieren vorübertreiben, sind natürliche Strömungen, die du ignorieren kannst, weil du eine Insel bist.

Ich: Warte, ich dachte, ich wär ein Tempel.

Geist: Stimmt, tut mir Leid. Du bist ein Tempel auf einer Insel. Aber eigentlich bist du beides, Tempel und Insel.

Ich: Bin ich auch der Fluss?

Geist: Nein, der Fluss, das sind nur die Gedanken.

Ich: Halt! Hör bitte auf! *Du machst mich völlig meschugge!*

Geist (verletzt): Tut mir Leid. Ich hab ja nur helfen wollen.

Ich: *Om Namah Shivaya ... Om Namah Shivaya ... Om Namah Shivaya ...*

Hier tritt dann eine viel versprechende Pause von acht Sekunden ein. Dann aber ...

Geist: Bist du jetzt sauer auf mich?

Und dann sperre ich japsend den Mund auf, als käme ich zum Luftholen an die Wasseroberfläche, und mein Geist hat gewonnen; ich reiße die Augen auf und gebe mich geschlagen. Tränenüberströmt. Ein Ashram sollte ein Ort sein, an dem man seine Meditationspraktiken perfektioniert, doch der Druck auf mich ist zu groß. Ich schaffe es nicht. Aber was soll ich tun? Jeden Tag nach vierzehn Minuten heulend aus dem Tempel laufen?

Heute Morgen habe ich es, statt dagegen anzukämpfen, einfach sein gelassen. Hab aufgegeben. Mich an die Wand gelehnt. Der Rücken tat mir weh, ich hatte keine Kraft mehr, mein Geist flatterte vor Nervosität. Meine Yogastellung fiel in sich zusammen wie eine einstürzende Brücke. Ich nahm mir das Mantra vom Kopf (das wie ein unsichtbarer Amboss auf mir gelastet hatte) und stellte es neben mir auf den Boden. Und dann sagte ich zu Gott: »Es tut mir wirklich Leid, aber näher komm ich dir heute einfach nicht.«

Die Lakota-Sioux nennen ein Kind, das nicht stillsitzen kann, ein halb entwickeltes Kind. Und in einem alten Sanskrittext heißt es: »An bestimmten Zeichen kannst du erkennen, ob die Meditation richtig durchgeführt wird, zum Beispiel daran, dass sich ein Vogel auf deinem Kopf niederlässt, weil er dich für einen unbeweglichen Gegenstand hält.« Das ist mir noch nicht passiert. Doch in den darauf folgenden vierzig Minuten versuchte ich mich, gefangen in dieser Me-

ditationshalle und meinen eigenen Scham- und Unzuläng-
lichkeitsgefühlen, möglichst still zu verhalten, und beobachtete die Schüler um mich herum, wie sie dasaßen in ihren perfekten Haltungen, die perfekten Augen geschlossen hielten,
ihre selbstzufriedenen Gesichter Ruhe ausstrahlten, während sie sich garantiert in irgendeinen perfekten Himmel
versetzten. Eine unendliche Traurigkeit machte sich in mir
breit, und gerne wäre ich in tröstliche Tränen ausgebrochen,
kämpfte aber dagegen an, da ich mich an einen Ausspruch
meiner Meisterin erinnerte, die einmal gesagt hatte, dass man
sich nie einen Zusammenbruch erlauben solle, da sich das
sonst zu einer Tendenz verfestigen könne und einem dann
immer wieder passiere. Vielmehr müsse man üben, stark zu
bleiben.

Aber ich fühlte mich nicht stark. Alles tat mir weh vor lauter Nichtswürdigkeit. Wer, fragte ich mich, war eigentlich
»ich«, wenn ich mit meinem Geist Gespräche führte, und
wer war der »Geist«? Ich dachte nach über die unbarmher-
zige, Gedanken verarbeitende, Seelen verschlingende Ma-
schinerie meines Gehirns und fragte mich, wie um Himmels
willen ich sie jemals beherrschen sollte. Dann erinnerte ich
mich an den folgenden Satz aus dem Film *Der weiße Hai* und
musste lächeln:

»Wir werden ein größeres Boot brauchen.«

43

Essenszeit. Ich sitze allein am Tisch und versuche, langsam
und bewusst zu essen. Die Meisterin ermuntert uns immer
zu diszipliniertem Essen. Wir sollen uns mäßigen und nicht
schlingen, um die heiligen Flammen unseres Körpers nicht

zu ersticken, weil wir zu schnell zu viel in unseren Verdauungstrakt befördern. (In Neapel, da bin ich mir ziemlich sicher, war meine Meisterin nie.) Wenn Schüler sich bei ihr darüber beklagen, dass ihnen das Meditieren schwer falle, erkundigt sie sich stets nach ihrer Verdauung. Dass das mühelose Hinübergleiten in die Transzendenz Schwierigkeiten bereitet, wenn unsere Gedärme mit der Bewältigung einer Calzone, eines Pfunds Chicken Wings und einer halben Kokos-Sahne-Torte beschäftigt sind, ist ja nur logisch. Deshalb werden hier solche Köstlichkeiten gar nicht erst aufgetischt. Das Essen im Ashram ist vegetarisch, leicht und gesund. Und trotzdem lecker – so dass ich mich schwer tue, es nicht hinunterzuschlingen wie ein Waisenkind. Hinzu kommt, dass es zu den Mahlzeiten stets ein Buffet gibt, und es ist mir nie leicht gefallen, einem zweiten oder dritten Vorstoß zu widerstehen, wenn herrliches Essen offen herumliegt, gut riecht und nichts kostet.

Also sitze ich ganz allein am Abendbrottisch und bemühe mich, meine Gabel im Zaum zu halten, als ich einen Mann mit seinem Tablett vorbeigehen sehe, der nach einem freien Platz Ausschau hält. Nickend bedeute ich ihm, dass er sich gern zu mir setzen kann. Ich habe den Burschen noch nie gesehen. Muss wohl ein Neuer sein. Der Fremde hat diesen coolen Gut-Ding-hat-Weile-Gang und bewegt sich mit der Autorität eines Grenzstadtsheriffs oder vielleicht auch eines Spielers, der sein Leben lang um hohe Einsätze gepokert hat. Dem Aussehen nach ist er zwischen fünfzig und sechzig, so wie er läuft, könnte er schon ein paar Jahrhunderte mehr auf dem Buckel haben. Er hat weißes Haar, einen weißen Bart, trägt ein kariertes Flanellhemd, hat breite Schultern und Riesenpranken, die den Eindruck erwecken, als könnten sie erheblichen Schaden anrichten, aber ein völlig entspanntes Gesicht.

Er setzt sich mir vis-à-vis und meint schleppend: »Manno-mann, Moskitos hat's hier, groß genug, um sich an 'ner Hen-ne zu vergehen.«

Ladys und Gentlemen, Richard aus Texas ist eingetroffen.

44

Von den vielen Jobs, die Richard aus Texas in seinem Leben schon hatte, sei hier nur eine kleine Auswahl genannt: Öl-arbeiter, Lkw-Fahrer, erster Birkenstock-Händler in den Dakotas, Sackschüttler auf einer Mülldeponie (tut mir Leid, aber ich hab hier wirklich nicht die Zeit zu erklären, was ein Sackschüttler ist), Straßenarbeiter, Gebrauchtwagenhändler, Soldat in Vietnam, »Waren«-Händler (wobei es sich bei der Ware in der Regel um Drogen handelte), Junkie und Alko-holiker (falls man das als Beruf bezeichnen kann), dann *gebesserter* Junkie und Alkoholiker (schon sehr viel respek-tabler), Hippie-Farmer in einer Kommune, Radio-Kom-mentator und schließlich ein geachteter und erfolgreicher Händler mit medizinischem High-End-Equipment (bis sei-ne Ehe zerbrach, er alles seiner Ex überließ und »sich wieder den bankrotten weißen Arsch kratzte«). Inzwischen reno-viert er alte Häuser in Austin.

»Einen richtigen Beruf hatte ich im Grunde nie«, sagt er. »Musste mich eigentlich immer irgendwie durchschlagen.«

Richard aus Texas ist keiner, der sich in Grübeleien ver-liert. Neurotisch würde ich ihn nicht nennen, *no Sir*. Ich bin es allerdings schon ein bisschen, deshalb schließe ich ihn zu-nehmend ins Herz. Dass Richard hier in diesem Ashram ist, gibt mir ein Gefühl von Sicherheit, das mich amüsiert. Die gewaltige Zuversicht, die er ausstrahlt, verscheucht meine

Nervosität und erinnert mich daran, dass letztlich alles gut wird. (Und wenn nicht gut, dann wenigstens amüsant.) Erinnern Sie sich noch an den Comic-Gockel Foghorn Leghorn? Nun, Richard hat eine gewisse Ähnlichkeit mit ihm, und ich werde allmählich zu seinem geschwätzigen kleinen Kumpan, dem Hühnerhabicht. Oder in Richards eigenen Worten: »Ich und Groceries sind die ganze verdammte Zeit am Lachen.«

Groceries – Lebensmittel.

Das ist der Spitzname, den Richard mir gegeben hat. Schon am Abend, als wir uns kennen lernten und er sah, wie viel ich verdrücken kann, hat er ihn mir verpasst. Ich versuchte, mich zu verteidigen (»Ich habe bewusst langsam gegessen!«), aber der Name blieb mir.

Vielleicht wirkt Richard aus Texas nicht wie ein typischer Yogi. Aber meine Zeit in Indien hat mich bei der Beurteilung dessen, was einen typischen Yogi ausmacht, vorsichtiger werden lassen. (Von dem Milchbauern aus dem ländlichen Irland, den ich vorgestern getroffen habe, oder der ehemaligen Nonne aus Südafrika will ich gar nicht erst reden.) Richard ist zu diesem Yoga durch eine Exfreundin gekommen, die ihn von Texas bis zum New Yorker Ashram chauffierte, damit er unsere Meisterin reden hören konnte. »Der Ashram«, sagt Richard, »war für mich das Schrägste, was ich je erlebt hatte, und ständig hab ich mich gefragt, wo wohl das Zimmer ist, in dem sie dir dein ganzes Geld abknöpfen und du ihnen die Besitzurkunde für dein Haus aushändigen musst ...«

Nach dieser Erfahrung, die etwa zehn Jahre zurücklag, ertappte sich Richard immer wieder beim Beten. Seine Gebete kreisten immer um dasselbe. Immer wieder bekniete er Gott: »Bitte, bitte, bitte öffne mein Herz.« Mehr wollte er nicht – nur ein offenes Herz. Und sein Gebet um ein offenes Herz beendete er stets mit der Bitte: »Und gib mir ein Zeichen, wenn es so weit ist.« Heute sagt er in der Erinnerung an diese Zeit: »Pass auf, worum du betest, Groceries, denn vielleicht kriegst du's ja.« Nachdem Richard ein paar Monate lang ständig um ein offenes Herz gebetet hatte, bekam er ..., raten Sie mal, was. Genau! Eine Notoperation am offenen Herzen. Sein Brustkorb wurde buchstäblich aufgeknackt, die Rippen klafften auseinander, damit endlich ein bisschen Tageslicht in sein Herz fiel, als ob Gott sagen wollte: »Na, was sagst du zu meinem Zeichen?« Inzwischen sei er mit seinen Gebeten vorsichtiger geworden. »Wann immer ich heutzutage um etwas bete, sage ich zum Abschluss: ›Oh, und noch was, Gott! Bitte sei nett zu mir, okay?‹«

»Was soll ich an meiner Meditationspraxis ändern?«, frage ich Richard eines Tages, als er mir beim Tempel-Schrubben zuschaut. (Er hat Glück – er arbeitet in der Küche und muss sich erst eine Stunde vor dem Abendessen dort blicken lassen. Aber er sieht mir gerne beim Schrubben des Tempelbodens zu. Er findet es lustig.)

»Warum musst du was ändern, Groceries?«

»Weil ich sauschlecht bin.«

»Wer sagt das?«

»Meine Gedanken geben einfach keine Ruhe.«

»Denk an das, was die Meisterin uns gesagt hat: Wenn du dich hinsetzt in der reinen Absicht, zu meditieren, geht dich, was danach passiert, nichts mehr an. Warum verurteilst du also deine Erfahrung?«

»Weil das, was mir beim Meditieren passiert, unmöglich sein kann, worum es bei diesem Yoga geht.«

»Groceries, Süße – du hast ja keine *Ahnung*, was sich da drinnen abspielt.«

»Ich habe nie Visionen, nie irgendwelche Transzendenzerlebnisse ...«

»Willst du hübsche Farben sehen? Oder willst du die Wahrheit über dich wissen? Worum geht's dir?«

»Anscheinend streite ich mich, wenn ich zu meditieren versuche, nur mit mir selbst.«

»Das ist bloß dein Ego, das alles unter Kontrolle behalten will. Dein Ego macht nämlich Folgendes: Es bewirkt, dass du dich isoliert und gespalten fühlst, versucht dir weiszumachen, dass du unzulänglich und kaputt und allein bist statt ganz und heil.«

»Aber was bringt mir das?«

»Nichts bringt es dir. Dein Ego ist nicht da, um dir was zu bringen. Es ist nur dazu da, um sich an der Macht zu halten. Und zurzeit steht es Todesängste aus, weil es nämlich demnächst eins auf den Deckel kriegen soll. Mach weiter so, Süße, und die Tage dieses Schurken sind gezählt. Nicht mehr lange, dann ist dein Ego arbeitslos, und dein Herz trifft alle Entscheidungen. Dein Ego kämpft also um sein Leben, treibt seine Spielchen mit deinem Geist, versucht, sich zu behaupten, will dich in einen Zwinger und vom Rest des Universums wegsperren. Ignorier es einfach!«

»Und wie macht man das?«

»Schon mal versucht, einem Zweijährigen sein Spielzeug wegzunehmen? Das mögen Kinder in dem Alter nicht. Da treten sie und schreien. Die beste Methode, einem Kind sein Spielzeug wegzunehmen, ist Ablenkung. Es auf andere Gedanken zu bringen. Gib deinem Geist was Besseres zu spielen, statt dir bestimmte Gedanken zu verbieten. Etwas Gesünderes.«

»Zum Beispiel?«

»Zum Beispiel Liebe, Groceries. Zum Beispiel reine göttliche Liebe.«

45

Der tägliche Aufenthalt in der Meditationshöhle sollte ja eigentlich *die* Zeit der Zwiesprache mit dem Göttlichen sein, aber neuerdings schrecke ich davor zurück, wie es mein Hund immer tat, wenn wir die Tierarztpraxis betraten (denn egal, wie freundlich dort alle waren, er wusste, dass letztlich alles auf einen unsanften Stoß mit einem medizinischen Gerät hinauslief). Aber nach meinem letzten Gespräch mit Richard aus Texas werde ich heute Morgen mal etwas Neues ausprobieren. Ich nehme die Meditationshaltung ein und sage zu meinem Geist: »Hör zu. Ich weiß, dass du ein bisschen Angst hast. Aber ich verspreche dir, dich nicht in die Pfanne zu hauen. Ich will dir nur eine Erholungspause verschaffen. Ich liebe dich.«

Zwei Tage zuvor hatte mir ein Mönch verraten: »Das Herz ist der Erholungsort des Geistes. Das Einzige, was der Geist den lieben langen Tag zu hören bekommt, sind dröhnende Glocken und Lärm und Gezänk, obwohl er sich doch nach nichts anderem sehnt als nach Ruhe. Und der einzige Ort, an dem der Geist je Frieden finden kann, liegt in der Stille des Herzens. Da musst du hingehen.«

Ich probiere nun auch ein anderes Mantra aus. Eines, mit dem ich in der Vergangenheit Glück hatte. Es ist ganz einfach, besteht nur aus zwei Silben:

Ham-sa.

Im Sanskrit bedeutet es: »Ich bin Das.«

Ham-sa, sagen die Yogis, sei das natürlichste Mantra – das Mantra, das uns Gott schon vor unserer Geburt geschenkt hat. Denn *Ham-sa* ist das Geräusch unseres Atems. *Ham* beim Einatmen, *Sa* beim Ausatmen. Solange wir leben, wiederholen wir es mit jedem Atemzug. Ich bin Das. Ich bin göttlich, ich bin bei Gott, ich bin ein Ausdruck des Göttlichen, ich bin nicht isoliert, nicht allein. *Ham-sa* fand ich immer leicht und entspannend. Viel leichter zum Meditieren als *Om Namah Shivaya*, das »offizielle« Mantra dieses Yogas. Aber ich hab mich vorgestern mit besagtem Mönch unterhalten, und er riet mir, ich solle einfach *Ham-sa* verwenden, wenn es mir beim Meditieren helfe. »Meditier auf alles«, meinte er, »was eine Revolution in dir auslöst.«

Also sitze ich heute mit ihm da.

Ham-sa.

Ich bin Das.

Gedanken kommen, aber ich beachte sie nicht weiter, außer dass ich sie auf fast mütterliche Weise abwimmle: »Oh, euch Scherzkekse kenn ich … Geht raus zum Spielen … Mami muss Gott zuhören.«

Ham-sa.

Ich bin Das.

Ich döse eine Weile – oder was auch immer. (Beim Meditieren weiß man nie so genau, ob das, was man für Schlaf hält, tatsächlich Schlaf ist; manchmal ist es nur eine andere Bewusstseinsebene.) Wenn ich erwache oder was auch immer, spüre ich, wie diese weiche blaue elektrische Energie in Wellen durch meinen Körper pulsiert. Ein bisschen beunruhigend ist das, aber auch verblüffend. Ich weiß nicht, was ich tun soll, also rede ich mit dieser Energie. »Ich glaube an dich«, sage ich zu ihr, und als Reaktion darauf wird sie geballter. Schrecklich mächtig ist sie inzwischen und raubt mir buchstäblich alle Sinne. Summt vom unteren Ende meiner Wirbelsäule nach oben. Mein Hals fühlt sich an, als wollte er sich strecken und drehen, und ich nehme die allerseltsamste Sitzhaltung ein – kerzengerade wie ein guter Yogi, nur dass ich das eine Ohr fest auf die linke Schulter presse. Ich weiß nicht, warum mein Hals und mein Kopf sich derart verrenken, aber ich werde mich nicht mit ihnen streiten; sie wollen es so. Die hämmernde blaue Energie stampft weiter durch meinen Körper, und eine Art Trommelgeräusch klingt in meinen Ohren; es ist jetzt so stark, dass ich es wirklich nicht mehr aushalten kann. Es macht mir derartig Angst, dass ich zu ihm sage: »Ich bin noch nicht bereit!« und schnell die Augen aufschlage. Alles verschwindet. Ich bin wieder in einem Raum, wieder in der vertrauten Umgebung. Ich schaue auf meine Uhr. Fast eine Stunde lang war ich hier – oder sonst wo.

Und ich hechele. Hechele buchstäblich.

46

Um zu verstehen, was es mit dieser Erfahrung auf sich hat, was »da drinnen« geschehen ist (sowohl »in der Meditationshöhle« als auch »in mir«), muss man sich einem ziemlich esoterischen Thema zuwenden – nämlich der *Kundalini Shakti*.

In allen Religionen der Welt gibt es seit jeher Gruppen von Gläubigen, die eine direkte, transzendente Gotteserfahrung suchen und sich von Dogmentreue und Schriftgelehrsamkeit distanzieren, um Gott persönlich zu begegnen. Das Interessante an diesen so genannten Mystikern ist, dass sie bei der Schilderung ihrer Erlebnisse letztlich alle dieselbe Erfahrung beschreiben.

Gewöhnlich vollzieht sich die Vereinigung mit Gott in einem meditativen Zustand und wird durch eine Energiequelle bewirkt, die den ganzen Körper mit einem euphorisierenden, elektrisierenden Licht erfüllt. Diese Energie nennen die Japaner *ki*, chinesische Buddhisten bezeichnen sie als *chi*, bei den Balinesen heißt sie *taksu*, bei den Christen »Heiliger Geist« und bei den Buschmännern der Kalahari *num* (ihre heiligen Männer schildern sie als schlangengleiche Macht, die im Rückgrat aufsteigt und ein Loch in den Kopf bläst, durch welches die Götter Eingang finden). Die islamischen Sufi-Dichter bezeichneten die göttliche Energie als »die Geliebte« und verfassten religiöse Gedichte auf sie. Die australischen Aborigines beschreiben sie als eine Schlange am Himmel, die in den Medizinmann herabsteigt und ihm überirdische Kräfte verleiht. In der jüdischen Kabbala heißt es, dass diese Vereinigung mit dem Göttlichen sich über Stufen des spirituellen Aufstiegs vollziehe und mittels einer Energie, die entlang einer Reihe unsichtbarer Meridiane durch das Rückgrat verläuft.

Die mystischste unter all den Gestalten des Katholizismus, die heilige Teresa von Ávila, beschrieb ihre Vereinigung mit Gott als den körperlichen Aufstieg des Lichts durch sieben innere »Wohnungen« ihres Seins, um danach zu Gottes Gegenwart durchzubrechen. Immer wieder geriet sie in so tiefe meditative Trancen, dass die anderen Nonnen ihren Puls nicht mehr fühlen konnten. Immer wieder bat sie ihre Mitschwestern, niemandem zu erzählen, was sie gesehen hatten, da es »ein gar außerordentlich Ding sei und wahrscheinlich beträchtliches Gerede zur Folge hätte« (von einer möglichen Unterredung mit dem Inquisitor ganz zu schweigen). Die größte Herausforderung, schrieb die Heilige in ihren Erinnerungen, bestehe darin, bei der Meditation nicht den Intellekt zu wecken, denn alle Bewegungen des Geistes – sogar die inbrünstigsten Gebete – löschten den göttlichen Brand. Sobald der lästige Verstand »beginnt, Reden zu verfassen und Argumente zu erdenken, vor allem, wenn diese klug sind, wird er sich alsbald einbilden, er tue wichtige Arbeit«. Könne man diese Gedanken jedoch überwinden – so Teresa – und steige zu Gott empor, so sei da »glorreiche Verwirrung, ein himmlischer Wahnsinn, in welchem man wahre

Weisheit erlangt«. Ohne es zu ahnen, gab Teresa Gedichte des persischen Sufi-Mystikers Hafis wieder (der fragte, warum wir angesichts eines so hemmungslos liebenden Gottes nicht alle grölende Besoffene seien), als sie in ihrer Autobiografie herausschrie: Wenn diese Erfahrungen Tollheit seien, dann »flehe ich dich an, Vater, lass uns alle toll sein!«.

In den folgenden Sätzen ihres Buches ist es, als wollte sie verschnaufen. Liest man heute die heilige Teresa, spürt man fast, wie sie aus dieser delirierenden Erfahrung heraustritt, dann einen Blick auf ihre Umgebung und das politische Klima des mittelalterlichen Spaniens wirft (wo sie unter einer der repressivsten religiösen Tyranneien der Geschichte lebte) und sich nüchtern und pflichtbewusst für ihre Erregung entschuldigt. »Vergebt mir, dass ich so kühn war«, schreibt sie und wiederholt, dass man all ihr schwachsinniges Geplapper ignorieren solle, weil sie natürlich nur eine Frau und ein Wurm und verächtliches Ungeziefer sei und so weiter. Man kann fast sehen, wie sie ihre Schwesterntracht glättet und die letzte lose Haarsträhne zurückstreicht – ihr göttliches Geheimnis, das heimlich lodernde Feuer.

In der yogischen Tradition Indiens heißt dieses göttliche Geheimnis *Kundalini Shakti* und wird als Schlange abgebildet, die aufgerollt am unteren Ende der Wirbelsäule ruht, bis sie durch Berührung eines Meisters oder durch ein Wunder erwacht, durch die sieben Chakren oder Räder (die man auch die sieben Seelenwohnungen nennen könnte) aufsteigt und schließlich den Scheitel durchbricht und in die Gottesvereinigung explodiert. Im sichtbaren Körper, sagen die Yogis, existieren diese Chakren nicht, man solle sie dort also auch nicht suchen; sie existieren nur im sublimierten Körper, dem Leib, auf den sich die buddhistischen Lehrer beziehen, wenn sie ihre Schüler ermuntern, ein neues Selbst aus dem physischen Körper zu ziehen, wie man ein Schwert aus der Scheide zieht. Mein Freund Bob, der sowohl Yogaschüler als auch Hirnforscher ist, hat mir erzählt, dass ihn die Vorstellung der Chakren schon immer aus der Fassung gebracht habe, dass er sie in einem sezierten menschlichen Körper wirklich sehen wollte, um zu glauben, dass sie existierten. Doch nach einer besonders eindringlichen Transzendenzerfahrung in der Meditation gelangte er zu einem neuen Verständnis. »Genauso wie es beim Schreiben eine buchstäbliche und eine poetische Wahrheit gibt«, sagte er, »besitzt auch der menschliche Körper eine buchstäbliche und eine poetische Anatomie. Die eine sieht man, die andere nicht. Die eine besteht aus Knochen, Zähnen und Fleisch, die andere aus Energie, Gedächtnis und Glauben. Wahr aber sind sie beide.«

Ich mag es, wenn sich zwischen Wissenschaft und Religion Berührungspunkte ergeben. Kürzlich entdeckte ich in der *New York Times* einen Artikel über ein Team von Neurologen, die einen tibetanischen Mönch – als Freiwilligen für einen experimentellen Gehirn-Scan – an alle möglichen Drähte anschlossen. Sie wollten sehen, was, wissenschaftlich betrachtet, mit einem transzendierenden Geist im Augenblick der Erleuchtung geschieht. Im Gehirn eines denkenden Menschen tobt fortwährend ein Sturm von elektrischen Impulsen, der sich in einem Gehirn-Scan in Form gelber und roter Blitze niederschlägt. Je wütender oder leidenschaftlicher der Betreffende wird, umso heftiger leuchten die roten Blitze. Mystiker aller Zeiten und Kulturen hingegen haben eine Besänftigung des Gehirns während der Meditation konstatiert und die vollständige Vereinigung mit Gott als blaues Licht beschrieben, das sie von der Mitte ihres Schädels ausstrahlen sehen. In der yogischen Tradition nennt man dieses Licht »die blaue Perle«, und sie zu finden ist das Ziel aller Suchenden. Selbstverständlich war dieser tibetanische Mönch, dessen Meditation man am Monitor überwachte, in der Lage, seinen Geist so vollständig zu beruhigen, dass keine roten oder gelben Blitze mehr zu sehen waren. Tatsächlich war die gesamte neurale Energie dieses Mannes zusammengeflossen und hatte sich schließlich in der Mitte seines Gehirns – man konnte es auf dem Bildschirm unmittelbar verfolgen – zu einer kleinen Perle aus blauem Licht versammelt. Genau wie die Yogis es immer beschrieben haben.

Dies ist die Bestimmung der *Kundalini Shakti*.

Im mystischen Indien wie auch in vielen schamanistischen Traditionen wird die *Kundalini Shakti* als gefährliche Kraft betrachtet – falls Sie unbeaufsichtigt mit ihr herumspielen; der unerfahrene Yogi kann dabei buchstäblich durchdrehen. Man braucht einen Lehrer – einen *Guru* –, der einen auf diesem Weg begleitet, und idealerweise auch einen sicheren Ort – einen *Ashram* –, an dem man sich diese Praktiken aneignen kann. Die Berührung des Gurus (ob persönlich oder mittels einer eher übernatürlichen Begegnung, wie in einem Traum), heißt es, befreie die am unteren Ende der Wirbelsäule aufgerollte, gebundene *Kundalini*-Energie, so dass sie nach oben, zu Gott, zu wandern beginne. Der Augenblick dieser Freisetzung heißt *Shaktipat*, göttliche Initiation, und ist die größte Gabe eines erleuchteten Meisters. Zwar kann sich der Schüler nach dieser Berührung noch immer jahrelang quälen, aber die Reise in Richtung Erleuchtung hat begonnen. Die Energie ist freigesetzt.

Ich habe die *Shaktipat*-Initiation vor zwei Jahren empfangen, als ich meine Meisterin – daheim in New York – zum ersten Mal traf. Es war während eines Einkehrwochenendes in ihrem Ashram in den Catskills. Offen gestanden, hatte ich im Anschluss daran keine besonderen Gefühle. Irgendwie hatte ich auf eine verblüffende Begegnung mit Gott gehofft, vielleicht auf ein paar blaue Blitze oder eine prophetische Vision, aber ich klopfte mich auf besondere Effekte ab und fühlte mich nur irgendwie hungrig, wie immer. Damals dachte ich, dass es mir wahrscheinlich am Glauben fehlte, um je etwas wirklich Ungestümes wie die entfesselte *Kundalini Shakti* zu erleben. Dachte, dass ich zu verkopft sei, nicht intuitiv genug, und dass mein Erbauungspfad wahrscheinlich eher intellektuell als esoterisch sein würde. Ich würde beten, Bücher lesen, interessante Gedanken haben, aber wahrscheinlich nie die Stufe göttlich-meditativer Seligkeit erklimmen, die die heilige Teresa beschreibt. Aber das war schon okay. Ich liebte die religiösen Übungen. Nur die *Kundalini Shakti* würde mir eben vorenthalten bleiben.

Am nächsten Tag aber geschah etwas Interessantes. Wieder waren wir alle um die Meisterin versammelt. Sie leitete die Meditation, und inmitten von alledem schlief ich ein (oder was auch immer) und hatte einen Traum. In diesem Traum befand ich mich an einem Strand, am Meer. Die Wellen waren riesig und beängstigend und türmten sich immer höher. Plötzlich tauchte ein Mann neben mir auf. Es war der Guru meiner Meisterin – ein großer charismatischer Yogi, den ich hier nur als *Swamiji* (das Sanskritwort für »geliebter Mönch«) bezeichnen werde. Swamiji war 1982 gestorben. Ich kannte ihn nur von den Fotos, die überall im Ashram hingen. Aber auf den Fotos wirkte er immer ein bisschen zu beängstigend, ein bisschen zu mächtig und zu hitzig. Lange Zeit mied ich den Blick, mit dem er von den Wänden auf mich herabstarrte. Er war irgendwie überwältigend. Nicht meine Sorte Guru. Stets hatte ich meine schöne, mitfühlende Meisterin dieser toten (und immer noch grimmigen) Gestalt vorgezogen.

Jetzt aber war Swamiji in meinem Traum, stand mit all seiner Macht neben mir am Strand. Ich hatte entsetzliche Angst. Er deutete auf die heranrollenden Wellen und sagte streng: »Denk dir etwas aus, damit *das* nicht mehr passiert!« Panisch kramte ich ein Notizbuch hervor und versuchte, Erfindungen zu skizzieren, die den Vormarsch der Wellen stoppen sollten. Ich zeichnete gewaltige Deiche, Kanäle und Dämme. Aber all meine Entwürfe waren so lächerlich und sinnlos. Ich wusste, dass ich hier absolut fehl am Platz war (ich war keine Ingenieurin!), aber ich spürte, wie Swamiji mich ungeduldig und missbilligend beobachtete. Schließlich gab ich auf. Keine meiner Erfindungen war genial genug, um diese Wellen aufzuhalten.

Und da hörte ich Swamiji lachen. Ich blickte auf zu diesem winzigen Inder in seinen orangefarbenen Gewändern, und wahrhaftig, er platzte fast vor Lachen, krümmte sich vor Begeisterung und wischte sich Freudentränen aus den Augen.

»Sag mir, meine Liebe« – er deutete auf den mächtigen, endlos wogenden Ozean –, »sag mir bitte, wie genau *du dem* Einhalt gebieten willst.«

47

Zwei Nächte hintereinander habe ich jetzt schon geträumt, dass eine Schlange in mein Zimmer kommt. In spiritueller Hinsicht, habe ich gelesen, ist das ein günstiges Omen (und nicht nur in den östlichen Religionen; auch der heilige Ignatius von Loyola zum Beispiel hatte immer wieder Schlangenvisionen), was aber den Schlangen nichts von ihrer Lebendigkeit und ihrem Schrecken nimmt. Schwitzend erwache ich. Schlimmer noch, sobald ich wach bin, beginnt mein Verstand mich aufs Neue in Panik zu versetzen, wie ich es seit den schlimmsten Phasen meiner Scheidungsjahre nicht mehr erlebt habe. Immer wieder eilen die Gedanken zurück zu meiner gescheiterten Ehe und all der damit verbundenen Scham und Wut. Ja, schlimmer, ich befasse mich wieder mit David. Führe Streitgespräche mit ihm, bin zornig und einsam und erinnere mich an alles Verletzende, das er je gesagt oder mir angetan hat. Mehr noch, ich kann nicht aufhören, an das gemeinsam erlebte Glück zu denken, das erregende Delirium unserer guten Zeiten. Ich kann mich gerade noch davon abhalten, aus dem Bett zu springen und ihn mitten in der Nacht aus Indien anzurufen und dann … einfach den Hörer aufzulegen, wahrscheinlich. Oder ihn anzuflehen, meine Liebe zu erwidern. Oder ihn wüst zu beschimpfen und ihm all seine Fehler und Macken um die Ohren zu hauen.

Ich dachte, ich hätte mit meinem Exmann und mit David längst abgeschlossen. Warum kommt das alles jetzt wieder hoch?

Ich weiß schon, was sie sagen würden, all die Altgedienten in diesem Ashram. Sie würden sagen, das sei völlig normal, dass jeder das durchmacht, dass intensive Meditation eben alles wieder *hoch*bringt, dass man lediglich seine restlichen Dämonen austreibt … Aber in meiner gegenwärtigen Gemütsverfassung kann ich es nicht ertragen und will niemandes Hippie-Theorien hören. Alles kommt wieder hoch, vielen herzlichen Dank. So wie Essen wieder hochkommt, wenn einem übel ist.

Irgendwie schaffe ich es, wieder einzuschlafen, und habe noch einen Traum. Keine Schlangen begegnen mir diesmal, sondern ein sehniger, böser Hund, der mich verfolgt und blafft: »Ich werde dich töten. Ich werde dich töten und auffressen!«

Zitternd und tränenüberströmt wache ich auf. Da ich meine Zimmergenossinnen nicht stören will, verziehe ich mich ins Bad. Das Bad, immer wieder das Bad! Gott helfe mir, aber jetzt hocke ich wieder auf einem Badezimmerfußboden, und wieder mitten in der Nacht, und heule mir vor Einsamkeit die Augen aus. Oh kalte Welt – wie satt ich dich und deine schrecklichen Badezimmer doch habe.

Als das Heulen nicht aufhören will, hole ich mir ein Notizbuch und einen Kugelschreiber (letzte Zuflucht einer Kanaille) und setze mich wieder neben die Toilette. Ich schlage eine leere Seite auf und kritzele meinen inzwischen schon vertrauten Appell darauf: *Ich brauche deine Hilfe.*

Dann atme ich tief und erleichtert aus, als mein treuer Freund (wer *ist* das bloß?) mir zur Seite springt: »Ich bin ja da. Alles wird gut. Ich liebe dich. Ich werd dich nie im Stich lassen ...«

48

Die Meditation am nächsten Morgen ist ein Desaster. Verzweifelt bitte ich meinen Geist, Platz zu machen, damit ich Gott finden kann, aber mein Geist fixiert mich mit eiserner Entschlossenheit und verkündet: »*Nie* werde ich zulassen, dass du mich übergehst.«

Tatsächlich bin ich den ganzen nächsten Tag über so unausstehlich und wütend, dass ich um das Leben eines jeden fürchte, der mir über den Weg läuft. Ich blaffe diese arme Deutsche an, weil sie mich nicht versteht, als ich ihr auf Englisch erkläre, wo der Buchladen ist. Ich bin so beschämt über meinen Ausbruch, dass ich mich (wieder einmal!) flennend in einem Badezimmer verstecke und anschließend furchtbar wütend auf mich bin, weil ich mich an den Rat meiner Meisterin erinnere, nicht andauernd zusammenzubrechen, weil es einem sonst zur Gewohnheit wird ... Aber was weiß sie schon davon? Schließlich ist sie erleuchtet. Sie kann mir nicht helfen. Und mich verstehen schon gar nicht.

Ich will mit keinem reden. Ich kann jetzt niemanden ertragen. Ich schaffe es sogar, Richard aus Texas eine Weile aus dem Weg zu gehen, bis er mich beim Abendessen schließlich entdeckt und sich – mutiger Mann – in die Rauchschwaden meines Selbsthasses setzt.

»Warum kapselst du dich plötzlich so ab?«, fragt er in seinem schleppenden Singsang – Zahnstocher im Mund, wie immer.

»Frag nicht«, sage ich, fange aber an zu reden, erzähle ihm alles und ende mit den Worten: »Und das Schlimmste ist, dass ich von David einfach nicht loskomme. Ich dachte, ich wär über ihn hinweg, aber jetzt kommt alles wieder hoch.«

»Gib dir noch ein halbes Jahr Zeit, dann geht's dir besser.«

»Ich hab mir schon ein Jahr Zeit gelassen, Richard.«

»Dann gib dir noch ein halbes. Schlag immer noch ein halbes drauf, bis es vorbei ist. So was braucht seine Zeit.«

Erregt wie ein Stier schnaube ich durch die Nase.

»Groceries«, sagt Richard, »hör mir zu. Eines Tages wirst du auf diese Zeit zurückblicken und sie als liebliche Leidensphase betrachten. Du wirst erkennen, dass man dir das Herz gebrochen hat, dass du Trübsal geblasen hast, aber du wirst auch erkennen, dass sich dein Leben verändert hat und dass diese Veränderung an einem schönen Ort der Andacht eingetreten ist, umgeben von Gnade. Nimm dir diese Zeit, jede einzelne Minute. Lass zu, dass sich das alles hier in Indien lösen kann.«

»Aber ich hab ihn wirklich geliebt.«

»Na und? Hast dich also verliebt. Begreifst du nicht, was passiert ist? Der Kerl hat was Tieferes in deinem Herzen angerührt, als du's je für möglich gehalten hattest, ich meine, er hat dir 'ne Dröhnung verpasst, Mädel. Aber diese Liebe, die du gespürt hast, das ist nur der Anfang. Das war nur eine

Kostprobe. Das ist nur die kleine lausige beschränkte sterbliche Liebe. Warte, bis du begreifst, wie viel inniger du lieben kannst. Zum Teufel, Groceries – du bist fähig, eines Tages die ganze Welt zu lieben. Das ist deine Bestimmung. Lach nicht.«

»Ich lache nicht.« Tatsächlich weinte ich. »Und lach du jetzt bitte auch nicht, aber ich glaube, dass es so schwer für mich ist, über diesen Kerl hinwegzukommen, weil ich überzeugt war, dass David mein Seelenfreund ist.«

»Wahrscheinlich war er das. Das Problem ist, du verstehst nicht, was das Wort bedeutet. Die Leute meinen, ein Seelenfreund sei jemand, der perfekt zu einem passt, und genau das wünschen sich alle. Aber ein wirklicher Seelenfreund ist ein Spiegel, ist der Mensch, der dir alles zeigt, was dich hemmt, der dir zeigt, wer du bist, damit du dein Leben ändern kannst. Ein wahrer Seelenfreund ist wahrscheinlich der wichtigste Mensch, den du je treffen wirst, weil er deine Mauern niederreißt und dich ohrfeigt, bis du aufwachst. Aber immerzu mit einem Seelenfreund leben? Nein. Zu anstrengend. Seelenfreunde treten in unser Leben, nur um eine weitere Schicht unserer Seele aufzudecken, dann verschwinden sie wieder. Gott sei Dank. Dein Problem ist, dass du den da einfach nicht loslassen kannst. Es ist vorbei, Groceries. Seine Aufgabe war's, dich aufzurütteln, dich aus dieser Ehe, die du hinter dir lassen musstest, rauszuholen, dein Ego ein bisschen aufzumischen, dir deine Widerstände und Abhängigkeiten aufzuzeigen, dein Herz ein bisschen aufzureißen, damit neues Licht reinfällt, dich *so* verzweifelt zu machen und *so* durchdrehen zu lassen, dass du dein Leben ändern musstest, dich dann noch bei deiner spirituellen Meisterin einzuführen und *abzuhauen*. Das war sein Job, und er hat ihn großartig erledigt, aber jetzt ist es vorbei. Das Problem ist, du kannst einfach nicht akzeptieren, dass dieser Beziehung nur eine kurze Haltbarkeit beschieden war. Du bist wie ein Hund auf der Müllkippe – du leckst an einer leeren Konservenbüchse und versuchst, doch noch was Nahrhaftes in ihr zu finden. Aber wenn du nicht aufpasst, klemmst du dir dabei die Schnauze ein und machst dich unglücklich für den Rest deines Lebens. Also lass es.«

»Aber ich vermisse ihn so.«

»Dann vermiss ihn halt. Schick ihm jedes Mal, wenn du an ihn denkst, liebe Grüße und 'nen Lichtstrahl, und lass ihn wieder los. Du hast nur Angst, von diesen letzten David-Stückchen abzulassen, weil du dann tatsächlich allein bist, und Liz Gilbert hat eine Heidenangst vor dem, was passieren könnte, wenn sie wirklich allein ist. Aber eins musst du kapieren, Groceries. Wenn du diesen Platz in dir, den du jetzt dafür verschwendest, dich mit diesem Kerl zu beschäftigen, ausmistest, dann hast du dort ein Vakuum, eine offene Stelle – eine Türöffnung. Und rate mal, was das Universum mit dieser Öffnung anstellen wird? Es wird hineinrasen, Gott wird hineinstürmen und dich mit mehr Liebe erfüllen, als du's dir je erträumt hast. Also hör auf, mit David diese Tür zu blockieren.«

»Aber ich wünsche mir, dass David und ich ...«

Er schneidet mir das Wort ab. »Schau mal, das ist dein Problem. Du wünschst dir zu viel, Baby. Du musst aufhören, statt mit einem Rückgrat mit einer Wünschelrute rumzulaufen.«

Bei diesem Satz muss ich zum ersten Mal an diesem Tag lachen.

Dann frage ich Richard: »Wie lange wird es also dauern, bis dieses ganze Leiden endlich aufhört?«

»Willst du ein genaues Datum?«

»Ja.«

»Einen Tag, den du dir im Kalender ankreuzen kannst?«

»Genau.«

»Ich will dir mal was sagen, Groceries – du hast ein ernsthaftes Problem mit der Kontrolle.«

Meine Wut über diese Äußerung brennt wie Feuer. Ein Problem mit der Kontrolle? *Ich?* Ich habe Lust, Richard für diese Beleidigung zu ohrfeigen. Doch dann erkenne ich hinter meiner Gekränktheit und Empörung die Wahrheit. Die unmittelbare, offensichtliche, lachhafte Wahrheit.

Er hat Recht.

Das Feuer in mir erlischt so schnell, wie es aufgelodert ist.

»Du hast völlig Recht«, sage ich.

»Ich weiß, dass ich Recht habe, Baby. Hör zu, du bist eine starke Frau und gewöhnt, zu kriegen, was du haben willst, und in deinen letzten paar Beziehungen hast du das nicht gekriegt, und deshalb bist du jetzt völlig blockiert. Das Leben hat sich einmal nicht deinem Willen gebeugt. Und nichts bringt einen Kontrollfreak mehr auf die Palme, als wenn ihm das Leben einen Strich durch die Rechnung macht.«

»Nenn mich bitte nicht einen Kontrollfreak.«

»Aber du hast ein Problem mit der Kontrolle, Groceries. Nun komm schon. Hat dir das noch keiner gesagt?«

Na ja, … *doch.* Aber wenn man sich von jemandem scheiden lässt, hört man nach einer Weile auf, sich all die gemeinen Sachen anzuhören, die der andere einem zu sagen hat … Also reiße ich mich zusammen und gebe es zu. »Okay, wahrscheinlich hast du Recht. Vielleicht hab ich ein Problem mit der Kontrolle. Ist nur komisch, dass es dir aufgefallen ist. Weil ich nicht glaube, dass es so sehr auffällt. Ich meine – ich wette, die meisten Leute sehen mir dieses Problem nicht auf Anhieb an.«

Richard aus Texas lacht so schallend, dass ihm fast der Zahnstocher aus dem Mund fällt.

»Nein? Sogar Ray Charles würde das sehen, Süße.«

»Okay, ich glaube, ich hab jetzt genug, vielen Dank.«

»Du musst lernen, wie man loslässt, Groceries. Sonst machst du dich fix und fertig. Wirst nie wieder ordentlich durchschlafen. Dich ewig drehen und wälzen und dir Vorwürfe machen, weil du so eine Versagerin bist. *Was ist nur mit mir los? Warum hab ich all meine Beziehungen versaut? Warum bin ich so eine Niete?* Lass mich raten – mit solchen Fragen hast du dich doch gestern Nacht wieder mal stundenlang rumgeschlagen.«

»Okay, Richard, das reicht«, sage ich. »Ich will nicht, dass du dich weiter in mich hineinversetzt und in mir herumtrampelst.«

»Dann mach die Tür zu«, sagt mein großer Yogi aus Texas.

49

Als ich neun Jahre alt war, erlebte ich eine echte metaphysische Krise. Das mag einem zwar früh erscheinen, aber ich war ein altkluges Kind. Es war im Sommer zwischen der vierten und der fünften Klasse. Im Juli sollte ich zehn werden, und der Übergang von neun zu zehn – von einer einstelligen zu einer zweistelligen Zahl – versetzte mich in eine Panik so ernsthaft und existenziell, wie sie normalerweise Leuten kurz vor ihrem Fünfzigsten vorbehalten ist. *Wie schnell* das Leben doch verging, dachte ich. Erst gestern – so schien es mir – war ich im Kindergarten gewesen, und jetzt, auf einmal, wurde ich zehn. Bald würde ich ein Teenager sein, dann mittleren Alters, dann alt und schließlich tot. Und auch alle anderen alterten in einem Wahnsinnstempo. Bald würden alle tot sein. Meine Eltern würden sterben. Meine

Freunde. Meine Katze. Meine ältere Schwester ging demnächst auf die High School, obwohl sie erst vor kurzem – so kam es mir vor – in die erste Klasse gegangen war. Da konnte es ja offensichtlich auch nicht mehr lange dauern, bis sie tot war. Was für einen Sinn sollte das alles haben?

Das Merkwürdigste an dieser Krise war, dass es keinen eigentlichen Auslöser gab. Weder war ein Freund oder Verwandter gestorben und hatte mir dadurch einen ersten Eindruck von Sterblichkeit vermittelt, noch hatte ich etwas über den Tod gelesen. Diese Panik, die ich im Alter von zehn Jahren empfand, war nichts Geringeres als die spontane Erkenntnis des unvermeidlichen Vormarschs der Sterblichkeit, und ich besaß kein spirituelles Vokabular, das mir geholfen hätte, damit umzugehen. Wir waren Protestanten und zudem nicht mal fromm. Nur vor dem Weihnachts- und dem *Thanksgiving*-Essen sprachen wir ein Tischgebet, die Kirche besuchten wir nur sporadisch. Mein Vater blieb am Sonntagmorgen zu Hause und fand seine Andacht in einsamer Farmarbeit. Ich sang im Chor, weil ich gerne sang; meine hübsche Schwester mimte den Engel im Weihnachtsspiel. Meine Mutter nutzte die Kirche als Hauptquartier, um in ehrenamtlicher Gemeindearbeit gute Werke zu vollbringen. Doch nicht einmal in der Kirche war – soweit ich mich erinnere – viel von Gott die Rede. Schließlich lebten wir in Neuengland, und das Wort *Gott* macht Yankees häufig nervös.

Ich fühlte mich ungeheuer hilflos. Am liebsten hätte ich das Universum durch eine riesige Notbremse zum Stehen gebracht – eine Notbremse wie die, die ich bei unserem Schulausflug nach New York in den U-Bahn-Wagen gesehen hatte. Ich wollte eine Pause ausrufen, wollte verlangen, dass alle anhielten, bis ich das alles begriffen hatte. Dieser Drang, das ganze Universum zum Anhalten zu zwingen, bis ich mich wieder gefasst hatte, könnte wohl der Anfang dessen gewesen sein, was mein lieber Freund Richard aus Texas als mein *Problem mit der Kontrolle* bezeichnet. Natürlich waren meine Bemühungen und Sorgen vergeblich. Je stärker ich mich auf die Zeit fixierte, umso schneller raste sie dahin, und der Sommer ging so rasch vorbei, dass mir der Kopf davon schmerzte und ich jeden Abend dachte: Wieder ein Tag vorbei!, und in Tränen ausbrach.

Ich habe einen alten High-School-Freund, der heute mit geistig Behinderten arbeitet und erzählt, dass seine autistischen Patienten ein besonders herzzerreißendes Bewusstsein der Vergänglichkeit hätten, so als fehle ihnen der mentale Filter, der es uns Übrigen ermöglicht, unsere Sterblichkeit immer wieder zu vergessen und einfach drauflozuleben. Jeden Morgen fragt einer dieser Patienten Rob nach dem Datum, und am Abend fragt er ihn dann: »Rob – wann ist wieder ein 4. Februar?« Und noch ehe Rob ihm eine Antwort geben kann, schüttelt der junge Mann traurig den Kopf und sagt: »Ich weiß, ich weiß, schon gut … Erst nächstes Jahr wieder, nicht wahr?«

Ich kenne dieses Gefühl nur allzu gut. Das traurige Verlangen, das Ende eines Tages hinauszuzögern. Diese Traurigkeit ist eine der großen Prüfungen der menschlichen Existenz. Soweit wir wissen, sind wir die einzige Spezies dieses Planeten, der die Gabe – oder auch der Fluch – des Bewusstseins der eigenen Sterblichkeit zuteil wurde. Ob wir als Spezies damit umgehen können, weiß ich nicht. Alles stirbt letztlich; und nur wir haben das zweifelhafte Glück, täglich darüber nachdenken zu können. Wie kommt man mit diesem Wissen zurecht? Als ich neun war, konnte ich nur weinen. Später veranlasste mich mein hypersensibles Bewusstsein für das rasende Tempo der Zeit zu einem Leben auf der Überholspur. Wenn mir schon ein so kurzer Aufenthalt auf Erden beschieden war, musste ich alles mir Mögliche tun, um ihn Minute für Minute auszukosten. Daher all die Reisen, all die Liebes-geschichten, all der Ehrgeiz, all die Pasta. Eine der Freundin-nen meiner Schwester war immer überzeugt, Catherine habe zwei oder drei jüngere Schwestern, weil sie fortwährend von der Schwester hörte, die in Afrika war, der Schwester, die auf einer Ranch in Wyoming arbeitete, der Schwester, die Kell-nerin in New York war, von der, die ein Buch schrieb, und von der, die heiraten wollte – dabei konnte es sich ja wohl keineswegs um ein und dieselbe Person handeln, oder? Tat-sächlich hätte ich mich, wäre es nach mir gegangen, liebend gern in viele Liz Gilberts aufgespalten, um ja keinen Augen-blick dieses Erdenlebens zu versäumen. Was sage ich? Ich spaltete mich tatsächlich in mehrere Liz Gilberts auf, die ei-nes Nachts im Alter von etwa einunddreißig Jahren auf ei-nem Badezimmerfußboden alle gleichzeitig erschöpft zu-sammenbrachen.

Allerdings ist mir auch klar, dass nicht jeder eine solche metaphysische Krise erlebt. Manche von uns haben Spezial-antennen für Sterblichkeitsängste, während andere sich leichter mit der ganzen Sache abfinden. Natürlich trifft man viele apathische Menschen auf dieser Welt, aber man trifft auch solche, die die Bedingungen, unter denen das Univer-sum funktioniert, offenbar dankbar akzeptieren können und sich um seine Paradoxien und Ungerechtigkeiten nicht allzu sehr zu kümmern scheinen. Ich habe eine Freundin, deren Großmutter immer sagte: »Es gibt kein Problem auf dieser Welt, dem man nicht mit einem heißen Bad, einem Glas Whiskey oder dem Gebetbuch beikommen könnte.« Für ei-nige Leute trifft das wohl tatsächlich zu. Bei anderen sind drastischere Maßnahmen vonnöten.

Und an dieser Stelle möchte ich meinen Freund, den iri-schen Farmer, erwähnen, der auf den ersten Blick ganz und gar nicht wie jemand aussieht, den man in einem indischen

Ashram erwarten würde. Aber Sean gehört zu jenen Menschen, wie auch ich, die mit der Unruhe, dem verrückten und unstillbaren Drang, die menschliche Existenz zu begreifen, auf die Welt gekommen sind. In seinem kleinen Heimatdorf in der Grafschaft Cork schien es keine Antworten auf seine Fragen zu geben, so dass er in den achtziger Jahren den väterlichen Hof verließ, um Indien zu bereisen und mittels Yoga nach innerem Frieden zu suchen. *Dem Osten zu!* Einige Jahre später kehrte er nach Irland zurück. Mit seinem Vater – der sein Leben lang Farmer gewesen war und nicht viele Worte machte – saß er in der Küche des alten Steinhauses. Er erzählte ihm von seinen spirituellen Entdeckungen. Seans Vater lauschte mit mäßigem Interesse, starrte ins Feuer und rauchte seine Pfeife. Er sagte nichts, bis Sean schließlich meinte: »Dad – diese Meditation, die ist ganz entscheidend, um Gelassenheit zu finden. Kann dir wirklich das Leben retten. Lässt dich innerlich zur Ruhe kommen.«

Da wandte sich der Vater ihm zu und sagte freundlich: »Ich bin schon zur Ruhe gekommen, Sean«, um anschließend wieder ins Feuer zu starren.

Aber ich nicht. Und Sean auch nicht. Viele von uns sind es nicht. Viele von uns starren ins Feuer und sehen nur ein loderndes Inferno. Was Seans Vater von Geburt an zu wissen scheint, muss ich mir erst aneignen – nämlich wie man sich, wie Walt Whitman einmal schrieb, »neben das Gerangel« stellt, und zwar »amüsiert, zufrieden, mitfühlend, müßig, eins mit sich selbst …, sowohl im Spiel als auch draußen, und das Ganze verwundert betrachtend«. Statt amüsiert zu sein, bin ich allerdings nur verängstigt. Statt zuzuschauen, hake ich überall nach und mische mich ein. Gern würde ich mich mal eine Weile neben mein inneres Gerangel stellen. Vorgestern sagte ich beim Beten zu Gott: »Ich versteh ja, dass ein Leben ohne Prüfungen nicht lebenswert ist, aber meinst du nicht, ich könnte vielleicht mal ein Mittagessen ohne Prüfungen hinter mich bringen?«

In der buddhistischen Überlieferung gibt es eine Geschichte über die Augenblicke, die der Erleuchtung des Buddha folgten. Als sich – nach neununddreißig Tagen der Meditation – der Schleier der Illusion schließlich hob und dem Meister die wahren Wege des Universums enthüllt wurden, soll er die Augen aufgeschlagen und gesagt haben: »Dies kann man nicht lehren.« Dann aber änderte er seine Meinung, beschloss, dennoch in die Welt hinauszuziehen und den Versuch zu wagen, die Meditationspraxis einer kleinen Hand voll Schüler nahe zu bringen. Nur für wenige Menschen, das wusste er, würden seine Lehren von Nutzen (oder auch nur von Interesse) sein. Den meisten – so der Buddha – habe der Staub der Täuschung derart die Augen verklebt, dass sie – egal wer ihnen auch zu helfen versuche – niemals die Wahrheit erkennen würden. Einige andere (wie vielleicht Seans Vater) sind schon von Geburt an klarsichtig und ruhig genug, um keinerlei Unterweisung oder Hilfe mehr zu benötigen. Es gibt aber auch die, deren Augen nur leicht verklebt sind und die mit Hilfe des richtigen Meisters vielleicht eines Tages lernen könnten, klarer zu sehen. Der Buddha entschloss sich, ein Lehrer zum Nutzen und Frommen dieser letztgenannten Minderheit zu werden.

Ich hoffe inständig, zu dieser Minderheit zu gehören, aber ich bin mir nicht sicher. Ich weiß nur, dass ich gezwungen wurde, auf Wegen nach innerem Frieden zu suchen, die anderen Menschen vielleicht etwas drastisch vorkommen. (Als ich einem Freund in New York beispielsweise erzählte, dass ich nach Indien gehen wolle, um in einem Ashram zu leben und Gott zu suchen, meinte der seufzend: »Oh, es gibt da was in mir, das wünscht sich so sehr, ich würde das auch wollen … Tatsächlich aber verspüre ich nicht die geringste Lust dazu.«)

Für mich allerdings sehe ich keine andere Möglichkeit. Schon so viele Jahre und auf so viele Weisen suche ich verzweifelt nach Zufriedenheit; doch all die dabei errungenen Fortschritte und vollbrachten Leistungen haben mich letztlich nur zur Strecke gebracht. Wenn man dem Leben so erbarmungslos nachjagt, hetzt es einen schließlich zu Tode. Wenn man das Glück verfolgt wie einen Ganoven, wird es sich am Ende wie ein solcher verhalten, wird stets eine Stadt voraus sein, Namen und Haarfarbe wechseln, um einem zu entwischen, sich zur Hintertür des Motels hinausschleichen, während man gerade mit dem neuesten Suchbefehl durch die Lobby poltert, und – um einen zu foppen – nur eine glühende Zigarette im Aschenbecher zurücklassen. Irgendwann aber muss man damit aufhören, weil das Glück einfach nicht verweilt. Muss man zugeben, dass man es nicht einholen kann. Nicht einholen soll. Irgendwann muss man, wie Richard mir immer wieder beteuert, loslassen und stillsitzen und zulassen, dass Glück und Zufriedenheit zu einem kommen.

Loszulassen ist natürlich ein beängstigendes Unterfangen für all jene, die glauben, dass die Erde sich nur dreht, weil sie oben eine Kurbel hat, die von uns selbst höchstpersönlich betätigt wird, und dass, wenn wir diese Kurbel auch nur einen Augenblick losließen, tja, … das Ende des Universums hereinbräche. *Aber versuch mal, sie loszulassen, Groceries.* Sitz mal still und hör auf, dich unaufhörlich einzumischen. Sieh dir an, was passiert. Die Vögel fallen nicht tot vom Himmel. Die Bäume verkümmern nicht und sterben nicht, die Flüsse sind nicht rot von Blut. Das Leben geht weiter. Sogar die italienische Post wurstelt irgendwie weiter und macht ihren Stiefel, ohne dich … Warum bist du dir so sicher, dass du jeden Augenblick bis ins Kleinste planen musst und dass das alles so ungeheuer bedeutsam ist? Warum lässt du der Welt nicht einfach ihren Lauf?

Dieser Gedanke spricht mich an. Meinen Intellekt überzeugt er. Wirklich. Dann aber frage ich mich wieder (mit all meinem rastlosen Verlangen, all meinem aufgepeitschten Eifer und meinem ganzen, idiotisch unersättlichen Wesen): Was mache ich nur stattdessen mit all meiner Energie?

Worauf sich folgende Antwort bei mir einstellt:

Such Gott, schlägt mein Guru vor. *Such Gott, so wie ein Mann, dessen Kopf in Flammen steht, nach Wasser sucht.*

50

Am nächsten Morgen, während der Meditation, kommen all die alten, verhassten Gedanken wieder hoch. Inzwischen kommen sie mir vor wie diese lästigen Telefon-Werber, die immer im ungünstigsten Moment anrufen müssen. Alarmiert stelle ich beim Meditieren fest, dass meine Gedanken im Grunde doch nicht so spannend sind. Eigentlich denke ich nur an wenige Dinge, und an die denke ich permanent. Der landläufige Ausdruck dafür lautet wohl »Grübeln«. Ich grüble über meine Scheidung und die ganze Qual meiner Ehe und all die Fehler, die ich gemacht habe, und all die Fehler, die mein Mann gemacht hat, und dann (und dieses düstere Kapitel ist eine unendliche Geschichte) beginne ich über David zu brüten …

Was langsam peinlich wird, wenn ich ganz ehrlich bin. Ich meine – jetzt bin ich hier an diesem heiligen Ort der Einkehr mitten in Indien und kann an nichts anderes denken als an meinen *Exfreund*? Wer bin ich denn? Eine Achtklässlerin?

Und dann muss ich an etwas denken, das mir meine Freundin Deborah, die Psychologin, einmal erzählt hat. In den achtziger Jahren fragte die Stadt Philadelphia bei ihr an, ob sie nicht ehrenamtlich psychologische Beratung für eine Gruppe kambodschanischer *Boat People* anbieten könne, die kurz zuvor in der Stadt eingetroffen waren. Deborah ist eine außergewöhnliche Psychologin, aber angesichts dieser Aufgabe war sie furchtbar verzagt. Diese Kambodschaner hatten das Schlimmste erlitten, was Menschen einander antun können: Vergewaltigung, Folter, Hunger, die Ermordung ihrer Angehörigen direkt vor ihren Augen und anschließend lange Jahre in Flüchtlingslagern und eine waghalsige Flucht über das offene Meer. Welche Hilfe hatte *Deborah* diesen Menschen anzubieten?

»Aber rat mal«, fragte mich Deborah, »worüber all diese Leute reden wollten, sobald sie die Chance hatten, sich einem Psychologen anzuvertrauen?«

Es war immer dasselbe: *Ich hab da in meiner Zeit im Lager diesen Mann kennen gelernt, und wir haben uns verliebt. Ich dachte, er liebt mich wirklich, dann aber wurden wir getrennt, landeten auf verschiedenen Schiffen, und er bändelte mit meiner Cousine an. Inzwischen ist er mit ihr verheiratet, aber eigentlich – behauptet er – liebt er mich, ruft mich immer wieder an, und obwohl ich weiß, dass ich ihn in die Wüste schicken sollte, liebe ich ihn immer noch und kann nicht aufhören, an ihn zu denken. Und ich habe keine Ahnung, was ich machen soll…*

Genauso sind wir. Kollektiv, als Spezies, ist dies unsere emotionale Landschaft. Ich traf einmal eine alte Frau, fast hundert Jahre alt, die mir erzählte: »Es gibt nur zwei Fragen, über die sich die Menschen die ganze Geschichte hindurch erbittert gestritten haben. *Wie sehr liebst du mich?* Und: *Wer hat das Sagen?*« Alles andere ist irgendwie zu handhaben. Aber diese beiden Fragen sind unser aller Ruin, behindern uns, verursachen Krieg, Kummer und Leid. Und unglücklicherweise (oder auch zwangsläufig) schlage ich mich hier in diesem Ashram mit beiden herum. Wenn ich stillsitze und meine Gedanken Revue passieren lasse, tauchen nur sehnsüchtiges Verlangen und der Wunsch nach Kontrolle auf und beunruhigen mich, und diese Unruhe hindert mich an jeder weiteren Entwicklung.

Als ich heute Morgen nach etwa einer Stunde unseliger Grübelei wieder in meine Meditation einzutauchen versuchte, griff ich einen neuen Gedanken auf: Mitgefühl. Ich bat mein Herz, mir doch zu einer großzügigeren Einstellung gegenüber meinem Geist und meinen Gedanken zu verhelfen. Konnte ich nicht vielleicht, statt mich für eine Versagerin zu halten, akzeptieren, dass ich nur ein Mensch war – und zwar ein ganz gewöhnlicher? Dann saß ich wieder schweigend da, hieß das Mantra willkommen, begann die heiligen Worte zu wiederholen. Selbstverständlich rebellierte mein Geist auf der Stelle. Wieder grübelte ich über meine Beziehungen, meinen Herzschmerz, meine Fehler, meine Defekte. Was für ein braver Gaul mein Geist doch ist! Er trottet so unbeirrbar dahin, nimmt jeden Morgen dieselbe Route, bleibt stets vor denselben Türen stehen! Hier ist dein Brot, hier sind deine Semmeln …

Aber heute ist etwas Neues passiert. Die Gedanken kamen zunächst wie üblich, und auch die entsprechenden Gefühle stellten sich ein. Ich empfand Frust, klagte mich an, fühlte mich einsam und traurig. Doch dann sprudelte aus den tiefsten Tiefen meines Herzens ein wildes Gefühl hervor, und ich sagte zu mir: »Für diese Gedanken werde ich dich *nicht* verurteilen.«

Mein Geist wollte protestieren und wandte ein: »Aber du bist doch eine solche Versagerin, eine solche Verliererin, du wirst nie etwas zustande bringen …«

Und mit einem Mal hatte ich das Gefühl, als würde ein Löwe in meiner Brust aufbrüllen und das Geplapper meines

Geistes übertönen. Eine Stimme dröhnte in mir so unendlich laut, dass ich mir tatsächlich die Hand vor den Mund schlug, weil ich fürchtete, dass dieser Laut – wenn ich ihn hinausließ – sogar Hochhausfundamente im entfernten Detroit erschüttern würde:

DU HAST JA KEINE AHNUNG, WIE STARK MEINE LIEBE IST!

Im Sturm dieser Liebeserklärung verflüchtigten sich meine negativen Gedanken wie Vögel und Antilopen – entsetzt stoben sie davon. Und Schweigen folgte ihnen. Ein intensives, vibrierendes, ehrfürchtiges Schweigen. Befriedigt überblickte der Löwe in der riesigen Savanne meines Herzens sein neuerdings so stilles Königreich. Dann leckte er sich die Lefzen, schloss die gelben Augen und schlief wieder ein.

Und in dieser majestätischen Stille begann ich dann endlich zu meditieren – über Gott (und mit ihm).

51

Richard aus Texas hat ein paar hinreißende Angewohnheiten. Wann immer er mir im Ashram begegnet und an meinem abwesenden Blick abliest, dass ich mit den Gedanken ganz woanders bin, fragt er: »Und wie geht's David?«

»Kümmere dich um deinen eigenen Kram«, versetze ich dann. »Du hast ja keine Ahnung, woran ich denke.«

Aber natürlich hat er Recht.

Eine andere Angewohnheit von ihm ist, mich vor dem Meditationssaal abzupassen, weil es ihm gefällt, wie abgedreht und ausgeklinkt ich da herausgekrochen komme. Als hätte ich mit Alligatoren und Geistern gerungen. Nie, meint er, habe er jemanden erlebt, der so sehr gegen sich selbst ankämpft. Dazu kann ich nichts sagen, richtig aber ist, dass das, was in diesem dunklen Meditationsraum in meinem Innern abgeht, ganz schön intensiv sein kann. An manchen Tagen scheint sich beim Meditieren überhaupt nichts zu tun, dann aber frisst mich die Wut über meine störenden Gedanken geradezu auf, und ein anderes Mal sinke ich widerstandslos in einen stillen Frieden. Die heftigsten Erlebnisse aber stellen sich ein, wenn ich meine letzten Reserven anzapfe und zulasse, dass sich ein wahres Energiegewitter in meine Wirbelsäule entlädt. Es amüsiert mich jetzt, dass ich die *Kundalini Shakti* ehedem als bloßen Mythos abtat. Wenn diese Energie mich durchfährt, rattert sie wie ein niedrigtouriger Dieselmotor und richtet diese eine schlichte Bitte an mich: *Würdest du dich freundlicherweise umstülpen, so dass Lungen, Herz und Innereien außen liegen und das ganze Universum in dir drinnen ist? Und könntest du in emotionaler Hinsicht bitte das Gleiche tun?* Die Zeit fängt in diesem geräuscherfüllten Raum zu spinnen an, und ich werde – taub, stumm und dumm – in alle möglichen Welten versetzt und erlebe alle möglichen heftigen Gefühle: Feuer, Kälte, Hass, Wollust, Angst … Wenn es dann vorbei ist, stehe ich zitternd auf und stolpere hinaus, ausgehungert, entsetzlich durstig, geiler als ein Matrose auf dreitägigem Landgang. Meist wartet Richard schon auf mich und kann sich das Lachen kaum verkneifen. Sobald er mein verwirrtes und erschöpftes Gesicht sieht, neckt er mich: »Meinst du, aus dir wird noch mal was, Groceries?«

Als ich aber heute Morgen beim Meditieren den Löwen brüllen hörte (*Du hast ja keine Ahnung, wie stark meine Liebe ist!*), verließ ich die Meditationshöhle wie eine Kriegerin. Richard fand nicht mal Zeit, mich zu fragen, ob ich meinte, dass noch mal was aus mir werde, da blickte ich ihm schon direkt in die Augen und erklärte: »Bin's schon, *Mister*.«

»Na, so was«, meinte Richard. »Das ist aber ein Grund zum Feiern. Komm, Kleines, ich nehm dich mit in die Stadt und kauf dir ein Thumbs-up.«

Thumbs-up ist ein indisches Getränk, eine Art Coca-Cola, aber mit etwa neunmal so viel Sirup und einem Drittel des Koffeins. Ich glaube, es enthält auch Amphetamine. Wenn ich es trinke, sehe ich alles doppelt. Mehrmals pro Woche wandern Richard und ich ins Städtchen und teilen uns eine kleine Flasche Thumbs-up – ein genussreicher Kontrast zur Naturbelassenheit des vegetarischen Ashram-Essens –, wobei wir uns stets bemühen, die Flasche nicht mit den Lippen zu berühren. Richards Regel für das Reisen in Indien ist absolut vernünftig: »Berühre niemanden außer dich selbst.« (Ja, auch das war als Titel für dieses Buch im Gespräch.)

Wir haben unsere »Lieblingsanlaufstationen« im Städtchen, halten stets an, um den Tempel zu besuchen und bei Mr Panikar, dem Schneider, vorbeizuschauen, der uns die Hand schüttelt und jedes Mal sagt: »Gratuliere, Sie kennen zu lernen!« Wir beobachten die Kühe, die umherstreunen und ihren Heiligenstatus genießen (ich glaube, dass sie das Privileg zuweilen missbrauchen, etwa wenn sie sich mitten auf der Straße niederlassen, nur um zu demonstrieren, dass sie heilig sind), und wir sehen den Hunden zu, die sich kratzen, als fragten sie sich, wie sie hier gelandet sind. Wir schauen den Frauen zu, die barfuß unter der sengenden Sonne Steine klopfen, Vorschlaghämmer schwingen und dabei so seltsam schön aussehen in ihren bunten Saris und mit ihren Halsketten und Armreifen. Sie werfen uns ein strahlendes Lächeln zu, das ich nicht einmal annähernd begreife – wie können sie glücklich sein, wo sie doch unter so schrecklichen Bedingungen derartige Schwerstarbeit verrichten? Ich richte die Frage an Mr Panikar, den Schneider, und er erklärt, dass die Leute in diesem Teil der Welt zu dieser schweren Arbeit geboren seien und nichts anderes als Arbeit kennen würden.

»Außerdem«, fügt er beiläufig hinzu, »leben wir hier nicht allzu lange.«

Es ist natürlich ein armes Dorf, aber für indische Verhältnisse nicht furchtbar arm; der Ashram und die Devisen der Pilger machen sich durchaus wirtschaftlich bemerkbar. Nicht, dass es viel zu kaufen gäbe, aber Richard und ich sehen uns gern in den Läden um, die Perlen und kleine Statuen verkaufen. Es gibt einige Kaschmiris, wirklich sehr gerissene Verkäufer, die immer wieder versuchen, ihre Ware an uns loszuwerden. Einer von ihnen ist mir heute doch tatsächlich nachgelaufen, um zu fragen, ob *Madam* nicht vielleicht einen schönen Kaschmirteppich für ihr Haus kaufen wolle.

Was Richard zum Lachen brachte. Er macht sich nämlich gern über meine »Obdachlosigkeit« lustig.

»Spar dir die Spucke, Bruder«, sagte er zu dem Teppichverkäufer. »Das alte Mädchen hat keine Fußböden, auf die es einen Teppich legen könnte.«

Unbeeindruckt schlug der Verkäufer vor: »Vielleicht wollen *Madam* ja einen Teppich an ihre Wand hängen?«

»Sieh mal«, meint Richard, »das ist doch das Problem – sie ist momentan auch 'n bisschen knapp an Wänden.«

»Aber ich hab ein unerschrockenes Herz!«, meldete ich mich zu meiner Verteidigung.

»Und andere rühmenswerte Eigenschaften«, fügte Richard hinzu, um mir ausnahmsweise mal einen Knochen hinzuwerfen.

52

Der größte Störfaktor im Ashram ist im Grunde nicht die Meditation. Die ist natürlich problematisch, aber nicht mörderisch. Wirklich mörderisch ist das, was wir Morgen für Morgen zwischen Meditation und Frühstück absolvieren: ein Chant, der sich *Gurugita* nennt. Richard nennt ihn *Geet*. Die *Geet* bereitet mir echte Probleme. Ich kann sie nicht ausstehen, konnte es nie, schon damals nicht, als ich sie im Ashram im Norden des Bundesstaats New York zum ersten Mal hörte. Alle anderen Chants und Hymnen dieser yogischen Tradition liebe ich, aber die *Gurugita* erscheint mir lang, dröge, dröhnend und unerträglich. Selbstverständlich ist das nur meine Meinung; andere Leute behaupten, sie zu lieben, wenn mir auch ein Rätsel ist, weshalb. Ich glaube, sie geben es nur vor.

Die *Gurugita* ist hundertzweiundachtzig Verse lang, die laut herauszubrüllen sind (was ich bisweilen tue). Einschließlich Einleitungscantus und Schlusschor dauert das gesamte Ritual etwa eineinhalb Stunden. Und das alles, nicht zu vergessen, vor dem Frühstück und nachdem wir bereits eine Stunde meditiert und zwanzig Minuten lang die erste Morgenhymne gechantet haben. Dass wir hier bereits um drei Uhr früh aufstehen müssen, ist im Wesentlichen der *Gurugita* geschuldet.

Ich mag weder die Melodie noch den Text. Aber wenn ich das irgendjemandem hier im Ashram sage, ernte ich sofort Protest: »Oh, aber sie ist doch so heilig!« Sicher, aber das gilt auch für das Buch Hiob, und trotzdem singe ich es nicht laut jeden Morgen vor dem Frühstück.

Die *Gurugita* darf sich einer beeindruckenden Herkunft rühmen; sie ist ein Exzerpt aus einer uralten heiligen Yogaschrift namens *Skanda Purana*, von der der größte Teil verloren ging und von der nur wenig in andere Sprachen übersetzt wurde. Wie viele yogische Schriften ist sie in Gesprächsform verfasst, ähnlich wie ein sokratischer Dialog. Das Gespräch entspinnt sich zwischen der Göttin Parvati und dem allmächtigen, alles umfassenden Gott Shiva. Parvati und Shiva sind die göttlichen Verkörperungen der (weiblichen) Schöpferkraft und des (männlichen) Bewusstseins. Sie ist die generative Energie des Universums, er dessen gestaltlose Weisheit. Was immer Shiva sich vorstellt, lässt Parvati entstehen. Er träumt, sie materialisiert es. Ihr Tanz, ihre Vereinigung (ihr *Yoga*) ist sowohl die Ursache des Universums als auch seine Manifestation.

In der *Gurugita* fragt die Göttin den Gott nach den Geheimnissen weltlicher Erfüllung, und er erzählt ihr, dass die Liebe zum Guru das Mittel zur geistigen Befreiung sei und das tägliche Singen dieser Liebeshymne zu höchster Vollkommenheit führe. Sie nervt mich, diese Hymne. Ich hatte gehofft, im Laufe meines Ashram-Aufenthalts würde sich meine Einstellung ändern. Im indischen Kontext – so die Erwartung – würde ich lernen, das Ding zu lieben. Das Gegenteil war der Fall. In den paar Wochen, die ich hier bin, hat sich die schlichte Abneigung gegen die *Gurugita* in Furcht und Schrecken verwandelt. Ich habe begonnen, sie zu schwänzen und die Morgenstunden auf andere Dinge zu verwenden, die mir viel förderlicher für mein geistiges Wachstum erscheinen, wie zum Beispiel Tagebuch zu schreiben oder zu duschen, oder ich rufe meine Schwester daheim in Pennsylvania an und frage sie, wie's ihren Kindern geht.

Richard aus Texas macht mir Vorhaltungen deswegen. »Du hast heute wieder mal bei der *Geet* gefehlt, ist mir aufgefallen«, sagt er dann, und ich entgegne: »Ich kommuniziere auf andere Weise mit Gott«, worauf er wiederum kontert: »Meinst du, indem du ausschläfst?«

Gehe ich aber zum Chanten, regt mich die *Geet* nur auf. Ich meine, richtig körperlich. Mir ist, als würde ich sie weniger singen als hinter ihr hergezerrt werden, als trommle sie auf mich ein. Ich kriege Schweißausbrüche von diesem Gesang. Das ist sehr merkwürdig, weil ich eher zu den chronisch Verfrorenen gehöre, und im Januar ist es in diesem Teil Indiens vor Sonnenaufgang noch kalt. Alle anderen haben sich in Wolldecken gehüllt und Mützen aufgesetzt, um sich warm zu halten, ich hingegen schäle mich während der Hymne aus all meinen Klamotten und dampfe wie ein geschundener Brauereigaul. Wenn ich nach der *Gurugita* aus dem Tempel trete, steigt mein Schweiß wie Dampf – wie scheußlicher grüner, stinkender Dampf – in die kalte Morgenluft auf. Verglichen mit den heißen Gefühlswellen, die mich überkommen, während ich das Ding zu singen versuche, ist die körperliche Reaktion aber vernachlässigbar. Ich kann sie nicht einmal singen. Ich kann sie nur krächzen. Voller Groll.

Habe ich erwähnt, dass sie hundertzweiundachtzig Verse hat?

Daher habe ich vor einigen Tagen nach einer besonders grässlichen Chant-Session beschlossen, den Rat meines hiesigen Lieblingslehrers einzuholen – eines Mönchs mit einem wunderbar langen Sanskritnamen, der übersetzt so viel heißt wie: »Er, der im Herzen des Herrn wohnt, welcher wohnt in seinem eigenen Herzen.« Dieser Mönch ist Amerikaner, zwischen sechzig und siebzig Jahre alt, klug und gebildet. Früher war er Professor an der New York University und tritt immer noch sehr würdig auf. Vor fast dreißig Jahren hat er sein Mönchsgelübde abgelegt. Ich mag ihn, weil er sachlich und zugleich humorvoll ist. In einem düsteren Moment, als mich die Erinnerung an David wieder einmal in Verwirrung stürzte, hatte ich diesem Mönch meinen Liebeskummer

anvertraut. Er hatte mir respektvoll zugehört, den mitfüh-
lendsten Rat gegeben, zu dem er imstande war, und dann gemeint: »Und jetzt küsse ich mein Gewand.« Er hob einen
Zipfel seines safrangelben Gewands und drückte einen lau-
ten Schmatz darauf. In der Meinung, dies sei ein religiöser
Brauch, fragte ich ihn, was er da tue. »Was ich immer tue«,
sagte er, »wenn mich jemand in Beziehungsangelegenheiten
um Rat fragt. Ich danke Gott dafür, dass ich ein Mönch bin
und mit alledem nichts mehr zu tun habe.«

Ich wusste also, dass ich ihm vertrauen und mit ihm offen
über meine Probleme mit der *Gurugita* reden konnte. Eines
Abends gingen wir nach dem Essen im Garten spazieren,
und ich erzählte ihm, wie sehr ich die *Gurugita* verabscheu-
te, und fragte ihn, ob er sie mir nicht erlassen könne. Sofort
begann er zu lachen. »Du musst sie nicht singen, wenn du
keine Lust dazu hast«, sagte er. »Niemand wird dich hier zu
etwas zwingen, das du nicht selbst möchtest.«

»Aber es heißt doch, sie sei eine wichtige geistige Übung.«

»Das stimmt. Aber ich werde dir nicht damit drohen, dass
du in die Hölle kommst, wenn du sie nicht singst. Ich erinnere dich lediglich an die Worte unserer Meisterin: Die *Gurugita* ist der wesentliche Text dieses Yoga und vielleicht
die wichtigste Übung neben der Meditation. Wenn du im
Ashram bleibst, erwartet sie, dass du jeden Morgen zum
Chanten aufstehst.«

»Gegen das frühe Aufstehen habe ich nichts …«

»Wogegen dann?«

Ich erklärte dem Mönch, wie sehr die *Gurugita* mich mit
Trauer und Zorn erfüllte, wie sie Schweißausbrüche hervor-
rief und mich folterte.

»Wow«, sagte er. »Du verlierst ja schon die Fassung, wenn
du nur über sie redest.«

Es stimmte. Ich spürte, wie sich der kalte, klamme

Schweiß in meinen Achselhöhlen sammelte. »Könnte ich diese Zeit nicht einfach für andere Übungen verwenden?«, fragte ich ihn. »Wenn ich während der *Gurugita* in die Meditationshöhle gehe – hab ich zuweilen festgestellt –, krieg ich eine gute Schwingung fürs Meditieren.«

»Ah – dafür hätte Swamiji dich angeschrien. Hätte dich eine Chant-Diebin genannt, weil du dich von der Energie tragen lässt, die andere mit großer Anstrengung erzeugen. Sieh mal, die *Gurugita* soll ja nicht in erster Linie Spaß machen. Sie hat eine andere Funktion. Sie ist ein Text von unvorstellbarer Kraft. Eine mächtige Reinigungspraxis. Sie verbrennt all deinen Schrott, deine negativen Gefühle. Und wenn du beim Chanten derart starke Gefühle und körperliche Reaktionen erlebst, wird sie – glaube ich – wohl durchaus eine positive Wirkung auf dich haben. Sie kann sehr schmerzhaft sein, kann dir aber auch unendlich gut tun.«

»Woher nehmen Sie die Motivation dabeizubleiben?«

»Was wäre denn die Alternative? Jedes Mal, wenn etwas anstrengend wird, damit aufzuhören? Dein ganzes Leben lang nur elendig und unfertig dahinzuleben?«

»Was soll ich tun?«

»Das musst du selbst entscheiden. Aber da du mich gefragt hast, rate ich dir, solange du hier bist, weiter die *Gurugita* zu chanten, gerade weil du so heftig darauf reagierst. Wenn du dich an etwas so abarbeitest, kannst du sicher sein, dass es auf dich wirkt. Und das tut die *Gurugita*. Sie brennt das Ego weg, verwandelt dich in reine Asche. Sie soll beschwerlich sein, Liz. Sie hat eine Macht, die über das rational Nachvollziehbare hinausgeht. Du bist nur noch eine Woche im Ashram, nicht wahr? Danach kannst du wieder reisen und Spaß haben. Also chante das Ding noch siebenmal, dann musst du es nie wieder tun. Denk an das, was unsere Meisterin sagt: Sei Erforscherin deiner eigenen spirituellen Erfahrung. Du bist nicht als Touristin oder Journalistin hier; du bist als Sucherin hier.«

»Sie stellen mir also keinen Freibrief aus?«

»Das kannst du selbst tun, Liz, jederzeit. So steht's im göttlichen Vertrag mit jenem kleinen Etwas, das wir *freien Willen* nennen.«

53

Also begab ich mich am nächsten Morgen mit neuer Entschlossenheit zum Chanten, und die *Gurugita* beförderte mich mit einem Tritt eine zehn Meter hohe Treppe hinunter – oder so fühlte es sich zumindest an. Am nächsten Tag war es sogar noch schlimmer. Ich erwachte voller Zorn, und noch ehe ich den Tempel betreten hatte, schwitzte ich bereits, kochte und brodelte es schon in mir. Es sind nur eineinhalb Stunden, redete ich mir immer wieder ein. Eineinhalb Stunden lang hält man alles aus, Liz. Verdammt noch mal, du hast Freundinnen, die vierzehn Stunden in den *Wehen* lagen … Trotzdem, auch wenn man mich auf diesem Stuhl festgebunden hätte, ich hätte mich nicht unwohler fühlen können. Immer wieder fühlte ich Feuerbälle über mich hinweggehen und meinte, in Ohnmacht fallen oder vor Zorn etwas zerbeißen zu müssen.

Meine Wut war gigantisch. Und richtete sich gegen alles auf dieser Welt, hauptsächlich aber gegen Swamiji – den Meister meiner Meisterin, der dieses rituelle Chanten der *Gurugita* überhaupt erst eingeführt hatte. Es war nicht meine erste schwierige Begegnung mit dem großen, inzwischen verstorbenen Yogi. Schon in meinem Strand-Traum war er zu mir gekommen und hatte von mir wissen wollen, wie ich der nahenden Flut Einhalt zu gebieten gedächte, und immer hatte ich das Gefühl, als wolle er mich schikanieren. Er war so anders als meine lebende Meisterin, die jeden Raum mit einem so warmen, beruhigenden Mitgefühl erfüllt. Swamiji war erbarmungslos, ein geistiger Brandstifter.

Wie der heilige Franz von Assisi war Swamiji in eine reiche Familie hineingeboren worden, und man erwartete von ihm, dass er eines Tages die väterliche Firma übernahm. Aber schon als Kind war er in einem Nachbardorf einem heiligen Mann begegnet, ein Erlebnis, das ihn zutiefst berührte und inspirierte. Noch als Teenager verließ er im Lendenschurz sein Elternhaus und verbrachte Jahre damit, zu allen heiligen Flecken Indiens zu pilgern und nach einem wahren geistigen Meister zu suchen. Über sechzig Heilige und Gurus soll er kennen gelernt haben, ohne je den ersehnten Meister zu finden. Er hungerte, reiste zu Fuß, übernachtete bei Schneesturm in den Bergen des Himalaja, erkrankte an Malaria und Ruhr – und nannte dies die glücklichsten Jahre seines Lebens, Jahre, in denen er einzig und allein jemanden suchte, der ihm Gott zeigen würde. Im Laufe dieser Jahre wurde aus Swamiji ein Hatha-Yogi, Experte für ayurvedische Medizin und Kochkunst, Architekt, Gärtner, Musiker und Schwertkämpfer (das gefällt mir). Im Alter von etwa vierzig Jahren, als er immer noch keinen Guru gefunden hatte, begegnete er eines Tages einem nackten, verrückten Weisen, der ihm sagte, er solle wieder nach Hause gehen, zurück in das Dorf, wo er als Kind den heiligen Mann getroffen habe, und bei diesem großen Heiligen studieren.

Swamiji gehorchte, kehrte heim und wurde der eifrigste Schüler des heiligen Mannes, um schließlich unter Anleitung dieses Meisters Erleuchtung zu erlangen. Und am Ende wurde Swamiji dann selbst Guru. Nach und nach wuchs sein indischer Ashram von drei Zimmern auf einem ärmlichen Gehöft zu den üppigen Gärten von heute heran. Und dann empfing er die Inspiration, auf Reisen zu gehen und eine weltweite Meditationsrevolution anzuzetteln. In den siebziger Jahren kam er nach Amerika, wo er unzählige Menschen vom Hocker haute. Tag für Tag vollzog er an Hunderten, ja Tausenden von Leuten das Initiationsritual *Shaktipat*. Seine Macht wirkte unmittelbar und verwandelnd. Reverend Eugene Callender (ein geachteter Bürgerrechtler, Kollege von Martin Luther King und noch heute Pastor einer Baptistengemeinde in Harlem) erinnert sich, Swamiji in jener Zeit begegnet zu sein. Verblüfft sei er vor dem Inder auf die Knie gefallen und habe gedacht: Wir haben keine Zeit, uns 'nen Bären aufbinden zu lassen … Dieser Mann weiß alles von dir, was es zu wissen gibt.

Swamiji verlangte Begeisterung, Engagement, Selbstbeherrschung. Er schalt die Leute immer, weil sie *jad* (das Hindiwort für »träge«) waren. Er brachte den rebellischen jungen westlichen Anhängern Disziplin bei, befahl ihnen, ihre Zeit und Energie (und auch die aller anderen) nicht weiter mit Hippie-Quatsch zu verschwenden. Er konnte in einem Moment seinen Spazierstock nach dir werfen und dich im nächsten umarmen. Er war kompliziert, oft voller Widersprüche, aber wahrhaft ein Weltveränderer. Dass wir heute im Westen Zugang zu vielen alten yogischen Schriften haben, verdanken wir Swamiji, der die Übersetzung und Verbreitung philosophischer Texte vorantrieb, die lange (sogar in vielen Teilen Indiens) vergessen waren. Er war also ein großer Gelehrter. Zuweilen aber auch ein boshafter Schelm. Einen besonders verträumten jungen Mann fragte er einmal, womit er denn seinen Lebensunterhalt verdiene. »Mit nichts«, antwortete der Bursche. »Irgendwie scheint Gott immer für mich zu sorgen.« Was Swamiji dem jungen Mann empfahl? Hab Erbarmen mit Gott und such dir einen Job!

Meine Meisterin war Swamijis eifrigste Schülerin. Sie war buchstäblich auf die Welt gekommen, um seine Schülerin zu werden; ihre indischen Eltern gehörten zu Swamijis ersten Gefolgsleuten. Schon als Kind chantete sie, unermüdlich in ihrem Eifer, oft achtzehn Stunden am Tag. Swamiji erkannte ihr Potenzial und engagierte sie bereits in ihren Teenagerjahren als Übersetzerin. Sie reiste mit ihm durch die ganze Welt, schenkte ihrem Guru so große Aufmerksamkeit, dass sie ihn sogar mit den Knien sprechen hören konnte. 1982, noch keine dreißig Jahre alt, wurde sie seine Nachfolgerin.

Alle wahren Gurus gleichen sich insofern, als sie in einem fortwährenden Zustand der Selbsterkenntnis existieren, im Hinblick auf Äußerliches aber unterscheiden sie sich. Die für jeden offensichtlichen Unterschiede zwischen meiner Meisterin und ihrem Guru sind gewaltig: Sie ist eine mehrsprachige, kluge, berufstätige Frau mit Universitätsabschluss; er war ein – zuweilen kapriziöser – südindischer Löwe. Einem unbedarften neuenglischen Mädchen wie mir fällt es leicht, einer lebenden Meisterin zu folgen, die in ihrer Korrektheit etwas so Beruhigendes ausstrahlt – genau die Sorte Guru ist, die man mit nach Hause bringen und Mom und Dad vorstellen kann. Aber Swamiji … Der war ja so unberechenbar. Schon bei meiner ersten Begegnung mit diesem Yogaweg, als ich Fotos von ihm sah und Geschichten über ihn hörte, dachte ich: Ich will mich lieber fern halten von diesem Meister. Der ist mir zu groß. Der macht mich nervös.

Jetzt aber, hier in Indien, in dem Ashram, der einmal sein Haus war, stelle ich fest, dass es mir nur noch um Swamiji geht. Dass ich nur Swamiji spüre. Die einzige Person, zu der ich beim Beten und Meditieren spreche, ist Swamiji. Rund um die Uhr sendet hier der Swamiji-Kanal. Hier bin ich im Feuerofen Swamijis und spüre, wie er mich bearbeitet. Sogar in seinem Tod hat er etwas so Irdisches und Präsentes. Er ist der Meister, den ich brauche, wenn ich wirklich kämpfe, weil ich ihn verfluchen kann, ihm all mein Versagen und meine Schwächen offenbaren kann und er nur darüber lacht. Lacht und mich liebt. Sein Gelächter macht mich zornig, und der Zorn motiviert mich zum Handeln. Und nie fühle ich mich ihm näher als beim Ringen mit der *Gurugita* und ihren unergründlichen Sanskritversen. Die ganze Zeit über streite ich mich mit Swamiji herum: »Du solltest wirklich mal was für mich tun, schließlich mach ich das hier für dich! Und lass mich gefälligst mal ein paar *Resultate* sehen! Wehe, das ist jetzt nicht reinigend!« Gestern, als ich aufs Chant-Buch guckte und merkte, dass wir erst bei Vers fünfundzwanzig waren und ich bereits vor Unbehagen brannte, schon schwitzte (und nicht mal wie ein Mensch schwitzt, eher wie ein Käse), wurde ich so wütend, dass ich tatsächlich laut herausschrie: »Du willst mich wohl *verarschen*!«, worauf sich ein paar Frauen umdrehten und mich bestürzt ansahen, weil sie zweifellos erwarteten, dass mein Kopf jeden Moment beginnen würde, dämonisch zu rotieren.

Immer wieder denke ich daran, dass ich mal in Rom gelebt und meine geruhsamen Morgenstunden Hörnchen verspeisend und Cappuccino trinkend verbracht habe. Was wirklich schön war.

Obwohl es mir jetzt sehr weit weg erscheint.

54

Heute Morgen habe ich verschlafen. Das heißt: Ich habe doch tatsächlich bis Viertel nach vier im Bett gelegen. Nur wenige Minuten, ehe die *Gurugita* beginnen sollte, wachte ich auf, zwang mich zum Aufstehen, spritzte mir ein bisschen Wasser ins Gesicht, zog mich an und wollte schon – so verklebt, griesgrämig und verärgert – in die dunkle Nacht hinaustreten, als ich feststellen musste, dass meine Zimmergenossin schon vor mir gegangen war und die Tür abgeschlossen hatte.

Dies fertig zu bringen war wirklich allerhand. Das Zimmer ist sehr klein, und zu übersehen, dass die Zimmergefährtin noch schläft, ist schlechterdings unmöglich. Darüber hinaus ist sie wirklich eine verantwortungsbewusste, praktische Frau: Mutter von fünf Kindern, Australierin. Es passt nicht zu ihr. Doch sie hat es getan. Hat mich buchstäblich eingesperrt.

Das ist eine gute Entschuldigung, um nicht zur *Gurugita* gehen zu müssen – war mein erster Gedanke. Und mein zweiter Gedanke? Nun – es war nicht einmal ein Gedanke. Es war eine Handlung.

Ich sprang aus dem Fenster.

Genauer gesagt, ich kletterte nach draußen und hielt mich mit verschwitzten Händen am Geländer fest. Während ich einen Moment lang im Dunkeln über dem Erdboden baumelte, um mir die vernünftige Frage zu stellen: »Warum springst du aus diesem Gebäude?« Die Antwort kam prompt: *Ich muss zur Gurugita.* Dann löste ich meinen Griff und ließ mich rückwärts etwa vier bis fünf Meter durchs Dunkel auf den Betongehsteig hinunterplumpsen, wobei ich im Fallen etwas streifte, das mir das rechte Schienbein aufschlitzte – doch das war mir egal. Ich rappelte mich auf und rannte, während mir der Puls in den Ohren hämmerte, barfuß den ganzen Weg bis zum Tempel, fand einen Platz, öffnete mein Gebetbuch im selben Moment, in dem der Chant begann, und fing an – während mir fortwährend das Blut das Bein hinabbrann –, die *Gurugita* zu singen.

Erst nach einigen Versen kam ich wieder zu Atem und

konnte meinen normalen Morgengedanken fassen: *Ich will nicht hier sein.* Sofort hörte ich Swamiji in Gelächter ausbrechen und sagen: *So wie du dich verhältst, willst du doch offensichtlich hier sein.*

Okay also, versetzte ich, *du hast gewonnen.*

Ich saß, sang, blutete und dachte, dass es vielleicht an der Zeit war, meine Einstellung zu dieser spirituellen Übung zu revidieren. Eigentlich soll die *Gurugita* eine Hymne der reinen Liebe sein, irgendetwas aber hatte mich von wirklich aufrichtiger Liebe abgehalten. Und als ich nun Vers um Vers chantete, merkte ich, dass ich irgendetwas – oder -jemanden – finden musste, dem ich diese Hymne widmen konnte, um diesen Punkt der reinen Liebe in mir zu finden. Beim zwanzigsten Vers hatte ich ihn: *Nick.*

Nick, mein Neffe, ist acht Jahre alt, ein bisschen mager für sein Alter, beängstigend gescheit, sensibel und kompliziert. Schon Minuten nach seiner Geburt war er der einzige unter den plärrenden Neugeborenen im Kreißsaal, der nicht weinte, sondern mit weltklugen und besorgten Augen um sich blickte, als habe er dies schon viele Male getan und wisse nicht so recht, ob er sich darüber freuen solle, es abermals tun zu müssen. Für Nick wird das Leben nie einfach sein, er ist jemand, der alles so intensiv hört und sieht und empfindet und zuweilen so rasch von Gefühlen überwältigt wird, dass es uns alle zermürbt. Ich empfinde eine so innige Liebe für diesen Jungen. Als ich den Zeitunterschied zwischen Indien und Pennsylvania überschlug, stellte ich fest, dass es für Nick Zeit war, ins Bett zu gehen. Also sang ich die *Gurugita* für meinen Neffen, um ihm beim Einschlafen zu helfen. Manchmal fällt ihm das nämlich schwer, weil er einfach nicht abschalten kann. Also widmete ich jedes Wort dieser Hymne Nick. Packte alles in sie hinein, was ich ihn über das Leben lehren wollte. Versuchte, ihm mit jeder Zeile Zuversicht einzuflößen, erklärte ihm, dass die Welt zwar manchmal hart und ungerecht sei, er aber keine Angst zu haben brauche, denn er werde sehr geliebt. Er ist umgeben von Menschen, die alles tun würden, um ihm zu helfen. Und nicht nur das: In seinem Innersten verborgen besitzt auch er Weisheit und Geduld – auch wenn er sich dieser Eigenschaften im Moment noch nicht bewusst ist –, so dass er die Prüfungen des Lebens bestehen wird. Er ist ein Geschenk Gottes an uns alle.

Bald merkte ich, dass mir Tränen über die Wangen liefen. Doch noch ehe ich sie abwischen konnte, war die *Gurugita* schon zu Ende. Eineinhalb Stunden waren vergangen. Und mir war, als wären es zehn Minuten gewesen. Ich begriff, was geschehen war: Der kleine Nick hatte mich die *Gurugita* durchstehen lassen. Die kleine Seele, der ich hatte helfen wollen, hatte in Wirklichkeit mir geholfen.

Ich ging im Tempel nach vorn, verbeugte mich vor meinem Gott, vor der revolutionären Macht der Liebe, vor mir selbst, vor meinem Guru und meinem Neffen – und begriff einen Moment lang auf einer molekularen (nicht einer intellektuellen) Ebene, dass es zwischen all diesen Wörtern, all diesen Ideen, all diesen Menschen keinerlei Unterschied gab. Dann schlich ich in die Meditationshöhle, ließ das Frühstück ausfallen und blieb dort fast zwei Stunden lang ruhig sitzen.

Dass ich die *Gurugita* nie wieder versäumte, versteht sich von selbst; sie entwickelte sich zur heiligsten meiner Ashram-Übungen. Und natürlich ließ es sich Richard nicht nehmen, mich wegen meines Sprungs aus dem Fenster zu foppen: »Wir sehen uns morgen bei der *Geet*, Groceries. Und, hey – nimm diesmal die Treppe, okay?« Und natürlich rief mich in der darauf folgenden Woche meine Schwester an, um mir zu erzählen, dass Nick – aus unerfindlichen Gründen – plötzlich keine Einschlafprobleme mehr habe. Und naturgemäß las ich ein paar Tage später in der Bibliothek ein

Buch über den indischen Heiligen Sri Ramakrishna und stieß dabei auf eine Geschichte über eine Sucherin, die einmal den großen Meister besuchte und ihm beichtete, dass sie fürchte, keine gute Schülerin zu sein und Gott nicht genug zu lieben. »Gibt es denn nichts, was du liebst?«, fragte der Heilige die Frau, die ihm dann gestand, dass sie ihren kleinen Neffen mehr liebe als alles auf der Welt. »Nun«, erwiderte ihr der Heilige, »so ist er dein Krishna, dein Geliebter. Indem du diesem Neffen dienst, dienst du Gott.«

Doch das alles ist irrelevant. Das wirklich Erstaunliche passierte an dem Tag, als ich aus dem Fenster sprang. Am Nachmittag begegnete ich nämlich Delia, meiner Zimmergenossin. Ich erzählte ihr, dass sie mich in unserem Zimmer eingesperrt habe. Sie war völlig entgeistert. »Ich begreife nicht, warum ich das getan habe«, sagte sie. »Vor allem, weil ich den ganzen Morgen über an dich gedacht habe. Letzte Nacht hab ich so lebhaft von dir geträumt. Den ganzen Tag musste ich an diesen Traum denken.«

»Erzähl«, sagte ich und wartete.

»Ich habe geträumt, dass du in Flammen standest«, sagte Delia, »und dass auch dein Bett brannte. Ich bin aufgesprungen und wollte dir zu Hilfe eilen, aber als ich bei deinem Bett ankam, war nur noch weiße Asche von dir übrig.«

55

Und da beschloss ich, dass ich im Ashram bleiben musste. Was ursprünglich überhaupt nicht mein Plan gewesen war. Mein anfänglicher Plan sah einen Aufenthalt von lediglich sechs Wochen vor, ein bisschen transzendentale Erfahrung und danach Reisen durch ganz Indien und …, ähm …, Suche nach Gott. Ich hatte Karten, Reiseführer, Wanderstiefel dabei, alles, was man braucht! Ich hatte die Besichtigung bestimmter Tempel und Moscheen und Begegnungen mit heiligen Männern eingeplant. Es gibt hier so viel zu sehen und zu erleben. Ich möchte auf Elefanten und Kamelen reiten. Und es würde mich niederschmettern, wenn ich mir den Ganges entgehen lassen müsste, die Wüste Tharr in Rajasthan, die verrückten Kinos von Mumbai, den Himalaja, die alten Teeplantagen, die Rikschas in Kalkutta, die Rennen gegeneinander veranstalten wie die Streitwagen in *Ben Hur*. Ja, im März wollte ich sogar in Daramsala den Dalai-Lama treffen. In der Hoffnung, dass *er* mich etwas über Gott lehren könne.

Aber hier zu bleiben, mich in einem kleinen Ashram am Ende der Welt zu vergraben – nein, das hatte ich nicht vorgehabt.

Andererseits behaupten die Zen-Meister ja immer, dass man sein Spiegelbild in fließendem Wasser nicht erkennen könne, nur in stehendem. Irgendetwas sagte mir also, dass es spirituell fahrlässig wäre, jetzt wegzulaufen, jetzt, wo doch hier an diesem kleinen abgeschiedenen Ort so viel passierte, einem Ort, an dem jede Minute des Tages geregelt ist, um Selbsterforschung und religiöse Übungen zu ermöglichen. War es wirklich nötig, einen Zug nach dem anderen zu besteigen, mir Darmparasiten einzufangen und mit Rucksacktouristen herumzuhängen? Konnte ich das nicht irgendwann nachholen? Konnte ich den Dalai-Lama nicht ein andermal treffen? (Und sollte er in Gottes Namen sterben, so suchen sie doch einfach einen neuen, oder etwa nicht?) Habe ich nicht schon einen Pass, der aussieht wie ein tätowiertes Zirkusweib? Bringt mich das Reisen der Gottesbegegnung wirklich so viel näher?

Ich sollte bleiben. Nicht wahr? Oder sollte ich vielleicht

doch auf Reisen gehen? Ich wusste es nicht. Einen Tag lang überlegte ich hin und her. Und wie üblich hatte Richard aus Texas das letzte Wort.

»Bleib, wo du bist, Groceries«, sagte er. »Vergiss deine Besichtigungstour – dafür hast du noch den Rest deines Lebens Zeit. Du bist auf einer spirituellen Reise, Baby. Büchs jetzt nicht aus, denn dann nutzt du dein Potenzial nur zur Hälfte. Du hast eine persönliche Einladung von Gott – willst du die wirklich ablehnen?«

»Aber was ist mit all den herrlichen Dingen, die es in Indien zu sehen gibt?«, fragte ich. »Es ist doch irgendwie schade, um die halbe Welt zu reisen, nur um dann die ganze Zeit in einem kleinen Ashram zuzubringen, oder nicht?«

»Groceries, Süße, nun hör mal auf deinen Freund Richard. Geh die nächsten drei Monate einfach hin und pflanz deinen lilienweißen Hintern Tag für Tag in diese Meditationshöhle – und ich verspreche dir eins: Du wirst Sachen sehen, die sind so verdammt schön, dass du Lust kriegst, den Tadsch Mahal mit Steinen zu bewerfen.«

56

Heute Morgen beim Meditieren habe ich mich bei folgenden Gedanken ertappt:

Ich überlegte mir, wo ich leben möchte, wenn dieses Reisejahr einmal zu Ende ist. Ich will nicht nach New York zurückziehen, nur weil mir nichts anderes einfällt. Vielleicht lieber in eine andere Stadt. Austin soll hübsch sein. Und Chicago hat all diese großartige Architektur. Doch die Winter dort sind fürchterlich. Oder aber ich gehe ins Ausland. Über Sydney habe ich Gutes gehört ... An einem Ort, der billiger ist als New York, könnte ich mir vielleicht ein zusätzliches Zimmer leisten und hätte dann meinen eigenen Meditationsraum! Das wäre toll. Ich könnte ihn mit Goldfarbe streichen. Oder vielleicht in einem kräftigen Blau. Nein, gold, nein, blau ...

Als ich mir dieser Gedankenspielereien schließlich bewusst wurde, war ich bestürzt. *Nun bist du hier in Indien*, dachte ich, *in einem Ashram, an einer der heiligsten Pilgerstätten der Welt, in einer Meditationshöhle. Und statt mit Gott Zwiesprache zu halten, überlegst du, wo du in einem Jahr – in einer Wohnung, die es noch gar nicht gibt, in einer Stadt, über die noch gar nicht entschieden ist – meditieren wirst! Wie wär's denn, wenn du hier und jetzt, hier, wo du gerade bist, meditieren würdest, statt Farbmuster für die Wände eines Meditationsraums auszusuchen, der nur in deiner Fantasie existiert?*

Entschlossen konzentrierte ich mich wieder auf das Mantra.

Trotzdem, dachte ich im nächsten Moment, *ein goldenes Meditationszimmer wäre toll.*

Ich öffnete die Augen und seufzte. Kann ich's denn wirklich nicht lassen?

An diesem Abend probierte ich etwas Neues aus. Im Ashram hatte ich kurz zuvor eine Frau getroffen, die Vipassana-Meditation praktizierte. Vipassana ist eine ultraorthodoxe, aufs Wesentliche reduzierte und äußerst intensive buddhistische Meditationstechnik. Im Grunde beinhaltet sie nur *Sitzen*. Ein Vipassana-Einführungskurs dauert zehn Tage. An diesen zehn Tagen sitzen und schweigen die Teilnehmer jeweils zehn Stunden lang, in Phasen von zwei bis drei Stunden. Es ist die Extremsport-Variante der Suche nach Transzendenz. Ein Vipassana-Meister gibt einem nicht mal ein Mantra; Mantras gelten quasi als Mogelei. Vipassana-Meditation ist die Praxis des reinen Betrachtens, bei der man den eigenen Geist beobachtet, seine gesammelte Aufmerksamkeit auf seine Gedankenmuster richtet, sich aber durch nichts aus seiner Sitzhaltung reißen lässt.

Das ist auch körperlich strapaziös. Sobald man die Sitzposition einmal eingenommen hat, darf man sich nicht mehr rühren, egal, wie unbehaglich man sich fühlt. Man sitzt nur da und sagt sich: Es gibt überhaupt keinen Grund, weshalb ich mich in den nächsten zwei Stunden bewegen sollte. Fühlt man sich unwohl, so soll man eben über dieses Gefühl meditieren und die Wirkung beobachten, die der körperliche Schmerz auf einen ausübt. In unserem normalen Leben hüpfen wir ständig herum, um das Unbehagen abzuschütteln – egal, ob körperlicher, emotionaler oder psychischer Natur –, um der leidvollen und ärgerlichen Wirklichkeit aus dem Weg zu gehen. Die Vipassana-Meditation lehrt, dass Leiden und Ärger in diesem Leben unvermeidlich sind, dass man jedoch, wenn man lange genug stillhält, beizeiten die Wahrheit erfahren wird, dass letztendlich alles vergeht (das Unangenehme ebenso wie das Schöne).

»Die Welt ist mit Tod und Verfall behaftet. Deshalb trauern die Weisen – die darum wissen – nicht«, verkündet ein alter buddhistischer Lehrsatz. Mit anderen Worten: Gewöhn dich dran.

Ich glaube nicht, dass Vipassana unbedingt mein Weg ist. Vipassana ist viel zu asketisch für meine Vorstellung von Religion, die in der Regel um Transzendenz, Barmherzigkeit, Liebe, Schmetterlinge, Seligkeit und einen freundlichen Gott kreist (was mein Freund Darcey als »Kleine-Mädchen-Theologie« bezeichnet). Im Vipassana ist nicht einmal von »Gott« die Rede, da der Begriff *Gott* von einigen Buddhisten als letztes Objekt der Abhängigkeit betrachtet wird, als letzte Kuscheldecke, als Letztes, was man auf dem Pfad zur absoluten Losgelöstheit aufgeben muss. Inzwischen bereitet mir das Wort »Losgelöstheit« selbst schon Probleme, da ich viele Neulinge unter den spirituell Suchenden getroffen habe, die bereits in einem Zustand völliger emotionaler Abgetrenntheit von anderen Menschen existieren und die ich, wenn sie über das heilige Streben nach Loslösung reden, am liebsten schütteln und anschreien möchte: »Hör mal, Freundchen, das ist das Letzte, was *du* üben musst!«

Aber ich sehe auch ein, dass das Kultivieren eines gewissen, wohlbedachten Rückzugs in unserem Leben ein wertvolles Werkzeug des Friedens sein kann. Und nachdem ich eines Nachmittags in der Bibliothek einiges über die Vipassana-Meditation gelesen hatte, begann ich darüber nachzudenken, wie viel Zeit ich damit verbringe, wie ein Fisch auf dem Trockenen herumzuzappeln, weil ich entweder vor irgendeinem Schmerz zurückschrecke oder gierig nach noch mehr Vergnügen hasche. Und ich fragte mich, ob es mir (und denen, denen es obliegt, mich zu lieben) dienlich sein könnte, wenn ich lernen würde, still zu sein, ein bisschen mehr auszuhalten und mich nicht immer auf der Schlaglochpiste der Gegebenheiten fortschleifen zu lassen.

All diese Fragen holten mich heute Abend ein, als ich in einem der Ashram-Gärten eine ruhige Bank fand und beschloss, eine Stunde à la Vipassana zu meditieren. Keine Bewegung, keine Erregung, nicht mal ein Mantra – nur reines Betrachten. Mal sehen, was so auftaucht. Leider hatte ich vergessen, was in der indischen Abenddämmerung *immer* »auftaucht«: Moskitos nämlich. Kaum saß ich im Licht der untergehenden Sonne auf der Bank, hörte ich, wie sie mein Gesicht streiften und dann einen Angriff auf Kopf, Fußgelenke und Arme flogen. Und heftig zustachen. Es nervte mich. Eine schlechte Tageszeit ist das, dachte ich, um Vipassana-Meditation zu praktizieren.

Andererseits – wann am Tag oder im Leben wäre je eine günstige Zeit, um losgelöst und stumm dazusitzen? Wann schwirrt einmal nichts um uns herum und versucht, uns abzulenken und uns eine Reaktion zu entlocken? Also traf ich (inspiriert vom Rat meines Gurus, mein Inneres zu erforschen) eine Entscheidung. Ich schlug mir selbst ein Experiment vor: *Wie wäre es, wenn ich das einmal aussitzen würde?* Wenn ich – ein einziges Mal in meinem Leben – das Unbehagen einmal aushielte?

Also tat ich es. Schweigend sah ich zu, wie mir die Moskitos das Blut aus den Adern saugten. Einerseits fragte ich mich natürlich, was mir dieses masochistische Experiment eigentlich beweisen sollte, andererseits aber wusste ich genau: Es war eine Anfängerübung in Sachen Selbstbeherrschung. Wenn ich dieses – nicht tödliche – körperliche Unbehagen aushielte, welche anderen unangenehmen Situationen könnte ich eines Tages möglicherweise durchstehen? Wie würde ich mit emotionalen Verstimmungen umgehen, die ich doch noch viel schwerer ertrug? Wie mit Eifersucht, Zorn, Angst, Enttäuschung, Einsamkeit, Scham, Langeweile?

Am Anfang war das Jucken unerträglich, schließlich aber verschmolz es mit einem allgemeinen Gefühl des Brennens, und ich ließ mich von dieser Hitze in eine sanfte Euphorie versetzen. Allmählich verloren Schmerz und Jucken ihre negativen Assoziationen und wurden zu bloßer Empfindung, einer Empfindung, die weder gut noch schlecht war, nur intensiv, und diese Intensität hob mich über mich selbst hinaus und in die Meditation. Zwei Stunden blieb ich so sitzen. Ein Vogel hätte auf meinem Kopf landen können; ich hätte es nicht bemerkt.

Eines möchte ich klarstellen. Ich weiß, dass dieses Experiment nicht der stoischste Kraftakt in der Geschichte der Menschheit war. Dennoch war es spannend für mich, zu erkennen, dass ich es in meinen vierunddreißig Jahren auf Erden nie unterlassen hatte, nach der Stechmücke zu schlagen, wenn sie mich stach. Mein ganzes Leben lang habe ich auf kleine und große Signale des Schmerzes oder des Vergnügens reagiert wie eine Marionette auf die Bewegung des Puppenspielers. Wann immer etwas geschieht, reagiere ich. Aber nun saß ich da – und widerstand dem Reflex. Ich tat etwas, was ich noch nie getan hatte. Eine Kleinigkeit, zugegeben, aber wie oft konnte ich das von mir behaupten? Und was ich heute schon fertig bringe, schaffe ich auch morgen.

Schließlich stand ich auf, ging in mein Zimmer und nahm den Schaden in Augenschein. Ich zählte etwa zwanzig Stiche. Doch nach zwanzig Minuten waren die Schwellungen schon ein wenig abgeklungen. Alles geht vorüber. Ja, letztendlich geht alles vorbei.

57

Die Suche nach Gott bedeutet eine Umkehrung der gewohnten, profanen Weltordnung. Auf der Suche nach Gott kehren wir dem, was uns anzieht, den Rücken, um uns dem Schwierigen zu nähern. Wir lassen unsere tröstlichen Gewohnheiten hinter uns, in der Hoffnung (lediglich der Hoffnung!), dass uns für das, was wir aufgeben, etwas Größeres zuteil wird. Jede Religion der Welt hat im Grunde dieselben Vorstellungen davon, was es heißt, ein guter Jünger zu sein, nämlich: zeitig aufzustehen und zu seinem Gott zu beten, seine Tugenden zu vervollkommnen, ein guter Mensch zu sein, sich und andere zu achten, seine Lust zu beherrschen. Leichter wäre es auszuschlafen, darüber sind wir uns alle einig, und viele von uns tun es, aber seit Jahrtausenden gibt es

auch die anderen, die es vorziehen, sich schon vor Tagesanbruch zu erheben, ihr Gesicht zu waschen und zu beten.
Und die dann entschlossen versuchen, durch den Wahnsinn
eines weiteren Tages hindurch an ihren religiösen Überzeu-
gungen festzuhalten.

Die Frommen dieser Welt vollziehen ihre Rituale ohne
Garantie, dass sie damit etwas Gutes bewirken. Selbstverständlich gibt es Unmengen von Schriften, die alle möglichen
Belohnungen für gute Werke verheißen (oder Strafen
androhen bei nicht geleisteten Werken); doch allein dies alles
zu akzeptieren, ist ein Glaubensakt, weil keiner von uns das
Endspiel erleben wird. Religiöse Hingabe ist ständiges Bemühen ohne Sicherheiten und Garantien. Glaube ist eine Art
zu sagen: »Ja, schon im Voraus akzeptiere ich die Bedingungen des Universums, schon im Vorhinein umfasse ich, was
ich jetzt noch nicht begreifen kann.« Es hat seinen Grund,
warum wir von »Glaubenssprüngen« sprechen – denn die
Entscheidung, einen Göttlichkeitsbegriff zu bejahen, ist ein
mächtiger Sprung aus dem Rationalen hinüber ins Unfass-
bare, und es ist mir egal, wie geduldig Gelehrte aller Konfes-
sionen uns zu überzeugen versuchen und in ihren theologi-
schen Schriften beweisen wollen, dass ihr Glaube rational
sei; er ist es nicht. Wäre der Glaube rational, so wäre er – de-
finitionsgemäß – kein Glaube mehr. Glaube bedeutet, von
dem überzeugt zu sein, was man nicht sehen, beweisen oder
berühren kann. Heißt, mit Volldampf und Blick nach vorn
ins Dunkel zu marschieren. Wüssten wir die Antworten auf
die Fragen nach dem Sinn des Lebens, dem Wesen Gottes
und der Bestimmung unserer Seele wirklich im Voraus, wäre
unser Glaube kein Sprung ins Ungewisse mehr und erst recht
kein mutiger Akt; er wäre lediglich ... eine renditeträchtige
Versicherungspolice.

Ich interessiere mich nicht für die Versicherungsbranche.

Ich bin der Skepsis müde, habe die spirituelle Vorsicht satt, und die Debatten langweilen und öden mich an. Ich will das alles nicht mehr hören. Evidenz und Beweis und Versicherungen sind mir völlig schnuppe. Mir geht es allein um Gott. Ihn will ich – ihn in mir.

58

Meine Gebete werden bewusster und konkreter. Immer mehr gewinne ich den Eindruck, dass es nicht viel Sinn hat, Gebete ins Universum zu schicken, die träge sind. Jeden Morgen vor dem Meditieren knie ich im Tempel nieder und unterhalte mich ein paar Minuten mit Gott. Zu Beginn meines Ashram-Aufenthalts war ich bei diesen Gesprächen oft stumpfsinnig und gleichgültig. Und so müde, verwirrt und gelangweilt, wie ich war, klangen auch meine Gebete. Eines Morgens kniete ich nieder, berührte mit der Stirn den Boden und murmelte an meinen Schöpfer gewandt: »Ach, ich weiß auch nicht, was ich brauche …, aber du hast sicher ein paar Ideen … Also hilf mir, ja?«

So oder so ähnlich habe ich oftmals auch zu meinem Friseur gesprochen.

Man kann sich durchaus vorstellen, dass Gott ein solches Gebet mit hochgezogener Augenbraue quittiert und folgende Botschaft zurückschickt: »Ruf mich wieder an, wenn du's wirklich ernst meinst.«

Natürlich weiß Gott, was ich brauche. Die Frage aber lautet: Weiß ich es? Sich Gott in hilfloser Verzweiflung zu Füßen zu werfen, mag ja schön und gut sein (und ich habe es, weiß der Himmel, schon viele Male getan), aber letztlich bringt das nur Erfolg, wenn man seinen eigenen Teil dazu beiträgt. Es gibt einen wunderbaren italienischen Witz über einen armen Mann, der jeden Tag in die Kirche geht, vor der Statue eines großen Heiligen betet und diesen dabei anfleht: »Lieber Heiliger, schenk mir doch – bitte, bitte, bitte – die Gnade, in der Lotterie zu gewinnen.« Dieses Gejammer zieht sich über Monate hin. Schließlich wird die Statue lebendig, blickt auf den bettelnden Mann hinunter und sagt verärgert: »Mein Sohn, *kauf dir doch* – bitte, bitte, bitte – *ein Los.«*

Gebet ist Beziehung; die Hälfte der Arbeit muss *ich* erledigen. Wenn ich eine Veränderung wünsche, aber nicht einmal in Worte fassen will, wie ich mir diese Veränderung konkret vorstelle, wie soll ich das Gewünschte dann jemals bekommen? Der halbe Nutzen des Gebets liegt im Bitten selbst, in der Äußerung einer klar formulierten und wohl überlegten Absicht. Wenn wir das nicht schaffen, sind all unsere Bitten und Wünsche schlaff und träge, winden sich wie ein kalter Nebel um unsere Füße, ohne sich je zu erheben. Inzwischen nehme ich mir jeden Morgen die nötige Zeit, um herauszufinden, worum ich an diesem Tag ganz speziell und wahrhaftig bitten möchte. Mit dem Gesicht auf dem kalten Marmor bleibe ich so lange im Tempel knien, bis ich ein echtes Gebet formuliert habe. Und habe ich kein aufrichtiges Gefühl dabei, bleibe ich knien, bis es sich einstellt. Was gestern funktioniert hat, muss heute nicht mehr funktionieren. Gebete können, wenn die Aufmerksamkeit nachlässt, schal werden, zu langweilig vertrautem Geleier. Wenn ich mich bemühe und auf der Hut bleibe, übernehme ich Verantwortung für die Pflege meiner Seele.

Auch das Schicksal empfinde ich als Beziehung – als Wechselspiel göttlicher Gnade und eigener Willensanstrengung. Die eine Hälfte haben wir nicht in unserer Gewalt, die andere liegt gänzlich in unseren Händen, und unsere Handlungen werden messbare Folgen zeitigen. Der Mensch ist weder zur Gänze Marionette der Götter noch völlig Herr seines Schicksals; er ist ein wenig von beidem. Wie Zirkusartisten reiten wir durch unser Leben, Artisten, die auf zwei nebeneinander galoppierenden Pferden stehend balancieren – einen Fuß auf einem Ross namens »Schicksal«, den anderen auf einem Pferd namens »freier Wille«. Und die Frage, die man sich jeden Tag stellen muss, lautet: Um welches Ross sollte ich mich nicht länger sorgen, weil ich es gar nicht mehr unter Kontrolle habe, und welches muss ich weiterhin mit konzentrierter Anstrengung lenken?

Vieles an meinem Schicksal habe ich nicht in der Hand, manches aber fällt durchaus in meinen Zuständigkeitsbereich. Ich entscheide zum Beispiel, wie ich meine Zeit verbringe, mit wem ich verkehre, wen ich an meinem Leben, meinem Körper, meinem Geld und meiner Energie teilhaben lasse. Ich kann mir aussuchen, was ich esse, lese, studiere. Ich habe die Wahl, wie ich unglückliche Umstände in meinem Leben betrachten will – ob ich sie als Fluch oder Chance begreife (und wenn ich mich mal nicht zu einer optimistischen Sicht der Dinge aufschwingen kann, weil ich mir einfach zu sehr Leid tue, kann ich mich dennoch weiter um eine Änderung meines Standpunkts bemühen). Ich wähle meine Worte und meinen Tonfall, wenn ich mit anderen spreche. Vor allem aber wähle ich meine Gedanken.

Letztere Vorstellung ist völlig neu für mich. Richard aus Texas hat mich kürzlich, als ich mich über meinen unwiderstehlichen Hang zum Grübeln beklagte, darauf aufmerksam gemacht. »Du musst lernen, Groceries«, meinte er, »dich genauso für deine Gedanken zu entscheiden, wie du dich Tag für Tag für bestimmte Kleidungsstücke entscheidest. Das ist eine Macht, die du kultivieren kannst. Wenn du schon unbedingt etwas kontrollieren willst, dann arbeite an deinen Gedanken. Das ist der einzige Bereich, wo du es versuchen soll-test. Vergiss alles, bis auf das. Denn wenn du nicht lernst, dein Denken zu beherrschen, bist du zum Scheitern verurteilt.«

Auf den ersten Blick scheint das eine fast unmögliche Aufgabe zu sein. Seine Gedanken kontrollieren? Statt andersherum? Es geht hier nicht um Verdrängung oder Verleugnung. Verdrängung und Verleugnung setzen komplizierte Mechanismen in Gang, um den Anschein zu erwecken, die negativen Gedanken und Gefühle seien gar nicht vorhanden. Das, wovon Richard spricht (und was die Yogis immer gesagt haben), heißt dagegen, sich negative Gedanken einzugestehen, zu begreifen, woher sie kommen und warum sie da sind, um sie dann – mit großer Nachsicht und Entschiedenheit – zu verabschieden. Das ist eine Praxis, die perfekt zu all der psychologischen Arbeit passt, die in Therapien geleistet wird. Um zu begreifen, warum man diese destruktiven Gedanken überhaupt hat, kann man die Praxis eines Psychoanalytikers aufsuchen; man kann aber auch spirituelle Praktiken einsetzen, um sie zu überwinden. Sie loszulassen verlangt natürlich Opfer. Verlangt die Aufgabe alter Gewohnheiten, tröstlicher Ressentiments und vertrauter Muster. Und natürlich erfordert das alles auch Übung und Anstrengung. Gedankenkontrolle ist keine Lehre, die man sich einmal anhört und umgehend beherrscht. Ständige Wachsamkeit ist vonnöten, und ich will es schaffen. Ich muss es schaffen, um stärker zu werden. *Devo farmi le ossa*, würde man auf Italienisch wohl dazu sagen. »Ich muss mir ein starkes Rückgrat zulegen.«

Also habe ich begonnen, wachsam zu sein, registriere und überwache den lieben langen Tag meine Gedanken. Wiederhole etwa siebenhundertmal am Tag folgendes Gelübde: »Ich will keine unguten Gedanken mehr hegen.« Und bei jedem negativen Gedanken wiederhole ich diesen Schwur. *Ich will*

keine unguten Gedanken mehr hegen. Als ich ihn das erste
Mal aussprach, stellte sich beim Wort »hegen« beziehungsweise dem englischen Wort *harbor* mein inneres Ohr auf.
Harbor ist sowohl ein Verb (das »hegen« bedeutet) als auch
ein Nomen (mit der Bedeutung »Hafen«). Ein Hafen ist natürlich ein Zufluchtsort. Und so stelle ich mir den Hafen
meines Geistes vor: ein wenig mitgenommen vielleicht, ein
wenig sturmgepeitscht, doch günstig gelegen und ziemlich
tief. Der Hafen meines Geistes ist eine offene Bucht, einziger Zugang zur Insel meines Ichs (die eine junge und frucht-
bare Vulkaninsel ist). Sie hat zwar schon einige Kriege hinter sich, aber unter der neuen Gouverneurin (mir, die ich
neue Strategien zum Schutz der Insel entwickelt habe) hat sie
sich dem Frieden verschrieben. Und jetzt – verkündet es
über alle sieben Meere! – gelten für die Einfuhr von Büchern
sehr viel strengere Gesetze.

Die Pestkähne, Sklaven- und Kriegsschiffe mit grobem
und beleidigendem Gedankengut werden jetzt alle abgewie-
sen. Ebenso wie alle Gedankenschiffe, beladen mit zornigen
oder ausgehungerten Exilanten, mit Unzufriedenen und
Pamphletisten, Meuterern und brutalen Attentätern, verzweifelten Prostituierten und Zuhältern oder aufrühreri-
schen blinden Passagieren – sie alle sind hier nicht mehr er-
wünscht. Blutrünstige Gedanken werden aus nahe liegenden
Gründen nicht mehr aufgenommen. Sogar Missionare werden sorgfältig auf ihre Vertrauenswürdigkeit überprüft. Dies
ist ein friedlicher Hafen, Zufahrt zu einer schönen, stolzen
Insel, die eben erst begonnen hat, Gelassenheit zu kultivieren. Falls ihr euch an die neuen Gesetze halten wollt, liebe
Gedanken, so seid ihr mir willkommen – wenn nicht, schicke ich euch aufs offene Meer zurück.

Dies ist meine Mission, und sie wird niemals enden.

59

Ich habe mich mit Tulsi, einer siebzehnjährigen Inderin, angefreundet. Tag für Tag schrubben wir gemeinsam die Tempelböden und schwatzen die ganze Zeit. Jeden Abend machen wir einen Spaziergang durch die Ashram-Gärten und
unterhalten uns über Gott und Hip-Hop-Musik – zu beidem
bekennt sich Tulsi mit gleicher Hingabe. Tulsi ist wahrscheinlich der süßeste kleine Bücherwurm, den Sie je gesehen
haben, und noch süßer, seit letzte Woche ein Glas ihrer »Bril-
li« (wie sie ihre Brille nennt) zerbrochen ist, was sie jedoch
nicht davon abhält, sie weiterhin zu tragen. Tulsi hat so viele aus meiner Sicht interessante und fremdartige Seiten: Sie ist
Teenager, Wildfang, indisches Mädchen, die Rebellin ihrer
Familie, eine Seele, so verrückt nach Gott, dass man fast von
einer Schulmädchenschwärmerei reden könnte. Außerdem
spricht sie ein herrliches, lispelndes Englisch – ein Englisch,
wie man es nur in Indien hört und das so koloniale Wörter
wie »famos« oder »Nonsens« beinhaltet. Neulich sagte sie:
»Es ist dem Befinden zuträglich, morgens, sobald sich der
Tau gesammelt hat, über das Gras zu gehen, da dies auf natürliche und angenehme Weise die Körpertemperatur senkt.«
Als ich ihr einmal erzählte, dass ich für einen Tag nach Mumbai fahren wolle, meinte Tulsi: »Sei bitte vorsichtig, denn du
wirst feststellen, dass es dort überall Busse gibt, die viel zu
schnell fahren.«

Sie ist genau halb so alt wie ich und halb so groß.

In der letzten Zeit haben Tulsi und ich uns auf unseren
Spaziergängen viel über das Heiraten unterhalten. Sie wird
bald achtzehn, und ab ihrem achtzehnten Geburtstag gilt sie
als Heiratskandidatin. Sie wird dann beginnen Familien-
hochzeiten zu besuchen, gekleidet in einen Sari, der ihre
Ehereife signalisiert. Irgendeine nette Amma (»Tantchen«)

wird dann neben sie treten, sich zu ihr setzen, um ihr Fragen zu stellen und sich mit ihr bekannt zu machen: »Wie alt bist du denn? Und aus welcher Familie stammst du? Was ist dein Vater von Beruf? An welchen Universitäten hast du dich beworben? Wofür interessierst du dich? Wann hast du Geburtstag?« Und ehe Tulsi sich's versieht, wird ihr Vater einen großen Umschlag in seiner Post finden, mit einem Foto vom Enkel dieser Frau, der in Delhi Informatik studiert, sowie seinen astrologischen Daten, seiner Examensnote und der unvermeidlichen Frage: »Hätte Ihre Tochter vielleicht Lust, ihn zu heiraten?«

»Es ist ätzend«, meint Tulsi.

Aber der Familie ist es so wichtig, ihre Kinder verheiratet zu sehen. Tulsi hat eine Tante, die sich zum Dank dafür, dass ihre älteste Tochter – im hohen Alter von achtundzwanzig Jahren – schließlich doch noch unter die Haube kam, den Kopf rasierte. Und auch Tulsi ist laut eigener Aussage ein schwer zu verheiratendes Mädchen. Ich fragte sie, wodurch ein indisches Mädchen zur schwierigen Partie werde, und sie sagte, dafür gebe es alle möglichen Gründe.

»Wenn sie ein schlechtes Horoskop hat. Wenn sie zu alt ist. Zu dunkelhäutig. Wenn sie zu gebildet ist und man keinen Mann findet, der eine höhere Stellung bekleidet als sie, denn eine Frau darf nicht gebildeter sein als ihr Mann. Oder wenn sie schon mal eine Affäre gehabt hat und das ganze Dorf, die ganze Stadt davon weiß …«

Rasch ging ich die Liste durch, um zu ermitteln, welche Heiratschancen ich in der indischen Gesellschaft wohl noch hätte. Ob mein Horoskop gut oder schlecht ist, weiß ich zwar nicht, aber ich bin definitiv zu alt, viel zu gebildet, und meine Moral ist, erwiesenermaßen, ziemlich lax … Ich bin keine viel versprechende Partie. Zumindest bin ich hellhäutig. Das ist das Einzige, was zu meinen Gunsten ausschlägt.

Letzte Woche musste Tulsi auf die Hochzeit einer weiteren Cousine und erklärte (auf sehr unindische Weise), wie sehr sie Hochzeiten hasse. All das Getanze, all der Tratsch. Lieber schrubbe sie im Ashram Fußböden oder meditiere. Niemand in ihrer Familie könne sie verstehen; ihre Gottesliebe gehe weit über das hinaus, was man in ihrer Familie für normal erachte. »Meine Familie«, sagt Tulsi, »hat mich schon aufgegeben, ich bin zu anders. Inzwischen habe ich den Ruf, fast immer das Gegenteil von dem zu tun, was man mir sagt. Ich kann auch ziemlich jähzornig werden. Und ich bin keine fleißige Schülerin, aber jetzt werde ich es sein, weil ich jetzt aufs College gehe und mich dort selbst für meine Fächer entscheiden kann. Ich will Psychologie studieren, wie unsere Meisterin. Man hält mich für schwierig. Man sagt mir nach, dass ich nur dann gehorche, wenn man mir gute Gründe nennt. Meine Mutter weiß das und bemüht sich, ihre Wünsche und Anordnungen zu begründen, mein Vater nicht. Er nennt mir zwar Gründe, aber ich finde sie nicht hinreichend. Manchmal frage ich mich, warum ich in diese Familie hineingeboren wurde, ich habe gar nichts mit meinen Eltern und Geschwistern gemeinsam.«

Tulsis Cousine, die letzte Woche geheiratet hat, ist erst einundzwanzig, Tulsis ältere Schwester ist mit zwanzig die Nächste auf der Liste der Heiratskandidatinnen, das heißt: Der Druck auf Tulsi, nun ihrerseits einen Mann zu finden, wird sich danach verstärken. Ob sie denn heiraten wolle, fragte ich sie, und sie antwortete: »Nein!«

»Ich will reisen!«, sagte sie. »Wie du.«

»Ich konnte nicht immer so herumreisen, Tulsi, weißt du. Ich war einmal verheiratet.«

Stirnrunzelnd betrachtete sie mich durch das zersplitterte Glas ihrer Brille, musterte mich prüfend, als hätte ich ihr erzählt, ich sei mal brünett gewesen, und als versuchte sie nun, sich das vorzustellen. Schließlich erklärte sie: »Du, verheiratet? Das kann ich mir nicht vorstellen.«

»Aber es stimmt – ich war verheiratet.«

»Hast *du* Schluss gemacht?«

»Ja.«

»Das halte ich für sehr löblich«, sagte sie. »Du machst einen ungeheuer glücklichen Eindruck. Aber ich – warum bin ich bloß hier gelandet? Weshalb bin ich als indisches Mädchen auf die Welt gekommen? Es ist empörend! Warum wurde ich in diese Familie hineingeboren? Warum muss ich auf so viele Hochzeiten gehen?«

Dann lief Tulsi frustriert im Kreis herum und rief: »Ich will in Hawaii leben!«

60

Auch Richard aus Texas war mal verheiratet. Er hat aus dieser Ehe zwei Söhne, die inzwischen beide erwachsen sind und ihrem Vater nahe stehen. Manchmal, in der einen oder anderen Anekdote, erwähnt Richard seine Exfrau, und er scheint immer voller Zuneigung von ihr zu sprechen. Ich werde jedes Mal ein bisschen neidisch, wenn ich das höre und mir vorstelle, wie viel Glück Richard doch hat, auch nach der Trennung noch mit seiner früheren Frau befreundet zu sein. Das ist eine der merkwürdigen Nebenwirkungen meiner schrecklichen Scheidung; wann immer ich von Paaren höre, die sich in Freundschaft getrennt haben, werde ich eifersüchtig. Schlimmer noch – inzwischen finde ich es sogar richtiggehend romantisch, wenn eine Ehe auf zivile Weise endet. Etwa so: »Ah …, wie süß … Die müssen sich ja wirklich geliebt haben …«

Daher erkundigte ich mich eines Tages bei Richard danach. »Ich habe den Eindruck«, sagte ich, »als hättest du immer noch zärtliche Gefühle für deine Exfrau. Steht ihr euch immer noch nahe?«

»Nö«, meinte er. »Sie glaubt, ich hätte mich inzwischen in ›Arschloch‹ umbenannt.«

Richards Unbekümmertheit beeindruckte mich. Mein eigener Exmann glaubt zufällig auch, ich hätte meinen Namen geändert, und es bricht mir das Herz. Am schlimmsten ist für mich, dass mein Exmann mir die Scheidung nie verzieh, ganz egal, wie oft ich mich bei ihm entschuldigte, wie viel Schuld ich auf mich nahm oder wie viele Vermögenswerte oder Zerknirschung ich ihm als Wiedergutmachung anbot – er würde mir mit Sicherheit nie ein Kompliment machen und etwa sagen: »Hey, ich war wirklich beeindruckt von deiner Großzügigkeit und Aufrichtigkeit und wollte dir nur sagen, dass es mir ein großes Vergnügen war, mich von dir scheiden zu lassen.« Nein. Nichts konnte mich erlösen. Und diese fehlende Erlösung klaffte noch immer wie ein dunkles Loch in mir. Sogar in glücklichen und erfüllten Augenblicken (ja, besonders dann) konnte ich es nicht lange vergessen. *Noch immer hasst er mich.* Und ich hatte das Gefühl, als würde sich das nie ändern, nie aufhören.

Eines Tages besprach ich all das mit meinen Freunden im Ashram – unter ihnen seit kurzem ein Klempner aus Neuseeland, ein Typ, den ich kennen lernte, weil er »von der amerikanischen Schriftstellerin gehört hatte« und mich aufsuchte, um mir zu erzählen, dass er ebenfalls Schriftsteller sei. Er hat unter dem Titel *A Plumber's Progress* in Neuseeland ein sagenhaftes Erinnerungsbuch über seine spirituelle Reise veröffentlicht. Der Klempner/Dichter aus Neuseeland, Richard aus Texas, der irische Farmer, der indische Wildfang Tulsi und Vivian, eine ältere Frau mit weißem Haar und strahlenden Augen (die einst Ordensschwester in Südafrika gewesen war) – aus diesen Leuten setzt sich mein hiesiger Freundeskreis zusammen, eine äußerst dynamische Gruppe.

Und so führten wir eines Tages beim Mittagessen ein Gespräch über die Ehe, in dessen Verlauf der Klempner/Dichter aus Neuseeland meinte: »Ich betrachte die Ehe als Operation, bei der zwei Leute zusammengenäht werden, die Scheidung aber als eine Art Amputation, deren Heilung viel Zeit in Anspruch nehmen kann. Je länger man verheiratet war, umso schmerzhafter ist die Amputation, und umso schwieriger ist es, sich davon zu erholen.«

Das würde die Post-Scheidungs-, Post-Amputationsgefühle erklären, die ich nun schon seit Jahren verspüre, so als schleppte ich immer noch dieses Phantomglied mit mir herum ...

Ob ich mir denn für den Rest meines Lebens von meinem Exmann vorschreiben lassen wolle, wie ich mich zu fühlen hätte, fragte Richard, und ich erwiderte ihm, dass ich es im Grunde nicht wisse. Bis jetzt schien mein Ex ja noch ziemlich viel Einfluss auf mich zu haben, und, ehrlich gesagt, wartete ich immer noch darauf, dass er mir verzieh, mich freigab und ziehen ließ.

»Auf diesen Tag zu warten«, bemerkte der irische Farmer, »ist ja nicht gerade der vernünftigste Umgang mit deiner Zeit.«

»Was soll ich sagen, Jungs? Ich kann mit Schuld eben viel anfangen. So ähnlich, wie andere Frauen mit der Farbe Beige 'ne Menge anfangen können.«

Davon wollte die ehemalige Ordensschwester nichts hören. »Schuld ist nur eine Methode deines Egos, dir moralischen Fortschritt zu suggerieren. Fall bloß nicht darauf herein, meine Liebe.«

»Was ich hasse«, sagte ich, »ist dieses Unabgeschlossene.

Meine Scheidung ist eine offene Wunde, die einfach nicht heilen will.«

»Wenn du darauf bestehst«, sagte Richard, »wenn du es unbedingt so sehen willst, dann will ich dir das nicht ausreden.«

»Irgendwann muss es doch aufhören«, sagte ich.

Als die Mittagspause vorbei war, drückte mir der Klempner/Dichter aus Neuseeland einen Zettel in die Hand. Nach dem Abendessen, stand darauf, wolle er mich treffen; er wolle mir etwas zeigen. Also traf ich ihn nach dem Dinner bei den Meditationshöhlen, und er bat mich, ihm zu folgen, er habe ein Geschenk für mich. Er lotste mich zu einem Gebäude, in dem ich noch nie gewesen war, schloss eine Tür auf und führte mich über eine Hintertreppe nach oben. Er kannte sich in diesen Räumlichkeiten offenbar sehr gut aus – vielleicht, weil er die Klimaanlage repariert hatte, deren Geräte sich teilweise hier befanden. Auf dem obersten Treppenabsatz war eine Tür, deren Schloss mit einer Zahlenkombination geöffnet werden musste. Er öffnete es, und wir betraten eine wunderbare Dachterrasse, deren Keramikfliesen im abendlichen Zwielicht glitzerten. Über das Dach führte er mich zu einem kleinen Turm, eigentlich einem Minarett, und deutete auf eine weitere schmale Treppe, die auf die höchste Spitze des Turmes führte. »Ich lasse dich jetzt allein. Du gehst nach oben. Bleib so lange oben, bis du fertig bist.«

»Bis ich womit fertig bin?«, fragte ich.

Der Klempner/Dichter lächelte nur, reichte mir eine Taschenlampe, »damit du danach wieder sicher herunterkommst«, sowie ein gefaltetes Blatt Papier. Dann verschwand er.

Ich stieg auf den Turm hinauf. Nun befand ich mich auf dem höchsten Punkt des Ashrams und genoss den Ausblick. So weit das Auge reichte, erstreckten sich Berge und Ackerland. Dies war wohl kein Ort, zu dem Schüler normalerweise Zugang hatten. Vielleicht beobachtete ja meine Meisterin – wenn sie im Ashram weilte – von hier aus den Sonnenuntergang. Und gerade in diesem Moment ging die Sonne unter. Ich faltete den Zettel auseinander, den der Klempner/Dichter mir in die Hand gedrückt hatte.

In Druckbuchstaben stand da zu lesen:

Anweisungen für die Freiheit:

1) *Lebensmetaphern sind Anweisungen Gottes.*
2) *Du bist über das Dach hinausgestiegen. Nichts mehr liegt zwischen dir und dem Unendlichen. Also lass los!*
3) *Der Tag neigt sich dem Ende zu. Und es wird Zeit, dass sich etwas, das schön war, in etwas anderes Schönes verwandelt. Also lass los!*
4) *Dein Wunsch nach Loslösung war dein Gebet. Deine Anwesenheit an diesem Ort ist Gottes Antwort. Lass los und betrachte die aufgehenden Sterne – am Himmel und in dir!*
5) *Bitte um Gnade, aus ganzem Herzen, und lass los!*
6) *Vergib ihm, aus ganzem Herzen, vergib dir, und lass ihn los!*
7) *Dein Ziel sei Freiheit von sinnlosem Leiden! Also lass los!*
8) *Fühle, wie die Hitze des Tages in die Kühle der Nacht übergeht! Lass los!*
9) *Wenn das Karma der Beziehung erledigt ist, bleibt nur die Liebe. Sie ist niemals in Gefahr. Lass los!*
10) *Ist die Vergangenheit nun endlich von dir gewichen, so lass los! Steig wieder hinunter und beginne aufs Neue zu leben! In Freuden!*

Im ersten Moment konnte ich gar nicht mehr aufhören zu lachen. Ich blickte über das Tal. Über das Blätterdach der Mangobäume, und der Wind zerrte an meinem Haar wie an einer Fahne. Ich sah die Sonne hinter dem Horizont versinken und legte mich dann auf den Rücken und betrachtete die aufgehenden Sterne. Ich sang ein kleines Sanskritgebet, und jedes Mal, wenn ich einen neuen Stern am sich verdunkelnden Himmel aufleuchten sah, wiederholte ich es, fast so, als würde ich diese Sterne hervorlocken, doch dann gingen sie immer schneller und zahlreicher auf, und ich kam nicht mehr mit. Bald war der ganze Himmel eine schillernde Sternenshow. Und zwischen Gott und mir war nur … das Nichts.

Da schloss ich die Augen und sagte: »Bitte, lieber Gott, zeig mir, was ich im Hinblick auf Vergeben und Loslassen begreifen muss.«

Lange hatte ich mir gewünscht, ein wirkliches Gespräch mit meinem Exmann zu führen, doch offensichtlich würde es nie dazu kommen. Nach einer Lösung hatte ich mich gesehnt, einer Friedenskonferenz, auf der wir gemeinsam ein Fazit unserer Ehe ziehen und einander die Hässlichkeit unserer Scheidung verzeihen würden. Doch monatelange Beratung und Meditation hatten unsere Trennung nur vertieft, unsere Positionen verfestigt und uns zu zwei Menschen gemacht, die absolut unfähig waren, einander irgendetwas zu verzeihen. Genau das aber brauchten wir alle beide, dessen war ich mir sicher. Und eine weitere Gewissheit spürte ich: dass man Gott keinen Zentimeter näher rückt, solange man sich an einen letzten Faden Schuld klammert. Was der Rauch für die Lungen ist der Groll für die Seele; bereits ein einziger Zug davon ist schädlich. Was für ein Gebet wäre das, wenn wir täglich (wie Rauch) in uns aufsaugten: »Unseren täglichen Groll gib uns heute«? Da könnten wir es ja ebenso gut bleiben lassen und Gott den Abschiedskuss geben. Meine

Frage an Gott in jener Nacht auf dem Dach des Ashrams lautete also: Gab es in Anbetracht der Tatsache, dass ich wahrscheinlich nie wieder mit meinem Exmann von Angesicht zu Angesicht reden würde, vielleicht noch eine andere Ebene, auf der wir miteinander kommunizieren konnten? Auf der mein Mann mir verzeihen konnte?

Ich lag da oben, ganz allein. Ich tauchte ein in die Meditation und wartete, dass man mir sagte, was ich tun solle. Mir wurde klar, dass ich das Ganze zu wörtlich genommen hatte. Du willst mit dem Mann reden? Dann red doch mit ihm. Jetzt gleich, auf der Stelle. Du hast darauf gewartet, dass man dir verzeiht? Dann verzeih halt du. Hier und jetzt, auf der Stelle. Ich dachte daran, wie viele Menschen, ohne Vergebung zu erlangen und ohne selbst zu verzeihen, ins Grab sinken. Dachte daran, wie viele Menschen Geschwister, Freunde, Kinder oder Geliebte verlieren, ehe sie ihnen gegenüber die kostbaren Worte der Güte und Vergebung aussprechen konnten. Wie ertragen die Überlebenden gescheiterter Beziehungen den Schmerz, der aus diesen unerledigten und ungesagten Dingen resultiert? An diesem Ort der Meditation fand ich die Antwort darauf: Man kann die Sache selbst beenden, von sich aus. Und das ist nicht nur möglich, sondern sogar lebenswichtig.

Und dann tat ich zu meiner Überraschung, immer noch meditierend, etwas Seltsames. Ich lud meinen Exmann ein, sich zu mir zu gesellen – auf diese Dachterrasse. Fragte ihn, ob er nicht so freundlich sein könnte, mich hier zu treffen. Und wartete dann, bis ich ihn spürte. Er kam tatsächlich. Plötzlich war seine Gegenwart geradezu greifbar. Ich konnte ihn praktisch riechen.

»Hi, Schatz«, sagte ich.

Und im nächsten Moment heulte ich fast, begriff jedoch schnell, dass das überhaupt nicht nötig war. Tränen sind ein

Teil unserer körperlichen Existenz, doch der Ort, an dem sich unsere beiden Seelen in dieser Nacht trafen, hatte rein gar nichts mit unseren Körpern zu tun. Die beiden, die da oben auf dem Dach miteinander reden mussten, waren nicht einmal mehr Menschen. Redeten nicht einmal miteinander. Waren nicht einmal Ex-Eheleute, waren weder sturer Bock aus dem mittleren Westen noch überkandideltes Yankee-weib, weder Mittvierziger noch Mittdreißigerin, waren keine beschränkten Zeitgenossen, die sich seit Jahren um Sex, Geld und Möbel stritten – nichts von alledem spielte hier eine Rolle. Zum Zwecke dieses Treffens, auf der Ebene dieser Zusammenkunft, waren sie lediglich zwei kühle blaue Seelen, die bereits alles begriffen hatten. Unbeeinträchtigt durch ihre Körper und die komplexe Geschichte ihrer vergangenen Beziehung begegneten sie sich jenseits dieses Daches (sogar jenseits von mir) in unendlicher Weisheit. Immer noch meditierend verfolgte ich, wie diese zwei kühlen blauen Seelen sich umkreisten, verschmolzen, sich wieder trennten und ihre Vollkommenheit und Ähnlichkeit betrachteten. Alles wussten sie. Wussten es schon vor langer Zeit und werden es immer wissen. Sie müssen einander nicht verzeihen; sie haben es schon bei ihrer Geburt getan.

Folgende Lektion aber lehrten sie mich: »Halt dich da raus, Liz. Für dich ist diese Beziehung zu Ende. Lass uns das übernehmen. Kümmer du dich jetzt wieder um dich.«

Nach einer langen Zeit öffnete ich die Augen und wusste, dass es vorbei war. Nicht nur meine Ehe und Scheidung, sondern auch die ganze damit verbundene dumpfe Traurigkeit war vorbei. Ich war frei. Nicht, dass wir uns falsch verstehen – selbstverständlich würde ich hin und wieder an meinen Exmann denken und auch die üblichen Gefühle verspüren. Nur hatte ich durch dieses kleine Ritual auf dem Dach endlich einen Ort für diese Gedanken und Gefühle, wann immer sie künftig wieder auftauchen würden. Ich konnte sie hierher schicken, zurück zu dieser Erinnerung, zurück in die Obhut der beiden kühlen blauen Seelen, die schon alles verstanden haben und immer verstehen werden.

Denn dazu sind Rituale da. Wir Menschen praktizieren spirituelle Zeremonien, um einen sicheren Ort für unsere Glücksgefühle und Traumata zu haben, damit wir sie nicht ständig mit uns herumschleppen müssen. Wir alle brauchen solche Orte ritueller Regeneration. Und wenn unsere Kultur oder Tradition das spezifische Ritual, das wir brauchen, nicht kennt, steht es uns – meine ich – wahrhaftig zu, uns selbst etwas Entsprechendes auszudenken, um unseren gestörten Gefühlshaushalt in Ordnung zu bringen. Vollzieht man diese selbst gestrickte Zeremonie mit der erforderlichen Ernsthaftigkeit, so wird Gott die Gnade beisteuern. Deshalb brauchen wir Gott.

Also stand ich auf und machte auf dem Dach meines Gurus – zur Feier meiner Befreiung – einen Handstand. Ich spürte die staubigen Fliesen unter meinen Händen. Ich spürte meine eigene Kraft und mein Gleichgewicht. Fühlte, wie die nächtliche Brise über meine nackten Fußsohlen strich. Zu einem spontanen Handstand ist eine entkörperlichte kühle blaue Seele nicht in der Lage, ein Mensch allerdings schon. Wir haben Hände, auf denen wir, wenn wir es wollen, stehen können. Das ist unser Privileg. Eine der Freuden eines sterblichen Körpers. Deshalb braucht Gott uns. Weil er es liebt, die Dinge durch unsere Hände zu fühlen.

61

Heute ist Richard aus Texas abgereist. Abgeflogen nach Austin. Ich habe ihn zum Flughafen begleitet, und wir waren beide traurig. Lange standen wir noch beieinander auf dem Gehsteig vor der Abfertigungshalle.

»Was mach ich bloß, wenn ich keine Liz Gilbert mehr habe, die ich ärgern kann?«, seufzte er. »Machst gute Erfahrungen hier im Ashram, oder? Siehst völlig anders aus als vor 'n paar Monaten – als wärst du einen Großteil deiner Traurigkeit losgeworden.«

»Inzwischen bin ich richtig glücklich, Richard.«

»Aber vergiss nicht: Bei der Abreise wird dein gesammeltes Elend am Tor auf dich warten – für den Fall, dass du es wieder mitnehmen willst.«

»Ich nehme es nicht wieder mit.«

»Braves Mädchen.«

»Du hast mir sehr geholfen«, sagte ich zu ihm. »Für mich bist du ein Engel mit behaarten Händen und dreckigen Zehennägeln.«

»Ja, meine Zehennägel haben sich von Vietnam nie mehr richtig erholt.«

»Hätte schlimmer kommen können.«

»Stimmt. Wenigstens hab ich meine Beine behalten. Nein, Mädel, in diesem Leben hab ich 'ne ziemlich angenehme Inkarnation erwischt. Und du auch – vergiss das nicht. Nächstes Mal kommst du womöglich als eine von den armen Inderinnen wieder, die am Straßenrand Steine klopfen, und musst feststellen, dass das Leben wirklich nicht spaßig ist. Also, lern zu schätzen, was du hast, okay? Sei ein bisschen dankbar. Dann lebst du auch länger. Und, Groceries, tu mir einen Gefallen: Leb weiter!«

»Mach ich.«

»Ich meine – such dir mal wieder 'nen Neuen, den du gern haben kannst. Lass dir Zeit, leck deine Wunden, aber vergiss nicht, auch wieder mal dein Herz zu verschenken. Mach dein Leben nicht zu 'nem Denkmal für David oder deinen Ex.«

»Mach ich nicht«, sagte ich. Und plötzlich wusste ich, dass es stimmte: Das würde ich nicht tun. Ich spürte, wie all dieser Schmerz über verlorene Liebe und begangene Fehler allmählich an Kraft verlor und schließlich dank der berühmten Heilkräfte von Zeit, Geduld und Gottes Segen dahinschwand.

Doch dann redete Richard weiter und holte meine Gedanken rasch wieder in die Realität zurück: »Denn schließlich weißt du ja, Süße, wie es so schön heißt: Manchmal kommt man am ehesten über einen hinweg, wenn man unter 'nen anderen kommt.«

Ich lachte. »Okay, Richard, jetzt reicht's. Jetzt kannst du heimfliegen.«

»Wird auch langsam Zeit«, meinte er. »Werd durchs Herumstehen hier ja auch nicht mehr schöner.«

62

Nach Richards Verabschiedung gelange ich auf der Rückfahrt zum Ashram zu dem Schluss, dass ich definitiv zu viel rede. Das habe ich, ehrlich gesagt, zwar schon mein Leben lang getan – aber hier im Ashram wird es mir zu bunt. Zwei Monate bleiben mir noch, und ich will nicht, dass mir die größte spirituelle Erfahrung meines Lebens durch ständiges Plappern durch die Lappen geht. Erstaunt stelle ich fest, dass ich es sogar hier, in der heiligen Umgebung eines spirituellen Rückzugsorts am anderen Ende der Welt, geschafft habe, eine Cocktailparty-Atmosphäre um mich zu verbreiten. Ich habe mich sogar dabei ertappt, dass ich Verabredungen traf und jemandem sagen musste: »Tut mir Leid, ich kann heute nicht mit dir zum Lunch gehen, ich hab Sakshi versprochen, mit ihr zu Mittag zu essen … Vielleicht können wir ja für nächsten Dienstag was ausmachen.«

So geht das schon mein ganzes Leben lang. So bin ich eben. Aber in letzter Zeit frage ich mich, ob das nicht auf einen Mangel an Spiritualität schließen lässt. Schweigen und Rückzug sind universell anerkannte spirituelle Praktiken, und dafür gibt es gute Gründe. Seine Rede disziplinieren zu lernen ist eine Möglichkeit, seine Energien vor dem Überschwappen zu bewahren, denn die überschäumende Energie erschöpft einen und überschwemmt die Welt mit Worten statt mit Gelassenheit, Frieden und Wonne. Swamiji, der Guru meiner Meisterin, nahm es mit der Stille im Ashram sehr genau, verschaffte ihr nachdrücklich Geltung. Als einzig wahre Religion bezeichnete er das Schweigen.

Also beschließe ich, fortan nicht mehr das Party-Häschen dieses Ashrams zu sein. Schluss mit dem Herumrennen, dem Tratsch und den Witzeleien. Ich muss weder im Rampenlicht stehen noch sämtliche Gespräche an mich reißen. Oder für ein bisschen Bestätigung verbale Stepptänze aufführen. Es wird Zeit, dass ich mich ändere. Jetzt, wo Richard weg ist, werde ich den Rest meiner Zeit im Ashram zum Schweigen nutzen. Das wird schwierig werden, aber nicht unmöglich sein, weil Schweigen im Ashram von allen respektiert und die Entscheidung des Einzelnen als Akt religiöser Hingabe verstanden wird. Im Buchladen verkaufen sie sogar kleine Buttons mit der Aufschrift »Ich schweige«.

Ich werde mir vier Buttons kaufen.

Auf der Rückfahrt zum Ashram schwelge ich tatsächlich kurzzeitig in der Vorstellung, *wie* still ich demnächst sein werde. So still, dass ich mir sogar einen gewissen Ruhm damit erwerben werde. Man wird mich *Das stille Mädchen* nennen. Ich werde mich einfach an meinen Ashram-Stundenplan halten, allein meine Mahlzeiten einnehmen, jeden Tag endlose Stunden meditieren und die Tempelböden schrubben, ohne einen Mucks von mir zu geben. Mein Austausch mit den anderen wird sich darauf beschränken, sie von meiner selbstgenügsamen Warte der Stille und Frömmigkeit aus selig anzulächeln. Man wird über mich reden. »Wer ist denn die schweigsame junge Frau da hinten im Tempel, die immer auf den Knien liegt und die Böden schrubbt? Nie sagt sie ein Wort. Sie hat so was Unfassbares. Geheimnisvolles. Wie wohl ihre Stimme klingt? Nicht mal, wenn sie im Garten hinter einem geht, hört man sie … Sie bewegt sich so leise wie der Wind. Offenbar meditiert sie andauernd, hält ständig Kontakt zu Gott. *Sie ist das süßeste Mädchen, das ich je gesehen habe.*«

63

Am nächsten Morgen lag ich wieder im Tempel auf den Knien, schrubbte den Marmorboden und strahlte (wie ich mir vorstellte) heilige Stille aus, als mir ein Junge die Nachricht überbrachte, ich solle mich umgehend im Seva-Büro melden. *Seva* ist der Sanskritbegriff für die spirituelle Praxis selbstlosen Dienens (wie etwa das Schrubben von Tempelböden). Das Seva-Büro verwaltet alle Arbeitsaufgaben des Ashrams. Also ging ich neugierig hinüber, und die nette Person am Schalter fragte mich: »Sind Sie Elizabeth Gilbert?«

Ich schenkte ihr ein Lächeln innigster Gottesfurcht und nickte. Schweigend.

Dann teilte sie mir mit, dass man mir – auf ausdrücklichen Wunsch des Managements – eine neue Aufgabe zugeteilt habe.

Und die Bezeichnung meiner neuen Tätigkeit lautete (falls Sie sich das freundlicherweise mal auf der Zunge zergehen lassen wollen): »Chefhostess«.

64

Offensichtlich war das wieder mal einer von Swamijis Scherzen.

Du wolltest das stille Mädchen hinten im Tempel sein? Tja ...

Doch das passiert einem im Ashram immer wieder. Man trifft irgendeine grandiose Entscheidung, glaubt zu wissen, was man tun muss oder wer man sein sollte, und dann ändern sich die Umstände und machen einem bewusst, wie wenig man sich im Grunde kennt. Ich weiß nicht, wie viele Male Swamiji es zu Lebzeiten sagte, und auch nicht, wie oft es meine Meisterin seit seinem Tod wiederholt hat, doch offenbar habe ich ihr nachdrücklichstes Diktum immer noch nicht verinnerlicht:

»Gott wohnt in dir als du selbst.«

»*Als* du.«

Falls es eine heilige Wahrheit dieses Yoga geben sollte, dann fasst dieser Satz sie zusammen. Gott wohnt in dir *als du selbst*, als genau die, die du bist. Gott hat kein Interesse daran, dass du etwas vorspielst, was deiner Vorstellung vom Aussehen oder Verhalten eines spirituellen Menschen entspricht. Offenbar bilden wir uns alle ein, wir müssten, um heilig zu sein, uns charakteristisch verändern und auf unsere Individualität verzichten. Das ist ein klassisches Beispiel für das, was man im Osten als »falsches Denken« bezeichnet. Swamiji pflegte zu sagen, dass diese Verzichtsapostel jeden Tag etwas Neues fänden, dem sie entsagen könnten, doch in der Regel erlangten sie so keinen Frieden, sondern handelten sich lediglich eine Depression ein. Immer wieder lehrte er, dass Askese und Entsagung nicht das sind, was man wirklich braucht. Um Gott zu erkennen, müsse man nur auf eines verzichten: das Gefühl, von ihm getrennt zu sein. Ansonsten solle man der Mensch bleiben, der man ist.

Was aber ist mein Charakter? Ich liebe meine Studien in diesem Ashram, aber mein Traum, Gott zu finden, indem ich schweigend mit sanftem, ätherischem Lächeln auf den Lippen durch den Ashram husche ... Wer ist dieser Jemand eigentlich? Wahrscheinlich eine Figur, die ich mal im Fernsehen gesehen habe. Jedenfalls finde ich es ein bisschen traurig, mir eingestehen zu müssen, dass ich nie eine ätherische Gestalt sein werde. Seit jeher faszinieren mich diese durchgeistigten, zarten Seelen. Immer wollte ich das stille Mädchen sein. Wahrscheinlich genau deshalb, weil ich es nicht bin. Aus demselben Grund, weshalb ich auch dichtes, lockiges Haar so schön finde – weil ich es eben nicht habe, es nicht haben kann. Doch irgendwann muss man Frieden schließen mit dem, was man hat, denn wenn Gott mich als schüchternes Mädchen mit dichtem, lockigem Haar gewollt hätte, hätte er mich wohl so erschaffen. Und deshalb sollte ich meine Beschaffenheit hinnehmen.

Oder, wie Sextus, der alte Pythagoräer, schon sagte: »Der weise Mann bleibt sich stets gleich.«

Das bedeutet aber nicht, dass ich nicht fromm sein darf. Heißt nicht, dass die Liebe Gottes mich nicht völlig verwirren kann. Oder dass ich der Menschheit nicht dienen darf. Dass ich mich als Mensch nicht weiter verbessern, meine Tugenden entwickeln und täglich gegen meine Laster ankämpfen kann. Zwar werde ich wohl nie zum Mauerblümchen werden, das muss aber nicht heißen, dass ich meine Redegewohnheiten nicht einmal ernsthaft überprüfen und sie – im Rahmen meiner Persönlichkeit – zum Besseren ändern kann. Ja, ich bin eine Quasselstrippe, aber vielleicht muss ich nicht so viel fluchen, vielleicht auch nicht immer auf jeden Kalauer schielen beziehungsweise ständig über mich selbst reden. Vielleicht kann ich auch aufhören, andere beim Reden zu unterbrechen. Denn hinter dieser Angewohnheit steckt letztlich die Auffassung: »Ich glaube, mein Beitrag ist wichtiger als deiner.« Was im Grunde nichts anderes heißt als: »Ich glaube, ich bin wichtiger als du.« Und das muss ein Ende haben.

All diese Veränderungen wären angeraten. Aber auch dann, wenn ich meine Art zu reden auf vernünftige Weise modifiziere, wird man mich wohl nie *Das stille Mädchen* nennen. Wie verlockend die Vorstellung auch sein mag und wie sehr ich mich auch darum bemühe. Denn seien wir mal ehrlich: Mit wem haben wir es hier eigentlich zu tun? Als die Frau im Seva-Büro mir meine neue Aufgabe als »Chefhostess« zuteilte, sagte sie: »Sehen Sie, wir haben einen eigenen Spitznamen für diejenige, die diesen Job macht. Wir nennen sie ›Little Suzy Creamcheese‹, weil sie gesellig und übersprudelnd sein und immer ein Lächeln auf den Lippen haben muss.«

Was sollte ich da noch sagen?

Ich streckte einfach die Hand aus, sagte meinen Wunschvorstellungen stumm ade und erklärte: »*Madam* – zu Diensten.«

65

Genau genommen wird meine Aufgabe als Chefhostess darin bestehen, eine Reihe von Einkehrseminaren zu betreuen, die in diesem Frühjahr im Ashram stattfinden sollen. Zu jeder dieser Veranstaltungen kommen etwa hundert Anhänger aus der ganzen Welt, die für jeweils eine Woche bis zu zehn Tagen ihre Meditationsübungen vertiefen wollen. Meine Aufgabe ist es, mich um diese Leute zu kümmern. Die meiste Zeit werden die Teilnehmer schweigend verbringen. Einige von ihnen werden Schweigen als religiöse Praxis zum ersten Mal erleben. Ich aber werde die Einzige im Ashram sein, mit der sie reden dürfen, sollte etwas falsch laufen.

Richtig – mein Job verlangt ganz *offiziell* von mir, Anlaufstelle für alle zu sein, die reden müssen.

Ich werde mir die Probleme der Einkehrteilnehmer anhören und versuchen, eine Lösung für sie zu finden. Ob jemand sein Zimmer wechseln will, weil der Zimmergenosse zu laut schnarcht, oder wegen indienbedingter Verdauungsprobleme einen Arzt aufsuchen muss. Vor allem werde ich mir merken müssen, wie sie heißen und woher sie kommen. Ich werde mit einem Klemmbrett herumspazieren, mir Notizen machen, Problemen nachgehen.

Und … Aber ja doch, einen Piepser hab ich auch.

Als die Einkehrtage beginnen, zeigt sich rasch, wie sehr ich für diese Aufgabe geschaffen bin. Ich sitze mit meinem Namensbutton am Empfangsschalter, und aus dreißig verschiedenen Ländern treffen Leute ein, von denen einige zwar Altgediente sind, viele aber noch nie in Indien waren. Schon morgens um zehn steigt das Thermometer auf über vierzig Grad, und die meisten waren die ganze Nacht in der Economy-Klasse unterwegs. Einige betreten den Ashram und sehen aus, als wären sie gerade im Kofferraum eines Autos erwacht – als hätten sie keine Ahnung, was sie hier eigentlich sollen. Was sie ursprünglich dazu veranlasst hat, sich zu dieser Einkehr anzumelden, haben sie längst vergessen, wahrscheinlich etwa um die Zeit, als ihr Gepäck in Kuala Lumpur verloren ging. Sie sind durstig, wissen aber nicht, ob sie das Wasser hier bedenkenlos trinken können. Sie haben Hunger, aber keine Ahnung, wann es Mittagessen gibt oder wo sich die Cafeteria befindet. Sie sind völlig falsch angezogen, tragen in der tropischen Hitze Synthetikstoffe und schweres Schuhwerk. Sie wissen nicht, ob hier jemand Russisch spricht.

Ich kann ein bisschen Russisch ...

Ich kann ihnen helfen. Ich bin so gut zum Helfen gerüstet. Alle Fühler, die ich zeit meines Lebens ausgestreckt habe, um die Gefühle meiner Mitmenschen zu erspüren, all die Intuition, die ich als hypersensibles jüngstes Kind entwickelt habe, all das Talent zum Zuhören, das ich mir als mitfühlende Bardame und neugierige Journalistin angeeignet habe, all meine Tüchtigkeit in Sachen Fürsorge, über die ich nach langjährigem Dasein als Frau und Freundin von Männern verfüge – all das kommt mir nun zugute, so dass ich diesen Leuten helfen und ihnen die bevorstehende schwierige Aufgabe erleichtern kann. Ich sehe sie kommen – aus Mexiko und von den Philippinen, aus Afrika, Dänemark, aus Detroit. Ich bin so erstaunt über ihren Wagemut. Diese Leute haben für ein paar Wochen ihren Familien und ihrem Alltag den Rücken gekehrt, um sich hier in Indien, umgeben von einem Haufen Fremder, ins Schweigen zurückzuziehen.

Ich liebe diese Menschen – ganz automatisch und bedingungslos. Sogar die Arschlöcher unter ihnen. Ich durchschaue ihre Neurosen und sehe, dass sie furchtbare Angst haben vor dem, was ihnen in diesen sieben Tagen des Schweigens und der Meditation bevorsteht. Ich liebe den Inder, der mir empört berichtet, in seinem Zimmer befinde sich eine zehn Zentimeter hohe Statue des indischen Gottes Ganesh, der ein Fuß fehle. Er ist stinksauer, hält es für ein schlimmes Omen und will, dass die Statue entfernt wird – am besten von einem Brahmanenpriester und in einer »entsprechenden traditionellen Reinigungszeremonie«. Ich höre mir seine Beschwerde an, tröste ihn und schicke dann meine kleine Freundin Tulsi in sein Zimmer, damit sie, während er zu Mittag isst, die Statue entfernt. Am nächsten Tag drücke ich ihm einen Zettel in die Hand, auf dem ich der Hoffnung Ausdruck gebe, dass er sich jetzt, da die zerbrochene Statue weg sei, besser fühle, und ihm noch einmal versichere, dass ich immer für ihn da sei; er ist erleichtert und belohnt mich mit einem riesigen Lächeln. Er hat ja nur Angst. Angst hat auch die Französin, die wegen ihrer Weizenallergie fast eine Panikattacke erleidet. Ebenso wie der Argentinier, der sich eine Sondersitzung mit dem gesamten Personal der Hatha-Yoga-Abteilung wünscht, um sich über die richtige Sitzhaltung bei der Meditation beraten zu lassen, damit ihn das Fußgelenk nicht mehr so schmerzt. Alle haben sie Angst. Sie begeben sich in die Stille, tief in ihre Gedanken und Seelen hinein. Bei dieser Einkehr werden sie von einer wunderbaren Frau, einer fünfzigjährigen Ordensschwester, begleitet, die mit jeder ihrer Gesten, jedem ihrer Worte Mitgefühl ausdrückt, aber sie fürchten sich dennoch, denn – so liebevoll die Nonne auch sein mag – dorthin, wohin sie gehen, kann sie sie nicht begleiten. Das kann niemand.

Zu Beginn der Einkehr erhielt ich zufällig einen Brief von einem Freund aus Amerika, der als Tierfilmer für *National Geographic* arbeitet. Gerade sei er im New Yorker Waldorf Astoria bei einem tollen Essen zu Ehren einiger Mitglieder des Explorer's Club gewesen, erzählte er mir. Großartig sei es gewesen, sich in Gegenwart so unglaublich mutiger Menschen zu befinden, die alle schon so viele Male ihr Leben riskiert hätten, um die entlegensten und gefährlichsten Bergketten, Schluchten, Flüsse, Meerestiefen, Eisfelder und Vulkane zu erkunden. Viele von ihnen hätten Körperteile eingebüßt – Zehen, Nasen und Finger, die sie im Laufe der Jahre an Haie, durch Erfrierungen und andere Unbilden verloren hätten.

»Nie«, schrieb er, »hab ich an einem Ort so viele mutige Menschen gesehen.«

Und ich dachte nur: *Du hast noch gar nichts gesehen, Mike.*

66

Das Thema dieser Einkehr und ihr Ziel ist *turiya*, die so schwer zu fassende vierte Stufe des menschlichen Bewusstseins. In ihrer normalen Erfahrung – sagen die Yogis – bewegen sich die meisten Menschen zwischen drei verschiedenen Ebenen des Bewusstseins: Wachen, Träumen und tiefem, traumlosem Schlaf. Doch es gibt auch noch eine vierte Ebene. Diese ist Zeugin aller anderen Zustände, integrales Bewusstsein, das die anderen Ebenen miteinander verbindet. Sie ist das reine Bewusstsein, ein intelligentes Gewahrsein, das uns etwa morgens beim Aufwachen von unseren Träumen berichten kann. Wir waren entrückt, wir haben geschlafen, doch während wir schliefen, hat jemand über unsere Träume gewacht: Wer war dieser Beobachter, dieser Zeuge? Und wer ist der, welcher stets abseits der Aktivitäten des Geistes steht und unsere Gedanken beobachtet? Kein anderer als Gott, behaupten die Yogis. Und könne man sich in diesen Zustand des Zeugenbewusstseins versetzen, so sei man bei Gott. Dieses anhaltende Bewusstsein und Erleben der Gottesgegenwart in unserem Innern könne sich nur auf einer vierten Ebene des menschlichen Bewusstseins vollziehen, die sich *turiya* nennt.

An Folgendem lässt sich ablesen, ob man den *turiya*-Zustand erreicht hat – beziehungsweise sich im Zustand anhaltender Wonne befindet. Dem, der im *turiya*-Zustand lebt, können die wechselnden Launen des Geistes nichts mehr anhaben, er fürchtet weder die Zeit, noch schreckt ihn ein Verlust. »Pur, rein, leer, still, atemlos, selbstlos, endlos, unvergänglich, standhaft, ewig, ungeboren, unabhängig verweilt er in seiner eigenen Größe«, beschreiben die Upanischaden, die alten yogischen Schriften, den Menschen, der den *turiya*-Zustand erreicht hat. Die großen Heiligen, die großen Gurus, die großen Propheten der Geschichte – sie alle lebten fortwährend in diesem Zustand. Und was uns Übrige angeht – auch die meisten von uns waren schon dort, wenn auch nur für flüchtige Augenblicke. Die meisten von uns haben früher oder später, wenn auch nur wenige Minuten lang, ein unerklärliches und jähes Gefühl vollkommenen Glücks erlebt, das zu nichts in der Außenwelt in Bezug stand. Eben ist man noch Otto Normalverbraucher und schleppt sich durchs Leben, und dann auf einmal – ohne dass sich äußerlich etwas verändert hat – fühlt man sich von Staunen erfüllt und vor Wonne überfließend. Vollkommenheit durchdringt uns. Ganz ohne Grund ist plötzlich alles vollkommen.

Natürlich verflüchtigt sich dieser Zustand bei den meisten von uns so rasch, wie er gekommen ist. Fast so, als offenbare man uns diese innere Vollkommenheit nur, um uns zu foppen und uns danach schnell in die »Realität« zurückpurzeln zu lassen, wo wir erneut von den gewohnten Sorgen und Begierden geplagt werden. Seit Jahrhunderten bemühen sich die Menschen, diesen Zustand seliger Vollkommenheit – sei es durch Drogen, Sex oder Macht, Adrenalin oder die Anhäufung schöner Dinge – festzuhalten, doch es klappt nicht. Überall suchen wir das Glück, sind aber wie Tolstois berühmter Bettler, der sein Leben damit verbringt, auf einem Topf voller Gold zu sitzen und von jedem Passanten Pfennige zu erbetteln, ohne etwas von dem Vermögen zu ahnen, auf dem er buchstäblich sitzt. Unser Schatz – unser Vermögen – ist von Anfang an in uns. Doch um unser Anrecht darauf geltend zu machen, müssen wir dem Spektakel des Geistes den Rücken kehren, die Begierden des Ego aufgeben und in die Stille des Herzens eintreten. Die *Kundalini Shakti* – die höchste Energie des Göttlichen – führt uns in dieses Schweigen.

Das ist der Grund, weshalb ein jeder gekommen ist.

Als ich diesen Satz schrieb, wollte ich zunächst damit sagen: »Das ist der Grund, weshalb *diese hundert Einkehrteilnehmer* aus der ganzen Welt in diesen indischen Ashram gekommen sind.« Die yogischen Heiligen und Philosophen allerdings hätten der umfassenden Bedeutung meiner ursprünglichen Erklärung beigepflichtet: »Das ist der Grund, weshalb *ein jeder* gekommen ist.« Denn den Mystikern zufolge ist diese Suche nach göttlicher Wonne nichts weniger als der umfassende Zweck eines Menschenlebens. Deswegen entscheiden wir uns, geboren zu werden, und deswegen lohnt sich alles Leiden und aller Schmerz des irdischen Lebens – nur um der Möglichkeit willen, diese unendliche Liebe zu erfahren. Und hat man die Göttlichkeit im Innern gefunden, kann man sie dann festhalten? Kann man es, so ist es *Seligkeit*.

Die gesamten Einkehrtage verbringe ich im hinteren Teil des Tempels, wache über die Teilnehmer, während sie im Halbdunkel und in völliger Stille meditieren. Denn meine Aufgabe ist es, für ihre Bequemlichkeit zu sorgen, darauf zu achten, dass es ihnen an nichts fehlt. Für die Dauer der Einkehr haben sie Schweigen gelobt, und ich spüre, wie sie jeden Tag tiefer in dieses Schweigen eintauchen, bis der ganze Ashram von ihrer Stille durchtränkt ist. Aus Achtung vor den Einkehrteilnehmern gehen wir nun alle auf Zehenspitzen, nehmen schweigend unsere Mahlzeiten ein. Sogar ich halte den Mund. Es herrscht eine geradezu mitternächtliche Stille, jene gedämpfte Zeitlosigkeit, die man im Allgemeinen nur gegen drei Uhr morgens und bei völligem Alleinsein erlebt – und doch wird sie am helllichten Tag befolgt, und zwar vom gesamten Ashram.

Ich habe keine Ahnung, was diese hundert Seelen denken oder fühlen, während sie meditieren, aber ich weiß, welche Erfahrung sie suchen, und bete um ihretwillen fortwährend zu Gott, treffe zu ihren Gunsten seltsame Abkommen, wie etwa: *Bitte schenk diesen wunderbaren Menschen den Segen, den du vielleicht mir zugedacht hast.* Ich habe nicht vor, gleichzeitig mit den Teilnehmern zu meditieren; ich soll sie im Auge behalten und mich um die eigene spirituelle Reise nicht sorgen. Aber ich merke, wie ich auf den Wellen ihres gemeinsamen religiösen Strebens emporgehoben werde, so ähnlich, wie manche Vögel sich von der Thermik tragen lassen, die sie viel höher in die Luft reißt, als sie es mit der Kraft ihrer Schwingen jemals geschafft hätten.

Daher überrascht es wohl nicht, dass es während der Meditation und in Ausübung meiner Chefhostess-Pflichten passiert. An einem Donnerstagnachmittag, als ich im rückwärtigen Tempelteil sitze, werde ich plötzlich durchs Portal des Universums getragen und auf Gottes Hand abgesetzt.

67

Als Leserin und Suchende haben mich Passagen in den Erinnerungen anderer, die den Augenblick beschreiben, in dem sich die Seele aus Zeit und Raum verabschiedet und sich mit dem Unendlichen vereint, stets frustriert. Vom Buddha über die heilige Teresa von Ávila bis zu den Sufi-Mystikern und meiner eigenen Meisterin haben so viele große Seelen im Laufe der Jahrhunderte versucht, wortreich zu erklären, wie es sich anfühlt, mit dem Göttlichen eins zu werden – doch nie haben mich diese Schilderungen zufrieden gestellt. Häufig wird, um das Ereignis zu beschreiben, auf das ärgerliche Adjektiv »unbeschreiblich« zurückgegriffen. Doch auch die eloquentesten Berichterstatter der religiösen Erfahrung – wie Rumi, welcher schrieb, alle Bemühungen aufgegeben und sich an Gottes Ärmel geheftet zu haben, oder Hafis, der sagte, er und Gott seien wie zwei dicke Männer geworden, die auf einem kleinen Boot zusammenleben (»dauernd stoßen wir uns an und lachen«) – haben mir etwas voraus. Ich will es endlich selbst spüren. Sri Ramana Maharishi, ein indischer Guru, pflegte seinen Schülern lange Reden über das transzendentale Erlebnis zu halten, die er stets mit der Anweisung schloss: »Und jetzt kommt selbst dahinter.«

Nun also bin ich dahintergekommen. Und will nicht sagen, dass das, was ich am Donnerstagnachmittag erlebte, unbeschreiblich war, obwohl es das natürlich war. Trotzdem will ich versuchen, es zu erklären. Ich wurde – einfach ausgedrückt – durch das Wurmloch des Absoluten gezogen, und in dieser rasenden Bewegung habe ich das Wirken des Universums plötzlich vollkommen verstanden. Ich verließ meinen Körper, verließ den Raum, verließ den Planeten, ich schritt durch die Zeit und trat in die Leere ein. Ich war *in* der Leere, *war* die Leere und betrachtete die Leere, alles zur selben Zeit. Die Leere war ein Ort grenzenlosen Friedens und unendlicher Weisheit. Sie war bewusst und intelligent. Sie war Gott, so dass ich mich im Innern Gottes befand. Aber nicht auf eine grobe, physische Weise – nicht, als wäre ich Liz Gilbert, die irgendwo in Gottes Oberschenkel steckt. Ich war schlicht und einfach ein Teil von Gott. Außer, dass ich auch noch Gott war. Ich war sowohl ein winziges Stück des Universums als auch genauso groß wie dieses. (»Jeder weiß, dass der Tropfen im Ozean verschwindet, aber nur wenige wissen, dass der Ozean im Tropfen verschwindet«, schrieb der Weise Kabir – und ich kann jetzt persönlich bezeugen, dass es stimmt.)

Mein Gefühl hatte nichts mit Halluzinationen zu tun. Es war das einfachste und grundlegendste Geschehen überhaupt. Es war der Himmel, ja. Es war die tiefste Liebe, die ich jemals erlebt hatte und die alles überstieg, was ich mir vorher hätte vorstellen können, aber es war nicht euphorisch. Nicht erregend. Ich hatte nicht mehr genug Ego oder Leidenschaft in mir, um Euphorie oder Erregung zu empfinden. Es war einfach offensichtlich. Als hätte man lange eine optische Täuschung angestarrt, sich die Augen verrenkt, um den Trick zu entdecken, und plötzlich ändert sich die Wahrnehmung und – siehe da! – die Vase ist keine Vase, sondern zwei Gesichter. Und kaum hat man die optische Täuschung durchschaut, ist sie für immer verloren.

Das also ist Gott, dachte ich mir. *Gratuliere, Sie kennen zu lernen.*

Die Stelle, an der ich stand, lässt sich nicht wie ein irdischer Ort beschreiben. Sie war weder hell noch dunkel, weder groß noch klein. Noch war sie ein Ort, noch stand ich, im wahrsten Sinne des Wortes, dort, noch war ich tatsächlich ein »Ich«. Meine Gedanken hatte ich zwar immer noch, aber sie waren so ruhig, bescheiden und beobachtend. Nicht nur vorbehaltloses Mitgefühl und Einssein mit allem und jedem spürte ich, sondern wunderte mich auch, dass man überhaupt etwas anderes fühlen konnte. Auch meine früheren Grübeleien berührten mich kaum mehr. *Ich bin eine Frau, ich komme aus Amerika, ich bin eine Plaudertasche, ich bin Schriftstellerin* – das alles kam mir so niedlich und obsolet vor. Sich vorzustellen, dass man sich in ein so winziges Identitätskästchen quetschte, wenn man stattdessen seine Unendlichkeit erfahren konnte!

Warum bin ich mein Leben lang dem Glück nachgejagt, wo die Seligkeit doch immer zum Greifen nah war?, fragte ich mich.

Ich weiß nicht, wie lange ich in diesem großartigen Äther schwebte, als es mich plötzlich und eindringlich durchfuhr: »Ich will diese Erfahrung für immer festhalten!« Und da begann ich aus ihr herauszufallen. Zwei Wörtchen – *Ich will!* – genügten, und schon glitt ich wieder zur Erde zurück. Und da begann mein Geist dann wirklich zu protestieren: *Nein! Ich will nicht von hier weg!* Und ich schlitterte weiter.

Ich will!

Ich will nicht!

Ich will!

Ich will nicht!

Und mit jeder Wiederholung dieser verzweifelten Beschwörungen spürte ich, wie ich durch eine Illusion nach der anderen stürzte, wie der Held einer Action-Komödie, der bei seinem Fall von einem Hochhaus durch ein Dutzend Segeltuchplanen kracht. Diese Rückkehr sinnlosen Verlangens reduzierte mich wieder auf meine limitierte kleine Comic-Strip-Welt. Ich sah mein Ego zurückkehren, wie man die Entwicklung eines Polaroidfotos verfolgt – hier ist das Gesicht, da die Falten um den Mund, da die Augenbrauen – ja, jetzt ist es fertig: das Bild meines gewohnten alten Ichs. Ich verspürte ein panisches Zittern, es brach mir fast das Herz, die göttliche Erfahrung verloren zu haben. Aber im selben Moment registrierte ich auch einen Zeugen, ein weiseres und älteres Ich, das den Kopf schüttelte und lächelte, denn es wusste: Falls ich mir einbildete, dass man mir diesen Zustand der Seligkeit entreißen konnte, dann hatte ich ihn offenbar immer noch nicht begriffen. Deshalb war ich auch nicht imstande, mich dauerhaft in ihm aufzuhalten. Ich würde weiter üben müssen. In diesem Augenblick der Erkenntnis ließ Gott mich fahren, ließ mich mit der folgenden mitfühlenden und unausgesprochenen Botschaft durch seine Finger gleiten:

Wenn du einmal begriffen hast, dass du immer da bist, darfst du wiederkommen.

68

Zwei Tage später ging das Seminar zu Ende, und alle kamen aus ihrem Schweigen heraus. Ich wurde unglaublich oft in die Arme geschlossen – von Leuten, die mir dafür dankten, dass ich ihnen geholfen hätte.

»Aber nein! Ich danke *euch*«, wiederholte ich immer wieder und war frustriert, wie unangemessen das klang, wie unmöglich es mir war, meinen tiefen Dank dafür, dass sie mich in derartige Höhen gehoben hatten, auszudrücken.

Eine Woche später trafen weitere hundert Suchende zu einer weiteren Einkehr ein, und die Belehrungen, die mutigen inneren Kämpfe und das alles durchdringende Schweigen wiederholten sich. Ich wachte auch über diese neuen ringenden Seelen, versuchte, auch ihnen auf jede nur denkbare Weise beizustehen, und glitt auch mit ihnen einige Male in den *turiya*-Zustand. Später, als viele von ihnen nach der Meditation zu mir kamen und erzählten, dass sie mich während der Einkehrtage als »stille, schweigende, ätherische Präsenz« erlebt hätten, konnte ich nur noch lachen. Das stille Mädchen im rückwärtigen Tempelteil hatte ich erst in dem Augenblick werden können, als ich gelernt hatte, mein lautes, schwatzhaftes, geselliges Wesen zu akzeptieren.

Während meiner letzten Wochen in Indien machte sich eine melancholische Stimmung im Ashram breit, die an die letzten Tage in einem Sommerlager erinnerte. Jeden Morgen reisten weitere Leute ab. Neuankömmlinge blieben aus. Es war schon fast Mai, der Monat, in dem in Indien die heißeste Jahreszeit beginnt und das Leben im Ashram für eine Weile abflaut. Weitere Einkehrtage würden daher vorläufig nicht stattfinden, so dass ich wieder für andere Jobs eingeteilt wurde, und zwar jetzt im Anmeldebüro, wo ich die bittersüße Aufgabe erhielt, all meine Freunde, sobald sie den Ashram verlassen hatten, auch aus dem Computer zu löschen.

Ich teilte das Büro mit einem lustigen Exfriseur von der Madison Avenue. Beim Morgengebet waren wir jetzt nur noch zu zweit, und gemeinsam intonierten wir unsere Hymne.

»Meinst du, wir könnten heute mit ein bisschen mehr Tempo singen?«, fragte mich der Friseur eines Morgens. »Und vielleicht eine Oktave höher? Sonst klinge ich wie eine spirituelle Version von Count Basie.«

Inzwischen bin ich hier viel allein. Vier, fünf Stunden pro Tag verbringe ich in den Meditationshöhlen. Stundenlang halte ich es in meiner Gesellschaft aus, fühle mich wohl in meiner Gegenwart, und mein Dasein auf diesem Planeten irritiert mich nicht mehr. Manchmal sind meine Meditationen surreale und körperliche Erfahrungen der *Kundalini Shakti* von absolut rückgratverkrümmender und das Blut zum Wallen bringender Heftigkeit. Ich versuche, sie hinzunehmen, mich möglichst wenig zur Wehr zu setzen. Dann wieder erlebe ich ein süßes ruhiges Glück, und auch das ist schön. Immer noch formen sich Sätze in meinem Kopf, und noch immer veranstalten die Gedanken ihre kleinen Schautänze, aber inzwischen kenne ich meine Denkmuster so gut, dass sie mich nicht mehr stören. Meine Gedanken sind wie alte Nachbarn geworden, irgendwie lästig, aber letztlich doch recht liebenswert: Mr und Mrs Igittigitt und ihre drei doofen Kinder Blah, Blah und Blah. Sie bringen mich nicht mehr aus der Fassung. In dieser Gegend ist für uns alle Platz.

Was die übrigen Wandlungen betrifft, die sich in diesen letzten paar Monaten in mir vollzogen haben – vielleicht spüre ich sie ja noch gar nicht. Freunde, die schon sehr lange Yoga praktizieren, behaupten, dass man die Wirkung eines Ashrams erst dann wirklich erkennen könne, wenn man ihn hinter sich lasse und in sein normales Leben zurückkehre. »Erst dann«, meinte die Exnonne aus Südafrika, »wirst du allmählich merken, dass es dein gesamtes Innenleben völlig umgekrempelt hat.« Natürlich bin ich mir momentan nicht so ganz sicher, wie mein normales Leben aussieht. Schließlich ziehe ich vielleicht demnächst zu einem alten Medizinmann nach Indonesien – ist das etwa mein normales Leben? Mag sein. Wer weiß. Jedenfalls zeigen sich die Veränderungen erst später. Man wird vielleicht feststellen, dass lebenslange Obsessionen verschwunden oder unangenehme, unauflösbare Muster schließlich doch in Bewegung geraten sind. Geringfügige Irritationen, über die man sich früher extrem geärgert hat, sind fortan kein Problem mehr, während abgrundtiefe Qualen, die man einst gewohnheitsmäßig ertrug, jetzt nicht einmal mehr fünf Minuten lang toleriert werden. Vergiftete Beziehungen werden ausgelüftet oder abgewickelt, und angenehmere Menschen treten in unser Leben.

Gestern Abend konnte ich nicht einschlafen. Nicht aus Angst, sondern vor lauter Spannung und Vorfreude. Ich zog mich an, um einen Spaziergang durch die Gärten zu machen. Der Mond war rund und voll und leuchtete direkt über mir. Die Luft war von Jasminduft erfüllt und vom berauschenden Aroma jenes blühenden Strauchs, der hier wächst und nur in der Nacht seine Blüten öffnet. Der Tag war feucht und heiß gewesen, und Hitze und Feuchtigkeit hatten kaum nachgelassen. Die warme Luft strich um mich herum, und ich spürte: Ich bin in Indien!

Ich hab Sandalen an und bin in Indien!

Ich rannte los, galoppierte die Wiese hinunter, raste geradezu über das mondbeschienene Gras. Nach monatelangem Yoga, vegetarischem Essen und frühem Schlafengehen fühlte ich mich so lebendig und gesund. Im weichen, taunassen Gras machten meine Sandalen *schippa-schippa-schippa-schippa*, das war der einzige Laut im ganzen Tal. Ich war so sehr in Hochstimmung, dass ich direkt auf eine Gruppe von Eukalyptusbäumen in der Mitte des Parks zusteuerte (wo einst – heißt es – ein alter Tempel zu Ehren des Gottes Ganesh, des »Beseitigers von Hindernissen«, gestanden hat), und ich schlang die Arme um einen der Bäume, der noch warm war von der Hitze des Tages, schlang die Arme um ihn und küsste ihn leidenschaftlich. Ich meine, ich küsste diesen Baum wirklich aus ganzem Herzen und dachte keinen Moment daran, dass dies der schlimmste Albtraum aller amerikanischen Eltern ist, deren Kind je nach Indien gepilgert ist, um sich zu finden – dass der Sohn oder die Tochter nämlich irgendwann Baumorgien im Mondenschein feiert.

Aber die Liebe, die ich empfand, war rein. Göttlich. Ich sah mich um im dunklen Tal und entdeckte nichts, was nicht

Gott war. Ich war so unglaublich und absolut glücklich. Und dachte: Was immer es auch ist – es ist das, *worum* ich gebetet habe. Und auch der, *zu* dem ich gebetet habe.

<h1 style="text-align:center">69</h1>

Übrigens habe ich mein Wort gefunden.

Da ich ein Bücherwurm bin, entdeckte ich es natürlich in der Bibliothek. Seit jenem Nachmittag in Rom, als mein italienischer Freund Giulio mir erzählt hatte, dass Roms Wort *Sex* heiße, und mich gefragt hatte, welches das meine sei, hatte ich mir darüber Gedanken gemacht. Damals kannte ich die Antwort nicht, vermutete aber, dass mein Wort sich irgendwann zu erkennen geben würde.

Und so ist es mir nun in meiner letzten Ashram-Woche begegnet. Ich las gerade einen alten Yogatext, als ich auf eine Beschreibung spiritueller Sucher stieß. In diesem Kontext aber erschien ein ganz bestimmtes Sanskritwort: *antevasin*. Es bedeutet: »einer, der an der Grenze lebt«. Im Altertum war diese Beschreibung wortwörtlich gemeint. Sie besagte, dass ein Mensch das geschäftige Zentrum weltlichen Lebens verlassen hatte, um an den Rand des Waldes zu ziehen, wo die spirituellen Meister lebten. Der *antevasin* gehörte nicht mehr zu den Dörflern, den Hausbesitzern, die ein konventionelles Leben führten. Noch galt er schon als einer jener Weisen, die, voll verwirklicht, tief in den geheimnisvollen Wäldern lebten. Das Wort *antevasin* bezeichnete eine Zwischenexistenz. Einen Grenzlandbewohner. Als solcher lebte er in unmittelbarer Nähe beider Welten, blickte jedoch ins Unbekannte. Und er war ein Gelehrter.

Als ich die Beschreibung des *antevasin* las, spürte ich eine solche Erregung, dass ich einen leisen bellenden Laut von mir gab. Das ist mein Wort, *wow*! Heutzutage muss man dieses Bild eines mysteriösen Waldes natürlich metaphorisch verstehen, und die Grenze ebenfalls. Aber man kann immer noch da leben. Man kann – im fortwährenden Zustand des Lernens begriffen – immer noch auf dieser Linie zwischen altem Denken und neuer Einsicht leben. Im übertragenen Sinne ist es eine bewegliche Grenze; während man in seinen Studien und Erkenntnissen fortschreitet, bleibt einem dieser geheimnisvolle Wald stets einige Fuß voraus, so dass man mit leichtem Gepäck reisen muss, um ihm folgen zu können. Man muss mobil und geschmeidig bleiben. Ja, glatt sogar.

Als mein Freund, der Klempner/Dichter aus Neuseeland, den Ashram verließ, steckte er mir zwischen Tür und Angel noch ein bezauberndes kleines Abschiedsgedicht zu. Es lautete folgendermaßen:

Elizabeth, zwischen und zwaschen
Südseeträumen und italienischen Phrasen,
Elizabeth zwischen und zwaschen,
zuweilen schlüpfrig und glatt wie ein Fisch.

Wie viel Zeit ich doch in den letzten Jahren mit der Frage nach dem, was ich sein sollte, verbracht habe! Ehefrau? Mutter? Liebhaberin? Junggesellin? Italienerin? Vielfraß? Reisende? Künstlerin? Yogi? Aber nichts von alledem bin ich – oder wenigstens nicht ausschließlich. Und auch die verrückte Tante Liz bin ich nicht. Ich bin nur ein schlüpfriger *antevasin* – zwischen und zwaschen –, eine Lernende an der beweglichen Grenze unweit des wunderbaren und beängstigenden Waldes des Neuen.

70

In ihrem Kern, glaube ich, teilen alle Religionen der Welt den Wunsch, eine Metapher für die Entrückung zu finden. Beim Versuch, Gemeinschaft mit Gott zu erlangen, will man ja im Grunde nichts anderes, als sich aus dem Weltlichen ins Ewige zu begeben (aus dem Dorf in den Wald, könnte man sagen, um das Thema des *antevasin* fortzuspinnen), und man braucht eine große Idee, die einen dorthin befördert. Groß muss sie sein, diese Metapher – wirklich groß, erstaunlich und mächtig, weil sie uns über eine gewaltige Entfernung hinwegtragen muss. Das größtmögliche Dampfschiff, das unsere Fantasie sich ausmalen kann.

Häufig entwickeln sich religiöse Rituale aus mystischen Experimenten. Ein beherzter Kundschafter bricht auf und sucht nach einem neuen Weg zum Göttlichen, macht eine Transzendenzerfahrung und kehrt als Prophet in die Heimat zurück. Er oder sie bringt der Gemeinschaft Geschichten vom Himmel und Karten, die beschreiben, wie man dorthin gelangt. Andere wiederholen dann die Worte, Werke, Gebete oder Handlungen dieses Propheten, um ebenfalls »überzusetzen«. Manchmal hat die Sache Erfolg – manchmal kann die immerfort wiederholte vertraute Kombination von Silben und religiösen Praktiken Generationen von Menschen auf die andere Seite befördern. Manchmal aber funktioniert es auch nicht. Sogar die originellsten Ideen verfestigen sich irgendwann zu Dogmen oder funktionieren nicht mehr für alle.

Gern erzählt meine Meisterin die Geschichte von dem großen indischen Heiligen, um den sich in seinem Ashram stets treue Anhänger versammelten. Tag für Tag meditierten der Heilige und seine Jünger über viele Stunden. Nur ein Problem gab es: Der Heilige hatte ein Kätzchen, ein lästiges

Geschöpf, das gern miauend und schnurrend durch den Tempel spazierte und so alle beim Meditieren störte. Also befahl der Heilige, der gesunden Menschenverstand besaß, die Katze für ein paar Stunden am Tag, nur während der Meditation, draußen an einen Pfosten zu binden, damit sie niemanden ärgerte. Dies wurde zur Gewohnheit – man band die Katze an den Pfosten und meditierte. Die Jahre vergingen, und die Gewohnheit verfestigte sich zum religiösen Ritual. Schließlich konnte niemand mehr meditieren, wenn nicht die Katze am Pfosten festgebunden war. Dann aber starb eines Tages die Katze. Und eine panische Angst erfasste die Jünger des Heiligen. Es kam zu einer ernsthaften religiösen Krise: Wie sollte man nun – ohne eine an den Pfosten zu bindende Katze – meditieren? Wie sollte man zu Gott gelangen? In ihren Köpfen war die Katze zum Mittel der Entrückung geworden.

»Achtet darauf«, warnt meine Meisterin, »euch nicht zu sehr an die Wiederholung religiöser Rituale um ihrer selbst willen zu klammern. Das Festbinden der Katze am Pfosten hat noch keinem zur Transzendenz verholfen, sondern lediglich das fortwährende Verlangen des jeweiligen Suchers, die ewige Barmherzigkeit des Göttlichen zu erfahren. Flexibilität ist ebenso wesentlich für das Göttliche wie Disziplin.«

Haben wir das einmal akzeptiert, bleibt uns die Aufgabe, weiterhin nach jenen Metaphern, Ritualen und Lehrern zu suchen, die uns dem Göttlichen näher bringen. Den yogischen Schriften zufolge können wir darauf vertrauen, dass Gott die Gebete der Menschen erhört und ihre Bemühungen würdigt, egal, auf welche Weise die Sterblichen ihn auch verehren – immer vorausgesetzt, dass die Gebete und Bemühungen aufrichtig sind. In den Upanischaden heißt es hierzu: »Ihren Temperamenten entsprechend folgen die Menschen unterschiedlichen Pfaden, krummen oder geraden, je nachdem, was sie als das Angemessenste oder das Beste betrachten, und alle kommen zu dir, so wie die Ströme in den Ozean münden.«

Ein weiteres wichtiges Ziel der Religion ist natürlich der Versuch, unsere chaotische Welt zu begreifen und Erklärungen für die unerklärlichen Dinge zu finden, die sich tagtäglich auf Erden abspielen: Unschuldige leiden, Böse werden belohnt – was soll man von alledem halten? »Das alles«, heißt es in der westlichen Tradition, »wird nach dem Tod im Himmel und in der Hölle geklärt.« (Und geurteilt und Gerechtigkeit geübt wird dabei natürlich von einem, den James Joyce als »Henker-Gott« bezeichnete – einer väterlichen Gestalt, die auf ihrem Richterstuhl sitzt, die Bösen bestraft und die Guten belohnt.) Im Osten aber wird jeder Versuch, das Chaos der Welt zu begreifen, mit einem Achselzucken abgetan. In den Upanischaden etwa ist man sich des chaotischen Weltzustands nicht einmal völlig sicher, sondern deutet an, dass uns die Welt möglicherweise nur aufgrund unserer beschränkten Sicht so chaotisch erscheint. In diesen Texten wird niemandem Gerechtigkeit versprochen oder Rache angedroht, jedoch behauptet, dass jede Handlung ihre Folgen zeitige. Allerdings werden sich diese Konsequenzen möglicherweise nicht sofort zeigen. Yoga betrachtet die Dinge stets auf lange Sicht. Darüber hinaus deuten die Upanischaden an, dass das so genannte Chaos tatsächlich eine göttliche Funktion haben könnte, auch wenn man diese vielleicht nicht auf Anhieb erkennt, und so heißt es: »Die Götter lieben das Geheimnisvolle und verabscheuen das Offensichtliche.« Der Versuch, wenigstens innerlich das Gleichgewicht zu halten, ist folglich die beste Reaktion auf unsere unverständliche und gefährliche Welt – egal welcher Wahnsinn um uns herum tobt.

Sean, der irische Farmer, hat es mir so erklärt: »Stell dir

vor, das Universum wäre ein großes rotierendes Rad. Wahrscheinlich würdest du dich eher in der Mitte aufhalten wollen und nicht am Rand, wo es einen wild herumwirbelt und man buchstäblich durchdreht. Das ruhige Zentrum aber, das ist dein Herz. Gottes Wohnstätte in deinem Innern. Also hör auf, in der Welt nach Antworten zu suchen. Kehr einfach in diese Mitte zurück, dort wirst du dauerhaften Frieden finden.«

Nichts hat mir – spirituell gesprochen – jemals mehr eingeleuchtet als diese Vorstellung. Für mich funktioniert sie.

Ich habe eine Menge Freunde in New York, die nicht religiös sind. Entweder haben sie sich von den spirituellen Lehren ihrer Jugend abgewandt, oder aber sie sind ohne Gott aufgewachsen. Natürlich sind einige von ihnen angesichts meiner neuesten Bemühungen, Heiligkeit zu erlangen, einigermaßen von den Socken. Selbstverständlich werden Witze darüber gerissen. Mein Freund Bobby etwa stichelte einmal beim Versuch, meinen Computer zu reparieren: »Nichts gegen deine Aura, aber vom Runterladen von Software verstehst du immer noch rein gar nichts.« Ich weiche den Witzen aus wie ein Boxer den Schlägen des Gegners. Ich finde das alles ja auch lustig.

Bei einigen meiner Freunde stelle ich jedoch fest, dass sie – offenbar mit zunehmendem Alter – die Sehnsucht verspüren, an irgendetwas zu glauben. Allerdings reibt sich diese Sehnsucht an allen möglichen Hindernissen, unter anderem ihrem Intellekt beziehungsweise ihrem gesunden Menschenverstand. Wir erfahren in unserem Leben mitunter extremes Glück und unermessliches Leid, und gerade diese einschneidenden Erfahrungen bewirken, dass wir uns nach einem spirituellen Kontext sehnen, in dem wir unsere Klagen und unsere Dankbarkeit ausdrücken oder verstehen können. Das Problem dabei ist: Was soll man verehren, zu wem beten?

Ich habe einen lieben Freund, dessen erstes Kind direkt nach dem Tod der Mutter des Freundes geboren wurde. Nach diesem Zusammenfall von Wunder und Verlust verspürte mein Freund den Wunsch nach irgendeinem heiligen Ort, den er besuchen, oder einem Ritual, das er vollziehen konnte, um diese Gefühle zu klären. Von Haus aus war mein Freund Katholik, als Erwachsener aber war eine Rückkehr zur Kirche undenkbar für ihn geworden. (»Nach allem, was ich weiß«, sagte er, »kann ich's ihnen einfach nicht mehr abkaufen.«) Da er aus Boston kommt, wäre es ihm natürlich höchst peinlich, Hindu oder Buddhist oder sonst etwas »Durchgeknalltes« zu werden. Was aber sollte er tun? »Schließlich will man sich eine Religion nicht wie eine Rosine aus dem Kuchen picken …«

Eine Einstellung, die ich absolut respektiere – nur dass ich völlig anderer Meinung bin. Denn wenn es um unsere Seele und unseren Frieden in Gott geht, haben wir, finde ich, das Recht, wählerisch zu sein. Und wann immer wir Trost oder Entrückung brauchen, sind wir meiner Ansicht nach frei, nach jeder nur denkbaren Metapher zu suchen, die uns über die weltliche Schwelle hinweghebt. Das ist nichts, dessen man sich schämen müsste, sondern die Suche nach Heiligkeit, die die Geschichte der Menschheit begleitet. Hätte sich die Humanitas in ihrer Erforschung des Göttlichen niemals weiterentwickelt, würden viele von uns wohl noch heute – wie die alten Ägypter – goldene Katzenstatuen anbeten. Und diese Evolution des religiösen Denkens war und ist mit Rosinenpickerei verknüpft. Man nimmt alles, was funktioniert, wo immer man es findet, und strebt weiter in Richtung Licht.

Jede Religion der Welt, so glaubten die Hopi-Indianer, enthält einen spirituellen Faden, all diese Fäden aber suchen einander, um sich miteinander zu verbinden. Und wenn dann alle Fäden miteinander verdrillt sind, bilden sie ein Tau, das uns aus dieser finsteren Ära ins nächste Zeitalter zieht. Auf zeitgenössischere Weise hat der Dalai-Lama dieselbe Idee aufgegriffen und seinen westlichen Anhängern immer wieder versichert, dass sie keine tibetischen Buddhisten werden müssten, um seine Schüler zu sein. Er lädt sie ein, sich jede beliebige Idee aus dem tibetischen Buddhismus herauszupicken und in das eigene Glaubensgebäude zu integrieren. Auch in der Lehre der katholischen Kirche findet man den Gedanken, dass Gott größer sein könnte, als unsere religiösen Doktrinen es uns gelehrt haben. Im Jahr 1953 schickte ausgerechnet Papst Pius XII. Gesandte mit folgenden schriftlichen Anweisungen auf eine Libyenreise: »Glaubt nicht, dass ihr euch unter die Ungläubigen begebt. Auch die Muslime erlangen Erlösung. Denn die Wege der Vorsehung sind unendlich.«

Aber ist nicht ohnehin klar, dass das Unendliche tatsächlich … unendlich ist? Dass sogar der Heiligste unter uns immer nur Fragmente erkennen kann? Und dass sich, wenn wir diese Bruchstücke sammeln und vergleichen könnten, vielleicht allmählich eine Geschichte Gottes offenbaren würde, die jedem ähnelt und alle einschlösse? Und ist unsere persönliche Sehnsucht nach Transzendenz nicht nur ein Teil dieser größeren menschlichen Suche nach dem Göttlichen? Hat nicht jeder von uns das Recht, weiterzuforschen, bis er der Quelle des Wunders so nah wie nur möglich kommt? Auch wenn das hieße, für eine Weile nach Indien zu gehen und Bäume im Mondschein zu küssen?

71

Meine Maschine geht morgen früh um vier Uhr. In dieser Nacht, beschließe ich, werde ich gar nicht erst schlafen gehen, sondern den ganzen Abend in einer der Meditationshöhlen verbringen und beten. Ich bin zwar eigentlich keine Nachteule, aber ich will diese letzten Stunden im Ashram wach erleben. Es gibt viele Dinge in meinem Leben, derentwegen ich mir Nächte um die Ohren geschlagen habe – um Liebe zu machen, um zu streiten, um lange Strecken zurückzulegen, zu tanzen, zu weinen, zu grübeln (und manchmal sogar alles zusammen im Laufe einer einzigen Nacht) –, nie aber habe ich ausschließlich um des Gebets willen meinen Nachtschlaf geopfert. Warum also nicht heute zum ersten Mal?

Ich packe meinen Koffer und stelle ihn an der Tempelpforte ab, damit ich ihn, wenn das Taxi vor Tagesanbruch eintrifft, sofort griffbereit habe. Dann wandere ich den Hügel hinauf, betrete die Meditationshöhle und nehme meine Sitzhaltung ein. Obwohl ich allein bin, habe ich mich auf einen Platz gesetzt, von dem aus ich das große Foto Swamijis, des Gurus meiner Meisterin, des Ashram-Gründers, des längst dahingegangenen Löwen, sehen kann, der irgendwie noch immer an diesem Ort weilt. Ich schließe die Augen und lasse das Mantra kommen. Ich steige die Leiter hinab in mein eigenes Ruhezentrum. Dort angekommen, spüre ich, wie die Welt buchstäblich innehält – wie ich es mir immer gewünscht habe, als ich neun Jahre alt war und die Unbarmherzigkeit der Zeit mich mit panischer Angst erfüllte. Die Uhr in meinem Herzen bleibt stehen, die Kalenderblätter flattern nicht mehr zu Boden. Still und verwundert betrachte ich, was ich begreife. Ich bete nicht – ich bin Gebet geworden.

Die ganze Nacht kann ich hier sitzen.

Und tue es auch.

Ich weiß nicht, was mir signalisiert, dass es Zeit wird zu gehen, doch nach stundenlangem Sitzen stupst mich etwas an, und als ich auf die Uhr blicke, ist es Zeit aufzubrechen. Ich muss nach Indonesien fliegen. Wie eigenartig, wie seltsam. Also stehe ich auf und verbeuge mich vor dem Foto Swamijis – des Herrischen, Herrlichen, Hitzigen. Dann schiebe ich, direkt unter seinem Bild, einen Zettel unter den Teppich. Zwei Gedichte stehen darauf, die ich während der vier Monate verfasst habe. Es sind meine ersten wirklichen Gedichte. Der neuseeländische Klempner/Dichter hatte mich dazu ermutigt. Eines habe ich geschrieben, als ich erst einen Monat hier war, das andere heute Morgen.

Dazwischen aber fand ich Gnade – kiloweise.

72

Zwei Gedichte aus einem Ashram in Indien:

1

All das Gerede von Nektar und Wonne kotzt mich an.
Ich weiß nicht, wie's dir geht, mein Freund,
aber mein Weg zu Gott ist keine süße Weihrauchschwade.
Er ist 'ne Katze, ausgesetzt in einem Taubenschlag.
Ich bin die Katze – doch bin auch *sie*, die aufschreien,
wenn die Katze sie packt.

Ein Arbeiteraufstand ist mein Weg zu Gott.
Bevor sie sich nicht organisiert haben, gibt's keine Ruh.
Ihre Streikposten sind so furchterregend,
dass sich nicht mal die Nationalgarde in ihre Nähe wagt.

Ein kleiner brauner Mann, den ich nie sah,
hat – unbewusst – mir meinen Weg gebahnt.
Bis zu den Knien im Dreck, barfuß und ausgehungert,
Malaria im Blut, jagte er Gott durch Indien nach,
schlief in Türeingängen, unter Brücken,
der Heimat zugewandt.
Und jetzt verfolgt er mich, fragt: »Noch nicht begriffen,
Liz, was Heimat wirklich heißt? Und wo sie liegt?«

2

Jedoch.
Wenn sie mich Hosen tragen ließen
aus dem frisch gemähten Gras von hier,
ich tät's.

Wenn sie mich knutschen ließen
mit jedem Eukalyptusbaum in Ganeshs Hain,
ich schwör, ich würd es tun.

Tau habe ich geschwitzt in diesen Tagen,
auch noch den Bodensatz herausgeholt,
das Kinn an Baumrinden gerieben,
die ich hielt für das Bein meines Herrn.

Ich komm nicht tief genug.

Wenn sie mich die Erde hier essen ließen,
serviert auf einem Vogelnesterbett,
nur halb würd ich den Teller leeren
und auf den Resten schlafen durch die Nacht.

DRITTES BUCH

INDONESIEN

oder
»Sogar in meiner Unterhose fühl ich mich anders«
oder
*Sechsunddreißig Geschichten über das Streben
nach Harmonie*

73

Nie im Leben bin ich planloser irgendwo angekommen als auf Bali. Ich weiß nicht, wo ich demnächst wohne, habe keine Ahnung, was ich tun werde, keinen Schimmer, wie der aktuelle Umtauschkurs ist oder wie man am Flughafen ein Taxi findet – oder auch nur, wohin mich dieses Taxi bringen sollte. Niemand erwartet mich. Ich habe keine Freunde in Indonesien, ja nicht einmal Freunde von Freunden. Hinzu kommt, dass mein Reiseführer hoffnungslos veraltet ist und ich ihn noch nicht einmal gelesen habe: Mir war nicht klar, dass ich gar keine vier Monate in Indonesien bleiben kann, selbst wenn ich es wollte. Das erfahre ich erst bei meiner Einreise. Wie sich herausstellt, gesteht man mir nur ein einmonatiges Touristenvisum zu. Dass die indonesische Regierung möglicherweise nicht entzückt sein würde, mich so lange, wie es mir beliebt, in ihrem Land aufzunehmen, war mir gar nicht in den Sinn gekommen.

Als mir der nette Beamte von der Einreisebehörde die Aufenthaltserlaubnis für exakt dreißig Tage in den Pass stempelt, frage ich ihn mit meiner freundlichsten Stimme, ob ich denn nicht bitte länger bleiben dürfe.

»Nein«, erwidert er in seinem ebenfalls freundlichsten Tonfall. Die Balinesen sind berühmt für ihre Freundlichkeit.

»Ich soll drei bis vier Monate hier bleiben«, erkläre ich ihm.

Dass es sich dabei um eine Prophezeiung handelt, dass mir mein Aufenthalt vor zwei Jahren von einem älteren und vielleicht verrückten balinesischen Medizinmann vorausgesagt wurde, erwähne ich nicht. Ich weiß nicht so recht, wie ich ihm das erklären soll.

Aber was hat mir dieser Medizinmann eigentlich erzählt? Hat er wirklich gesagt, dass ich nach Bali zurückkehren würde, um drei, vier Monate bei ihm zu leben? Hat er tatsächlich davon gesprochen, dass ich »bei ihm leben« solle? Oder wollte er nur, dass ich irgendwann, wenn ich mal wieder in der Gegend wäre, bei ihm vorbeischaue und ihm noch mal zehn Dollar dafür gebe, dass er ein zweites Mal meine Hand liest? Hat er gesagt, dass ich wiederkommen *würde* oder dass ich wiederkommen *soll*? Hat er wirklich gesagt: »*See you later, alligator*«? Oder war es: »*In a while, crocodile*«?

Seit jenem Abend hatte ich keinen Kontakt mehr mit dem Medizinmann. Hätte ja gar nicht gewusst, wie ich mich mit ihm in Verbindung setzen soll. Wie wohl seine Adresse lautete? Medizinmann, Auf seiner Veranda, Bali, Indonesien? Ich weiß nicht, ob er tot ist oder noch lebt. Ich erinnere mich, dass er bei unserer Begegnung vor zwei Jahren schon ungeheuer alt aussah; alles Mögliche kann ihm seither zugestoßen sein. Mit Sicherheit weiß ich nur seinen Namen – Ketut Liyer – und dass er in einem Dorf in der Nähe der Stadt Ubud wohnt. An den Namen des Dorfes allerdings erinnere ich mich nicht.

Vielleicht hätte ich mir das alles doch gründlicher überlegen sollen.

74

Aber Bali ist ein Ort, an dem man sich ziemlich leicht zurechtfindet. Schließlich bin ich nicht mitten im Sudan gelandet. Bali ist etwa so groß wie Delaware und ein beliebtes Urlaubsziel. Die ganze Insel ist darauf eingestellt, unsereinem – dem Westler mit den Kreditkarten – beim mühelosen Herumkommen zu helfen. Allerorten wird munter Englisch gesprochen. (Ich fühle mich daher gleichzeitig erleichtert und ein bisschen schuldig. Meine Bemühungen, Italienisch und Sanskrit zu lernen, haben meine Hirnsynapsen in den letzten Monaten derartig strapaziert, dass ich kaum noch imstande wäre, Indonesisch oder gar Balinesisch zu lernen, eine Sprache, fremdartiger und komplizierter als Marsianisch.) Der Aufenthalt hier ist also wirklich unproblematisch. Man kann am Flughafen sein Geld umtauschen und ein Taxi mit einem netten Fahrer finden, der einem ein hübsches Hotel vorschlägt. Und seit die Tourismusindustrie infolge des Terroranschlags (der sich wenige Wochen nach meinem ersten Bali-Besuch ereignete) vor zwei Jahren zusammengebrochen ist, kommt man noch viel leichter zurecht; alle sind ganz versessen darauf, einem zu helfen.

Also nehme ich ein Taxi in die Stadt Ubud, die mir ein günstiger Ausgangsort für meine Reise zu sein scheint. Dort checke ich an der sagenhaften »Monkey Forest Road« in ein kleines, hübsches Hotel ein. Das Hotel hat einen niedlichen Pool und einen Garten voller tropischer Blumen mit Blüten größer als Volleybälle (um die sich ein straff organisiertes Team von Kolibris und Schmetterlingen kümmert). Die Angestellten sind Balinesen, so dass man, wenn man das Hotel betritt, sofort bewundert und mit Komplimenten überschüttet wird. Vom Zimmer aus blickt man auf die Wipfel tropischer Bäume, und das Frühstück, zu dem es jeden Morgen Berge frischer Früchte gibt, ist inklusive. Kurzum, das Hotel ist eines der nettesten, in denen ich je gewohnt habe, und kostet mich nicht mal zehn Dollar am Tag. Es ist schön, wieder hier zu sein.

Umgeben von terrassierten Reisfeldern und unzähligen

Hindutempeln liegt Ubud im Innern von Bali, wo Flüsse durch tiefe Dschungelschluchten rauschen und Vulkane am Horizont aufragen. Lange hat man den Ort als kulturelles Zentrum der Insel betrachtet, da hier traditionelle balinesische Malerei, Holzschnitzerei, Tanz und religiöse Zeremonien beheimatet sind. Da es keine Strände in der Nähe gibt, sind die Touristen, die nach Ubud kommen, eine recht exklusive Truppe; sie sehen sich lieber eine uralte Tempelzeremonie an, als am Strand Piña Colada zu schlürfen. Egal, was aus der Prophezeiung meines Medizinmanns wird, dies könnte ein Ort sein, an dem es sich für eine Weile gut leben lässt. Das Städtchen ist eine asiatische Miniversion von Santa Fe, nur dass hier Affen herumlaufen und man überall balinesische Familien in Nationaltracht erblickt. Es gibt gute Restaurants und hübsche kleine Buchläden. Ich könnte hier meine gesamte Zeit mit Dingen verbringen, mit denen sich nette geschiedene amerikanische Ladys seit Erfindung der YMCA die Zeit vertreiben – mich für einen Kurs nach dem anderen einschreiben: Batik, Trommeln, Schmuckherstellung, Töpfern, traditioneller indonesischer Tanz oder Kochen … Direkt gegenüber dem Hotel entdecke ich sogar einen *Meditation Shop* – ein kleines Schaufenster mit einem Schild, auf dem für die Zeit zwischen sechs und sieben Uhr allabendliche Meditationssitzungen angekündigt werden. Möge Friede herrschen auf Erden, heißt es auf dem Schild. Ich bin absolut dafür.

Als ich meine Taschen auspacke, ist immer noch früher Nachmittag, so dass ich beschließe, einen kleinen Spaziergang zu machen, mich neu zu orientieren in dieser Stadt, in der ich seit zwei Jahren nicht mehr gewesen bin. Und danach werde ich mir überlegen, wie ich meinen Medizinmann ausfindig mache. Ich rechne mit Schwierigkeiten, befürchte, dass es Tage oder sogar Wochen in Anspruch nehmen könnte. Da ich nicht weiß, wo ich mit meiner Suche beginnen soll, bleibe ich auf dem Weg nach draußen an der Rezeption stehen und frage Mario, ob er mir helfen kann.

Mario ist einer der Jungen, die hier arbeiten. Hauptsächlich wegen seines Namens habe ich mich schon beim Einchecken mit ihm angefreundet. Denn vor nicht allzu langer Zeit bereiste ich ein Land, in dem zwar viele Männer diesen Namen tragen, aber nicht einer von ihnen ein kleiner, muskulöser, energischer Balinese war und einen Seidensarong oder eine Blume hinterm Ohr trug. Also musste ich ihn fragen: »Heißt du denn wirklich Mario? Besonders indonesisch klingt das ja nicht.«

»Nicht meine richtige Name«, sagte er. »Meine richtige Name Nyoman.«

Ich hätte es mir denken können. Hätte wissen müssen, dass ich eine fünfundzwanzigprozentige Chance gehabt hätte, Marios wirklichen Namen zu erraten. Auf Bali, falls ich kurz abschweifen darf, gibt es vier Namen, die der überwiegende Teil der Bevölkerung seinem Nachwuchs verpasst, egal ob Junge oder Mädchen: Wayan, Made, Nyoman und Ketut. Übersetzt heißen sie so schlicht wie einfach: Erste/r, Zweite/r, Dritte/r, Vierte/r, und bezeichnen die Reihenfolge der Geburt. Beim fünften Kind beginnt die Zählung von vorn, so dass das fünfte Kind tatsächlich einen Namen wie »Wayan die zweite Macht« trägt. Und so weiter. Hat man Zwillinge, benennt man auch sie nach der Reihenfolge der Entbindung. Weil es im Grunde nur vier Namen gibt (die höherkastigen Eliten haben ihr eigenes Namensrepertoire), ist es durchaus möglich (und kommt tatsächlich recht häufig vor), dass zwei Wayans heiraten. Selbstverständlich heißt dann auch ihr erstgeborenes Kind wieder Wayan.

Das System der Namensgebung vermittelt vielleicht eine annähernde Vorstellung davon, wie wichtig die Familie auf

Bali ist, und damit verbunden auch die eigene Position innerhalb der Familie. Man könnte meinen, dass dieses System kompliziert wäre, aber irgendwie kommen die Balinesen damit klar. Verständlicherweise sind Spitznamen sehr populär. Eine der erfolgreichsten Geschäftsfrauen in Ubud etwa ist eine gewisse Wayan, die ein gut besuchtes Restaurant namens *Café Wayan* führt und deswegen als »Wayan Café« bekannt ist – was so viel bedeutet wie: »Die Wayan, der das Café Wayan gehört«. Andere Leute kennt man vielleicht als »den dicken Made« oder als »Nyoman-Rental-Car« oder »den-blöden-Ketut-der-das-Haus-seines-Onkels-abgefackelt-hat«. Mein neuer balinesischer Freund umging das Problem, indem er sich einfach Mario nannte.

»Und warum Mario?«

»Weil ich liebe alles, was italienisch ist«, sagte er.

Als ich ihm erzählte, dass ich kürzlich vier Monate in Italien war, fand er das so fantastisch und verblüffend, dass er hinter seinem Schalter hervorkam und sagte: »Komm, sitz, erzähl.« Ich kam, ich setzte mich und wir unterhielten uns. Und wurden dabei Freunde.

Folglich beschließe ich an diesem Nachmittag, die Suche nach meinem Medizinmann zu beginnen, indem ich meinen neuen Freund Mario frage, ob er zufällig einen Mann namens Ketut Liyer kennt.

Mario runzelt nachdenklich die Stirn.

Ich höre ihn schon sagen: »Oh ja! Ketut Liyer! Alte Medizinmann, letzte Woche gestorben – sehr traurig, wenn ehrwürdige alte Medizinmann stirbt …«

Mario bittet mich, den Namen zu wiederholen, und diesmal schreibe ich ihn auf, da ich fürchte, ihn falsch auszusprechen. Und tatsächlich, Mario erkennt den Namen wieder. Er strahlt. »Ketut Liyer!«

Jetzt höre ich ihn schon antworten: »Ah, ja! Ketut Liyer!

Sehr krank in Kopf! Letzte Woche wegen Randalieren verhaftet ...«

Stattdessen aber sagt er: »Ketut Liyer ist berühmte Heiler.«

»Ja! Das ist er!«

»Ich ihn kenne. Ich gehe in sein Haus. Letzte Woche ich bringe meine Cousine, braucht Kur für Baby, weint ganze Nacht. Ketut Liyer bringt in Ordnung. Einmal ich amerikanische Mädchen wie du in Ketut Liyer Haus gebracht. Mädchen will Zauber, will schön sein für Männer. Ketut Liyer macht Zauberbild, hilft ihr, schön werden. Danach ich necke sie. Jeden Tag ich sage zu ihr: ›Bild funktioniert! Guck, wie du bist schön! Bild funktioniert!‹«

Ich erinnere mich an das Bild, das Ketut Liyer mir vor zwei Jahren gezeichnet hat, und erzähle Mario, dass auch ich mal ein Zauberbild vom Medizinmann bekommen hätte.

Mario lacht. »Bild funktioniert für dich auch!«

»Mein Bild sollte mir dabei helfen, Gott zu finden«, erkläre ich ihm.

»Du willst nicht schön sein für Männer?«, fragt er, verständlicherweise irritiert.

»Hey, Mario«, sage ich, »meinst du, du könntest mich einmal mitnehmen zu Ketut Liyer? Wenn du mal nicht so beschäftigt bist?«

»Momentan nicht«, meint er. Doch als mich gerade die Enttäuschung überkommt, fügt er schnell hinzu: »Aber vielleicht in fünf Minuten!«

75

Und so kommt es, dass ich – schon am Nachmittag meines
ersten Tages auf Bali – auf dem Rücksitz eines Motorrads sitze und meinen neuen Freund, den »Italo-Indonesier« Mario,
umklammere, der mit mir an Reisterrassen vorbei zu Ketut
Liyer braust. Obwohl ich in den letzten beiden Jahren sehr
oft über die Wiederbegegnung mit dem Medizinmann nachgedacht habe, habe ich wirklich keine Ahnung, was ich bei
der Ankunft zu ihm sagen werde. Und natürlich haben wir
auch keinen Termin. Kreuzen also unangekündigt vor seiner
Haustür auf.

Ich erkenne es wieder, das kleine Schild, auf dem zu lesen
steht: »Ketut Liyer – Maler«. Es ist ein typisches balinesisches Familienanwesen. Um einen zentralen Hof herum sind
verschiedene kleine, miteinander verbundene Häuser gebaut,
unter deren Dächern jeweils mehrere Generationen zusammenleben. Eine hohe Steinmauer umgibt das gesamte
Grundstück, im hinteren Teil des Areals befindet sich ein
Tempel. Ohne anzuklopfen (die Eingänge eines solchen An-
wesens haben weder Tür noch Tor) und begleitet von der
lautstarken Entrüstung einiger ausgehungerter balinesischer
Wachhunde, betreten wir den Hof, und da sitzt Ketut Liyer,
der alte Medizinmann, in seinem Sarong und seinem Golf-
hemd, und sieht noch genauso aus wie vor zwei Jahren, als
wir uns kennen lernten. Mario sagt etwas zu Ketut, es klingt
wie: »Hier ist eine Amerikanerin – schnapp sie dir.«

Ketut wendet mir sein wohlwollendes, fast zahnloses Lächeln zu, und das hat etwas ungeheuer Beruhigendes – denn ich
habe mich nicht getäuscht, er ist wirklich außergewöhnlich.
Sein Gesicht ist eine aufgeschlagene Enzyklopädie der Güte.
Aufgeregt und mit festem Griff schüttelt er mir die Hand.

»Ich sehr glücklich, Sie kennen zu lernen«, sagt er.

Er hat keine Ahnung, wer ich bin.

»Komm, komm«, sagt er, und man führt mich zur Veranda seines kleinen Häuschens, wo geflochtene Bambusmatten als Sitzmöbel dienen. Wir nehmen Platz. Ohne zu zögern, greift er nach meiner Hand – in der Annahme, dass ich, wie die meisten seiner westlichen Besucher, deswegen gekommen bin. Rasch liest er mir aus der Hand, und zwar eine Kurzversion dessen, was er mir – wie ich beruhigt registriere – schon das letzte Mal erzählt hat. An mein Gesicht mag er sich nicht erinnern, mein Schicksal aber bietet sich (seinem geübten Blick) unverändert dar. Sein Englisch ist besser, als ich es in Erinnerung habe, und auch besser als Marios Englisch. Ketut spricht wie die weisen alten Chinesen in den klassischen *Kung-Fu*-Filmen eine Form des Englischen, die man auch als »grashüpferisch« bezeichnen könnte, weil man in jeden beliebigen Satz das Kosewort »Grashüpfer« einfügen könnte. »Ah – du hast großes Glück, *Grashüpfer* …«

Ich warte, dass er in seinen Voraussagen innehält, und unterbreche ihn dann, um ihn zu erinnern, dass ich vor zwei Jahren schon einmal bei ihm war.

Er wirkt verblüfft. »Nicht erste Mal in Bali?«

»*No, Sir.*«

Er denkt angestrengt nach. »Du Mädchen aus Kalifornien?«

»Nein«, erwidere ich, und meine Stimmung purzelt weiter. »Ich bin das Mädchen aus New York.«

Ketut sagt (und ich weiß nicht so recht, was das mit unserem Treffen vor zwei Jahren zu tun hat): »Ich nicht mehr so attraktiv, viele Zähne verloren. Vielleicht ich gehe mal Zahnarzt und lass neue Zähne machen. Aber zu viel Angst vor Zahnarzt.«

Er öffnet seinen abgeholzten Mund. Tatsächlich fehlen auf der linken Seite die meisten Zähne, und auf der rechten hat er nur gelbe Stummel, die aussehen, als würden sie schmerzen. Er sei gestürzt, erzählt er mir. Dabei habe er sich die Zähne ausgeschlagen.

Es tue mir Leid, das zu hören, sage ich und probiere es dann noch einmal, langsamer sprechend: »Ich glaube nicht, dass Sie sich an mich erinnern, Ketut. Vor zwei Jahren war ich mit einer amerikanischen Yogalehrerin hier, einer Frau, die schon seit vielen Jahren auf Bali lebt.«

Er lächelt freudig. »Ann Barros!«

»Genau. So heißt die Yogalehrerin. Aber ich bin Liz. Ich habe Sie damals um Hilfe gebeten, weil ich Gott näher kommen wollte. Und Sie haben mir ein Zauberbild gezeichnet.«

Liebenswürdig zuckt er die Achseln, es ist ihm völlig gleichgültig. »Weiß nicht«, sagt er.

Das ist so schlimm für mich, dass es schon fast wieder komisch ist. Was mache ich jetzt auf Bali? Ich weiß nicht so recht, wie ich mir das Wiedersehen mit Ketut vorgestellt hatte, aber irgendwie hatte ich wohl auf eine Art superkarmische tränenreiche Wiederbegegnung gehofft. Und während ich tatsächlich befürchtet hatte, er könnte tot sein, war es mir nie in den Sinn gekommen, dass er sich – wenn er noch lebte – möglicherweise gar nicht an mich erinnern würde. Jetzt erscheint es mir als Gipfel der Dummheit, dass ich mir je einbilden konnte, unser erstes Treffen sei für ihn genauso unvergesslich gewesen wie für mich. Vielleicht hätte ich meine Reise nach Bali wirklich besser planen sollen.

Also beschreibe ich ihm nun das Bild, das er für mich gemalt hat, die Figur mit den vier Beinen (»so fest auf dem Boden stehend«) und dem fehlenden Kopf (»die Welt nicht mit dem Intellekt betrachten«) und das Gesicht auf dem Herzen (»die Welt mit dem Herzen sehen«), und er lauscht mir höflich, mit mäßigem Interesse, als wäre von jemand völlig anderem die Rede.

»Hm«, sagt er. Eine seiner Enkelinnen überquert den Hof, und er grinst und winkt ihr zu. Ich verliere ihn.

Ich hasse, was ich jetzt tue, weil ich ihn eigentlich nicht festnageln will, aber es muss gesagt werden, also konfrontiere ich ihn damit. »Sie haben mich aufgefordert, nach Bali zurückzukommen«, sage ich. »Sie schlugen vor, ich solle drei, vier Monate bleiben. Sie haben gesagt, ich könnte Ihnen helfen, Ihr Englisch zu verbessern, und Sie würden mir alles beibringen, was Sie wissen.« Meine Stimme – die nun doch ein bisschen verzweifelt klingt – gefällt mir nicht. Die Einladung, bei seiner Familie zu leben, die er einst in den Raum gestellt hatte, erwähne ich lieber nicht. Angesichts der gegebenen Umstände scheint das ja völlig abwegig zu sein.

Er hört mir höflich zu, lächelt und schüttelt den Kopf, als wolle er sagen: *Schon seltsam, was die Leute alles erzählen!*

Und da gebe ich dann fast auf. Aber ich bin so weit gereist, einen letzten Versuch muss ich noch wagen. »Ich bin die Schriftstellerin, Ketut«, sage ich, »ich bin die Schriftstellerin aus New York.«

Und aus irgendeinem Grund funktioniert das. Plötzlich wird sein Gesicht klar und durchsichtig vor Freude, wird hell und rein und transparent. Ein Feuerwerk des Wiedererkennens explodiert in ihm. »*Du!*«, sagt er. »*Du!* Ich erinnere!« Er beugt sich nach vorn, packt mich mit beiden Händen an den Schultern und beginnt glücklich, mich zu schütteln, wie ein Kind ein noch eingewickeltes Weihnachtsgeschenk schüttelt, um zu erraten, was sich in der Verpackung befindet. »Du zurückgekommen! *Du zurück!*«

»Ich bin wiedergekommen! Ich bin wieder da!«, sage ich.

»Du, du, du!«

»Ich, ich, ich!«

Mir stehen Tränen in den Augen, aber ich will sie nicht zeigen. Meine enorme Erleichterung ist schwer zu erklären. Sie überrascht sogar mich. Es ist, als hätte ich einen Unfall gehabt, als wäre mein Auto über eine Brücke geschossen und bis auf den Grund des Flusses gesunken, als wäre es mir irgendwie gelungen, mich aus dem Fahrzeug zu retten, indem ich durch ein offenes Fenster hinausgeschwommen wäre, gestrampelt und gekämpft hätte, um durch das kalte grüne Wasser nach oben zu gelangen – bis ich fast keinen Sauerstoff mehr hatte und mir die Halsarterien zu bersten drohten und meine Backen vom letzten Atemzug aufgeblasen waren, und dann bin ich an die Wasseroberfläche gestoßen und habe tief durchgeatmet. Und überlebt. So fühlt es sich für mich an, als ich den indonesischen Medizinmann sagen höre: »Du bist zurückgekommen!« Genauso groß, so tränenreich, so lebensnotwendig ist meine Erleichterung.

Ich kann nicht fassen, dass es funktioniert hat.

»Ja, ich bin wieder da«, sage ich. »Natürlich.«

»Ich so glücklich!«, sagt er. Wir halten uns an den Händen, und er ist jetzt völlig aus dem Häuschen. »Ich zuerst nicht erinnere! Vor so lange Zeit wir haben getroffen! Du siehst anders! Ganz anders wie vor zwei Jahre! Vor zwei Jahre du sehr traurig. Jetzt – so glücklich! Wie andere Mensch!«

Die Vorstellung, dass sich ein Mensch in nur zwei Jahren so verändert haben kann, scheint ihn zum Lachen zu bringen.

Ich gebe es auf, meine Tränen zurückzuhalten, und lasse sie fließen. »Ja, Ketut. Ich war sehr traurig. Aber jetzt geht es mir besser.«

»Letzte Mal du in Scheidung. Nicht gut.«

»Nicht gut«, bestätige ich.

»Letzte Mal du viele Sorge, viel Schmerz. Letzte Mal, du siehst aus traurige alte Frau. Gar nicht hübsch. Letzte Mal du war sehr hässlich! Jetzt du wie junge Mädchen. Sehr hübsch!«

Mario applaudiert begeistert und verkündet triumphierend: »Siehst du? Bild funktioniert!«

Ich sage: »Möchtest du immer noch, dass ich dir helfe, dein Englisch zu verbessern, Ketut?«

Ich könne sofort damit anfangen, meint er und springt flink wie ein Kobold auf die Füße. Er eilt in sein Häuschen und kehrt mit einem Stapel von Briefen zurück, die er in den letzten Jahren aus dem Ausland bekommen hat (er hat also eine Adresse!). Er bittet mich, ihm die Briefe laut vorzulesen; er versteht zwar gut Englisch, lesen aber kann er es nicht. Und schon bin ich seine Sekretärin. Die Sekretärin eines Medizinmanns. Es ist schon unglaublich. Die Briefe stammen von Kunstsammlern aus aller Welt, von Leuten, denen es irgendwie gelungen ist, einige seiner berühmten Zauberskizzen und -bilder zu ergattern. Einer der Briefe stammt von einem Sammler aus Australien, der Ketuts künstlerische Fähigkeiten preist und schreibt: »Wie ist es Ihnen nur möglich, so detailgetreu zu malen?« Und an mich gewandt, als diktiere er, antwortet Ketut: »Weil ich viele, viele Jahre übe.«

Als wir mit den Briefen fertig sind, erzählt er mir die Neuigkeiten der letzten Jahre. Zum Beispiel ist er jetzt wieder verheiratet. Er deutet über den Hof auf eine stattliche Frau, die im Dunkel der Küchentür steht und mich anfunkelt, als wisse sie noch nicht so recht, ob sie mich sofort erschießen oder doch lieber erst vergiften und dann erschießen soll. Bei meinem letzten Besuch hatte mir Ketut Fotos seiner Frau gezeigt, die kurz zuvor gestorben war – eine schöne alte Balinesin, die auch im Alter noch heiter und kindlich wirkte. Über den Hof winke ich der neuen Ehefrau zu, die sofort in ihre Küche verschwindet.

»Gute Frau«, erklärt Ketut in Richtung Küche. »Sehr gute Frau.«

Dann berichtet er, dass seine balinesischen Patienten ihn sehr auf Trab gehalten hätten, er habe immer viel zu tun gehabt, »viel Zauber für neue Babys, Zeremonie für Tote, Heilung für Kranke, Zeremonie für Hochzeit«. Wenn er das nächste Mal auf eine balinesische Hochzeit gehe, erzählt er, »wir gehen zusammen! Ich dich mitnehmen!«. Das einzig Dumme sei nur, dass ihn nicht mehr so viele Westler besuchten. Seit den Anschlägen komme niemand mehr nach Bali. Was zur Folge habe, dass er sich »sehr beunruhigend in Kopf« fühle. Und auch »sehr leer auf die Bank«. Er sagt: »Kommst du jetzt jede Tag zu meine Haus für Englisch üben?« Ich nicke glücklich. »Ich zeige dir balinesische Meditation, okay?«

»Okay«, erwidere ich.

»Ich glaube, drei Monate genug für dich, zu lernen balinesische Meditation und Gott finden«, meint er. »Oder vielleicht vier Monate. Bali gefällt dir?«

»Ich liebe Bali.«

»Du schon verheiratet in Bali?«

»Noch nicht.«

»Vielleicht bald – ich glaube. Du kommst morgen wieder?«

Ich verspreche es ihm. Da er über meinen Einzug in sein Haus kein Wort verliert, erwähne auch ich nichts mehr davon, sondern werfe nur einen letzten verstohlenen Blick auf die furchterregende Ehefrau in der Küche. Vielleicht bleibe ich doch lieber in meinem hübschen Hotel. Bequemer ist es dort allemal. Schon allein wegen der sanitären Einrichtungen. Allerdings werde ich ein Fahrrad brauchen, um ihn jeden Tag zu besuchen …

Aber jetzt ist es Zeit zu gehen.

»Ich sehr froh, dich kennen zu lernen«, sagt er und schüttelt mir die Hand.

Ich erteile ihm meine erste Englischlektion. Ich lehre ihn den Unterschied zwischen »War schön, dich kennen zu lernen« und »War schön, dich zu sehen«. Ich erkläre ihm, dass wir »War schön, dich kennen zu lernen« nur bei der ersten Begegnung sagen und danach immer nur noch »War schön, dich zu sehen«. Weil man jemanden nur einmal kennen lernt. Jetzt aber werden wir uns ständig wiedersehen, Tag für Tag.

Das gefällt ihm. Er dreht eine Übungsrunde: »War schön, dich zu sehen! Ich bin froh, dich zu sehen! Ich kann dich sehen! Ich bin nicht taub!«

Er bringt uns alle zum Lachen, sogar Mario. Wir schütteln uns die Hand und einigen uns, dass ich am Nachmittag des folgenden Tages wieder vorbeischaue. Er verabschiedet sich mit: »*See you later, alligator.*«

»*In a while, crocodile*«, erwidere ich.

»Lass dich von deine Gewissen leiten. Wenn du hast westliche Freunde hier in Bali, schick zu mir für Handlesen – ich bin jetzt, nach Bomben, ganz leer in meine Bank. Ich bin Autodidakt. Ich sehr froh, dich zu sehen, Liss!«

»Ich auch, Ketut.«

76

Inmitten des indonesischen Archipels mit seiner mehrheitlich muslimischen Bevölkerung ist Bali eine winzige Hindu-Insel. Den Hinduismus brachten im vierten Jahrhundert nach Christus indische Kaufleute zunächst nach Java. Javanische Könige begründeten eine mächtige Hindu-Dynastie, von deren Kultur heute, sieht man von den beeindruckenden Tempelruinen in Borubador einmal ab, nur noch wenig zeugt. Im sechzehnten Jahrhundert rissen muslimische Aufständische die Macht an sich, und das hinduistische Königshaus floh nach Bali, begleitet von den Angehörigen der Oberschicht, den Künstlern und Priestern – so dass die Behauptung, jeder auf Bali sei Abkömmling eines Königs, Priesters oder Künstlers und dass die Balinesen deswegen ein so stolzes Volk seien, keine maßlose Übertreibung ist.

Die javanischen Kolonialherren führten ihr Hindu-Kastensystem auf Bali ein, wenngleich die Kasteneinteilung hier nie so konsequent durchgesetzt wurde wie einstmals in Indien. Dennoch ist die Hierarchie der balinesischen Gesellschaft äußerst komplex, und vermutlich gelänge es mir eher, das menschliche Genom zu entschlüsseln, als das komplizierte Clansystem zu durchschauen, das hier noch immer gedeiht. (Fred B. Eisemen untersuchte diese Feinheiten in seinen hervorragenden Essays noch viel detaillierter und fachkundiger, und seinen Forschungsarbeiten entnehme ich den größten Teil meiner allgemeinen Informationen, nicht nur an dieser Stelle.) Für unsere Zwecke aber mag es genügen zu wissen, dass jeder auf Bali einem Clan angehört und jeder sich sowohl seiner eigenen Clanzugehörigkeit als auch der seiner Mitmenschen stets bewusst ist. Falls man aber aufgrund eines schwerwiegenden Akts von Ungehorsam aus seinem Clan fliegt, kann man sich im Grunde gleich in einen Vulkankrater stürzen, denn man ist so gut wie gestorben.

Die balinesische Kultur ist eines der methodischsten Systeme gesellschaftlicher und religiöser Organisation auf Erden, eine großartige Ameisenkolonie. Die Balinesen »stecken buchstäblich fest«, sind vollständig eingebunden in ein Netz aus Regeln und Gebräuchen, das sie in keinem Augenblick ihres Lebens zweifeln lässt, wer sie sind und was sie zu tun haben. Entstanden ist dieses Netzwerk durch eine Kombination verschiedener Faktoren, grundsätzlich aber kann man sagen, dass die balinesische Gesellschaft das Resultat dessen ist, was sich entwickelt, wenn man die verschwenderischen Rituale des traditionellen Hinduismus einer überwiegend Reis anbauenden Agrargesellschaft überstülpt, die nur auf der Basis gut organisierter dörflicher Zusammenarbeit funktionieren kann. Reisterrassen erfordern, will man hohe Erträge erzielen, gemeinsame Arbeit, Pflege und Maschinennutzung, so dass jedes balinesische Dorf einen *banjar*, eine Bürgervereinigung, besitzt, die in den politischen und ökonomischen, religiösen und agrarischen Angelegenheiten entscheidet. Das Kollektiv ist auf Bali wichtiger als das Individuum, einfach deshalb, weil sonst keiner zu essen hätte.

Religiöse Rituale sind von höchster Bedeutung auf Bali (einer Insel mit – nicht zu vergessen – sieben tätigen Vulkanen; *da würden auch Sie beten!*). Selbstverständlich sind solche Rituale auch für Hindus in Indien bedeutsam, doch für die Balinesen sind die Zeremonien unumgänglich und endlos. Man schätzt, dass die Durchschnittsbalinesin ein Drittel ihrer wachen Zeit entweder mit der Vorbereitung auf eine Zeremonie, mit der Teilnahme daran oder dem Aufräumen danach zubringt. Das Leben ist eine beständige Abfolge von Opfern und Ritualen, die alle in der richtigen Reihenfolge und in der rechten Absicht zu vollziehen sind, da andernfalls das gesamte Universum aus dem Gleichgewicht geraten würde. Margaret Mead schrieb über »die unglaubliche Emsigkeit« der Balinesen, und es stimmt: In einem balinesischen Haushalt wird man kaum einen Augenblick der Muße erleben. Es gibt hier Zeremonien, die fünfmal am Tag, und andere, die einmal pro Tag, einmal pro Woche, einmal im Jahr, einmal alle zehn, alle hundert Jahre oder alle tausend Jahre durchgeführt werden müssen. All diese Daten und Rituale werden überwacht von Priestern und heiligen Männern, die ein System von drei unterschiedlichen Kalendern konsultieren, welches auf einem System von Wochen basiert, die zuweilen sieben Tage, dann aber je nach Sternenkonstellation auch wieder vier, acht, neun oder zehn Tage haben.

Für jeden Balinesen gibt es dreizehn wichtige Übergangsriten, ein jeder von ihnen gekennzeichnet durch eine bis ins Kleinste geregelte Zeremonie. Das ganze Leben hindurch werden komplizierte spirituelle Zeremonien begangen, um die Seele zu besänftigen und vor den hundertacht Lastern (hundertacht – da haben wir die Zahl wieder!) zu schützen, zu denen etwa Gewalt, Stehlen, Faulheit und Lügen zählen. Jeder Balinese unterzieht sich beim Eintritt in die Pubertät einer wichtigen Zeremonie, bei der man ihm die Eckzähne oder »Fänge« abfeilt. Das Schlimmste, was man auf Bali sein kann, ist grob und animalisch, und diese Fänge werden als Erinnerung an unsere brutalere Natur betrachtet und müssen daher verschwinden. Brutal zu sein ist in einer so eng verwobenen Gesellschaft wie der balinesischen gefährlich. Höflichkeit ist lebenswichtig. Die mörderische Absicht eines Einzelnen kann das gesamte Gewebe der dörflichen Zusammenarbeit zerreißen. Das Beste, was man auf Bali sein kann, ist daher *alus*, was so viel wie »verfeinert« oder auch »verschönert« heißt. Schönheit ist gut auf Bali, für Männer ebenso wie für Frauen. Schönheit wird verehrt. Schönheit bedeutet Sicherheit. Kinder lehrt man, alle Mühen und Beschwerden »strahlend« anzugehen, mit einem riesigen Lächeln.

Ganz Bali stellt man sich als Matrix vor, als ein riesiges unsichtbares Gitternetz aus Pfaden und Gebräuchen. Jeder Balinese kann mit Sicherheit genau sagen, wo er sich in jedem Augenblick befindet, indem er sich an dieser virtuellen Karte orientiert. Man muss sich nur die vier Namen vergegenwärtigen, die fast jeder Einwohner Balis trägt – Erste/r, Zweite/r, Dritte/r, Vierte/r – und die ihn daran erinnern, wann er in eine Familie hineingeboren wurde und wohin er gehört. Man hätte kein klareres soziales Kartografiersystem, wenn man seine Kinder Nord, Süd, Ost und West nennen würde. Mario, mein italienisch-indonesischer Freund, hat mir erzählt, dass er nur dann glücklich ist, wenn er sich – mental wie spirituell – an der Kreuzung zwischen einer senkrechten und einer waagerechten Linie aufhalten kann, in einem Zustand vollkommener Balance. Dazu aber muss er jeden Augenblick wissen, wo er sich befindet, sowohl in seiner Beziehung zum Göttlichen als auch in der Beziehung zu seiner Familie hier auf Erden. Wenn er dieses Gleichgewicht verliert, verliert er auch seine Kraft.

Zu behaupten, die Balinesen seien Weltmeister der Balance, Menschen, für die die Aufrechterhaltung des perfekten Gleichgewichts sowohl Kunst und Wissenschaft als auch Religion sei, ist daher keineswegs lächerlich. Zwar hatte ich bei meiner persönlichen Suche nach Balance gehofft, von den Balinesen einiges darüber lernen zu können, wie man in dieser chaotischen Welt Gelassenheit bewahrt. Doch je mehr ich über diese Kultur lese, umso mehr erkenne ich auch, wie weit ich aus diesem Balance-Raster herausgefallen bin, wenigstens aus balinesischer Sicht. Meine Angewohnheit, unbekümmert um meine physische Orientierung durch die Welt zu tingeln, ebenso wie meine Entscheidung, aus dem Netzwerk meiner Ehe herauszutreten, macht mich – aus balinesischer Sicht – zu einer Art Gespenst. Ich lebe gern so, aber aus der Sicht eines Balinesen, der etwas auf sich hält, ist mein Leben ein Albtraum. Denn wie soll eine Frau, die nicht weiß, wer sie ist und zu wessen Clan sie gehört, ihr Gleichgewicht finden?

Angesichts all dessen bin ich mir nicht so sicher, wie viel von der balinesischen Weltsicht ich in meine eigene einbauen kann, da ich momentan einen moderneren und westlicheren Balance-Begriff vorzuziehen scheine, nämlich *equilibrium* (zurzeit übersetze ich ihn mit »gleicher Freiheit« beziehungsweise der Möglichkeit, mich in jedem beliebigen

Moment in jede beliebige Richtung treiben zu lassen, je nachdem …, wie es so läuft). Die Balinesen warten nicht und schauen nicht, »wie es so läuft«. Das wäre ihnen zu beängstigend. Sie organisieren alles, um zu vermeiden, dass die Dinge irgendwohin treiben.

Wenn man auf Bali eine Straße entlangläuft und einem ein Fremder entgegenkommt, fragt dieser einen als Erstes: »Wo wollen Sie hin?« Die zweite Frage lautet: »Wo kommen Sie her?« In den Ohren eines Westlers klingt eine solche Frage – aus dem Munde eines völlig Fremden – aufdringlich und indiskret, aber die hiesigen Menschen versuchen nur, sich ein Bild von Ihnen zu machen, sich zu orientieren und Sie zum Zwecke ihrer eigenen Beruhigung und Sicherheit in ein Raster einzuordnen. Wenn Sie ihnen erzählen, dass Sie nicht wissen, wohin Sie gehen, oder dass Sie nur ziellos herumstreifen, könnten Sie eine gewisse Verzweiflung im Herzen Ihres Gegenübers auslösen. Es ist viel besser, sich auf irgendein Ziel festzulegen, egal, wie vage. Nennen Sie ihm eine klare Richtung, egal, welche – nur damit es allen besser geht.

Die dritte Frage, die Ihnen ein Balinese mit fast hundertprozentiger Sicherheit stellen wird, lautet: »Sind Sie verheiratet?« Wieder handelt es sich um eine Orientierungsfrage, die dazu dient, das Gegenüber zu positionieren. Balinesen müssen das wissen, damit sie sicher sein können, dass in Ihrem Leben auch alles in Ordnung ist. Sie wollen, dass Sie Ja sagen. Sie sind sehr erleichtert, wenn Sie die Frage bejahen. Sollten Sie unverheiratet sein, ist es besser, das nicht direkt zu sagen. Und eine Scheidung, falls Sie zufällig eine hinter sich haben, sollten Sie – das lege ich Ihnen wirklich ans Herz – überhaupt nicht erwähnen. Es stürzt die Balinesen einfach in zu große Nöte, denn Ihre Scheidung beweist ihnen nämlich, dass Sie aus dem Raster gefallen sind. Falls Sie eine unverheiratete Frau sind und jemand sie fragt: »Sind Sie verheiratet?«, antworten Sie am besten: »Noch nicht.« Auf diese Weise können Sie höflich Nein sagen und gleichzeitig Ihre Absicht bekunden, sich so bald wie möglich um Ihre Heirat zu kümmern.

Auch wenn Sie achtzig Jahre alt sind und nie verheiratet waren und es auch nicht vorhaben, jemals zu heiraten, lautet die bestmögliche Antwort in jedem Falle: »Noch nicht.«

77

Am nächsten Morgen hilft mir Mario beim Fahrradkauf. »Ich kenne da jemanden«, meint er wie ein waschechter Italiener und schleppt mich zum Laden seines Cousins, wo ich mir für knapp fünfzig Dollar ein hübsches Mountainbike, einen Helm, ein Schloss und einen Korb kaufe. Jetzt bin ich mobil in meiner neuen Stadt Ubud – oder wenigstens so mobil, wie man sich auf diesen Straßen, die eng und kurvenreich und in schlechtem Zustand und mit Motorrädern, Lkws und Touristenbussen verstopft sind, guten Gewissens fühlen kann.

Am Nachmittag strample ich hinunter in Ketuts Dorf, um mit meinem Medizinmann den ersten Tag – unserer wie auch immer gearteten gemeinsamen Aktivitäten – zu verbringen. Ob Englischstunden? Meditationsunterricht? Oder gutes altmodisches Auf-der-Veranda-Hocken? Ich weiß nicht, was Ketut mit mir vorhat, ich bin einfach nur froh, dass er mich überhaupt in sein Haus eingeladen hat.

Als ich ankomme, hat er Gäste. Eine kleine Familie vom Land, die Ketut wegen ihres einjährigen Töchterchens aufgesucht hat. Das arme kleine Ding zahnt und weint schon seit mehreren Nächten. Der Papa ist ein attraktiver junger

Mann im Sarong, mit den muskulösen Waden einer sowjetischen Heldenstatue. Die Mutter ist hübsch und schüchtern. Sie haben Ketut für seine Dienste eine winzige Gabe mitgebracht; nur zweitausend Rupien, etwa fünfundzwanzig Cent, liegen in einem handgeflochtenen Korb aus Palmwedeln, etwas größer als ein Hotelaschenbecher. Eine einzelne Blüte liegt in dem Körbchen, zusammen mit dem Geld und ein paar Reiskörnern. (Ihre Armut stellt sie in krassen Gegensatz zu der reicheren Familie aus Denpasar, die Ketut später am Nachmittag besuchen wird und deren Mutter einen dreistöckigen Korb auf dem Kopf balanciert, der mit Früchten, Blumen und einer gebratenen Ente gefüllt ist – ein Kopfputz so großartig und beeindruckend, dass Carmen Miranda sich demütig davor verneigt hätte.)

Ketut geht entspannt und huldvoll mit seinen Besuchern um. Als *Balian*, Medizinmann, ist es seine Pflicht, sich um jeden zu kümmern, der ihn um Hilfe bittet. Er lauscht aufmerksam den Eltern, die die Probleme ihres Babys erläutern. Dann wühlt er in einer kleinen Truhe auf seiner Veranda und zieht eine uralte Schwarte heraus, voller Sanskrittexte in winziger Schrift. Er konsultiert das Buch wie ein Gelehrter, sucht nach irgendeiner passenden Wortkombination, während er mit den Eltern unausgesetzt lacht und scherzt. Dann reißt er eine leere Seite aus einem Notizbuch, auf dessen Umschlag Kermit der Frosch abgebildet ist, und stellt dem Mädchen, wie er mir erzählt, »ein Rezept« aus. Das Kind werde, diagnostiziert er, zusätzlich zu den körperlichen Beschwerden des Zahnens von einem kleineren Dämon geplagt. Gegen die Zahnschmerzen empfiehlt er den Eltern, einfach das Zahnfleisch des Kindes mit rotem Zwiebelsaft einzureiben. Um den Dämon zu besänftigen, müssten sie ein Hühnchen und ein Ferkel sowie ein kleines Stück Kuchen opfern, zubereitet mit speziellen Kräutern, die ihre Großmutter sicherlich in ihrem Heilkräutergarten habe. (Dieses Essen wird allerdings nicht verschwendet; nach der Opferzeremonie dürfen balinesische Familien ihre Gaben an die Götter selbst verzehren, da die Geste des Opferns eher metaphysisch als wörtlich zu verstehen ist. Oder wie die Balinesen sagen: »Gott nimmt, was Gott gehört – die Geste. Der Mensch nimmt, was dem Menschen gehört – das Essen.«)

Nach Ausstellung des Rezepts wendet uns Ketut den Rücken zu, füllt eine Schale mit Wasser und intoniert ein beeindruckendes, wie eine Wehklage klingendes Mantra, das einem unversehens das Blut in den Adern gefrieren lässt. Dann segnet er das Baby mit dem Wasser, das er soeben mit heiligen Kräften aufgeladen hat. Bereits im zarten Alter von einem Jahr weiß das Kind, wie man auf traditionell balinesische Weise einen Segen empfängt. Von der Mutter auf dem Schoß gehalten, streckt die Kleine ihre dicken Händchen aus, um das Wasser in Empfang zu nehmen, nippt einmal, zweimal und spritzt sich den Rest über den Kopf – ein perfekt vollzogenes Ritual. Sie hat nicht die geringste Angst vor diesem zahnlosen alten Knaben, der da auf sie einsingt. Er grinst sie an und sie ihn. Dann gießt Ketut den Rest des heiligen Wassers in eine kleine Plastiktüte, knotet die Tüte zu und überreicht sie der Familie zur späteren Verwendung.

Ketut Liyer hat dieser Familie gegen ein Honorar von fünfundzwanzig Cent für etwa vierzig Minuten seine ungeteilte Aufmerksamkeit gewidmet. Hätten sie nichts bezahlt, hätte er dasselbe getan; das ist die Pflicht eines Heilers. Er darf niemanden abweisen, sonst entziehen ihm die Götter die Gabe der Heilung. Etwa zehn Besucher hat Ketut täglich, Balinesen, die seine Hilfe brauchen oder einen Rat in einer religiösen oder medizinischen Angelegenheit. An besonders glückverheißenden Tagen, wenn jeder einen besonderen Segen will, können es über hundert sein.

»Hast du nicht manchmal genug davon?«

»Aber das meine Beruf«, sagt er mir. »Medizinmann – das meine Hobby.«

Noch ein paar weitere Patienten kommen im Laufe des Nachmittags, doch Ketut und ich haben auch ein paar Minuten für uns hier auf der Veranda. Ich fühle mich unglaublich wohl in Gegenwart des alten Mannes, so wohl und entspannt wie bei meinem Großvater. Er erteilt mir meine erste Lektion in balinesischer Meditation. Es gebe viele Wege zu Gott, erzählt er, doch die meisten seien für Westler zu kompliziert, daher lehre er mich eine ganz einfache Meditation: still sitzen und lächeln. Ich bin hingerissen. Er lacht sogar, während er sie mir beibringt. Sitzen und lächeln. Perfekt.

»Du studiert Yoga in Indien, Liss?«, fragt er.

»Ja, Ketut.«

»Du kannst Yoga machen«, sagt er. »Aber Yoga zu schwer.« An dieser Stelle verrenkt er seine Glieder zu einem Lotussitz und verzieht das Gesicht. Dann befreit er sich und lacht und fragt: »Warum sie gucken immer so ernst bei Yoga? Mit ernste Gesicht man vertreibt gute Energie. Für Meditation man muss nur lächeln. Lächeln mit Gesicht, lächeln mit Kopf, und gute Energie vertreibt schmutzige Energie. Sogar lächeln in Leber. Üb heute Abend in Hotel. Nicht beeilen, nicht zu viel anstrengen. Nur sitzen und lächeln. Wenn zu ernst, du machst dich krank. Aber mit Lächeln du rufst gute Energie. Jetzt fertig für heute. *See you later, alligator*. Komm morgen wieder. Ich sehr glücklich, dich zu sehen, Liss. Lass dich von deine Gewissen leiten. Wenn du hast westliche Freunde zu Besuch in Bali, bring mir für Handlesen. Ich sehr leer in meine Bank seit Bombe.«

78

Das ist Ketut Liyers Lebensgeschichte, in seinen (mehr oder weniger) eigenen Worten:

»In meine Familie wir sind Medizinmann schon seit neun Generationen. Mein Vater, mein Großvater, mein Urgroßvater, alle sind Medizinmann. Und weil sehen, ich habe intelligent, alle wollen, dass ich werde Medizinmann. Sehen, ich habe schön und ich habe intelligent. Aber ich will nicht Medizinmann werden. Zu viel studieren! Zu viel Information! Auch ich glaube nicht an Medizinmann! Ich will Maler werden! Will Bilder machen. Hab gute Talent dafür.

Als ich junge Mann bin, ich treffe Amerikaner, sehr reich, vielleicht sogar aus New York wie du. Er gefällt meine Bild. Will kaufen große Bild von mir, vielleicht ein Meter groß, für viel Geld. Genug Geld, dass ich werde reich. Also ich fange an, Bild für ihn zu malen. Jeden Tag ich male, male, male. Sogar in Nacht. Damals, lange her, es gibt kein elektrische Licht wie heute, deswegen ich habe Laterne. Öllampe, verstehst du? Pumplampe, muss pumpen, damit Öl kommt. Und jede Nacht ich male mit Öllampe.

Einmal Öllampe ist dunkel, deswegen ich pumpe, pumpe, pumpe, und es explodiert! Und mein Arm verbrannt! Ein Monat bleibe ich mit verbrannte Arm in Krankenhaus, aber gibt Infektion. Infektion geht bis zu mein Herz. Ich muss nach Singapur, sagt der Doktor, Arm abschneiden, amputieren. Das nicht mein Fall. Aber Doktor sagt, ich muss, Operation, amputieren. Erst ich gehe heim zu mein Dorf, ich sage zu Doktor.

Im Dorf hab ich in selbe Nacht ein Traum. Vater, Großvater, Urgroßvater – alle kommen in Traum zusammen in mein Haus und sagen, wie wird mein verbrannte Arm wieder gesund. Sagen: Mach Saft aus Safran und Sandelholz. Mach Saft auf Brandwunde. Dann mach Pulver aus Safran und Sandelholz. Reib Pulver in Wunde. Ich muss genau so machen, sagen sie, dann ich kann Arm behalten. Ganz wirklich dieser Traum, alle sind in Haus bei mir, alle zusammen.

Ich wache auf. Ich weiß nicht, was kann ich tun, weil manchmal Träume sind nur ein Witz, verstehst du? Aber ich geh zurück nach Hause und ich mache diese Safran- und Sandelholzsaft auf mein Arm. Und dann ich mache diese Safran- und Sandelholzpulver auf mein Arm. Mein Arm sehr infiziert, viel Schmerzen, Arm sehr dick, sehr geschwollen. Aber mit Saft und Pulver wird sehr kühl. Wird sehr kalt. Wird langsam besser. Nach zehn Tage mein Arm in Ordnung. Ganz gesund.

Deshalb ich fange an und ich glaube. Und ich habe wieder ein Traum, mit Vater, Großvater, Urgroßvater. Sagen mir, jetzt ich muss Medizinmann werden. Muss Gott meine Seele geben. Weil Gott geholfen, ich muss sechs Tage fasten machen, verstehst du? Ohne Essen, ohne Wasser. Ohne Trinken. Ohne Frühstück. Schwer. Ich so durstig von Fasten, ich gehe morgen früh, vor Sonne, zu Reisfeld. Sitze mit offene Mund in Reisfeld und atme Wasser aus Luft. Wie heißt Wasser aus Luft in Reisfeld am Morgen? Tau? Ja. Tau. Sechs Tage lang ich esse nur Tau. Keine andere, nur Tau. Fünfte Tag ich werde bewusstlos. Sehe nur Gelb, überall Gelb. Nein, nicht Gelb – *Gold*. Ich sehe Gold überall, sogar innen in mir. Sehr glücklich. Jetzt ich verstehe. Dieses Gold ist Gott, ist auch in mir. Dasselbe, was ist Gott, ist dasselbe, was in mir. Selbeselbe.

Jetzt also muss ich Medizinmann werden. Muss ich studieren alle Medizinbücher von Urgroßvater. Diese Bücher nicht aus Papier, aus Palmblätter. Heißt *lontars*. Das ist balinesische medizinische Lexikon. Ich muss studieren alle Pflanzen auf Bali. Schwer. Eine nach eine ich lerne alles. Lerne, zu behandeln Leute mit viele Probleme. Ein Problem ist, wenn jemand krank im Körper. Diese Kranke ich helfe mit Kräuter. Andere Problem ist, wenn Familie krank, wenn Familie streitet immer. Hier ich helfe mit Harmonie, mit Zauberbild oder auch mit Reden. Wenn Zauberbild in Haus, Streit hört auf. Manchmal Leute krank wegen Liebe, finden nicht richtige Frau oder Mann. Für Balinese und auch für Westler gibt immer viel Ärger mit Liebe, schwer, zu finden richtige Mann oder Frau. Alle Liebesproblem ich löse mit Mantra und Zauberbild, bringt Liebe zu dir. Ich hab auch gelernt schwarze Magie, damit ich helfe Leute unter böse schwarze magische Fluch. Wenn du hängst mein Zauberbild in dein Haus, kommt gute Energie.

Auch jetzt ich bin gern Künstler. Ich male gern, wenn ich habe Zeit, verkaufe an Galerie. Ich male immer selbe Bild – als Bali war Paradies, vor tausend Jahre vielleicht. Bild von Dschungel, Tiere, Frauen mit – wie heißt das Wort? Brust. Frauen mit Brust. Schwer für mich finden Zeit für Malen, weil ich bin Medizinmann, weil ich muss sein Medizinmann. Ist mein Beruf. Mein Hobby. Ich muss Leute helfen, weil sonst Gott böse mit mir. Manchmal Baby entbinden, manchmal Zeremonie für Tote führen oder für Zahnfeilen oder Hochzeit. Manchmal ich wache auf, drei Uhr Morgen, male Bild mit elektrische Licht – nur dann habe ich Zeit zu malen für mich. Ich gern allein in diese Zeit, gut für Bilder malen.

Ich mache echte Zauber, kein Spaß. Ich sage immer die Wahrheit, auch schlechte Sachen. Ich muss ganze Leben lang gut tun, weil sonst ich gehe zu Hölle. Ich spreche Balinesisch, Indonesisch, bisschen Japanisch, bisschen Englisch, bisschen Holländisch. Im Krieg viele Japaner hier. Für mich nicht so schlecht – ich Hand lese für Japaner, immer freundlich. Vor Krieg gibt viele Holländer hier. Jetzt viele Westler, alle sprechen Englisch. Mein Holländisch ist – wie sagt man?

Wie das Wort, du sagst gestern? Gerostet? Ja – gerostet. Mein Holländisch ist gerostet. Ha!

Ich bin vierte Kaste in Bali, sehr niedrige Kaste, wie Bauer. Aber ich treffe viele Leute aus erste Kaste, sind nicht intelligent wie ich. Ich heiße Ketut Liyer. Name Liyer Großvater gibt mir, als ich noch kleiner Junge bin. Heißt ›helles Licht‹. Das bin ich.«

79

Ich bin so frei hier auf Bali, dass es geradezu lachhaft ist. Meine einzige Verpflichtung besteht darin, nachmittags für ein paar Stunden bei Ketut Liyer vorbeizuschauen, was mir alles andere als lästig ist. Den Rest des Tages verbringe ich auf verschiedenste Weise. Morgens meditiere ich eine Stunde unter Zuhilfenahme der Yogatechniken meiner Meisterin, abends meditiere ich eine Stunde nach den Regeln, die Ketut mir beigebracht hat (»still sitzen und lächeln«). Vormittags gehe ich spazieren, fahre Rad, rede hin und wieder mit Leuten und esse zu Mittag. In der Stadt habe ich eine kleine Leihbücherei entdeckt, und große köstliche Portionen meines täglichen Lebens gehen jetzt fürs Schmökern im Garten drauf. Nach der Intensität des Ashram-Lebens und auch nach den dekadenten Spritztouren kreuz und quer durch Italien, als ich alles aß, was mir unter die Finger kam, ist die Ruhe auf Bali eine echte Abwechslung. Ich habe hier massenhaft – um nicht zu sagen tonnenweise – Zeit.

Wann immer ich das Hotel verlasse, erkundigen sich Mario und die anderen Angestellten an der Rezeption, wohin ich gehe, und jedes Mal, wenn ich wiederkomme, fragen sie mich, wo ich war. Ich kann mir lebhaft vorstellen, wie sie

winzige Landkarten für all ihre lieben Gäste in der Schublade haben, mit Kreuzchen, die anzeigen, wo diese sich jeweils
gerade befinden.

Am Abend radle ich hinauf in die Hügel, vorbei an den
Reisterrassen nördlich von Ubud, wo man so fabelhafte Aus-
blicke auf die grüne Landschaft hat. Ich sehe die rosa Wol-
ken, die sich im stehenden Wasser der Reisfelder spiegeln, als
gäbe es zwei Himmel – einen oben für die Götter und einen
unten in der schlammigen Feuchte nur für uns Sterbliche.
Vor zwei Tagen radelte ich zum Reiher-Heiligtum mit seinem unfreundlichen Begrüßungsschild (»Okay, hier können
Sie Reiher sehen«), aber an dem Tag waren keine Reiher da,
nur Enten, so dass ich ihnen eine Weile zusah und dann ins
nächste Dorf fuhr. Unterwegs begegnete ich Männern und
Frauen, Kindern, Hühnern und Hunden, die alle auf ihre Art
sehr beschäftigt waren, keiner allerdings so beschäftigt, dass
er mich nicht gegrüßt hätte.

Vor wenigen Abenden sah ich am oberen Ende eines ein-
malig schönen Waldhangs ein Schild: »Künstlerhaus mit Küche zu vermieten.« Und weil das Universum großzügig ist,
wohne ich drei Tage später hier. Mario hat mir beim Einzug
geholfen, und all seine Freunde im Hotel haben sich tränenreich von mir verabschiedet.

Mein neues Haus liegt an einer ruhigen Straße und ist von
Reisfeldern umgeben. Es ähnelt einem Cottage. Es gehört einer Engländerin, die allerdings den Sommer in London verbringt, so dass ich mich in ihr Heim stehle und an diesem
herrlichen Ort ihren Platz einnehme. Es gibt eine leuchtend
rote Küche, einen Teich voller Goldfische, eine Marmorter-
rasse und eine Freiluftdusche mit schimmernden Mosaiken
(während ich mich einseife, kann ich die in den Palmen nis-
tenden Reiher beobachten). Kleine versteckte Pfade führen
durch einen wahrhaft bezaubernden Garten. Das Haus wird

inklusive Gärtner vermietet, so dass ich nichts weiter zu tun
habe, als die Blumen zu betrachten. Ich habe keine Ahnung,
wie all diese ungewöhnlichen tropischen Blumen heißen, so
dass ich mir Namen für sie ausdenke – warum auch nicht?
Schließlich ist das jetzt mein Garten Eden, nicht wahr? Bald
habe ich allen Pflanzen neue Friedrichwilhelms verpasst:
Narzissenbaum, Kohlpalme, Petticoat-Kraut, Spiralenprotz,
Zehenspitzenblüte, Trauerrebe, und eine spektakuläre pink-
farbene Orchidee habe ich »Babys erster Händedruck« ge-
tauft. Die übertriebene und verschwenderische Fülle an rei-
ner Schönheit hier ist unfassbar. Ich kann Papayas und
Bananen direkt von den Bäumen vor meinem Schlafzimmer-
fenster pflücken. Es wohnt auch ein Kater hier, der jeden Tag
in der halben Stunde, bevor ich ihn füttere, ungeheuer um
mich herumschwänzelt, aber den Rest der Zeit wie verrückt
maunzt, als litte er unter Flashbacks an den Vietnamkrieg.
Komischerweise macht mir das nichts aus. Mich stört rein
gar nichts in diesen Tagen. Unzufriedenheit ist mir weder er-
innerlich noch überhaupt vorstellbar.

Die Klangwelt hier ist spektakulär. An den Abenden spielt
ein Grillenorchester auf, zu dem die Frösche die Bassstimme
beisteuern. Vor der Morgendämmerung verkünden die Hähne in meilenweitem Umkreis, wie wahnsinnig cool es ist, ein
Gockel zu sein. Jeden Morgen kurz vor Sonnenaufgang findet ein Vogelgesangswettbewerb statt, und jedes Mal enden
die Meisterschaften mit einem Unentschieden. Wenn die
Sonne dann aufgeht, wird es stiller, und die Schmetterlinge
machen sich an die Arbeit. Das ganze Haus ist mit Kletter-
pflanzen überwuchert; und ich habe das Gefühl, als würde es
demnächst vollends unterm Laubwerk verschwinden und
ich mit ihm, so dass ich schließlich selbst zur Dschungelblü-
te würde. Die Miete kostet mich weniger, als ich in New
York monatlich für Taxis berappe.

Das aus dem Persischen stammende Wort »Paradies« heißt übrigens, wenn man es wörtlich übersetzt, »ummauerter Garten«.

80

An dieser Stelle muss ich allerdings Farbe bekennen und gestehen, dass ich nur drei Nachmittage in der örtlichen Bibliothek recherchieren musste, um festzustellen, dass meine Vorstellungen vom balinesischen Paradies ein bisschen töricht waren. Nach meinem ersten Besuch auf Bali vor zwei Jahren hatte ich allen möglichen Leuten erzählt, dass dieses Eiland die einzige wahre Utopie der Welt sei, ein Ort, der immer nur Frieden, Harmonie und Gleichgewicht gekannt habe. Ein perfekter Garten Eden ohne irgendeine Geschichte der Gewalt und des Blutvergießens. Ich weiß nicht, woher ich diese Vorstellung hatte, aber ich war völlig davon überzeugt.

»Sogar die Polizisten tragen Blumen im Haar«, sagte ich dann, als ob das etwas beweisen würde.

Vielleicht sollte man mir diese irrige Meinung über die ach so friedlichen Balinesen nachsehen, da die Welt nun einmal beschlossen hat, dieses Inselvolk trotz gegenteiliger Beweise auf eine solche Rolle festzulegen. Im vorigen Jahrhundert hat sich Bali in der Vorstellung des Westens zu einem Sinnbild für das Paradies entwickelt. Diese lächelnden Menschen, ihre sanfte Art, ihre angeborene Liebe zur Kunst, ihre scheinbar vollkommene Balance zwischen weltlichem Vergnügen und spiritueller Hingabe – all das beeindruckte die Europäer, als sie um 1920 mit den ersten großen Dampfschiffen kamen und die ersten Blicke auf die barbusigen honigbraunen jungen Frauen erhaschten, die mit den schönen Knaben in den Hindutempeln tanzten.

In Wirklichkeit aber hat Bali eine genauso blutige Geschichte wie jeder andere Ort der Erde, an dem je Menschen gelebt haben. Als die Javaner im sechzehnten Jahrhundert hier einwanderten, begründeten sie im Wesentlichen eine feudale Herrschaft mit einem strikten Kastensystem, das – wie jedes Kastensystem – dazu neigte, sich um die Menschen ganz unten keine Gedanken zu machen. Motor der Ökonomie war ein lukrativer Sklavenhandel (der der europäischen Beteiligung am internationalen Sklavenhandel nicht nur um mehrere Jahrhunderte vorausging, sondern Europas Handel mit Menschen auch noch eine geraume Zeit überlebte). Die Insel selbst befand sich fortwährend im Kriegszustand, da rivalisierende Könige sich permanent gegenseitig angriffen. Bis ins späte neunzehnte Jahrhundert waren die Balinesen bei Händlern und Seeleuten als brutale Kämpfer verrufen. (Das balinesische Wort *amok*, das wir in der Redewendung »Amok laufen« verwenden, bezeichnet eine Kampftechnik, bei der man plötzlich mit wahnsinniger Wildheit in selbstmörderischem und blutigem Zweikampf auf seine Feinde losgeht; die Europäer waren über diese Praxis schlichtweg entsetzt.) Mit einer disziplinierten Armee von dreißigtausend Mann besiegten die Balinesen die holländischen Invasoren 1848, 1849 und noch einmal 1850. Zum Zusammenbruch unter holländischer Herrschaft kam es erst, als Balis rivalisierende Könige sich in ihrer Machtgier gegenseitig verrieten oder sich gegen die Zusicherung profitabler Geschäftsabschlüsse mit dem Feind verbündeten. Wenn man also heute die Geschichte des Landes in einen Paradiestraum hüllt, spricht das jeder Realität hohn.

Als in den zwanziger und dreißiger Jahren eine elitäre Klasse westlicher Reisender Bali entdeckte, ignorierte sie all das Abscheuliche. Die Neuankömmlinge waren sich einig, dass dies wahrhaftig die »Insel der Götter« sei, wo »jeder Künstler ist« und die Menschheit im Zustand ungetrübter Seligkeit lebe. Eine Idee, ein Traum, der lange nachklang; die meisten Bali-Besucher (mich selbst auf meinem ersten Trip eingeschlossen) glauben noch heute daran. »Ich haderte mit Gott, weil ich nicht als Balinese auf die Welt gekommen war«, sagte der deutsche Fotograf Georg Krauser, nachdem er in den dreißiger Jahren Bali besucht hatte. Angelockt von Berichten über überirdische Schönheit und Gelassenheit, kamen Künstler wie Walter Spies, Schriftsteller wie Noel Coward, Tänzerinnen wie Claire Holt, Schauspieler wie Charlie Chaplin, Wissenschaftlerinnen wie Margaret Mead. (Letztere bezeichnete die balinesische Kultur trotz all der nackten Brüste als das, was sie wirklich war: eine Gesellschaft so prüde wie das viktorianische England. »Kein Gramm freier Libido … in der ganzen Kultur.«)

In den vierziger Jahren, als die Welt in den Krieg zog, war die Party vorbei. Die Japaner marschierten in Niederländisch-Ostindien ein, und die seligen Europäer in ihren balinesischen Gärten und mit ihren hübschen Hausboys mussten fliehen. Im anschließenden Ringen um die Unabhängigkeit war Bali dann genauso geteilt und gewalttätig wie der restliche Archipel, und wenn es ein Westler in den fünfziger Jahren überhaupt gewagt hätte, Bali zu besuchen, hätte er gut daran getan, mit der Pistole unterm Kopfkissen zu schlafen. In den sechziger Jahren machte der Machtkampf zwischen Nationalisten und Kommunisten ganz Indonesien zum Schlachtfeld. Nach einem Putschversuch in Jakarta 1965 schickte man Soldaten mit Namenslisten mutmaßlicher Kommunisten auf die Insel. Eine Woche lang zogen die Soldaten, von örtlicher Polizei und Dorfvorstehern unterstützt, mordend durch alle Bezirke. Fast hunderttausend Leichen verstopften die schönen Flüsse Balis, als die mörderische Treibjagd zu Ende war.

Ende der sechziger Jahre erlebte der Traum vom sagenhaften Eden sein Revival, als die indonesische Regierung beschloss, Bali für den internationalen Tourismus als »Insel der Götter« neu zu erfinden, und eine ungeheuer erfolgreiche Werbekampagne startete. Die Touristen, die nun wieder nach Bali gelockt wurden, waren eine recht hochgemute Truppe, deren Interesse vor allem der balinesischen Kultur und der ihr eigenen künstlerischen Schönheit galt. Über die düsterere Historie sah man hinweg. Und tut es bis heute.

Nachdem ich an meinen Nachmittagen in der örtlichen Bücherei alles das gelesen habe, bleibe ich etwas verwirrt zurück. Weshalb eigentlich war ich nach Bali zurückgekehrt? Um nach dem Gleichgewicht zwischen weltlichem Genuss und spiritueller Hingabe zu suchen, nicht wahr? Ist das hier überhaupt der richtige Ort für eine solche Suche? Leben die Balinesen denn tatsächlich in dieser friedlichen Balance, und tun sie es mehr als die Menschen in anderen Teilen der Welt? Einen ausgeglichenen Eindruck machen sie ja durchaus – kein Wunder bei all dem Tanzen, Beten, Feiern und Lächeln, all der Schönheit. Aber was sich unter der Oberfläche abspielt, das weiß ich nicht. Die Polizisten stecken sich Blumen hinter die Ohren, aber die Korruption ist allgegenwärtig, in Bali genauso wie im restlichen Indonesien (wie ich vorgestern persönlich erleben durfte, als ich einem Uniformierten einige hundert Dollar über den Tisch schob, um mein Visum zu verlängern, damit ich schließlich doch vier Monate auf Bali bleiben kann). Die Balinesen leben buchstäblich von ihrem Image, das friedlichste, einfachste und kreativste Volk der Welt zu sein. Aber wie viel von diesem Image beruht auf Tatsachen und wie viel ist ökonomisch kalkuliert? Und wie viel wird eine Außenstehende wie ich je von all der Mühsal erfahren, die sich möglicherweise hinter diesen »strahlenden Gesichtern« verbirgt? Es gilt hier wie überall: Geht man zu nah an ein Bild heran, zerfließen alle klaren Linien zu einer pixeligen Masse.

Fürs Erste kann ich nur sagen, dass ich das Haus, das ich gemietet habe, liebe, und die Menschen auf Bali mir ausnahmslos mit großer Liebenswürdigkeit begegnet sind. Ihre Kunst und ihre religiösen Zeremonien finde ich schön und aufbauend; und sie scheinen das genauso zu sehen. Doch was immer die Balinesen tun müssen, um ihr Gleichgewicht zu halten (oder ihren Lebensunterhalt zu verdienen), ist allein ihre Sache. Ich bin nach Bali gekommen, um etwas für meine eigene Ausgeglichenheit zu tun, und habe, wenigstens bis jetzt, das Gefühl, als fände ich hier ein günstiges Klima dafür.

81

Ich weiß nicht, wie alt mein Medizinmann ist. Ich habe ihn gefragt, aber er ist sich nicht sicher. Vor zwei Jahren, meine ich mich zu entsinnen, sagte der Übersetzer, er sei achtzig. Aber als Mario ihn vorgestern nach seinem Alter fragte, meinte Ketut: »Vielleicht fünfundsechzig, nicht sicher.« Auf meine Frage, in welchem Jahr er geboren sei, sagte er, seine Geburt sei ihm nicht in Erinnerung. Ich weiß, dass er zur Zeit der japanischen Besetzung Balis im Zweiten Weltkrieg schon erwachsen war. Daraus ergäbe sich ein heutiges Alter von ungefähr achtzig Jahren. Aber als er mir erzählte, wie er sich als junger Mann den Arm verbrannt hatte, und ich ihn fragte, in welchem Jahr das passiert sei, meinte er nur: »Ich weiß nicht. Vielleicht 1920?« Wie alt wäre er dann heute? Vielleicht hundertfünf?

Außerdem ist mir aufgefallen, dass sich die Einschätzung seines Alters je nach Gefühlslage von Tag zu Tag ändert. Ist er richtig müde, sagt er seufzend: »Vielleicht fünfundachtzig heute«, doch wenn sich seine Laune dann wieder hebt, erklärt er: »Ich denke, ich heute sechzig.« Vielleicht ist das eine ebenso gute Methode, sein Alter zu schätzen, wie jede andere. Trotzdem, gewöhnlich gehe ich den Dingen auf den Grund. Eines Nachmittags machte ich daher keine Umschweife mehr und fragte schlicht: »Ketut – wann hast du Geburtstag?«

»Donnerstag«, erwiderte er.

»Diesen Donnerstag?«

»Nein. Nicht diese Donnerstag. Eine Donnerstag.«

Das ist schon mal ein Anfang … Aber gibt's dazu nicht noch mehr zu sagen? Ein Donnerstag in welchem Monat? In welchem Jahr? Weiß er nicht. Allerdings ist der Wochentag, an dem man geboren ist, auf Bali ohnehin wichtiger als das Jahr. Ketut erzählte mir, dass der Schutzgott der an Donnerstagen geborenen Kinder Shiva der Zerstörer ist und dieser Tag zwei Tiergeister hat, die den Menschen lenken – den Löwen und den Tiger. Der offizielle Baum der am Donnerstag geborenen Kinder ist der Banyan, der offizielle Vogel der Pfau. Ein am Donnerstag geborener Mensch spricht immer als Erster, unterbricht die anderen, wird leicht aggressiv, ist in der Regel gut aussehend (»ein Playboy oder Playgirl«, so Ketut), hat ein ausgezeichnetes Gedächtnis und den Wunsch, anderen zu helfen. Als ich ihm erzählte, dass ich an einem Mittwoch geboren sei, ließ er mich sogleich wissen, dass meine Göttin Uma sei, mein Tier die Kuh und mein Vogel die Taube, dass ich ständig Witze reißen, meist übertreiben würde und manchmal sehr traurig sei, aber im Grunde eine herzensgute Seele.

Wenn balinesische Patienten mit ernsthaften gesundheitlichen, wirtschaftlichen oder Beziehungsproblemen zu Ketut kommen, fragt er sie stets, an welchem Wochentag sie geboren sind, um die passenden Gebete und Arzneien für sie zusammenzustellen. Denn manchmal, erklärt Ketut, »sind Leute krank in Geburtstag« und brauchen ein wenig astrologische Feinjustierung, um wieder ins Gleichgewicht zu kommen. Vorgestern brachte eine Familie aus dem Ort ihren jüngsten Sohn zu Ketut. Der Kleine war vielleicht vier Jahre alt. Ich fragte, was er habe, und Ketut übersetzte, dass sich die Familie wegen »Probleme mit sehr aggressiv diese Junge« Sorgen mache. »Diese Junge nimmt nicht Befehl. Schlechte Manieren. Passt nicht auf. Alle in Haus Nase voll von Junge. Und manchmal diese Junge auch zu schwindelig.«

Ketut fragte die Eltern, ob er das Kind eine Weile halten dürfe. Sie setzten Ketut den Kleinen auf den Schoß, und der Junge lehnte sich völlig entspannt und furchtlos an die Brust des alten Medizinmanns. Ketut legte ihm die Hand auf die Stirn und schloss die Augen. Dann legte er ihm die Hand auf den Bauch und schloss erneut die Augen. Dabei lächelte er die ganze Zeit und redete sanft auf den Kleinen ein. Im Nu war die Untersuchung vorbei. Ketut gab den Jungen seinen Eltern zurück, und die Leute verabschiedeten sich bald mit einem Rezept und heiligem Wasser. Er habe die Eltern nach den Geburtsumständen des Kleinen gefragt – erzählte mir Ketut – und festgestellt, dass er unter einem schlechten Stern und an einem Samstag geboren sei, an einem Tag also, der Spuren potenziell böser Geister besitzt wie etwa Kuhgeist, Eulengeist, Hahngeist (der macht den Jungen zu einem Kämpfer) und Puppengeist (der verursacht die Schwindelgefühle). Aber Ketut nannte nicht nur Schlechtes. Da er am Samstag geboren war, hatte der Junge auch Regenbogen- und Schmetterlingsgeist in sich, und diese beiden Geister konnte man stärken. Eine Reihe von Opfern müsste dargebracht werden, und das Kind würde wieder ins Gleichgewicht kommen.

»Warum hast du dem Jungen die Hand auf die Stirn und auf den Bauch gelegt?«, fragte ich. »Wolltest du fühlen, ob er Fieber hat?«

»Ich habe geguckt in seine Gehirn«, sagte Ketut. »Ob böse Geister in seine Gehirn.«

»Was für böse Geister?«

»Liss«, sagte er. »Ich Balinese. Ich glaube für schwarze Magie. Ich glaube, dass böse Geister kommen von Flüsse und schaden Leute.«

»Und hatte der Junge böse Geister?«

»Nein. Ist nur krank in seine Geburtstag. Die Familie macht jetzt Opfer. Dann alles okay. Und du, Liss? Machst du jeden Abend balinesische Meditation? Kopf und Herz immer schön sauber halten?«

»Jeden Abend«, versicherte ich ihm.

»Du gelernt lächeln auch in Leber?«

»Auch in der Leber, Ketut. Meine Leber strahlt richtig.«

»Gut. Diese Lächeln macht schön. Diese Lächeln gibt dir *power*, zu werden sehr *pretty*. *Pretty power* du kannst benutzen, zu kriegen alles, was du willst in Leben.«

»*Pretty power*!« Ich wiederholte den Ausdruck und fand ihn umwerfend. Wie eine meditierende Barbie. »Ich will *pretty power*!«

»Du machst auch noch indische Meditation?«

»Jeden Morgen.«

»Gut. Vergiss nicht dein Yoga. Gut für dich. Gut für dich zwei Sorte von Meditation – indisch und balinesisch. Beide verschiedene, aber beide gut. Selbe-selbe. Auch Religion, meiste davon, ich denke, ist selbe-selbe.«

»Nicht jeder denkt so, Ketut. Manche Leute streiten sich gern über Gott.«

»Nicht nötig«, sagte er. »Ich habe gute Idee, wenn du triffst Mensch von andere Religion und er will Streit über Gott. Nie streiten über Gott. Am besten, du sagst: ›Sie haben ganz Recht.‹ Dann du gehst nach Hause zu beten, was du Lust hast. Das meine Idee für Leute, für Frieden zwischen Religion.«

Ketut – ist mir aufgefallen – reckt fortwährend das Kinn in die Höhe, legt irgendwie fragend und gleichzeitig elegant den Kopf in den Nacken. Wie ein neugieriger alter König, der die Welt aus einer gewissen Distanz betrachtet. Seine Haut schimmert braun und golden. Er ist fast völlig kahl, gleicht dies aber durch außergewöhnlich lange und federige Augenbrauen wieder aus, die aussehen, als wollten sie sich umgehend in die Lüfte schwingen. Abgesehen von seinen fehlenden Zähnen und dem von einer riesigen Brandnarbe gezeichneten rechten Arm ist er unversehrt. In seiner Jugend war er Tänzer bei den Tempelzeremonien und sehr schön. Nur einmal am Tag nimmt er eine Mahlzeit zu sich – ein typisches schlichtes balinesisches Reisgericht mit Ente oder Fisch. Jeden Tag aber genehmigt er sich eine Tasse Kaffee mit Zucker, vor allem um sich der Tatsache zu erfreuen, dass er sich beides leisten kann. Bei dieser Diät könnten auch Sie leicht hundertfünf Jahre alt werden. Stark und fit, sagt er, bleibe er dadurch, dass er jeden Abend vor dem Einschlafen meditiere und die gesunde Energie des Universums in sich hineinsauge. Der menschliche Körper bestehe aus nichts anderem als den fünf Elementen der gesamten Schöpfung – Wasser (*apa*), Feuer (*tejo*), Wind (*baju*), Himmel (*akasa*) und Erde (*pritiwi*) –, und man müsse nichts anderes tun, als sich beim Meditieren auf diese Wirklichkeit zu konzentrieren, dann werde man aus all diesen Quellen Energie empfangen und stark bleiben. Indem er sein gelegentlich sehr feines Ohr für die englische Sprache unter Beweis stellt, erklärt er: »Der

Mikrokosmos wird zum Makrokosmos. Du – der Mikrokosmos – wirst wie Universum – Makrokosmos.«

Heute war er sehr beschäftigt, förmlich belagert von balinesischen Patienten, die sich wie Transportkisten in seinem Hof stapelten und Babys oder Gaben auf dem Schoß hielten. Es waren Bauern und Geschäftsleute darunter, Väter und Großmütter, Eltern mit Babys, die ihr Essen nicht bei sich behielten, und alte Männer, die von Flüchen und Verwünschungen verfolgt wurden. Es gab junge Männer, hin- und hergerissen zwischen Wut und Gelüsten, und junge Frauen, die sich nach einer Liebesheirat sehnten, während Kinder sich über ihre Ausschläge beklagten. Alle aus der Balance geraten, alle auf der Suche nach Wiederherstellung des Gleichgewichts.

Allerdings ist die Stimmung auf Ketuts Hof niemals hektisch oder von Ungeduld geprägt. Mitunter müssen die Patienten Stunden ausharren, bevor sich Ketut um sie kümmern kann, doch nie beginnt einer mit dem Fuß zu trommeln oder die Augen zu verdrehen. Außergewöhnlich ist auch, wie geduldig die Kinder warten: Sie lehnen sich an ihre schönen Mütter und spielen mit ihren Fingerchen, um sich die Zeit zu vertreiben. Es amüsiert mich immer, wenn sich später herausstellt, dass diese stillen Kinder zu Ketut gebracht werden, weil die Eltern der Ansicht sind, das Kind sei »ungezogen« und benötige eine Kur. *Dieses* kleine Mädchen? Dieses kleine dreijährige Ding, das vier Stunden am Stück schweigend, klaglos, ohne etwas zu essen und ohne Spielzeug in der heißen Sonne saß? Dieses Kind soll frech sein? Gern würde ich mal sagen: »Leute, wollt ihr wissen, was ›frech‹ ist? Ich bringe euch nach Amerika und zeige euch ein paar Gören, deren Manieren euch ein für alle Mal von der Nützlichkeit von Ritalin überzeugen würden.« Aber hier existieren eben ganz andere Maßstäbe für gutes Benehmen.

Ketut behandelte alle seine Patienten zuvorkommend, einen nach dem anderen und scheinbar unbekümmert um die vergehende Zeit, schenkte jedem die Aufmerksamkeit, die er brauchte. Obwohl er so beschäftigt war, dass er mittags nicht mal zu seiner einzigen Mahlzeit kam, wich er nicht von seinem Platz auf der Veranda; durch Gottesfurcht und den Respekt vor den Vorfahren verpflichtet, saß er hier Stunde um Stunde und heilte alle. Mit gekreuzten Beinen beugte er sich über seine Bücher, starrte in Ohren und Münder, hielt seine Hand an heiße Wangen, segnete Schüsseln mit heiligem Wasser und stellte komplizierte Rezepte über darzubringende Opfer aus. Am Abend waren seine Augen so müde wie die eines Feldchirurgen im amerikanischen Bürgerkrieg. Sein letzter Patient an diesem Tag war ein tief bekümmerter Mann mittleren Alters, der über eine schon seit Wochen andauernde Schlaflosigkeit klagte; er werde, sagte er, von einem Albtraum geplagt, in dem er »gleichzeitig in zwei Flüssen ertrinke«.

Bis zu diesem Abend war ich mir nicht im Klaren darüber, welche Rolle ich eigentlich in Ketut Liyers Leben spiele. Immer wieder frage ich ihn, ob er mich wirklich um sich haben will, und immer wieder besteht er darauf, dass ich komme und ihm Gesellschaft leiste. Zwar habe ich ein schlechtes Gewissen, weil ich einen so großen Teil seiner täglichen Zeit für mich beanspruche, aber er wirkt traurig, wenn ich mich gegen Ende des Nachmittags von ihm verabschiede. Was das Englische betrifft, bringe ich ihm wenig, ja eigentlich gar nichts bei. Was immer er vor vielen Jahrzehnten an Englisch gelernt hat, ist inzwischen so fest in seinem Hirn verwurzelt, dass es für Korrekturen zu spät ist. Ich kann ihm lediglich beibringen, bei meiner Ankunft »Schön, dich zu sehen« statt »Schön, dich kennen zu lernen« zu sagen.

Heute Abend, als der letzte Patient gegangen und Ketut

erschöpft war und vor lauter Dienstmüdigkeit aussah, als wäre er sechshundert, fragte ich ihn, ob ich gehen und ihn ein bisschen allein lassen solle. Darauf meinte er: »Für dich ich immer Zeit.« Dann bat er mich, ihm etwas über Indien, Amerika, Italien oder meine Familie zu erzählen. Und da wurde mir klar, dass ich nicht Ketut Liyers Englischlehrerin bin, auch nicht seine Schülerin, sondern nur ein ganz einfaches und kleines Vergnügen für diesen alten Medizinmann. Jemand, mit dem er reden kann, und das gefällt ihm, weil er gern etwas über die Welt hört, denn er hatte in seinem Leben keine Gelegenheit, sie zu sehen.

In unseren gemeinsamen Stunden auf dieser Veranda hat Ketut mich zu allem – von den Autopreisen in Mexiko bis zur Ursache von Aids – ausführlich befragt. Ketut hat die Insel Bali sein Leben lang nicht verlassen, ja hat im Grunde nur wenig Zeit abseits seiner Veranda verbracht. Einmal ist er zum Mount Agung gepilgert, dem größten und spirituell bedeutsamsten Vulkan Balis, doch die Energie dort sei so mächtig gewesen, dass er aus Angst, vom heiligen Feuer verzehrt zu werden, kaum habe meditieren können. Anlässlich wichtiger Zeremonien besucht er die Tempel, seine Nachbarn laden ihn in ihre Häuser ein, damit er dort Hochzeits- oder Volljährigkeitsrituale vollzieht, meist aber findet man ihn auf seiner Veranda, mit gekreuzten Beinen auf seiner Bambusmatte hockend, wo er sich, umgeben von den medizinischen Palmblatt-Enzyklopädien seines Großvaters, um die Menschen kümmert, Dämonen besänftigt und hin und wieder genüsslich ein Tässchen Kaffee mit Zucker schlürft.

»Ich habe Traum von dir gestern Nacht«, erzählte er mir heute. »Dass du irgendwo mit Fahrrad herumfährst.«

Weil er an dieser Stelle innehielt, hakte ich korrigierend nach. »Meinst du, du hattest einen Traum, in dem ich *überall* mit dem Fahrrad herumgefahren bin?«

»Ja! Ich hatte Traum letzte Nacht, du herumgefahren irgendwo und überall mit dem Fahrrad. Du so glücklich in meine Traum! Überall auf der Welt bist du mit Fahrrad herumgefahren. Und ich folge dir!«

Schon allein bei der Vorstellung musste er lachen. Vielleicht würde er ja gern …

»Vielleicht kannst du mich ja mal in Amerika besuchen, Ketut«, schlug ich vor.

»Kann nicht, Liss.« Er schüttelte den Kopf, fröhlich und schicksalsergeben. »Nicht genug Zähne für Reise mit Flugzeug.«

82

Was Ketuts Frau betrifft, so brauche ich eine Weile, um mich mit ihr zu arrangieren. Nyomo, wie er sie nennt, ist rund und vollbusig, hat ein steifes Hüftgelenk und rot verfärbte Zähne, was vom Betelnusstabakkauen kommt. Die Zehen sind arthritisch verkrümmt. Ihr Blick ist durchdringend. Schon bei der ersten Begegnung hat sie mir Angst eingejagt; sie hat diese grimmige Ausstrahlung alter Damen, die man zuweilen bei italienischen Witwen oder selbstgerechten Müttern, die regelmäßig zur Kirche gehen, erlebt. Sie sieht aus, als würde sie einem für den kleinsten Fauxpas das Fell gerben. Zunächst betrachtete sie mich offenbar mit Misstrauen (wer ist dieser Flamingo, der da jeden Tag durch mein Haus stakst?). Aus dem rußigen Dunkel ihrer Küche starrte sie – von meiner Existenzberechtigung durchaus nicht überzeugt – zu mir heraus. Ich lächelte sie dann an, während sie einfach weiterstarrte und sich wohl überlegte, ob sie mich nun mit dem Besenstiel verjagen sollte oder nicht.

Dann aber trat eine allmähliche Veränderung ein. Und zwar nach der Sache mit den Fotokopien.

Ketut Liyer hat all diese Stapel von alten linierten Notizbüchern und fetten Schwarten, die in winzig kleiner Handschrift uralte Heilungsmysterien enthalten. Niedergeschrieben hat er diese Notizen in den vierziger oder fünfziger Jahren, irgendwann nach dem Tod seines Großvaters, um sämtliche medizinischen Informationen schwarz auf weiß zu haben. Dieses Material ist von unschätzbarem Wert. Ketut besitzt unzählige Daten über seltene Pflanzen und ihre medizinischen Eigenschaften. Er nennt etwa sechzig Seiten voller chiromantischer Diagramme sein Eigen, sowie weitere Kladden, berstend von astrologischen Daten, Mantras, Zaubersprüchen und Rezepten. Leider haben diese Notizbücher durch Monsunregen und Mäusefraß Schaden genommen und sind völlig zerfleddert. Vergilbt, brüchig und schimmlig sehen sie aus wie Herbstlaub. Jedes Mal, wenn er eine Seite umschlägt, zerreißt er dabei eine andere.

»Ketut«, sagte ich letzte Woche zu ihm und hielt eine seiner Kladden in die Höhe, »ich bin zwar kein Doktor wie du, aber ich glaube, dieses Buch liegt im Sterben.«

Er lachte. »Du glaubst, es sterben?«

»Als Expertin, *Sir*«, sagte ich feierlich, »kann ich dazu nur sagen: Wenn dieses Buch nicht bald Hilfe bekommt, wird es binnen sechs Monaten tot sein.«

Dann fragte ich ihn, ob ich es mit in die Stadt nehmen und fotokopieren dürfe, bevor es seinen Geist aufgab. Ich musste ihm erklären, was Fotokopieren ist, und ihm versichern, das Buch nicht länger als vierundzwanzig Stunden zu behalten und ihm keinen Schaden zuzufügen. Nachdem ich ihm versprochen hatte, vorsichtig mit der Weisheit seines Großvaters umzugehen, gestattete er mir schließlich, es von seiner Veranda zu entführen. Ich strampelte in die Stadt hinunter zu den

Läden mit den Computern und Fotokopierern, kopierte behutsam Seite für Seite und ließ die kopierten Blätter in einen hübschen Plastikeinband binden. Schon am nächsten Vormittag brachte ich ihm die alte und die neue Ausgabe des Buches zurück. Ketut war verblüfft und entzückt, fürchtete allerdings auch, dass ich zu viel Geld ausgegeben haben könnte, »weil, ich glaube du verloren viel Geld in Scheidung letztes Jahr«, doch ich versicherte ihm, dass das völlig in Ordnung gehe. Er sei ja so glücklich, denn er besitze dieses Notizbuch bereits seit fünfzig Jahren – was tatsächlich »fünfzig Jahre« bedeuten mochte oder auch einfach nur »eine wirklich lange Zeit«.

Ob ich nicht auch seine übrigen Notizbücher kopieren könnte, fragte ich ihn, um auch diese Informationen zu sichern. Worauf er mir ein weiteres zerschlissenes Dokument, randvoll mit Sanskrit und komplizierten Skizzen, unter die Nase hielt.

»Noch eine Patient!«, sagte er.

»Lass mich ihn heilen!«, erwiderte ich.

Auch das war ein großer Erfolg. Gegen Ende der Woche hatte ich bereits mehrere alte Manuskripte fotokopiert. Jeden Tag rief Ketut seine Frau herüber, zeigte ihr die neuen Bücher und war überglücklich. Ja, er war völlig aus dem Häuschen. Ihr Gesicht zeigte keine Regung, doch die Beweisstücke sah sie sich genau an.

Und als ich am nächsten Montag zu Besuch kam, brachte Nyomo mir heißen Kaffee, den sie in einem Marmeladenglas servierte. Ich beobachtete sie, wie sie das Getränk auf einer Porzellanuntertasse über den Hof trug und langsam hinkend den langen Weg von ihrer Küche zu Ketuts Veranda zurücklegte. Ich dachte, der Kaffee sei für Ketut bestimmt, aber nein – der hatte seinen schon. Der hier war für mich. Sie hatte ihn extra für mich gekocht. Ich wollte mich bei ihr bedanken, doch sie wirkte verärgert und scheuchte mich weg, so ähnlich, wie sie den Gockel wegscheuchte, der, immer wenn sie Mittagessen kochte, auf ihren im Hof stehenden Küchentisch zu springen versuchte. Aber am nächsten Tag brachte sie mir ein Glas Kaffee und eine Zuckerschale dazu. Und am darauf folgenden ein Glas Kaffee, eine Zuckerschale und eine kalte gekochte Kartoffel. Tag für Tag fügte sie eine neue Überraschung hinzu. Ich fühlte mich an dieses Spiel zum Memorieren des Alphabets erinnert, das wir während der Autofahrten meiner Kindheit gespielt hatten: »Ich fahre zu Oma und bringe ihr einen Apfel mit … Ich fahre zu Oma und bringe ihr einen Apfel und einen Ballon … Ich fahre zu Oma und bringe ihr einen Apfel, einen Ballon und einen Kaffee in einem Marmeladenglas, eine Zuckerschale und eine kalte Kartoffel mit …«

Gestern dann stand ich im Hof und verabschiedete mich von Ketut, als Nyomo mit ihrem Besen vorbeigeschlurft kam; sie fegte und tat, als achtete sie nicht auf jede Kleinigkeit, die in ihrem Reich passierte. Ich hielt die Hände auf dem Rücken verschränkt, während ich dastand, und sie näherte sich mir von hinten und nahm eine meiner Hände zwischen die ihren. Sie fummelte an meiner Hand herum, als versuchte sie, die Zahlenkombination an irgendeinem Schloss herauszubekommen, und fand meinen Zeigefinger. Dann wickelte sie ihre große, harte Faust um diesen Finger und quetschte ihn lange und nachdrücklich. Die Liebe, die in ihrer starken Hand pulste, spürte ich bis hinauf in die Achselhöhlen und bis hinunter in meine Eingeweide. Dann ließ sie meine Hand wieder los und hinkte von dannen; bei alledem sprach sie kein Wort, fuhr schließlich mit dem Fegen fort und tat, als wäre nichts passiert – während ich reglos dastand und in zwei Flüssen des Glücks gleichzeitig ertrank.

83

Ich habe einen neuen Freund gefunden. Er heißt Yudhi, ausgesprochen »You-Day«. Er ist Indonesier und kommt ursprünglich aus Java. Kennen gelernt habe ich ihn, weil er mir das Haus vermietet hat; er arbeitet für die Engländerin, der es gehört, kümmert sich im Sommer, während sie in London weilt, um ihr Anwesen. Yudhi ist siebenundzwanzig, stämmig gebaut und redet wie ein südkalifornischer Surfer. Ständig nennt er mich »Mann« oder »Typ« – und ich ziere mich nicht und erwidere die zärtlichen Anreden. Er hat ein Lächeln, das auch einen Stein erweichen würde, und er hat in seinem Leben schon einiges durchgemacht.

Geboren ist er in Jakarta als Sohn einer Hausfrau und eines Elvis-Fans, der damals ein kleines Geschäft für Klimaanlagen und Kühlschränke betrieb. Seine Eltern waren Christen, was in diesem Teil der Welt ein wenig aus der Reihe fällt, und Yudhi schildert amüsiert, wie die muslimischen Kinder aus seiner Nachbarschaft ihn wegen seiner »Unzulänglichkeiten« – wie etwa »Ihr esst Schweinefleisch!« oder »Ihr liebt Jesus!« – verspotteten. Yudhi störte sich nicht an den Neckereien; er ist nur schwer aus der Ruhe zu bringen. Seine Mutter allerdings mochte nicht, dass er mit den muslimischen Kindern spielte, hauptsächlich, weil sie immer barfuß herumliefen, was Yudhi ebenfalls gern getan hätte, was sie aber unhygienisch fand, so dass sie ihren Sohn vor die Wahl stellte, entweder in Schuhen draußen zu spielen oder barfuß zu Hause zu bleiben. Da Yudhi Schuhe verabscheut, verbrachte er den Großteil seiner Kindheit und Jugend auf seinem Zimmer, wo er lernte, Gitarre zu spielen. Barfuß.

Der Bursche hat ein musikalisches Gehör wie wohl niemand, den ich kenne. Er ist fantastisch auf seiner Gitarre, hatte zwar nie eine Stunde Unterricht, versteht aber unendlich viel von Melodie und Harmonie. In seiner Musik verschmilzt er Östliches mit Westlichem, verbindet klassische indonesische Wiegenlieder mit Reggae-Groove und dem frühen Funk-Blues von Stevie Wonder – man kann diesen Sound nur schwer definieren, aber er ist einfach himmlisch. Und dazu diese samtweiche Singstimme. Eigentlich müsste er berühmt sein. Nie habe ich jemanden getroffen, der Yudhis Musik hörte und nicht dasselbe dachte.

Und am meisten hat er sich immer gewünscht, in Amerika zu leben und als Musiker auf der Bühne zu stehen. Der Traum der ganzen Welt. Daher beschloss Yudhi noch als Teenager (der kaum ein Wort Englisch sprach), einen Job auf einem Schiff der Carnival Cruise Lines anzunehmen, verließ das enge Jakarta und stürzte sich in die große, blaue Welt. Seine Arbeit auf dem Kreuzfahrtschiff war einer dieser Wahnsinnsjobs für fleißige Immigranten, bei denen man unter Deck haust, zwölf Stunden am Tag schuftet und einen Tag im Monat freibekommt. Seine Kollegen waren Filipinos und indonesische Landsleute. Indonesier und Filipinos schliefen und aßen jedoch auf dem Schiff getrennt (die einen sind Muslime, die anderen Christen, weißt du das nicht?), Yudhi aber freundete sich – typisch für ihn – mit allen an und wurde so zu einer Art Mittler zwischen den beiden Lagern asiatischer Arbeiter. Er fand zwischen den Zimmermädchen, Wächtern und Küchengehilfen, die endlos schufteten, um vielleicht hundert Dollar pro Monat an ihre Familien zu schicken, mehr Gemeinsamkeiten als Unterschiede.

Als das Kreuzfahrtschiff zum ersten Mal New York anlief, blieb Yudhi die ganze Nacht wach, kauerte mit hämmerndem Herzen auf dem Oberdeck und betrachtete die Skyline der Stadt. Stunden später ging er von Bord und hielt – wie im Film – ein *yellow cab* an. Als der aus Afrika eingewanderte Taxifahrer ihn fragte, wohin er wolle, antwortete Yudhi: »Überallhin, Mann – fahr einfach los. Ich will alles sehen.« Wenige Monate später lief das Schiff erneut in New York ein, und diesmal ging er für immer von Bord. Sein Vertrag mit der Kreuzfahrtlinie war erfüllt, und jetzt wollte er in Amerika leben.

Er landete – ausgerechnet – im vorstädtischen Jersey City, wo er eine Weile bei einem Indonesier wohnte, den er auf dem Schiff kennen gelernt hatte. Im Sandwichladen eines Einkaufszentrums fand er einen Job – wieder zehn bis zwölf Stunden Maloche nach Immigrantenart, wobei er diesmal mit Mexikanern statt Filipinos arbeitete. Während dieser ersten Monate lernte er mehr Spanisch als Englisch. In seinen seltenen freien Stunden fuhr Yudhi mit dem Bus nach Manhattan, nur um durch die Straßen zu schlendern, und war immer noch völlig hingerissen von dieser Stadt – einer Stadt, die er heute als den Ort bezeichnet, »an dem es auf der ganzen Welt die meiste Liebe gibt«. Irgendwie stieß er dann in New York auf eine Gruppe von jungen Musikern aus aller Welt und schloss sich ihnen als Gitarrist an. Nächtelang zogen die begabten jungen Leute aus Jamaika, Afrika, Frankreich und Japan durch die Bars und Konzertsäle und musizierten … Auf einem dieser Gigs lernte er Ann kennen: eine hübsche blonde Bassistin aus Connecticut. Sie verliebten sich. Sie heirateten. Sie fanden eine Wohnung in Brooklyn, lebten umringt von tollen Freunden, mit denen sie gemeinsame Autotouren bis hinunter auf die Florida Keys machten. Das Leben war unglaublich schön. Sein Englisch war bald perfekt. Er spielte mit dem Gedanken, aufs College zu gehen.

Am 11. September beobachtete Yudhi von Brooklyn aus den Einsturz der Zwillingstürme. Und war wie gelähmt vor Kummer über das Unglück seiner Stadt – wie konnte jemand der Stadt »mit der meisten Liebe auf der ganzen Welt« etwas so Abscheuliches, Grauenhaftes antun? Ich weiß nicht, wie aufmerksam Yudhi anschließend die Politik des amerikanischen Kongresses mitverfolgte, der als Reaktion auf die terroristische Bedrohung den *Patriot Act* verabschiedete – ein Gesetzesbündel, das unter anderem strenge Vorschriften beinhaltete, die sich auf Einwanderer aus islamischen Ländern, wie zum Beispiel Indonesien, bezogen. Eine dieser Bestimmungen verlangte, dass sich alle indonesischen Bürger, die sich in Amerika aufhielten, bei den neu eingerichteten Behörden für Heimatschutz registrieren ließen. Während Yudhi und seine jungen indonesischen Freunde noch überlegten, was zu tun sei – viele hatten ihre Visa ablaufen lassen und fürchteten, dass man sie, wenn sie sich meldeten, ausweisen würde –, klingelten bereits die Telefone. Andererseits hatten sie aber auch Angst, sich nicht zu melden, da sie sich in diesem Falle wie Kriminelle verhielten. Yudhi beschloss, sich registrieren zu lassen, einfach weil er ehrlich sein wollte. Er war mit einer Amerikanerin verheiratet, wollte seinen Aufenthaltstitel erneuern lassen und amerikanischer Staatsbürger werden. Er wollte sich nicht verstecken.

Gemeinsam mit Ann konsultierte er alle möglichen Anwälte, keiner aber wusste, wozu er ihnen raten sollte. Vor dem 11. September hätte es keine Probleme gegeben: Da Yudhi inzwischen verheiratet war, hätte er einfach zur Einwanderungsbehörde gehen und sein Visum erneuern lassen können, um dann das Einbürgerungsverfahren in Gang zu setzen. Jetzt aber? In ihrer Ratlosigkeit gingen Yudhi und seine Frau zur Einwanderungsbehörde, fanden einen netten Beamten und erzählten ihm ihre Geschichte. Man teilte ihnen mit, dass Yudhi am selben Nachmittag zu einem »zweiten Gespräch« zurückkommen solle. Und da hätten sie misstrauisch werden müssen … Yudhi wurde strikt angewiesen, sich ohne seine Frau, ohne Rechtsanwalt und mit leeren Taschen einzufinden. Aufs Beste hoffend, kehrte er tatsächlich allein und mit leeren Händen zurück – und wurde festgenommen.

Man sperrte ihn für mehrere Wochen in ein Sträflingslager in Elizabeth City, New Jersey, zusammen mit unzähligen anderen Immigranten, die man alle kurz zuvor aufgrund des *Homeland Security Act* verhaftet hatte, von denen viele seit Jahren in Amerika lebten und arbeiteten und kein Englisch sprachen. Die meisten hatten bei ihrer Verhaftung nicht einmal mehr ihre Familie verständigen können. Im Gefangenenlager waren sie unsichtbar; niemand wusste, ob es sie überhaupt noch gab. Die fast schon hysterische Ann brauchte Tage, um zu erfahren, wohin man ihren Ehemann verschleppt hatte. Am deutlichsten erinnert sich Yudhi an die Gruppe verängstigter Nigerianer, die man auf einem Frachtschiff in einem Stahlbehälter gefunden hatte; fast einen Monat lang hatten diese Männer sich in diesem Container im Rumpf des Schiffes versteckt, bevor man sie entdeckte. Sie hatten keine Ahnung, wo sie sich befanden. Und immer noch hatten sie diese weit aufgerissenen Augen, als würden sie von Scheinwerfern geblendet. Yudhi hatte versucht, mit ihnen zu reden, sich mit ihnen anzufreunden, doch sie besaßen keine gemeinsame Sprache, und sogar vor ihm hatten sie Angst. Alles und jeder habe ihnen solche Furcht eingeflößt, meinte er, dass er nicht einmal wisse, ob einer von ihnen je ein Auge zugetan habe.

Nach einigen Wochen in Haft schickte die Regierung der Vereinigten Staaten meinen Freund Yudhi – der offensichtlich des Terrorismus verdächtigt wurde – zurück nach Indonesien. Das war im letzten Jahr. Und ob man ihn je wieder nach Amerika einreisen lässt, weiß keiner zu sagen. Immer noch versuchen er und seine Frau zu klären, wie sie ihre Ehe fortführen sollen; denn von einem Leben in Indonesien hatten sie eigentlich nicht geträumt.

Da sich Yudhi nach seinem Leben in Amerika in den Slums von Jakarta nicht mehr zurechtfand, ging er nach Bali, in der Hoffnung, sich dort seinen Lebensunterhalt verdienen zu können, obwohl er als Nichtbalinese in dieser Gesellschaft nur schwer Aufnahme findet. Die Balinesen können die Javaner nicht leiden, halten sie für Diebe und Bettler und behandeln sie kaum besser als ihre Hunde. Folglich stößt Yudhi hier, in seiner Heimat Indonesien, auf mehr Vorurteile, als er in New York je erlebt hat. Er weiß nicht, was er als Nächstes tun soll. Vielleicht kommt ja seine Frau Ann, um hier mit ihm zu leben. Vielleicht aber auch nicht. Denn was hat Bali ihr schließlich zu bieten? Ihre junge Ehe liegt auf Eis. Er fühlt sich absolut fehl am Platz hier. Im Grunde ist er mehr Amerikaner als sonst etwas: Yudhi und ich benutzen denselben Slang, unterhalten uns über unsere Lieblingsrestaurants in New York und lieben dieselben Filme. Abends kommt er mich in meinem Haus besuchen, ich kaufe Bier für ihn ein, und er spielt mir auf seiner Gitarre die erstaunlichsten Songs vor. Ich wünschte, er wäre berühmt. Gäbe es Gerechtigkeit auf der Welt, dann wäre er längst berühmt.

»Mann«, stöhnt er, »warum ist das Leben nur so verrückt?«

84

»Ketut, warum ist das Leben nur so verrückt?«, fragte ich meinen Medizinmann am nächsten Tag.

»*Bhuta ia, dewa ia*«, erwiderte er.

»Was heißt das?«

»Der Mensch ist ein Dämon, der Mensch ist ein Gott. Beide wahr.«

Eine Vorstellung, die mir durchaus vertraut war. Sehr indisch, sehr yogisch. Der Gedanke, dass wir Menschen geboren werden mit demselben Potenzial für Kontraktion und Expansion. Die Ingredienzen für Licht und Finsternis sind in jedem von uns gleichermaßen vorhanden, und es liegt am Einzelnen (der Familie oder der Gesellschaft), zu entscheiden, was realisiert wird: die Tugenden oder die Laster. Der Wahnsinn dieses Planeten resultiert hauptsächlich aus der Unfähigkeit des Menschen, in sich selbst ein tugendhaftes Gleichgewicht herzustellen. Das Ergebnis ist (kollektiver wie individueller) Wahn.

»Was also können wir gegen die Verrücktheit dieser Welt ausrichten?«

»Nichts.« Ketut lachte, doch es war ein gütiges Lachen. »So ist Welt. So ist Schicksal. Mach nur Sorgen über eigene Verrücktheit – dann du in Frieden.«

»Aber wie sollen wir Frieden in uns selbst finden?«, fragte ich.

»Meditation«, antwortete er. »Ziel von Meditation nur Glück und Frieden – ganz einfach. Heute ich zeige dir neue Meditation, macht dich noch bessere Mensch. Heißt Vier-Brüder-Meditation.«

Ketut fuhr fort und erklärte, dass nach dem Glauben der Balinesen jeder von uns bei der Geburt von vier unsichtbaren Brüdern begleitet werde, die mit uns auf die Welt kämen und uns unser Leben lang beschützten. Solange sich das Kind im Mutterleib befinde, seien die vier Geschwister dort bei ihm – repräsentiert von der Plazenta, dem Fruchtwasser, der Nabelschnur und der gelblichen wachsartigen Substanz, die die Haut des ungeborenen Kindes schützt. Wenn das Baby zur Welt komme, nehmen die Eltern diese »nebensächlichen Geburtsmaterialien«, legen sie in eine Kokosnussschale und vergraben diese neben der Eingangstür des Hauses.

Den Balinesen zufolge ist diese vergrabene Kokosnuss die heilige Ruhestätte der vier Brüder, und die Begräbnisstelle wird gepflegt wie ein Schrein. Immer wenn die Mutter den Säugling badet, schüttet sie ein wenig Badewasser auf die Stelle neben der Tür, um auch die vier Geisterbrüder zu baden, und jeden Tag tröpfelt sie ein wenig Muttermilch auf die Stelle, um die vier Geisterbrüder zu »füttern«.

Sobald das Kind Bewusstsein entwickelt, lehrt man es, dass es diese vier Brüder hat, die es auf all seinen Wegen begleiten und es immer beschützen werden. In den Brüdern verkörpern sich auch die vier Tugenden, die ein Mensch zu einem glücklichen und sicheren Leben benötigt: Intelligenz, Freundschaft, Stärke und *Poesie*. In allen kritischen Situationen kann man die Brüder um Beistand anrufen. Und wenn man stirbt, holen die vier Geisterbrüder die Seele ab und bringen sie in den Himmel.

Noch nie, hat mir Ketut heute erzählt, habe er die Vier-Brüder-Meditation einem Westler beigebracht, aber er glaube, ich sei so weit. Als Erstes lehrte er mich die Namen meiner unsichtbaren Geschwister: *Ango Patih, Maragio Patih, Banus Patih* und *Banus Patih Ragio*. Diese Namen müsse ich memorieren und dann meine Brüder ein Leben lang, wann immer ich sie brauche, um Hilfe bitten. Ich müsse nicht förmlich mit ihnen kommunizieren, so wie wir etwa gegenüber Gott die Form wahren. Ich dürfe sie mit zärtlicher Vertrautheit ansprechen, weil »sie nur deine Verwandte sind«. Morgens nach dem Aufstehen solle ich ihre Namen aufsagen, dann kämen sie zu mir. Auch jedes Mal vor dem Essen müsse ich sie rufen, damit auch sie die Mahlzeit genießen könnten. Wann immer ich Angst hätte, solle ich meine Brüder ansprechen, und sie würden mich verteidigen. Und schließlich solle ich sie vor dem Schlafengehen anrufen und sagen: »Ich schlafe jetzt, bleibt daher wach und beschützt mich«, denn meine Brüder würden die ganze Nacht über mich wachen und Dämonen und Albträume abwehren.

»Das ist gut«, sagte ich ihm, »denn Albträume plagen mich häufig.«

»Was für Albträume?«

Ich erklärte dem Medizinmann, dass ich seit meiner Kindheit immer wieder denselben schrecklichen Albtraum hätte, in dem ein Mann mit einem Messer neben meinem Bett stehe. Dieser Traum ist so lebhaft, der Mann so real, dass ich manchmal vor Angst laut aufschreie. Dann sitze ich mit weit aufgerissenen Augen im Bett, knipse das Licht an und sehe den Mann mit dem Messer immer noch, wie er dasteht und mich anstarrt. Es dauert dann eine Ewigkeit, bis das Bild wieder verblasst und schließlich mit der Tapete verschwimmt. Das Herz pocht mir dabei bis zum Hals (und auch für alle, die je mein Bett teilten, war dieses Erlebnis kein Vergnügen). Diesen Albtraum habe ich, solange ich denken kann, alle paar Wochen.

Ketut meinte, ich hätte diese Vision jahrelang missverstanden. Der Mann mit dem Messer in meinem Schlafzimmer sei gar kein Feind, sondern einer meiner Brüder. Er sei derjenige von ihnen, der die Stärke repräsentiere. Und er wolle mich nicht angreifen, sondern meinen Schlaf bewachen. Wahrscheinlich würde ich jedes Mal wegen des Lärms aufschrecken, der entstehe, weil mein Geisterbruder irgendeinen bösartigen Dämon abwehre. Und was mein Bruder bei sich habe, sei kein Messer, sondern ein *kiris* – ein kleiner Dolch. Und nun solle ich mich nicht mehr ängstigen, sondern könne mich im Wissen, beschützt zu sein, schlafen legen.

»Du hast Glück«, sagte Ketut. »Glück, du kannst ihn sehen. Manchmal ich sehe meine Brüder in Meditation, aber für normale Mensch ist selten. Du große Macht, ich glaube. Du vielleicht Medizinfrau eines Tages, ich hoffe.«

»Okay«, sagte ich lachend, »aber nur, wenn ich dann auch meine eigene Fernsehserie kriege.«

Er stimmte in mein Lachen ein, auch wenn er meinen Witz natürlich nicht verstand – lachte einfach, weil er es liebt, wenn jemand Witze macht. Dann schärfte er mir ein, mich meinen vier Geisterbrüdern jedes Mal, wenn ich sie anrede, zu erkennen zu geben. Dazu müsse ich den geheimen Spitznamen nennen, den sie mir gegeben hätten, müsse sagen: »Ich bin *Lagoh Prano*.«

Lagoh Prano heißt »Glücklicher Körper«.

Ich radelte nach Hause, beförderte meinen glücklichen Körper in der Spätnachmittagssonne die Hügel zu meinem Haus hinauf. Als ich durch den Wald radelte, ließ sich ein großer männlicher Affe direkt vor mir auf die Straße fallen und bleckte die Fänge. Ich zuckte nicht mal mit der Wimper. »Hau ab, Jack«, sagte ich nur, »ich hab vier Brüder, die mich beschützen«, und fuhr an ihm vorbei.

85

Am nächsten Tag aber wurde ich (trotz brüderlicher Beschützer) von einem Bus angefahren, als ich die Straße entlangstrampelte. Der Kleinbus schleuderte mich in einen betonierten Abwassergraben. Etwa dreißig balinesische Mopedfahrer hielten an, um mir zu helfen, da sie den Unfall gesehen hatten (der Bus war längst verschwunden), und alle luden mich zum Teetrinken zu sich nach Hause ein oder boten mir an, mich ins Krankenhaus zu bringen; allen tat das Ganze furchtbar Leid. Allerdings stand es – wenn man bedachte, wie der Unfall hätte ausgehen können – nicht allzu schlimm um mich. Mein Fahrrad war unbeschädigt, lediglich der Korb war etwas verbogen, und der Helm hatte einen Riss. Das Schlimmste war eine Schnittwunde am Knie, die sich, da voller Kies und Dreck, in den nächsten Tagen – an der feuchten tropischen Luft – unangenehm entzünden sollte.

Ich wollte Ketut Liyer nicht beunruhigen, einige Tage später aber rollte ich auf seiner Veranda mein Hosenbein hoch und löste den vergilbten Verband. Besorgt starrte der alte Medizinmann auf meine Wunde.

»Entzündet«, diagnostizierte er. »Tut weh.«

»Ja«, sagte ich.

»Besser, du gehst Doktor.«

Das überraschte mich nun ein wenig. War *er* nicht der Doktor? Aus irgendeinem Grund jedoch wollte er mir nicht helfen, und ich wiederum wollte ihn nicht drängen. Vielleicht behandelt er ja keine Westler. Oder vielleicht hatte er auch einen geheimen Masterplan, denn letztlich war es das ramponierte Knie, das mir zur Begegnung mit Wayan verhalf. Und durch Wayan wiederum kam alles, was dann geschehen sollte, ins Rollen …

86

Wie Ketut Liyer praktiziert auch Wayan Nuriyasih balinesische Heilkunde. Es gibt jedoch einige Unterschiede zwischen den beiden. Ketut ist ein alter Mann, Wayan hingegen eine Frau Ende dreißig. Ketut ist ein eher priesterlicher Typ, etwas mystisch und mehr für die religiösen Zeremonien zuständig, während Wayan ganz die praktische, zupackende Doktorin ist, die im eigenen Laden Kräuter verkauft und Arzneien mischt und dort auch ihre Patienten behandelt.

Ihr Laden befindet sich im Zentrum von Ubud und nennt

sich »Traditional Balinese Healing Center«. Auf dem Weg zu Ketut war ich schon viele Male an ihm vorbeigeradelt, und aufgefallen war er mir wegen der vielen vor dem Schaufenster stehenden Topfpflanzen sowie der Tafel mit dem merkwürdigen handgeschriebenen Hinweis auf das »Multivitamin Lunch Special«. Vor meiner Knieverletzung aber war ich nie dort gewesen. Als Ketut mich wegschickte, damit ich mir einen Arzt suchte, fiel mir der Laden wieder ein, und in der Hoffnung, dass mir dort jemand helfen könnte, fuhr ich hin.

Wayans Laden beherbergt eine kleine Praxis und ist außerdem Wohnung und Restaurant. Im Erdgeschoss befinden sich eine winzige Küche und ein bescheidener öffentlicher Speiseraum mit drei Tischen und einigen Stühlen. Im Obergeschoss liegen die Privaträume, in denen Wayan auch Massagen und Behandlungen durchführt.

Mit meinem wehen Knie humpelte ich in den Laden und stellte mich Wayan vor – einer auffallend attraktiven Balinesin, mit breitem Lächeln und glänzendem schwarzem Haar, das ihr bis zu den Hüften reicht. In der Küche hinter ihr versteckten sich zwei schüchterne junge Mädchen, lächelten, als ich ihnen zuwinkte, und tauchten dann wieder weg. Ich zeigte Wayan meine infizierte Wunde und fragte, ob sie mir helfen könne. Rasch brachte Wayan auf dem Herd Wasser und Kräuter zum Kochen und ließ mich *jamu*, traditionelle selbst gebraute indonesische Heilmixturen, trinken. Sie legte heiße grüne Blätter auf mein Knie, und sofort verspürte ich eine angenehme Wirkung.

Wir kamen ins Gespräch. Ihr Englisch war ausgezeichnet. Da sie Balinesin ist, stellte sie mir sogleich die drei ortsüblichen Standardfragen: *Wo wollen Sie hin? Wo kommen Sie her? Sind Sie verheiratet?*

Als ich ihr sagte, dass ich nicht verheiratet sei (»Noch nicht!«), wirkte sie betroffen.

»Sie war nie verheiratet?«, fragte sie.

»Nein«, log ich. Ich lüge nicht gern, finde es jedoch leichter, den Balinesen meine Scheidung zu verschweigen, weil sie sich zu sehr darüber aufregen würden.

»Wirklich nie verheiratet?«, fragte sie wieder und betrachtete mich nun mit großer Neugier.

»Wirklich und wahrhaftig«, log ich. »Nie verheiratet gewesen.«

»Sicher?« Langsam wurde mir unheimlich. Und es war auch so untypisch, dass sie meine Ehrlichkeit bezweifelte und sich derart in meine Angelegenheiten mischte. Ein sehr ungewöhnliches Verhalten in einer so höflichen Gesellschaft.

»Ich bin mir völlig sicher!«

»Nicht einmal eine einzige Mal?«, fragte sie.

Okay, sie durchschaute mich also. Eine Medizinfrau sollte man eben nie belügen.

»Nun«, beichtete ich. »Es gab da dieses eine Mal …«

Ihr Gesicht hellte sich auf, als wolle sie sagen: *Dachte ich mir's doch*. »Geschieden?«, fragte sie.

»Ja«, sagte ich, nun beschämt. »Geschieden.«

»Ich hab gespürt.«

»Hier kommt das nicht so oft vor, oder?«

»Aber ich bin doch auch«, sagte Wayan nun zu meiner Überraschung. »Ich auch geschieden.«

»Sie?«

»Ich habe alle getan, was ich tun konnte«, sagte sie. »Alle versucht, bevor ich mich scheiden lasse, jeden Tag gebetet. Aber ich muss weg von ihm.«

Ihre Augen füllten sich mit Tränen, und ehe ich mich's versah, hielt ich Wayans Hand, weil ich soeben meine erste balinesische Geschiedene getroffen hatte, und sagte: »Ich bin mir sicher, dass Sie alles probiert haben. Ich bin mir sicher, dass Sie nichts unversucht gelassen haben.«

»Scheiden so traurig«, sagte sie.

Ich stimmte ihr zu.

Die folgenden fünf Stunden unterhielt ich mich mit meiner neuen Freundin über ihre Probleme. Und während ich ihr zuhörte, säuberte sie mein entzündetes Knie. Immer wieder unterbrach sie sich und meinte: »Warum ich rede so? Ich sage nie zu jemand so. Warum ich weine so?« In gewisser Weise erinnerte sie mich an mich selbst: Vor vier Jahren, als meine Ehe langsam zerbrach, musste ich eines Tages zur zahnärztlichen Vorsorgeuntersuchung, und meine Zahnärztin (eine wunderbare Frau aus Kolumbien) fragte mich: »Alles in Ordnung? Sie wirken ein bisschen niedergeschlagen.« Worauf ich auf der Stelle in Tränen ausbrach. Meine Zahnärztin schloss die Tür, brach die Zahnreinigung ab, setzte sich neben mich, nahm meine Hand und sagte: »Wenn Sie nicht darüber reden, macht es Sie krank.« Und dann schrieb sie mir ein spanisches Verb auf, das so viel wie »vor dem Ersticken bewahren« bedeutet, und meinte: »Damit müssen Sie sofort anfangen.« Und genau das sagte ich zu Wayan, die sich dabei ertappt hatte, dass sie vor einer völlig Fremden in Tränen zerfloss. »Wenn Sie nicht darüber reden, macht es Sie krank.« Und so begann Wayan, sich mit meiner Hilfe vor dem Ersticken zu bewahren. Auf diese Weise verbreitet sich das Mitgefühl rund um die Welt. Von meiner südamerikanischen Zahnärztin in New York auf mich und weiter auf Wayan in ihrem kleinen Laden in Indonesien …

Wayans Exmann war ein zwanghafter Spieler und Alkoholiker, der sie brutal misshandelte. Viele Male hatte er sie krankenhausreif geschlagen. Sie zeigte mir die Narben auf ihrem Kopf, die davon rührten, dass er ihr mit dem Motorradhelm den Schädel gebrochen hatte. Wäre sie nicht Heilerin – glaubt sie –, hätte sie sich nicht darauf verstanden, sich selbst zu kurieren, und höchstwahrscheinlich das Gehör oder das Augenlicht verloren. Erst nachdem er sie so schwer misshandelt hatte, dass sie ihr zweites Kind durch eine Fehlgeburt verlor und ihre Erstgeborene, ein intelligentes kleines Mädchen mit Spitznamen Tutti, meinte: »Ich finde, du solltest dich scheiden lassen, Mutti. Immer wenn du ins Krankenhaus gehst, muss Tutti zu viel Hausarbeit machen«, erst da verließ sie ihn.

Vier Jahre war Tutti alt, als sie das sagte.

Ein Balinese, der sich aus seiner Ehe verabschiedet, bleibt derart einsam und ungeschützt zurück, wie es sich ein Westler kaum auszudenken vermag. Die von den Mauern des Familienanwesens umschlossene Familieneinheit ist nicht weniger als alles für ihn. In den Bungalows, die sich um einen kleinen Tempel gruppieren, leben vier Generationen zusammen und sorgen füreinander von der Geburt bis zum Tod. Das Familienanwesen ist Quelle und Garant von Stärke, finanzieller Sicherheit, Gesundheit, Kinder- und Altenbetreuung, Erziehung und – was für die Balinesen am wichtigsten ist – spiritueller Verbundenheit. Denn schließlich sind hier auch all die Kokosnüsse mit den Geistergeschwistern begraben, die geehrt und umsorgt werden müssen, um jedermann im Gleichgewicht zu halten.

Das Familienanwesen ist derart vital, dass die Balinesen es als Einzelperson betrachten. Herkömmlicherweise wird die Bevölkerung eines balinesischen Dorfs nicht nach der Anzahl der Einwohner beziffert, sondern nach der der Anwesen. Ein solches Anwesen ist ein sich selbst erhaltendes Universum. Daher verlässt man es nicht. (Es sei denn natürlich, man ist eine Frau; in diesem Falle zieht man ein einziges Mal um – vom Familienanwesen des Vaters in das des Ehemanns.) Wenn dieses System funktioniert – was in dieser Gesellschaft fast immer der Fall ist –, bringt es die normalsten, behütetsten, gelassensten, glücklichsten und ausgeglichensten Menschen der Welt hervor. Und wenn es nicht funktioniert (wie bei meiner neuen Freundin Wayan)? Dann verliert sich die Ausgestoßene in einem leeren Raum. Wayan hatte die Wahl, entweder mit einem Mann, der sie immer wieder krankenhausreif schlug, im Sicherheitsnetz des Familienanwesens zu verbleiben oder ihr Leben zu retten, die Familie zu verlassen und damit vor dem Nichts zu stehen.

Nun, nicht ganz. Sie nahm ihr enzyklopädisches Heilwissen mit, ihre Kraft, ihre Güte, ihr Arbeitsethos und ihre Tochter Tutti – um die sie hart kämpfen musste. Die balinesische Gesellschaft ist von Grund auf patriarchalisch. Im seltenen Falle einer Scheidung verbleiben die Kinder automatisch beim Vater. Um Tutti mitnehmen zu können, musste Wayan einen Anwalt einschalten, den sie mit allem bezahlte, was sie besaß. Und damit meine ich buchstäblich alles. Sie verkaufte nicht nur ihre Möbel und ihren Schmuck, sondern auch Besteck, Socken und Schuhe, ihre alten Waschlappen und Kerzenstummel – alles ging für die Begleichung der Anwaltsrechnungen drauf. Am Ende jedoch, nach zweijährigem Kampf, bekam sie ihre Tochter zugesprochen. Natürlich hatte Wayan auch das Glück, dass Tutti ein Mädchen war; wäre sie ein Junge gewesen, hätte sie ihr Kind nie wiedergesehen. Jungen sind erheblich mehr wert.

Wayan und Tutti leben allein – ganz allein im Ameisenhaufen Bali! –, und alle paar Monate, wenn wieder mal Ebbe in der Kasse herrscht, ziehen sie um. Die ständigen Umzüge sind nicht unproblematisch, denn Wayans Patienten (meist Balinesen, die ebenfalls schwere Zeiten durchmachen) fällt es jedes Mal schwer, sie wiederzufinden. Außerdem muss die kleine Tutti bei jedem Wohnungswechsel von der Schule genommen werden. Tutti war immer Klassenbeste gewesen, seit dem letzten Umzug aber ist sie auf den zwanzigsten Platz unter fünfzig Kindern zurückgefallen.

Während Wayan und ich uns noch unterhielten, kam Tutti aus der Schule zurück und stürmte in den Laden. Inzwischen ist sie acht Jahre alt und ein echtes Energiebündel. Diese kleine Kirschbombe (bezopft, mager und aufgeregt) fragte mich in lebhaftem Englisch, ob ich gern zu Mittag essen würde, und Wayan meinte: »Das hab ich ja völlig vergessen! Sie sollten wirklich was essen!« Und Mutter und Tochter eilten in ihre Küche und zauberten – tatkräftig unterstützt von den zwei schüchternen Mädchen, die sich dort versteckten – kurz darauf das beste Essen hervor, das ich bis dahin auf Bali gekostet hatte.

Die kleine Tutti servierte jeden Gang der Mahlzeit mit einer Erklärung zu dem, was sich auf dem Teller befand, und einem Riesenlächeln und war dabei so lebhaft, dass sie eigentlich ein Stöckchen hätte schwingen müssen.

»Gelbwurzsaft, für Nierenreinigen!«, verkündete sie.

»Algen, für Kalziumbedarf!«

»Tomatensalat, für Vitamin D!«

»Gemischte Kräuter, gegen Malaria!«

Schließlich fragte ich sie: »Tutti, wo hast du so gut Englisch gelernt?«

»Aus ein Buch!«, verkündete sie.

»Ich glaube, du bist ein sehr kluges Mädchen«, sagte ich.

»Danke!«, erwiderte sie und vollführte spontan einen kleinen Freudentanz. »Du bist auch sehr kluges Mädchen!«

Apropos – normalerweise sind balinesische Kinder nicht so. Meistens sind sie sehr still und höflich und verstecken sich hinter den Röcken ihrer Mütter. Nicht so Tutti. Alles an ihr war Show-Biz. Dinge vorführen und darüber reden.

»Ich sehe dir meine Bücher!«, flötete Tutti und rannte die Treppe hinauf, um sie zu holen.

»Sie will Tierarzt werden«, erzählte mir Wayan. »Wie heißt auf Englisch?«

»*Veterinarian*. Veterinär?«

»Ja, Veterinär. Aber sie fragt viele Fragen, die ich kann nicht beantworten. Sagt: ›Mammi, wenn mir jemand kranke Tiger bringt, verbinde ich dann zuerst Zähne, damit er mich nicht beißt? Und wenn Schlange krank wird und Medizin braucht, wohin gibt man Medizin?‹ Ich weiß nicht, woher sie solche Idee hat. Ich hoffe, sie kann später auf Universität gehen.«

Die Arme voller Bücher kam Tutti die Treppe heruntergeschwankt und warf sich ihrer Mutter in den Schoß. Wayan lachte und küsste ihre Tochter, und all die Trauer über die Scheidung war mit einem Mal aus ihrem Gesicht verschwunden. Ich betrachtete die beiden und dachte, dass kleine Mädchen, die ihre Mütter zum Überleben zwingen, sicherlich einmal ungeheuer starke Frauen werden. Schon nach einem einzigen Nachmittag war ich völlig verliebt in dieses Kind. Ich schickte ein spontanes Gebet gen Himmel: *Möge Tutti Nuriyasih eines Tages Tausende weiße Tiger verarzten!*

Auch Tuttis Mutter liebte ich. Inzwischen aber war ich schon seit Stunden in ihrem Laden und dachte, ich sollte lieber gehen. Weitere Touristen hatten sich eingefunden und hofften auf ein Mittagessen. Eine der Touristinnen, ein dreistes Weibsbild aus Australien, fragte laut, ob Wayan ihr nicht helfen könne, ihre »beschissene Verstopfung« zu kurieren. Ich dachte: *Brüll's noch ein bisschen lauter, Schätzchen, dann können wir alle drauf tanzen ...*

»Ich komme morgen wieder«, versprach ich Wayan, »und nehme wieder den Multivitamin-Special.«

»Ihr Knie ist besser«, sagte Wayan. »Sehr schnell. Entzündung ist weg.«

Sie wischte den letzten Rest der grünen Kräuterschmiere von meinem Bein, ruckelte dann ein wenig an meiner Kniescheibe und tastete sie ab. Dann befühlte sie mit geschlossenen Augen das andere Knie. Sie öffnete die Augen, lächelte und sagte: »Ich spüre an Knie, Sie haben nicht viel Sex in letzte Zeit.«

»Wie kommen Sie darauf?«, fragte ich. »Weil die Knie so eng beieinander stehen?«

Sie lachte. »Nein – wegen Knorpel. Knorpel sehr trocken. Hormone von Sex machen Gelenke feucht. Wie lange kein Sex für dich?«

»Etwa eineinhalb Jahre.«

»Du brauchst gute Mann. Ich finde für dich. Ich bete am Tempel für dich, weil du jetzt meine Schwester bist. Und wenn du morgen wiederkommst, ich reinige deine Nieren.«

»Ein guter Mann und saubere Nieren obendrein? Das klingt ja wirklich verlockend.«

»Ich erzähle nie jemand von meine Scheidung«, sagte sie. »Aber mein Leben ist schwer, zu traurig, zu schwer. Ich verstehe nicht, warum Leben so schwer.«

Dann tat ich etwas Seltsames. Ich nahm die Hand der Heilerin in die meine und sagte mit ehrlicher Überzeugung: »Das Schlimmste liegt hinter Ihnen, Wayan.«

Lange und eindringlich betrachtete sie mich. »Warum sagen Sie das?«

»Ich verspreche es Ihnen«, sagte ich, als würde ich etwas vor einem Richter beeiden. »Ich schwöre Ihnen, Wayan – es ist vorbei.«

Zitternd verließ ich den Laden und spürte einen heftigen Impuls, den ich weder identifizieren noch in Handlung umsetzen konnte.

87

Inzwischen sind meine Tage dreigeteilt. Den Morgen verbringe ich lachend und essend mit Wayan in ihrem Laden. Die Nachmittage schlage ich mir plaudernd und Kaffee trinkend mit Ketut, dem Medizinmann, um die Ohren. Am Abend sitze ich in meinem herrlichen Garten, allein und lesend oder zusammen mit Yudhi, der zu mir herüberkommt, um Gitarre zu spielen und mir seine Probleme mit dem amerikanischen Heimatschutzministerium zu schildern. Jeden Morgen, wenn die Sonne über den Reisfeldern aufsteigt, meditiere ich, und vor dem Schlafengehen spreche ich mit meinen vier Geisterbrüdern und bitte sie, über meinen Schlaf zu wachen.

Obwohl ich erst einige Wochen hier bin, habe ich schon jetzt das Gefühl, als hätte ich meine Mission erfüllt. Meine Aufgabe in Indonesien lautete: Suche nach Gleichgewicht. Aber ich empfinde mich nicht mehr als Suchende, weil sich das Gleichgewicht irgendwie ganz von allein eingestellt hat. Nicht, weil ich allmählich Balinesin würde (ebenso wenig, wie ich je Italienerin oder Inderin wurde), sondern nur insofern, als ich meine innere Ruhe spüre und es einfach liebe, wie sich meine Tage zwischen ungezwungenen religiösen Übungen und der Freude an schöner Landschaft, am Zusammensein mit lieben Freunden und an gutem Essen einpendeln. Am stärksten verspüre ich den Drang zu beten, wenn ich an dämmerigen Spätnachmittagen von Ketuts Haus durch den Affenwald und die Reisterrassen nach Hause radle. Natürlich bete ich auch darum, nicht noch einmal von einem Bus angefahren, von einem Affen angesprungen oder von einem Hund gebissen zu werden, aber im Grunde ist das überflüssig; die meisten meiner Gebete sind reine Dankesbezeugungen für meine übergroße Zufriedenheit. Nie habe ich an der Bürde der Welt und meiner selbst leichter getragen.

Daneben rufe ich mir immer wieder eine der Lehren meiner Meisterin über das Glück ins Gedächtnis. Im Allgemeinen, sagt sie, verwechselten die Menschen das Glück mit einer »Glückssträhne«, einem Zustand, der sie überkomme wie schönes Wetter, dann nämlich, wenn Fortuna es gut mit ihnen meine. So aber funktioniere das Glück nicht. Glück sei die Folge persönlicher Anstrengungen. Man müsse dafür kämpfen, danach streben, darauf bestehen und, auf der Suche danach, zuweilen sogar um die ganze Welt reisen. An der Realisierung unserer günstigen Schicksale müssen wir selbst arbeiten. Und sobald wir einen Glückszustand erreicht haben, müssen wir ihn aufrechterhalten, dürfen nicht nachlassen, müssen uns gewaltig anstrengen, weiter nach oben und auf dieses Glück zuzustreben, damit es uns zu tragen beginnt. Verwende daher Sorgfalt auf den Umgang mit dir selbst, respektiere das Bedürfnis deiner Sinne, von Schönheit umgeben zu sein, kümmere dich um deine Seele, deine Gesundheit und deinen Geist – dies alles sind Vorsätze, die man Tag für Tag erneuern muss. Tut man es nicht, so wird die innere Zufriedenheit zerrinnen. In der Not fällt das Beten oft leicht genug, aber weiterzubeten, wenn die Krise vorüber ist, ist so, als würde man die Seele versiegeln, damit sie ihre Errungenschaften bewahrt.

Während ich beschwingt durch den Sonnenuntergang radle und mir diese Lehren ins Gedächtnis rufe, bete ich zu Gott, sage zu ihm: »Diesen Zustand von Harmonie würde ich gerne festhalten. Bitte hilf mir, dieses Glücksgefühl für immer zu bewahren.« Ich deponiere dieses Glück auf einer Bank, wo es nicht nur durch die Federal Deposit Insurance Corporation geschützt ist, sondern auch durch meine vier Geisterbrüder, damit es mir bei künftigen Feuerproben als Rückversicherung dienen kann. Das ist eine Übung, die ich »Immerwährende Freude« nenne. Während ich mich auf die immerwährende Freude konzentriere, erinnere ich mich auch immer wieder an den simplen Gedanken, den mein Freund Darcey einmal äußerte – dass nämlich alles Leid und aller Ärger dieser Welt von unglücklichen Menschen verursacht würden. Und zwar nicht nur von mächtigen Männern wie »Hitler oder Stalin«, sondern schon auf der niedrigsten persönlichen Ebene. Auch im Rückblick auf mein eigenes Leben erkenne ich genau, in welchen Momenten meine Unglücksphasen den Menschen um mich herum Leid zugefügt haben. Die Suche nach Zufriedenheit ist daher nicht nur ein eigennütziger Akt zum Zwecke der Selbsterhaltung, sondern auch ein großzügiges Geschenk an die Welt. Sein ganzes Elend loszuwerden heißt, *sich selbst aus dem Weg zu schaffen*. Man hört auf, ein Hindernis zu sein, nicht nur für sich selbst, sondern auch für alle anderen. Erst dann ist man frei, anderen zu dienen und sich an ihnen zu erfreuen.

Die Person, an der ich mich momentan am meisten erfreue, ist Ketut. Der alte Mann – wahrlich einer der glücklichsten Menschen, die ich jemals getroffen habe – erlaubt mir, ihm jede beliebige Frage über Gott und den Menschen zu stellen. Ich liebe die Meditationen, die er mich gelehrt hat, die kuriose Schlichtheit des »Lächelns in der Leber« und die tröstliche Gegenwart der vier Geisterbrüder. Vorgestern erzählte er mir, dass er sechzehn verschiedene Meditationstechniken kenne und Unmengen von Mantras für alle möglichen Zwecke. Einige von ihnen brächten Frieden und Glück, andere dienten der Gesundheit, einige aber dienten auch rein mystischen Zielen – indem sie einen etwa in andere Bewusstseinsebenen versetzten. So kenne er etwa eine Meditation, die ihn »nach hinauf« bringe.

»Nach hinauf?«, fragte ich. »Was bedeutet das?«

»Nach sieben Ebenen hinauf«, erklärte er. »Nach Himmel.«

Als ich den Gedanken der mir vertrauten »sieben Ebenen« hörte, fragte ich ihn, ob er damit meine, dass diese Meditation ihn durch die sieben heiligen Chakren des Körpers hinaufführe, von denen im Yoga die Rede ist.

»Nicht Chakren«, sagte er. »Orte. Diese Meditation bringt mich in sieben Plätze in Universum. Immer höher. Letzte Ort ist Himmel.«

»Warst du schon mal im Himmel, Ketut?«, fragte ich ihn. Er lächelte. Natürlich sei er schon dort gewesen. Das sei kein Kunststück.

»Wie ist es denn dort?«

»Schön. Alle schön dort. Alle Leute. Alle Essen. Nur Liebe dort. Himmel ist Liebe.«

Doch er kenne auch eine andere Meditation. »Nach hinab.« Diese Meditation wiederum führe ihn auf die siebte Ebene unter der Welt. Sie sei die gefährlichere. Nichts für Anfänger, nur für Meister.

Ich fragte ihn: »Wenn du also in der einen Meditation zum Himmel aufsteigst, dann musst du doch in der anderen hinuntersteigen zur …?«

»Hölle«, beendete er meinen Satz.

Das war durchaus interessant. Himmel und Hölle werden im Hinduismus nicht gerade häufig erörtert. Hindus betrachten das Universum in karmischer Hinsicht als ständigen Kreislauf, was bedeutet, dass man am Ende seines Lebens nicht wirklich irgendwo »landet«, weder im Himmel noch in der Hölle, sondern immer wieder »recycelt« wird und auf die Erde zurückkehrt, um die beim letzten Mal nicht bewältigten Probleme zu lösen und etwaige Fehler zu korrigieren. Hat man schließlich Vollkommenheit erreicht, scheidet man endgültig aus dem Rennen aus und verschwindet in der Leere. Der Karma-Begriff impliziert, dass es Himmel und Hölle nur auf Erden gibt, wo wir, abhängig von unseren

Schicksalen und Charakteren, entweder Gutes oder Böses hervorbringen können.

Diese Vorstellung hat mir immer zugesagt. Nicht, weil ich sie wortwörtlich nehme und etwa glaube, dass ich mal Kleopatras Barkeeper war. Nein, eher im übertragenen Sinn. Die karmische Philosophie spricht mich auf metaphorischer Ebene an, weil ja offensichtlich ist, wie oft wir sogar in einem einzigen Leben immer wieder dieselben Fehler machen, uns an denselben Süchten und Zwängen die Köpfe blutig schlagen und damit dieselben alten elenden und häufig katastrophalen Folgen hervorrufen, bis wir endlich damit aufhören und unseren Irrtum berichtigen. Dies ist die erhabene Lektion des Karma (und übrigens auch der westlichen Psychologie): Kümmere dich um deine Probleme sofort, sonst wirst du beim nächsten Mal aufs Neue leiden. Und diese Wiederholung des Leidens – das ist die Hölle. Aus der endlosen Wiederholung herauszutreten und sich auf eine neue Verständnisebene emporzuheben – das ist der Himmel.

Ketut aber sprach hier auf eine andere Weise über Himmel und Hölle, so als seien sie reale Orte im Universum, die er tatsächlich besucht habe. Wenigstens glaube ich, dass er das meinte.

Um mir darüber Klarheit zu verschaffen, fragte ich ihn: »Du warst in der Hölle, Ketut?«

Er lächelte. Natürlich sei er dort gewesen.

»Wie ist es denn in der Hölle?«

»Genauso wie in Himmel«, sagte er.

Er sah meine Verwirrung und versuchte, es mir zu erklären. »Universum ist ein Kreis, Liss.«

Ich war mir immer noch nicht sicher, ob ich ihn richtig verstand.

»Nach hinauf, nach hinab«, sagte er, »am Ende alles selbe.«

Ich erinnerte mich an eine alte Vorstellung der christlichen Mystik: wie oben so unten. »Woran erkennst du dann den Unterschied zwischen Himmel und Hölle?«

»Daran, wie ich bin gegangen. Nach Himmel, man geht hinauf, durch sieben glückliche Orte. Nach Hölle, man geht hinab, durch sieben traurige Orte. Deswegen Hinaufgehen besser für dich, Liss.« Er lachte.

»Du meinst, man kann sein Leben, statt durch sieben traurige Orte hinabzusteigen, auch damit zubringen, durch die glücklichen Orte emporzusteigen, da Himmel und Hölle – das Ziel – dasselbe sind?«

»Selbe-selbe«, sagte er. »Selbe in Ende, deswegen besser, du machst glückliche Reise.«

»Wenn der Himmel also Liebe ist«, sagte ich, »dann ist die Hölle ...«

»Auch Liebe«, ergänzte er.

An dieser seltsamen Gleichung herumrätselnd, blieb ich eine Weile sitzen.

Wieder lachte Ketut und tätschelte mir zärtlich das Knie.

»Immer schwer für junge Mensch, das zu verstehen!«

88

Und so lungerte ich an diesem Morgen wieder in Wayans Laden herum, während sie darüber nachsann, wie man mein Haar zu schnellerem Wachstum anregen könnte. Da sie selbst eine herrlich dichte Mähne hat, die ihr bis zum Po hinunterreicht, tue ich ihr mit meinen dünnen blonden Zotteln Leid. Als Heilerin kannte sie tatsächlich ein Mittel, das meinem Haar zu mehr Fülle verhelfen würde, doch es würde nicht leicht werden. Als Erstes müsse ich einen Bananenbaum finden und ihn persönlich fällen. Den »oberen Teil des Baums« müsse ich wegwerfen, dann die Wurzeln ausgraben und zu einer Schüssel »wie einen Swimmingpool« ausschaben. Dann müsse ich ein Stück Holz über diese Höhlung legen, damit weder Regenwasser noch Tau hineingelangen. Und wenn ich dann nach ein paar Tagen wiederkäme, würde ich feststellen, dass sich der »Swimmingpool« mit der nährstoffreichen Flüssigkeit der Bananenwurzel gefüllt hat, die ich dann in Flaschen sammeln und zu Wayan bringen müsse. Sie würde den Bananenwurzelsaft im Tempel für mich segnen und ihn mir anschließend Tag für Tag in die Kopfhaut einmassieren. Und innerhalb weniger Monate hätte ich dann wie Wayan einen dichten glänzenden Haarschopf, der mir bis zum Hintern reicht.

»Auch wenn du Glatze hast«, meinte sie, »davon du kriegst Haare.«

»Wie soll ich denn ganz allein einen Bananenbaum fällen?«, fragte ich sie. »Hast du nicht irgendwelche magischen Haarwuchspillen, die du mir stattdessen geben könntest?«

Sie seufzte. »Westler wollen immer nur Pillen.«

Während wir redeten, setzte sich Tutti, die gerade von der Schule heimgekehrt war, auf den Boden und zeichnete ein Haus. Seit einiger Zeit zeichnet Tutti vor allem Häuser. Sie brennt darauf, ein eigenes Haus zu haben. Im Hintergrund ihrer Bilder sind stets ein Regenbogen und eine lächelnde Familie zu sehen – samt Vater und allem Drum und Dran.

Und was treiben wir den ganzen Tag in Wayans Laden? Tutti malt Bilder und Wayan und ich erzählen uns den neuesten Tratsch und necken einander. Wayan besitzt einen etwas derben Humor, spricht andauernd über Sex, zieht über mein Single-Dasein her, spekuliert über die »Ausstattung«

sämtlicher Männer, die an ihrem Laden vorbeigehen. Immer wieder erzählt sie mir, dass sie jeden Abend zum Tempel gehe und für mich bete, damit ein guter Mann in mein Leben trete und mein Liebhaber werde.

»Nein, Wayan«, sagte ich an diesem Morgen wieder zu ihr, »ich brauche das nicht. Man hat mir schon zu oft das Herz gebrochen.«

»Ich kenne Kur für gebrochene Herz«, meinte sie darauf. Und wie eine dienstfertige Ärztin zählte sie an den Fingern die sechs Punkte ihrer hundertprozentig erfolgreichen Heilbehandlung für gebrochene Herzen auf: »Vitamin E, viel schlafen, viel Wasser trinken, an Ort weit weg von Geliebte reisen, meditieren und lernen, dass genau so ist Schicksal.«

»Abgesehen von der Vitamin-E-Einnahme habe ich das alles schon gemacht.«

»Dann du geheilt. Und jetzt du brauchst neue Mann. Ich bring dir eine, ich bete.«

»Nun, ich bete nicht um einen neuen Mann, Wayan, das Einzige, worum ich zurzeit bete, ist innerer Frieden.«

Wayan verdrehte die Augen, als wolle sie sagen: *Ja, schon gut, sag, was du willst, du komisches, ungefüges weißes Huhn*, und sagte dann: »Weil du hast schlimme Problem mit Gedächtnis. Du erinnerst nicht, wie schön ist Sex. Auch ich hatte schlimme Problem mit Gedächtnis, als ich war verheiratet. Immer wenn ich schöne Mann auf der Straße sehe, ich vergesse, ich habe Mann zu Hause.«

Sie bog sich vor Lachen. Dann fasste sie sich wieder und meinte abschließend: »Jeder braucht Sex, Liz.«

In diesem Augenblick kam, strahlend wie ein Leuchtturm, eine umwerfend aussehende Frau in den Laden spaziert. Tutti sprang auf und lief ihr entgegen, wobei sie »Armenia! Armenia! Armenia!« schrie – was sich als der Name dieser Besucherin erwies und nicht etwa als nationalistischer

Schlachtruf. Ich stellte mich Armenia vor, und sie erzählte mir, dass sie aus Brasilien komme. Sie war unglaublich dynamisch, diese Frau – so brasilianisch. Sie war elegant gekleidet, charismatisch, einnehmend und von unbestimmbarem Alter – und *ungeheuer sexy*.

Auch Armenia ist eine Freundin von Wayan, die häufig zum Lunch in den Laden kommt sowie zu diversen traditionellen Heil- und Schönheitsbehandlungen. Sie setzte sich und klönte etwa eine Stunde lang mit uns. Sie ist nur noch für kurze Zeit auf Bali, ehe sie wieder nach Afrika fliegt oder vielleicht auch nach Thailand, um sich dort um ihre Geschäfte zu kümmern. Wie sich herausstellt, hat Armenia in ihrem Leben nur sehr, sehr wenig Glamour erlebt. Früher einmal arbeitete sie für den UN-Hochkommissar für Flüchtlinge. In den Achtzigern schickte man sie als Friedensunterhändlerin in den Dschungel von El Salvador und Nicaragua, damit sie dort während der Hochphasen des Krieges unter Einsatz ihrer Schönheit, ihres Charmes und ihrer Intelligenz die Generäle und Rebellen überredete, auf die Stimme der Vernunft zu hören. (*Hallo, pretty power!*) Inzwischen ist sie Chefin eines multinationalen Unternehmens namens Novica, das überall auf der Welt Künstler unterstützt, indem es ihre Werke übers Internet verkauft. Sie spricht sieben oder acht Sprachen. Und trägt die tollsten Schuhe, die ich seit Rom gesehen habe.

Wayan betrachtete uns beide und meinte: »Liz, warum du versuchst nie, sexy auszusehen – wie Armenia? Du bist so hübsche Mädchen, hast gute Kapital, hübsche Gesicht, hübsche Körper, hübsche Lächeln. Aber immer du hast selbe kaputte T-Shirt an, selbe kaputte Jeans. Willst du nicht sexy sein, wie Armenia?«

»Wayan«, sagte ich. »Armenia ist Brasilianerin. Das ist was völlig anderes.«

»Wie anderes?«

»Armenia«, sagte ich und wandte mich meiner neuen Freundin zu. »Könntest du Wayan bitte erklären, was es heißt, Brasilianerin zu sein?«

Armenia lachte, schien dann jedoch ernsthaft darüber nachzudenken und erwiderte: »Na ja, ich habe mich immer bemüht, adrett auszusehen und feminin zu wirken, sogar in den mittelamerikanischen Kriegsgebieten und Flüchtlingslagern. Auch inmitten der schlimmsten Tragödien und Krisen gibt es keinen Grund, erbärmlich auszusehen. Das ist meine Philosophie. Und deswegen habe ich auch im Dschungel immer Make-up aufgelegt und Schmuck getragen. Gerade genug, um zu zeigen, dass ich mich nicht gehen lasse.«

In gewisser Weise erinnert mich Armenia an die großen britischen Ladys der viktorianischen Epoche, die zu sagen pflegten, es gebe keinen Grund, in Afrika Kleider zu tragen, die nicht auch in einem englischen Salon angemessen wären.

Sie ist ein Schmetterling, diese Armenia. Und sie konnte nicht allzu lange bleiben, weil sie zu tun hatte, was sie jedoch nicht davon abhielt, mich zu einer Party einzuladen. Sie kenne noch einen anderen Auslandsbrasilianer hier in Ubud, erzählte sie mir, der heute Abend zu einer Feier in ein hübsches Restaurant eingeladen habe. Er werde *feijoada* kochen, ein traditionelles brasilianisches Gericht, das aus gewaltigen Mengen Schweinefleisch und schwarzen Bohnen besteht. Es würden auch brasilianische Cocktails herumgereicht werden. Und viele interessante Ausländer aus der ganzen Welt, die hier auf Bali leben, seien eingeladen. Ob ich denn nicht Lust hätte zu kommen? Später würden sie vielleicht alle noch tanzen gehen. Sie wisse ja nicht, ob ich Partys möge, aber …

Cocktails? Tanzen? Unmengen von Schweinefleisch? Natürlich komme ich.

89

Ich wusste nicht mehr, wann ich mich das letzte Mal schön gemacht hatte, an diesem Abend aber holte ich mein einziges schickes Spaghettiträgerkleid aus den Tiefen meines Rucksacks hervor und schlüpfte hinein. Auch Lippenstift legte ich auf. Wann ich das zum letzten Mal getan hatte, wusste ich gleichfalls nicht mehr, nur dass es lange vor Indien gewesen sein musste. Auf dem Weg zur Party schaute ich bei Armenia vorbei, die mich mit etwas Modeschmuck garnierte, mir ihr elegantes Parfum lieh und mich mein Fahrrad im Hinterhof deponieren ließ, so dass ich wie eine ganz normale erwachsene Frau in ihrem tollen Wagen vorfuhr.

Das Essen mit den Ausländern machte einen Riesenspaß, und mir war, als würden diverse, seit langem schlummernde Aspekte meiner Persönlichkeit wieder erwachen. Ich betrank mich sogar ein wenig – was nach all den Monaten der Enthaltsamkeit im Ashram und dem vielen Teetrinken in meinem balinesischen Blumengarten schon einigermaßen erstaunlich war. Und ich flirtete! Schon seit Ewigkeiten hatte ich nicht mehr geflirtet, denn in letzter Zeit war ich nur noch unter Mönchen und Medizinmännern gewesen. Plötzlich aber versprühte ich wieder den alten Sexappeal. Obwohl ich im Grunde nicht sagen konnte, mit wem ich da eigentlich flirtete. Ich verteilte meinen Charme gleichmäßig um mich herum. Fühlte ich mich etwa von dem witzigen australischen Exjournalisten angezogen, der neben mir saß? (»Wir sind alle Säufer hier«, spöttelte er. »Und schreiben *Empfehlungen* für andere Säufer.«) Oder war es der stille intellektuelle Deutsche weiter unten am Tisch? (Er versprach, mir Romane aus seiner Privatbibliothek zu leihen.) Oder war es der attraktive ältere Brasilianer namens Felipe, der dieses gigantische Festmahl zubereitet hatte? Seine freundlichen braunen Augen und sein Akzent gefielen mir. Und seine Küche natürlich auch. Ganz aus heiterem Himmel sagte ich etwas sehr Provozierendes zu ihm. Selbstironisch hatte er gemeint: »Als Brasilianer bin ich die absolute Katastrophe, kann weder tanzen noch Fußball noch ein Instrument spielen.« Aus irgendeinem Grund erwiderte ich: »Mag schon sein. Aber ich habe den Eindruck, Sie gäben einen prima Casanova ab.« Und dann geriet für einen langen Moment die Zeit ins Stocken, während wir uns ansahen, als wollten wir sagen: *Das ist ja wirklich ein interessanter Gedanke.* Die Keckheit meiner Behauptung erfüllte die Luft wie ein Parfum. Er widersprach mir nicht. Ich schaute als Erste weg, da ich spürte, dass ich errötete.

Seine *feijoada* jedenfalls war erstaunlich. Üppig, würzig und gehaltvoll – all das, was balinesisches Essen in der Regel vermissen lässt. Ich aß einen Teller Schweinefleischeintopf nach dem anderen und entschied, dass es nun offiziell war: Ich kann niemals Vegetarierin werden, nicht, solange es solches Essen gibt. Und danach gingen wir tanzen im örtlichen »Nachtklub«. Er ähnelte eher einer Strandhütte, allerdings ohne Strand. Es gab eine Live-Band, die guten Reggae spielte, und die Barbesucher waren eine Mischung aller Altersklassen und Nationalitäten, hier ansässige Ausländer, Touristen und Einheimische, hinreißende balinesische Jungs und Mädchen, die alle frei und unbefangen tanzten. Armenia war nicht mehr mitgekommen. Sie müsse am nächsten Tag arbeiten, hatte sie gemeint, aber der attraktive ältere Brasilianer hatte mich eingeladen. Er tanzte gar nicht so schlecht, wie er behauptet hatte. Wahrscheinlich kann er auch Fußball spielen. Ich hatte ihn gern um mich, ließ mir bereitwillig gefallen, dass er mir Türen öffnete, Komplimente machte, mich »Darling« nannte. Dann allerdings fiel mir auf, dass er alle so nannte – sogar den Barkeeper …

Ich war schon so lange nicht mehr in einer Bar gewesen. Nicht einmal in Italien hatte ich Bars besucht, und auch in den Jahren mit David war ich nicht viel ausgegangen. Und getanzt hatte ich zum letzten Mal, als ich noch verheiratet war ..., *glücklich* verheiratet, um genau zu sein. Lieber Gott, das war ja eine Ewigkeit her. Auf der Tanzfläche traf ich meine Freundin Stefania, eine lebhafte junge Italienerin, die ich kurz zuvor in einem Meditationskurs in Ubud kennen gelernt hatte, und wir tanzten miteinander, fröhlich im Kreis wirbelnd. Irgendwann nach Mitternacht hörte die Band auf zu spielen, und die Leute kamen miteinander ins Gespräch.

Und da traf ich dann diesen Typen, der Ian hieß. Oh, er gefiel mir. Ich mochte ihn sofort. Er war äußerst attraktiv, eine Mischung aus Sting und jüngerem Bruder von Ralph Fiennes. Ian war Schotte, hatte also diesen herrlichen Akzent. Er war eloquent, gescheit, stellte Fragen, unterhielt sich mit meiner Freundin Stefania in demselben kindlichen Italienisch, das auch ich spreche. Wie sich herausstellte, war er der Drummer dieser Reggae-Band, spielte die Bongos – weshalb ich ihn scherzhaft als »Bongoliere« bezeichnete, in Anlehnung an die *gondolieri* in Venedig, und irgendwie hatten wir sofort einen Draht zueinander und lachten und redeten.

Dann kam Felipe, der Brasilianer, zu uns herüber. Er lud uns alle in ein abgefahrenes Restaurant ein, das Europäern gehörte, ein wahnsinnig freizügiger Laden, in dem angeblich rund um die Uhr Bier ausgeschenkt und Unterhaltung geboten wurde. Ich ertappte mich dabei, dass ich zu Ian hinüberschielte (hatte er Lust?), und als er die Einladung annahm, sagte auch ich zu. Also gingen wir alle zu besagtem Restaurant, und ich saß neben Ian, und wir redeten und scherzten die ganze Nacht, und, oh, ich mochte den Kerl wirklich. Er war der erste Mann seit langem, den ich – wie man so schön sagt – *so* mochte. Er war ein paar Jahre älter als ich, hatte bis dato ein höchst interessantes Leben geführt (mochte die Simpsons, hatte die ganze Welt bereist, mal in einem Ashram gelebt, redete über Tolstoi, schien einen Job zu haben und so weiter). Begonnen hatte er seine Laufbahn als Bombenexperte in der britischen Armee in Nordirland, um dann internationaler Spezialist für die Entschärfung von Minen zu werden. Er hat Flüchtlingslager in Bosnien errichtet und gönnt sich jetzt in Bali eine Pause, um musikalisch was auf die Beine zu stellen – was alles sehr verlockend klang.

Ich konnte kaum fassen, dass ich um halb vier morgens hellwach war, und nicht etwa, weil ich meditierte! Ich war wach, trug ein hübsches Kleid und unterhielt mich mit einem attraktiven Mann. Als wir uns verabschiedeten, fragte Ian mich nach meiner Telefonnummer, und ich erwiderte, dass ich zwar kein Telefon, aber eine E-Mail-Adresse hätte. Daraufhin meinte er: »Ja, aber E-Mail ist so … iih …« Also gab es am Ende unserer gemeinsam verbrachten Nacht nichts als eine Umarmung. »Wir sehen uns wieder …, wenn *sie* es wollen«, meinte er noch und deutete auf die Götter droben im Himmel.

Kurz vor Tagesanbruch bot mir Felipe an, mich nach Hause zu bringen. Als wir die gewundenen Seitensträßchen hinauffuhren, sagte er: »Darling, du hast dich die ganze Nacht mit dem größten Quatschkopf von ganz Ubud unterhalten.«

Mein Mut sank.

»Ist er das wirklich?«, fragte ich. »Sag mir lieber gleich die Wahrheit.«

»Ian?«, fragte Felipe. Er lachte. »Nein, Darling! Ian ist ein stocksolider Bursche. Guter Kerl. Ich habe mich gemeint. *Ich* bin der größte Quatschkopf von Ubud.«

Schweigend fuhren wir weiter.

»Außerdem nehm ich dich sowieso nur auf die Schippe«, fügte er hinzu.

Dann schwiegen wir wieder lange, und er fragte: »Du magst Ian, oder?«

»Ich weiß nicht«, sagte ich. Mein Verstand war getrübt. Ich hatte zu viele brasilianische Cocktails getrunken. »Er ist attraktiv, intelligent. Es ist lange her, seit ich mir über so was Gedanken gemacht habe.«

»Du wirst ein paar herrliche Monate hier auf Bali verleben. Warte nur ab.«

»Aber ich weiß nicht mal, wie oft ich noch ausgehen kann, Felipe. Ich habe nur dieses eine Kleid dabei. Irgendwann wird es den Leuten auffallen, dass ich immer dasselbe anhabe.«

»Du bist jung und schön, Darling. Du brauchst nur dieses eine Kleid.«

90

Bin ich jung und schön?

Ich dachte, ich sei alt und geschieden.

In dieser Nacht kann ich lange nicht einschlafen, da die Stunde so ungewohnt für mich ist, mir noch immer die Tanzmusik im Schädel dröhnt, das Haar nach Zigaretten stinkt, der Magen gegen den Alkohol revoltiert. Ich döse ein wenig und erwache, wie gewohnt, bei Sonnenaufgang. Nur bin ich an diesem Morgen weder ausgeruht noch ruhig noch gelassen, noch auch nur annähernd in der Lage zu meditieren. Warum bin ich bloß so aufgeregt? Ich hatte einen netten Abend, oder? Hab ein paar interessante Leute getroffen, mich schick gemacht, ein bisschen getanzt, mit ein paar interessanten Männern geflirtet …

Männern.

Als ich das Wort ausspreche, wird die Unruhe heftiger,

steigert sich zu einer kleineren Panikattacke. Als Teenager und in meinen Zwanzigern war ich eine der größten, schamlosesten Verführerinnen. Ich meine mich zu erinnern, dass es mir einst Spaß gemacht hat, einen Typen kennen zu lernen, ihn an mich zu ziehen, verschleierte Einladungen auszusprechen und ihn zu provozieren, alle Vorsicht in den Wind zu schlagen und die Folgen in Kauf zu nehmen.

Doch jetzt habe ich schreckliche Angst. Ich beginne den Abend überzubewerten, stelle mir vor, mich mit diesem Schotten einzulassen, der mir nicht mal seine E-Mail-Adresse geben wollte. Schon jetzt blicke ich weit in unsere Zukunft voraus, bis hin zu den Streitereien über seine Nikotinsucht. Ich frage mich, ob ich mich mit ihm einlassen oder lieber allein und selbstständig bleiben sollte? Ob die Beziehung zu einem Mann aufs Neue mein Schreiben, mein Leben und so weiter ruinieren wird? Andererseits wäre eine kleine Romanze natürlich schön. Ich habe eine lange Trockenzeit hinter mir. (Richard aus Texas hat mir im Hinblick auf mein Liebesleben einmal geraten: »Du musst dir einen *Regenmacher* suchen, Baby.«) Dann stelle ich mir Ian vor, mit seinem attraktiven Körper, wie er auf seinem Motorrad herübergedüst kommt, um in meinem Garten Liebe mit mir zu machen. Dieser doch gar nicht so unangenehme Gedanke aber bringt mich furchtbar ins Schleudern. Wieder einen Mann mit meinem Körper, meiner Familie, meinen Gefühlen, meinem Bett und meinem Leben bekannt zu machen, dazu fehlt mir sowohl die Energie als auch der Mut. Und plötzlich vermisse ich David so sehr wie schon seit Monaten nicht mehr und denke: Vielleicht sollte ich ihn anrufen und mal nachfühlen, ob er es nicht doch noch einmal mit mir probieren will … (Und dann empfange ich eine Channeling-Botschaft von meinem Freund Richard aus Texas, die den Nagel auf den Kopf trifft: *Oh, das ist ja genial, Groceries – du hattest ges-*

tern nicht nur einen Schwips, sondern hast dir offenbar auch
noch das Hirn amputieren lassen.) Vom Grübeln über David
ist es nie weit bis zum Wiederkäuen meiner Scheidung und
allem, was dazugehört, und im Nu wandern meine Gedanken zu meinem Exmann …

Ich dachte, damit wären wir durch, Groceries.

Und danach beginne ich aus irgendeinem Grund, über
Felipe nachzudenken. Nett ist er, dieser Felipe. Ich sei jung
und schön, hat er gemeint, und würde auf Bali eine herrliche
Zeit haben. Recht hat er, oder? Ich sollte mich entspannen
und mich amüsieren, oder? Aber heute Morgen fühlt es sich
nicht so toll an. Eher beängstigend und gefährlich.

Ich weiß nicht mehr, wie es geht.

91

»Was ist diese Leben? Verstehst du? Ich nicht.«

Es war Wayan, die da redete.

Wieder saß ich in ihrem Restaurant und aß ihren köstli-
chen und nahrhaften Multivitamin-Special, in der Hoffnung,
er werde meinen Kater und meinen Kummer lindern. Armenia, die Brasilianerin, war ebenfalls da und sah aus wie immer, als habe sie bei ihrer Rückkehr von einem Wellness-Wo-
chenende noch kurz im Kosmetiksalon vorbeigeschaut. Die
kleine Tutti hockte auf dem Fußboden und zeichnete, wie
gewohnt, Bilder von Häusern.

Wayan hatte soeben erfahren, dass sich die Miete für ihren
Laden Ende August – das war in drei Monaten – erhöhen
würde. Wahrscheinlich würde sie wieder umziehen müssen,
da sie sich die höhere Miete nicht leisten konnte. Sie hatte
nicht einmal fünfzig Dollar auf der Bank. Ein Umzug wür-

de außerdem für Tutti einen weiteren Schulwechsel bedeuten. Sie brauchten ein Heim, ein wirkliches Heim. Ohne Heim hatten Wayan und Tutti auch keinen Tempel, in dem sie ihre Schutzgötter anrufen konnten; denn Heimatlosigkeit bedeutete, dass es ihren Engeln schwer fallen würde, sie zu finden und ihnen in der Stunde der Not beizustehen. Immer noch waren Tuttis Nabelschnur und Plazenta nicht in einer Kokosnussschale im Boden vergraben, wie es sich gehörte, sondern steckten – beschämenderweise – in einem Topf neben der Eingangstür des Ladens, direkt an der Straße. Ein Balinese kann so nicht leben.

»Warum hört Leiden nie auf?«, fragte Wayan. Sie weinte nicht, stellte nur müde eine berechtigte Frage, auf die es keine Antwort gab. »Warum muss alles wiederholen, nur wiederholen, nie aufhören, nie Ruhe? Nie Frieden? Man arbeitet so schwer ganze Tag, und nächste Tag muss wieder nur arbeiten. Man isst, aber nächste Tag wieder hungrig. Man findet Liebe, aber Liebe vergeht. Man liebt Eltern, aber Eltern sterben. Man ist glücklich, aber nächste Tag alles vorbei und man traurig. Mensch wird mit nichts geboren – ohne Uhr, ohne T-Shirt. Arbeitet hart und stirbt mit nichts – ohne Uhr, ohne T-Shirt. Ist jung und plötzlich alt. Egal, wie viel er arbeitet, wird alt.«

»Armenia nicht«, witzelte ich.

»Aber nur«, meinte Wayan, die inzwischen wusste, wie der Hase läuft, »weil sie Brasilianerin ist.« Wir lachten, aber es war eine Art Galgenhumor, denn an Wayans gegenwärtiger Lage gibt es nichts zu lachen. Sie lebt als allein erziehende Mutter von der Hand in den Mund und ist von Obdachlosigkeit bedroht. Die Miete für den Laden beträgt umgerechnet etwa hundertdreißig Dollar im Monat, die Wayan nur mit äußerster Mühe aufbringen kann. Doch wo soll sie im Falle eines Umzugs hin? Bei der Familie des Exmanns kann sie natürlich nicht leben. Wayans eigene Verwandte sind Reisbauern und extrem arm. Wenn sie zu ihnen aufs Land zöge, würde das das Aus für ihre Praxis als Heilerin bedeuten, weil ihre Patienten aus der Stadt sie dann nicht mehr erreichen könnten. Und dass Tutti dann noch genug lernen würde, um später einmal Tiermedizin zu studieren, darf man bezweifeln.

Im Laufe der Zeit erfahre ich noch andere Dinge. Etwa über die zwei schüchternen Mädchen, die mir schon am ersten Tag auffielen, als sie sich in der Küche versteckten. Wie sich herausstellt, sind es zwei Waisenmädchen, die Wayan bei sich aufgenommen hat. Beide heißen (um hier noch mehr Verwirrung zu stiften) Ketut, und wir nennen sie die große und die kleine Ketut. Vor ein paar Monaten hat Wayan die beiden bettelnd und fast verhungert auf dem Marktplatz von Ubud entdeckt. Ausgesetzt von einer Frau, die sich als eine Art »Zuhälterin« betätigt, indem sie elternlose Kinder auf verschiedenen Marktplätzen auf ganz Bali aussetzt, sie am Abend mit einem Lieferwagen wieder einsammelt, ihnen das Geld abknöpft und sie in irgendeinem Verschlag übernachten lässt. Als Wayan die beiden Ketuts entdeckte, hatten sie tagelang nichts mehr zu essen bekommen, hatten Läuse und wirkten völlig verwahrlost. Sie schätzt die Jüngere auf etwa zehn, die Ältere auf dreizehn Jahre, aber die beiden kennen weder ihr Alter noch ihren Familiennamen. (Die kleine Ketut weiß lediglich, dass sie im selben Jahr wie »das große Schwein« in ihrem Dorf geboren ist – was natürlich kein brauchbarer Anhaltspunkt ist.) Wayan sorgt so liebevoll für sie wie für ihre eigene Tochter. Sie und die drei Kinder teilen sich im Schlafzimmer hinter dem Laden eine Matratze.

Wie eine balinesische Alleinerziehende, der die Zwangsräumung droht, es schafft, zwei elternlose Kinder bei sich aufzunehmen und für sie zu sorgen, ist etwas, das meine Vorstellung von Mitgefühl weit übersteigt.

Ich will ihnen helfen.

Das war es. Das hatte das Zittern zu bedeuten, das ich so deutlich gespürt hatte, als ich Wayan kennen lernte. Ich wollte diese allein erziehende Mutter mit ihrer Tochter und ihren Waisenkindern unterstützen. Ich wollte ihnen auf diskrete Weise zu einem besseren Leben verhelfen. Ich wusste nur noch nicht, wie. Sollte ich vielleicht die Miete für sie zahlen? Ihnen das Motorrad kaufen, das sie brauchten, um mobil zu sein? Tutti die Ausbildung finanzieren? Nichts von alldem schien auszureichen; sie benötigten alles, sogar Socken und Besteck. Und seit ich Tag für Tag mit der kleinen Familie zusammen war und mich immer mehr in sie vernarrte, war das Gefühl, helfen zu müssen, nur noch stärker geworden. Vor allem Tutti hatte es mir angetan. Und wer hätte Tutti nicht geliebt, die jeden Tag Häuser und Regenbogen zeichnete und die jedes Mal, wenn ich mich dem Laden näherte, auf mich zustürzte und rief: »Ich kaufe Geschenk für dich heute Morgen auf Markt, Mama Elizabeth! Es ist zwei Erdbeeren!«

Als Wayan, Armenia und ich heute zu Mittag aßen und unsere üblichen Gespräche über Gott und die Welt führten, blickte ich zu Tutti hinüber und bemerkte, dass sie etwas ziemlich Merkwürdiges tat. Sie wanderte mit einer kleinen, fünf mal fünf Zentimeter großen kobaltblauen Keramikfliese um das Haus herum und summte leise vor sich hin. Ich beobachtete sie eine Weile, um zu sehen, was sie vorhatte. Lange Zeit spielte Tutti so mit dieser Fliese, warf sie in die Luft, flüsterte ihr etwas zu und schob sie dann über den Boden, als sei sie ein Matchbox-Auto. Schließlich setzte sie sich darauf, mit geschlossenen Augen, und sang vor sich hin – völlig abgetaucht in eine unsichtbare Welt, die nur ihr gehörte.

Ich fragte Wayan, was das zu bedeuten habe. Tutti, erklärt sie, habe die Fliese auf der Baustelle eines Hotels unweit des Ladens gefunden und eingesteckt. Seit Tutti die Fliese gefunden habe, sage sie immer wieder zu ihrer Mutter: »Wenn wir einmal ein Haus haben, wird es vielleicht einen schönen Boden haben wie dieser.« Wayan zufolge kauert sich Tutti nun oft stundenlang auf das kleine Quadrat, schließt die Augen und träumt, sie befände sich in ihrem eigenen Haus.

Als ich die Geschichte hörte und das Kind betrachtete, das in tiefer Meditation versunken auf seiner kleinen blauen Fliese saß, sagte mir mein Gefühl: *Okay, jetzt reicht's.*

Und ich entschuldigte mich und ging, um diesen unerträglichen Zustand ein für alle Mal zu beenden.

92

Manchmal, wenn sie ihre Patienten behandle, erzählte mir Wayan, werde sie völlig durchlässig für Gottes Liebe und höre auf, darüber nachzudenken, was als Nächstes zu tun sei. Der Geist versiege, die Intuition übernehme die Führung, und dann müsse sie nur noch zulassen, dass die Göttlichkeit sie durchströme. »Es ist, als ob ein Wind käme und meine Hände nähme«, sagte sie.

Vielleicht war es dieser Wind, der mich an diesem Tag aus Wayans Restaurant hinauswehte, mich aus meinen Grübeleien darüber, ob ich mich wieder mit Männern einlassen sollte oder nicht, herausriss und meine Schritte in Ubuds Internetcafé lenkte, wo ich mich hinsetzte und zügig einen Spendenaufruf an meine Freunde und Verwandten in aller Welt verfasste.

Ich teilte allen mit, dass ich im Juli Geburtstag hätte, demnächst also fünfunddreißig Jahre alt würde. Und dass es nichts gebe auf dieser Welt, was ich bräuchte oder mir wünschte, ja, dass ich nie im Leben glücklicher gewesen sei (trotz gelegentlicher Anwandlungen wegen irgendwelcher Männer). Ich dankte ihnen für alles, was sie in den letzten Jahren für mich getan hatten, um mir über meine Post-Scheidungsdepression hinwegzuhelfen. Wäre ich daheim in New York – schrieb ich ihnen –, würde ich eine große Geburtstagsparty schmeißen und sie alle einladen, und sie würden mir Geschenke und Weinpräsente kaufen müssen, und die ganze Feier würde wohl Unsummen verschlingen. Und daher sei es für sie alle doch eine weit billigere und schönere Art, zur Feier dieses Tages beizutragen, wenn sie in meinem Namen eine Spende machten, um einer Balinesin namens Wayan Nuriyasih zu helfen, die ein Haus für sich und ihre Kinder kaufen wolle.

Und dann erzählte ich ihnen die ganze Geschichte von Wayan, Tutti und den Waisenmädchen. Den Spendern versprach ich, ihre großzügige Geldgabe jeweils um dieselbe Summe aus meinen eigenen Ersparnissen aufzustocken. Und selbstverständlich sei ich mir bewusst, dass es überall auf dieser Welt unsägliches Leid gebe und Krieg und so weiter. Aber diese vier Menschen auf Bali seien zu meiner Familie geworden, und für seine Familie müsse man nun mal sorgen. Als ich zum Ende meiner Rundmail kam, fiel mir etwas ein, was mir meine Freundin Susan gesagt hatte, ehe ich vor neun Monaten zu dieser Reise aufgebrochen war. Sie hatte befürchtet, ich würde nie wieder nach New York zurückkehren. »Ich kenne dich, Liz«, hatte sie gesagt, »du wirst jemanden kennen lernen, dich verlieben und am Ende auf Bali ein Haus kaufen.«

Ein regelrechter Nostradamus, diese Susan.

Als ich am nächsten Morgen meine Mails checkte, waren

bereits siebenhundert Dollar zugesagt worden. Am Tag danach überstiegen die Spenden bereits den Betrag, den ich durch meine eigene Spende überhaupt verdoppeln konnte.

Ich werde hier nicht versuchen zu erklären, was man fühlt, wenn man Tag für Tag Mails aus der ganzen Welt öffnet, in denen es heißt: »Zähl auf mich!« Alle spendeten. Menschen, von denen ich wusste, dass sie pleite waren oder Schulden hatten, gaben, so viel sie konnten – ohne zu zögern. Eine der ersten Reaktionen, die ich erhielt, stammte von einer Freundin der Freundin meines Friseurs, der man die E-Mail weitergeleitet hatte und die fünfzehn Dollar spenden wollte. Mein neunmalkluger Freund John musste natürlich eine seiner typischen sarkastischen Bemerkungen darüber loswerden, wie lang, töricht und emotional mein Brief doch gewesen sei, spendete aber trotzdem. Der neue Freund meiner Freundin Annie (ein Wall-Street-Banker, den ich noch nicht kannte) bot an, die endgültige Spendensumme noch einmal zu verdoppeln. Die Schnelligkeit, mit der mein Aufruf um die Welt eilte, und die Tatsache, dass ich von wildfremden Menschen Spendenzusagen erhielt, machte mich sprachlos. Es war ein veritabler Geldregen, ein globaler Akt der Großzügigkeit.

Schließen wir die Episode ab, indem wir konstatieren: Binnen sieben Tagen hatten meine Freunde, meine Familie und ein Haufen Fremder aus der ganzen Welt achtzehntausend Dollar aufgebracht, um ein Haus für Wayan Nuriyasih zu kaufen. Aber eigentlich hatte dieses Wunder Tutti vollbracht – durch die Kraft ihrer Gebete, die die kleine blaue Fliese erweichten, so dass sie wie durch Zauberei zu einem wirklichen Haus heranwuchs, in dem sie, ihre Mutter und zwei Waisenkinder für immer ein Heim fänden.

Und noch etwas: Die ins Auge springende Tatsache, dass das Wort *tutti* im Italienischen »alle« heißt, bemerkte mein

Freund Bob und nicht ich – und es ist mir peinlich, es zugeben zu müssen. Warum war mir das nicht schon früher aufgefallen? Nach all den Monaten in Rom! Ich sah einfach keine Verbindung. Und so war es Bob drüben in Utah, der mich
darauf hinweisen musste: »Das also ist die neueste Lektion,
nicht wahr? Wenn man in die Welt hinauszieht, um sich
selbst zu helfen, hilft man letztendlich … *tutti*.«

93

Ehe ich das Geld nicht beisammen hatte, wollte ich Wayan
nichts von meinem Vorhaben erzählen. Es fiel mir schwer,
ein so großes Geheimnis für mich zu behalten, zumal sie sich
ständig um ihre Zukunft sorgte; doch ich wollte ihr einfach
keine Hoffnungen machen, ehe ich es nicht »amtlich« hatte.
Also schwieg ich und vertrieb mir die Zeit, indem ich fast jeden Abend mit Felipe essen ging – den es nicht zu stören
scheint, dass ich nur ein einziges schönes Kleid besitze.

Ich stehe wohl auf ihn. Nach einigen Abenden bin ich mir
ziemlich sicher, dass ich verknallt bin. Er ist viel mehr, als er
auf den ersten Blick zu sein scheint, dieser selbsternannte
»Meister der Quatschköpfe«, der in Ubud alle Welt kennt
und Mittelpunkt jeder Gesellschaft ist. Ich habe mich bei Armenia nach ihm erkundigt. Sie sind schon eine Weile befreundet. »Dieser Felipe«, begann ich, »der ist nicht so oberflächlich wie die anderen, oder? Der ist irgendwie anders,
nicht wahr?« – »Oh ja«, meinte sie, »Felipe ist ein wunderbarer Mann. Aber er hat eine schwierige Scheidung hinter
sich.

Ah – das ist allerdings eine Sache, von der ich *überhaupt
nichts verstehe*.

Und er ist zweiundfünfzig Jahre alt. Was durchaus interessant ist. Habe ich tatsächlich ein Alter erreicht, in dem ein Zweiundfünfzigjähriger als Partner in Frage kommt? Aber er gefällt mir. Er hat silbergraue Haare, die sich à la Picasso zu lichten beginnen. Seine Augen sind warm und braun. Er hat ein freundliches Gesicht (mit einem boshaften Lächeln) und er riecht wunderbar.

Er ist ein wirklich erwachsener Mann. Das ausgewachsene männliche Wesen unserer Spezies – was doch einigermaßen neu für mich ist. Seit inzwischen fünf Jahren lebt er auf Bali, wo er mit balinesischen Silberschmieden zusammenarbeitet, die aus brasilianischen Edelsteinen Schmuck für den Export nach Amerika herstellen. Dass er – ehe seine Ehe wegen einer Vielzahl von Gründen den Bach hinunterging – fast zwanzig Jahre lang ein treuer Gatte war, gefällt mir. Ebenso die Tatsache, dass er bereits Kinder großgezogen hat und dass seine Kinder ihn lieben. Mir gefällt, dass er, als die Kinder noch klein waren, daheim geblieben ist und sie versorgt hat, während seine australische Ehefrau ihre Karriere weiterverfolgte. (»Als guter Ehemann und Feminist«, sagt er, »wollte ich, soziohistorisch betrachtet, auf der richtigen Seite stehen.«) Ich mag seine ganz natürlichen, übertriebenen brasilianischen Gefühlsäußerungen. (Als sein Sohn vierzehn war, ließ er seinen Vater wissen: »Dad, jetzt, wo ich vierzehn bin, solltest du mich lieber nicht mehr auf den Mund küssen, wenn du mich vor der Schule absetzt.«) Mir gefällt, dass Felipe vier, ja, vielleicht noch mehr Sprachen fließend spricht. (Indonesisch, behauptet er zwar immer wieder, könne er nicht, aber ich höre ihn den lieben langen Tag in dieser Sprache reden.) Ich mag, dass er schon mehr als fünfzig Länder bereist hat und die Welt als kleinen und leicht zu durchmessenden Ort betrachtet. Ich mag auch, wie er mir zuhört, sich zu mir herüberbeugt, mich nur unterbricht, wenn ich mich selbst unterbreche – um ihn zu fragen, ob ich ihn langweile –, worauf er stets erwidert: »Für dich, *Darling*, habe ich alle Zeit der Welt.« Ich lasse mich gern *Darling* nennen (auch wenn er die Kellnerin genauso nennt). Und ich genieße es, mir von einem netten Mann sagen zu lassen, dass ich ein entzückendes und witziges, junges und verlockendes Wesen bin.

»Warum nimmst du dir keinen Liebhaber hier auf Bali, Liz?«, fragte er mich vorgestern.

Es ehrt ihn, dass er dabei nicht ausschließlich an sich dachte, obwohl er vermutlich bereit wäre, diese Rolle zu übernehmen. Er versicherte mir, dass Ian – der gut aussehende Schotte – ein geeigneter Kandidat sei, doch es gebe auch noch andere. Etwa einen Koch aus New York, den er mir vorstellen könne, »ein toller, großer, muskulöser, selbstbewusster Bursche«, der mir seiner Meinung nach gefallen könnte. Im Grunde gebe es alle möglichen Männer hier, die es nach Ubud verschlagen habe, Männer aus aller Herren Länder, die in dieser fluktuierenden Gesellschaft der »Heimat- und Besitzlosen« untergetaucht seien und von denen viele mit Vergnügen dafür sorgen würden, »dass du, Darling, hier einen wunderbaren Sommer verlebst«.

»Ich bin wohl einfach noch nicht bereit dazu«, erwiderte ich. »Ich hab keine Lust auf den ganzen Liebeszirkus. Keine Lust, mir jeden Tag die Beine zu rasieren oder meinen Körper einem neuen Liebhaber zu präsentieren. Und ich mag auch meine Lebensgeschichte nicht noch mal erzählen oder mir um Verhütung Gedanken machen. Außerdem weiß ich nicht mal, ob ich es überhaupt noch kann. Mir ist, als hätte ich mir Sex und Liebe mit sechzehn eher zugetraut als heute.«

»Aber natürlich«, meinte Felipe. »Damals warst du jung und dumm. Nur die Jungen und Dummen trauen sich das zu. Glaubst du, irgendeiner von uns weiß, was er tut? Glaubst du, dass wir Menschen einander ohne Komplikationen lieben können? Du solltest mal sehen, wie das hier auf Bali abläuft, Darling. All diese Westler kommen hierher, nachdem sie daheim ihr Leben versaut haben und zu dem Schluss gelangt sind, dass sie von westlichen Frauen die Nase voll haben, und heiraten irgend so ein zierliches, süßes, fügsames balinesisches Mädchen. Sie glauben, dieses hübsche kleine Mädchen werde sie glücklich und ihr Leben leichter machen. *Viel Glück, Junge!* Du hast immer noch eine Frau vor dir, mein Freund. Und bist immer noch ein Mann. Ihr seid immer noch zwei, die versuchen, miteinander klarzukommen, folglich wird es kompliziert werden. Liebe ist immer kompliziert. Und trotzdem müssen wir versuchen, einander zu lieben, Darling. Und uns zuweilen das Herz brechen lassen. Liebeskummer ist ein gutes Zeichen. Er bedeutet, dass wir uns um etwas bemüht haben.«

»Mein letzter Liebeskummer«, sagte ich, »war so schlimm, dass ich heute noch Herzschmerzen habe. Ist das nicht bescheuert? Sich zwei Jahre nach dem Ende einer Liebesgeschichte immer noch zu grämen?«

»Darling, ich bin Brasilianer. Ich kann mich noch nach zehn Jahren grämen – wegen einer, die ich nicht mal geküsst habe.«

Wir reden über unsere Ehen, unsere Scheidungen. Nicht kleinlich, sondern Anteil nehmend. Wir analysieren die unermesslichen Tiefen der Post-Scheidungsdepression. Wir trinken Wein und essen und erzählen uns die schönsten Geschichten über unsere früheren Ehepartner, nur um dem Thema Verlust den Stachel zu nehmen.

»Hast du Lust, am Wochenende was mit mir zu unternehmen?«, fragte er mich, und ich sagte spontan: »Ja, das wäre nett.« Denn das wäre es *wirklich*.

Zweimal hat Felipe, als er mich vor meinem Haus absetzte und verabschiedete, den Arm ausgestreckt, um mir einen Gutenachtkuss zu geben, und zweimal habe ich auf dieselbe Weise reagiert – habe zwar zugelassen, dass er mich an sich zieht, doch dann in letzter Minute den Kopf abgewandt, so dass nur meine Wange die seine berührte. Und so durfte er mich dann eine Weile halten. Länger, als für bloße Freundschaft nötig. Ich spürte, wie er das Gesicht in mein Haar presste, wie sich mein Gesicht irgendwo an sein Brustbein drückte. Roch sein weiches Baumwollhemd. Seinen Geruch mag ich wirklich. Er hat muskulöse Arme, eine angenehm breite Brust. Daheim in Brasilien war er mal Meisterturner. Natürlich war das schon 1969, dem Jahr, in dem ich geboren bin, aber trotzdem. Sein Körper fühlt sich stark an.

Wenn ich, sobald er den Arm nach mir ausstreckt, den Kopf wegdrehe, verberge ich mich damit gewissermaßen vor ihm. Andererseits aber verberge ich mich auch nicht. Indem ich es zulasse, dass er mich während dieser langen stillen Augenblicke hält, gestatte ich mir, *gehalten* zu werden.

Was ich lange nicht konnte.

94

»Was weißt du über romantische Liebe?«, fragte ich Ketut.

»Romantische Liebe – was ist das?«, erwiderte er.

»Vergiss es.«

»Nein – was ist? Was bedeutet?«

»Romantische Liebe«, erklärte ich, »das sind Frauen und Männer, die verliebt sind. Oder manchmal auch Männer und Männer, die verliebt sind, oder Frauen und Frauen. Küssen und Sex und Heiraten – all so was.«

»Ich nicht mache Sex mit viele Leute in mein Leben, Liss. Nur mit meine Frau.«

»Du hast Recht – das sind nicht allzu viele. Aber meinst du deine erste oder deine zweite Frau?«

»Ich habe nur eine Frau, Liss. Sie jetzt tot.«

»Und was ist mit Nyomo?«

»Nyomo nicht richtige Frau, Liss. Nyomo Frau von meine Bruder.« Da er meinen verwirrten Gesichtsausdruck sah, fügte er hinzu: »Das typisch Bali«, und lieferte mir die Erklärung. Ketuts älterer Bruder, der Reisbauer ist, lebt nebenan und ist mit Nyomo verheiratet. Er und Nyomo hatten drei Kinder. Ketut und *seine* Frau wiederum konnten keine Kinder bekommen, so dass sie, um einen Erben zu haben, einen der Söhne von Ketuts Bruder adoptierten. Als Ketuts Frau starb, erklärte sich Nyomo bereit, abwechselnd auf beiden Familienanwesen zu leben, so dass sie sich sowohl um ihren Mann als auch um dessen Bruder kümmern konnte. So ist sie gemäß balinesischer Tradition in jeder Hinsicht (was nämlich Kochen, Putzen, Vollzug der religiösen Haushaltszeremonien und Rituale angeht) Ketuts Ehefrau, nur Sex haben sie keinen miteinander.

»Und warum nicht?«, fragte ich.

»Zu *alt*!«, meinte er. Dann rief er Nyomo herüber, um ihr zu berichten, dass die amerikanische Lady wissen wolle, warum sie nicht miteinander schliefen. Nyomo lachte sich halb tot. Sie kam herüber und boxte mich in den Arm.

»Ich habe nur eine Frau«, fuhr er fort. »Aber jetzt ist tot.«

»Vermisst du sie?«

Er lächelte traurig. »War Zeit für sie zu sterben. Und jetzt ich erzähle dir, wie ich finde mein Frau. Wenn ich siebenundzwanzig, ich treffe ein Mädchen, und ich liebe sie.«

»In welchem Jahr war das?«, fragte ich, wie immer erpicht darauf, sein Alter in Erfahrung zu bringen.

»Ich weiß nicht«, sagte er. »Vielleicht 1920?«

(Das hieße, dass er inzwischen hundertzwölf Jahre alt
wäre. Ich glaube, allmählich kommen wir der Lösung näher …)

»Ich liebe diese Mädchen, Liss. Sehr schön. Aber schlechte Mensch, diese Mädchen. Will nur mein Geld. Will andere
Junge. Sagt nie Wahrheit. Ich glaube, sie hat versteckte Gedanken hinter normale Gedanken, niemand kann reingu-
cken. Sie hört auf, liebt mich nicht mehr, geht weg mit andere Junge. Ich sehr traurig. Mein Herz gebrochen. Ich bete,
bete zu meine vier Geisterbrüder, frage, warum sie nicht
mich liebt. Dann eine von Geisterbrüder sagt mir die Wahrheit. Er sagt: ›Sie passt nicht zu dir. Hab Geduld.‹ Und ich
habe Geduld und ich finde meine Frau. Schöne Frau, gute
Frau. Immer angenehm für mich. Kein Streiten, immer Harmonie in Haus, immer lächelt. Auch wenn kein Geld in
Haus, immer sie lächelt und sagt, wie glücklich ist, mich zu
sehen. Als sie stirbt, ich sehr traurig.«

»Hast du geweint?«

»Nur bisschen, in Augen. Aber ich mache Meditation, zu
reinigen Körper von Schmerz. Meditation für ihr Seele. Sehr
traurig, aber auch glücklich. Jeden Tag in Meditation ich be-
suche sie, und sogar küssen. Sie einzige Frau, mit der ich Sex
mache. Deswegen ich weiß nicht …, wie heißt diese neue
Wort von heute?«

»Romantische Liebe?«

»Ja, romantische Liebe. Romantische Liebe ich kenne
nicht, Liss.«

»Fällt wohl nicht in dein Ressort, was?«

»Was das? Was bedeutet *Ressort*?«

95

Schließlich setzte ich mich mit Wayan zusammen und erzählte ihr von dem Geld, das ich für sie gesammelt hatte. Schon vorher hatte ich vage angedeutet, dass ich ihr helfen wolle, aber sie hatte keine Ahnung, was da auf sie zukam. Ich erklärte ihr meinen Geburtstagswunsch, zeigte ihr die Liste mit den Namen meiner Freunde und nannte ihr schließlich die Summe, die bei der Aktion zusammengekommen war: achtzehntausend amerikanische Dollar. Zunächst war sie derart schockiert, dass sie das Gesicht zu einer Leidensmiene verzog. Es ist merkwürdig, aber wahr: Zuweilen bewirken einschneidende Ereignisse, dass wir die Kontrolle über unsere Gefühle verlieren und auf die genau entgegengesetzte Weise reagieren, als uns die Logik gebieten würde. Dies ist sozusagen der absolute (von der Qualität abstrahierte) Wert der menschlichen Emotion – glückliche Vorfälle können auf der Richterskala als reines Trauma ausschlagen, furchtbarer Kummer lässt uns in Gelächter ausbrechen. Die Nachricht hatte sie vollkommen überwältigt, also blieb ich noch ein paar Stunden bei ihr sitzen, erzählte ihr die Geschichte immer wieder von neuem, bis sie allmählich zu begreifen begann.

Ihre erste wirklich klare Reaktion (bevor sie in Tränen ausbrach, weil sie erkannte, dass sie sogar einen Garten haben würde) war dieser drängende Appell an mich: »Bitte, Liz, du musst alle, die geholfen haben, Geld zusammenzubringen, sagen, dass nicht Wayans Haus ist. Ist Haus von jedem, der Wayan geholfen hat. Wenn diese Leute nach Bali kommen, sie müssen nicht in Hotel wohnen, okay? Du sagst ihnen, sie können in meine Haus wohnen, okay? Versprich mir, dass du sagst. Wir nennen Gruppenhaus ... Haus für alle ...«

Dann dämmerte ihr, dass sie auch einen Garten haben würde, und sie begann zu weinen.

Und dann dämmerte ihr immer mehr. Ständig kamen ihr neue Gedanken, so wie aus einem umgestülpten Geldbeutel, den man schüttelt, immer wieder neue Münzen herauskullern. Wenn sie ein Haus besaß …, dann konnte sie sich auch eine kleine Bibliothek für ihre medizinischen Bücher einrichten! Und eine Apotheke für ihre Arzneien! Und ein richtiges Restaurant mit richtigen Stühlen und Tischen (sie hatte ihre guten alten Stühle und Tische verkaufen müssen, um den Scheidungsanwalt zu bezahlen). Wenn sie ein Heim hatte, konnte sie sich endlich im Lonely-Planet-Reiseführer für Bali listen lassen; die Autoren hatten sie bisher nicht aufführen können, weil sie keine permanente Adresse besaß. Wenn sie ein Haus hatte, konnte Tutti eines Tages eine Geburtstagsparty feiern! Wayan wurde immer aufgeregter. Wenn sie ein Haus besaß, konnte sie mehr Waisen aufnehmen, Kochkurse abhalten, ein Motorrad kaufen!

Schließlich wurde sie wieder nüchtern und ernsthaft. »Wie kann ich danken, Liz? Ich würde dir alles geben. Wenn ich Mann hätte, den ich liebe, und du brauchst Mann, ich würde dir meine Mann geben.«

»Behalt ihn, Wayan. Sorg nur dafür, dass Tutti auf die Universität geht.«

»Was mache ich ohne dich, wenn du nicht gekommen wärst nach Bali?«

Aber ich war doch schon seit einer Ewigkeit hierher unterwegs. Ich dachte an eines meiner liebsten Sufi-Gedichte, in dem es heißt, dass Gott vor langer Zeit einen Kreis in den Sand gezeichnet habe, und zwar genau an der Stelle, an der man »heute« stehe. Nie hat das alles *nicht* passieren sollen.

»Wo wirst du dein Haus bauen, Wayan?«, fragte ich sie.

Und es stellte sich heraus, dass Wayan – wie ein High-School-Baseballer, der sich seit einer Ewigkeit einen bestimmten Baseball-Handschuh wünscht, oder ein verträumtes Mädchen, das seit seinem dreizehnten Lebensjahr sein Brautkleid entwirft – sich bereits ein Grundstück ausgesucht hatte, das sie gerne kaufen würde. Schon eine Ewigkeit lang träumte sie davon. Es lag in einem Nachbardorf, hatte Wasser- und Stromanschluss, ganz in der Nähe gab es eine gute Schule für Tutti und die Waisen, und aufgrund seiner günstigen und zentralen Lage würden ihre Patienten und Kunden sie auch dort bequem zu Fuß erreichen. Über den Preis und die Größe des Grundstücks war sie genauestens im Bilde, glaubte, dass sie es sich leisten könne. Beim Bau des Hauses könnten ihr ihre Brüder helfen. Eigentlich müsste sie nur noch die Farben fürs Schlafzimmer auswählen.

Also suchten wir gemeinsam einen netten französischen Immobilien- und Finanzberater auf. Er riet mir, das Geld einfach von meinem Bankkonto auf Wayans Konto zu überweisen und sie dann das gewünschte Land oder Haus kaufen zu lassen, damit ich mich nicht mit den Problemen herumschlagen müsse, die der Erwerb von Grundbesitz in Indonesien mit sich bringe. Und solange ich keine Summen überwies, die zehntausend Dollar überstiegen, bestand auch nicht die Gefahr, dass die Finanzbehörden oder die CIA mich der Geldwäsche verdächtigten. Dann gingen wir zu Wayans kleiner Bank und besprachen mit dem Filialleiter, wie die Überweisung einer solchen Summe aus dem Ausland ablaufen würde. Abschließend meinte er: »Also, Wayan, wenn alles gut geht, solltest du in wenigen Tagen etwa hundertdreißig Millionen Rupien auf deinem Bankkonto vorfinden.«

Wayan und ich sahen uns an und brachen in ein geradezu irrsinniges Gelächter aus. Eine so enorme Summe! Wie Betrunkene stolperten wir ins Freie.

»Nie«, sagte sie, »hab ich gesehen, dass Wunder so schnell passiert! Immer habe ich Gott gebittet, dass er Wayan doch bitte, bitte hilft. Und Gott hat Liz gebittet, dass sie bitte auch Wayan hilft.«

»Und Liz«, ergänzte ich, »hat dann auch noch ihre Freunde angehauen!«

Wir gingen in den Laden zurück und trafen dort Tutti an, die gerade von der Schule gekommen war. Wayan sank auf die Knie, fasste ihre Tochter an den Armen und rief: »Ein Haus! Ein Haus! Wir haben ein Haus!« Tutti legte einen fabelhaft gespielten Ohnmachtsanfall hin und ließ sich in Zeitlupe zu Boden sinken.

Während wir lachten, fiel mir auf, dass die beiden Waisenmädchen in der Küche standen und uns beobachteten, und ich sah, dass sie mich mit einer Miene betrachteten, die irgendwie … Furcht ausdrückte. Während Wayan und Tutti freudig herumgaloppierten, fragte ich mich, was die beiden wohl dachten. Wovor hatten sie Angst? Fürchteten sie, zurückgelassen zu werden? Oder machte ich ihnen Angst, weil ich aus dem Nichts so viel Geld hervorgezaubert hatte? (Eine so *unvorstellbare* Menge Geld, dass man dabei vielleicht an schwarze Magie denken musste?) Oder ist, wenn man bereits so viel durchgemacht hat wie diese Kinder, vielleicht jede Veränderung mit Schrecken verbunden?

Als die Begeisterung wieder ein wenig abgeklungen war, fragte ich Wayan, nur um mich zu vergewissern: »Was ist mit der großen und der kleinen Ketut? Ist das auch für sie eine gute Nachricht?«

Ja, meinte sie, das sei eine wunderbare Neuigkeit für die beiden. Auch sie seien besorgt gewesen und hätten jeden Tag gefragt: »Wenn Wayan kein Geld und kein Haus hat, was wird dann aus uns?« Sie hätten solche Angst gehabt, wieder auf der Straße zu landen. Da blickte Wayan zu den Mädchen hinüber und registrierte offenbar dieselbe Beklommenheit, die auch ich bemerkt hatte, denn sie eilte zu ihnen, nahm sie in die Arme und flüsterte ihnen beruhigende Worte zu. Erleichtert schmiegten sie sich an sie. Und dann klingelte das Telefon, und Wayan versuchte, sich von den beiden zu lösen, doch die Mädchen vergruben die Köpfe im Schoß und in den Armen ihrer Pflegemutter und weigerten sich – mit einer Heftigkeit, die ich nie zuvor bei ihnen erlebt hatte –, sie loszulassen.

Daher ging ich ans Telefon.

»Traditionelle balinesische Medizin«, sagte ich. »Kommen Sie zu unserem großen Umzugsschlussverkauf!«

96

Zweimal an diesem Wochenende war ich wieder mit Felipe, dem Brasilianer, aus. Am Samstag nahm ich ihn mit zu Wayan, damit er sie und die Kinder kennen lernte, und Tutti malte ihm kleine Bilder von Häusern, während Wayan hinter seinem Rücken anzüglich zwinkerte und stumm mit den Lippen die Worte formte: »Neue Freund?«, worauf ich heftig den Kopf schüttelte: »Nein, nein, nein.« Auch zu Ketut, meinem Medizinmann, habe ich Felipe mitgenommen, und Ketut hat ihm aus der Hand gelesen und (während er mich durchdringend ansah) nicht weniger als sieben Mal erklärt, dass mein Freund »ein gute Mann« sei, »ein sehr gute Mann, ein sehr, sehr gute Mann. Kein schlechter Mann, Liss – *ein gute Mann*.«

Am Sonntag fragte mich Felipe, ob ich Lust hätte, den Tag am Strand zu verbringen. Ich stellte daraufhin überrascht fest, dass ich bereits zwei Monate auf Bali lebte und immer noch keinen Strand gesehen hatte, und so sagte ich zu. In seinem Jeep holte er mich ab, und wir fuhren eine Stunde zu dem versteckten kleinen Strand in Pedangbai, an den sich fast nie ein Tourist verirrt. Der Ort, an den er mich brachte, war eine so überzeugende Kopie des Paradieses, wie man sie sich nur vorstellen kann, mit blauem Wasser, weißem Sand und dem Schatten einer Palme. Wir quatschten den ganzen Tag, unterbrachen unser Gespräch nur, um zu schwimmen, zu dösen oder zu lesen, wobei wir uns mitunter laut vorlasen. Die balinesischen Frauen in der Hütte hinter dem Strand grillten uns frisch gefangenen Fisch, und wir kauften kaltes Bier und eisgekühlte Früchte. In den Wellen herumtollend, erzählten wir uns die fehlenden Details unserer Lebensge-schichten – das, was während der letzten Wochen bei unse-ren Abenden in den stillsten Restaurants von Ubud bei un-zähligen Flaschen Wein noch nicht zur Sprache gekommen war.

Ihm gefalle mein Körper, meinte er nach der ersten Begut-achtung am Strand. Er hat so eine angenehme Art, sich aus-zudrücken, es klang kein bisschen nach Anmache. »Sehr har-monisch«, bemerkte er, »sehr gesund.« Er erzählte mir, dass die Brasilianer für einen Körper wie meinen einen Ausdruck hätten (klar doch!), *magra-falsa* nämlich, den man mit »scheinbar dünn« wiedergeben könne, was bedeute, dass die Frau von weitem zwar durchaus schlank wirke, man aber beim Näherkommen erkenne, dass sie in Wirklichkeit wohl-gerundet und fleischig sei, was Brasilianer als Vorzug be-trachteten. Gott segne die Brasilianer. Während wir plau-dernd auf unseren Badetüchern lagen, griff er manchmal herüber, um mir Sand von der Nase zu wischen oder mir eine widerspenstige Haarsträhne aus dem Gesicht zu streichen. Zehn geschlagene Stunden unterhielten wir uns so. Dann wurde es dunkel, so dass wir zusammenpackten und einen Spaziergang machten und Arm in Arm unter den Sternen die spärlich beleuchtete Hauptstraße des alten balinesischen Fischerdorfs hinunterschlenderten. Und da fragte mich Felipe auf seine so natürliche und entspannte Art (als ob er mich fragte, ob wir nicht eine Kleinigkeit essen sollten): »Sollten wir nicht eine Affäre miteinander haben, Liz? Was hältst du davon?«

Die Art, wie er vorging, gefiel mir – und zwar alles daran. Dass er nicht agierte – mich nicht zu küssen versuchte oder sonst etwas wagte, sondern fragte. Und obendrein noch die richtige Frage stellte. Ich erinnerte mich an etwas, das mir meine Therapeutin schon mehr als ein Jahr vor meiner Abreise gesagt hatte. Ich hatte ihr erzählt, dass ich wahrscheinlich während des ganzen Reisejahrs enthaltsam bleiben wolle, mir allerdings Sorgen machte. »Was ist, wenn ich jemanden treffe, der mir wirklich gefällt? Was mache ich dann? Soll ich mich mit ihm einlassen oder nicht? Soll ich mir meine Unabhängigkeit bewahren? Oder mir die Affäre gönnen?« – »Weißt du, Liz«, meinte meine Therapeutin mit nachsichtigem Lächeln, »sobald sich die Frage wirklich stellt, kannst du das alles mit der betreffenden Person aushandeln.«

Und nun war alles da: Zeit, Ort, Frage und die betreffende Person. Und wir begannen darüber zu reden, und das Gespräch entspann sich locker während unseres Arm-in-Arm-Spaziergangs am Meer entlang. Was konnte ich sagen? Nur alles, was wahr war. »Unter normalen Umständen«, sagte ich, »würde ich wahrscheinlich Ja sagen. Was immer *normale Umstände* sein mögen …«

Wir lachten beide. Doch dann gestand ich ihm, dass ich zögerte. Und zwar, weil – sosehr ich es auch genießen mochte, mich für eine Weile den Händen eines erfahrenen Liebhabers zu überlassen – eine andere Stimme in mir ernsthaft verlangte, dass ich dieses ganze Jahr meiner Reise mir selbst widme. Dass Alleinsein im Grunde das ist, was ich jetzt brauche. Dass sich eine wichtige Veränderung in meinem Leben vollzieht, und diese Transformation Zeit und Raum benötigt, damit der Prozess, unbeeinträchtigt auch von der geringsten Störung in Form von Sex oder Romantik, zu seinem Ende gelangen kann. Dass ich sozusagen der Kuchen bin, der gerade aus dem Ofen geholt wurde und noch ein wenig Zeit braucht, um abzukühlen, ehe man ihn mit einer Glasur überzieht. Ich will mich nicht um diese kostbare Zeit betrügen. Will nicht, dass mir mein Leben gleich wieder entgleitet.

Natürlich sagte Felipe, dass er mich verstehe, dass ich tun solle, was am besten für mich sei, und dass er hoffe, ich würde ihm verzeihen, dass er die Frage überhaupt aufs Tapet gebracht habe. (»Früher oder später musste ich dich fragen, Darling.«) Und er versicherte mir, dass wir – wie immer meine Entscheidung ausfalle – unsere Freundschaft aufrechterhalten würden, da diese gemeinsam verbrachte Zeit ja uns beiden so gut zu tun scheine.

»Aber«, fuhr er fort, »nun musst du mich auch meine Sicht darlegen lassen.«

»Das ist nur recht und billig«, sagte ich.

»Wenn ich dich recht verstehe, geht es in diesem Jahr darum, das Gleichgewicht zwischen Hingabe und Vergnügen zu finden. Ich sehe zwar, dass du eine Menge religiöser Übungen gemacht hast, aber mir ist nicht ganz klar, wo das Vergnügen geblieben ist.«

»Ich habe in Italien eine Menge Pasta gegessen, Felipe.«

»Pasta, Liz? *Pasta?*«

»Ja.«

»Zum anderen meine ich zu wissen, worum du dir Sorgen machst. Du glaubst, irgendein Mann könnte in dein Leben eindringen und dir wieder alles wegnehmen, alle möglichen Komplikationen verursachen. Ich will dir das nicht antun, Darling. Auch ich bin schon lange allein, auch ich habe durch die Liebe viel verloren, genau wie du. Ich will nicht, dass wir uns gegenseitig etwas wegnehmen. Nur habe ich nie jemandes Gesellschaft so genossen wie deine und wäre gern mit dir zusammen. Ich werde dir keinen Ärger bereiten. Mach dir darum keine Sorgen – ich werde dir nicht nach New York folgen, wenn du im September abreist. Und zu den Gründen, die du mir unlängst genannt hast, warum du dir keinen Liebhaber nimmst ... Tja, sieh's doch mal so: Mir ist es egal, ob du dir jeden Tag die Beine rasierst. Ich liebe deinen Körper auch so, deine Lebensgeschichte hast du mir ohnehin schon erzählt, und um Verhütung brauchst du dir keine Sorgen zu machen – ich bin sterilisiert.«

»Felipe«, sagte ich, »das ist das verlockendste und romantischste Angebot, das mir je ein Mann gemacht hat.«

Und es stimmte. Und dennoch sagte ich Nein.

Er brachte mich nach Hause, parkte vor meinem Haus. Wir tauschten ein paar süße, salzige, sandige Küsse. Schön war's. Natürlich war es schön. Aber trotzdem – und wieder sagte ich Nein.

»Schon in Ordnung, Darling«, meinte er. »Aber komm morgen zum Abendessen zu mir, ich mach dir ein Steak.«

Dann fuhr er davon, und ich ging allein zu Bett.

Was Männer angeht, habe ich mich immer sehr schnell entschieden. Habe mich immer rasch und ohne Risiken zu bedenken verliebt. Ich neige nicht nur dazu, in jedem das Beste zu sehen, sondern auch zu der Überzeugung, jeder sei emotional in der Lage, sein Potenzial voll auszuschöpfen. In das Potenzial eines Mannes hab ich mich schon öfter verliebt, als ich wahrhaben will, in sein Potenzial statt in ihn selbst, und dann lange (manchmal viel zu lange) darauf gewartet, dass der Bursche seine eigene Größe realisiert. Romantisch verblendet, wurde ich häufig Opfer meines eigenen Optimismus.

Ich heiratete jung und ohne groß zu überlegen, verliebt und hoffnungsvoll; vom Eheleben jedoch und von dem, was es bedeutet, war nie viel die Rede. Niemand gab mir Ratschläge. Meine Eltern hatten mich zu einem selbstständigen Wesen erzogen, das für sich selbst aufkam und entschied. Seit ich vierundzwanzig war, nahmen alle an, dass ich in der Lage war, allein und autonom meine Entscheidungen zu treffen. Natürlich war die Welt nicht immer so. Wäre ich in einem früheren Jahrhundert des westlichen Patriarchats zur Welt gekommen, hätte man mich als Eigentum meines Vaters betrachtet, bis er mich an einen Gatten abgetreten hätte und ich dann dessen Eigentum geworden wäre. In allen wichtigen Belangen meines Lebens hätte ich kaum etwas zu sagen gehabt. Und hätte damals ein Mann um mich geworben, hätte mein Vater ihn mit unzähligen Fragen überschüttet, um zu ermitteln, ob er eine angemessene Partie für mich sei. »Wie willst du für meine Tochter sorgen?«, hätte er etwa wissen wollen. »Welchen Ruf genießt du in der Gemeinde? Wie steht es mit deiner Gesundheit? Wo willst du mit ihr leben? Wie viele Schulden hast du und über welche Vermögenswerte kannst du verfügen? Was hast du ihr charakterlich zu bieten?« Mein Vater hätte (falls er ein liebevoller Vater gewesen wäre) auch genauestens erwogen, ob ich für die Ehe vorbereitet war – alt genug, reif genug. Und nie hätte mich mein Vater aufgrund der bloßen Tatsache, dass ich mich in den Burschen verliebt hatte, diesem zur Frau gegeben. Im modernen Leben jedoch war mein moderner Vater an meinem Heiratsentschluss gänzlich unbeteiligt. Und mischte sich in meine Entscheidung ebenso wenig ein, wie er mir meine Frisur vorschrieb.

Ich sehne mich nicht nach dem Patriarchat, das dürfen Sie mir glauben. Allerdings ist mir klar geworden, dass die Schutzfunktionen dieses zu Recht demontierten gesellschaftlichen Systems durch nichts ersetzt wurden. Und damit will ich sagen: Ich selbst hätte nie daran gedacht, einen meiner Verehrer mit denselben herausfordernden Fragen zu konfrontieren, die ihm zu einer anderen Zeit mein Vater gestellt hätte. Aus Liebe habe ich mich viele Male hingegeben, und einzig und allein um der Liebe willen. Will ich jedoch eine wirklich autonome Frau werden, so muss ich mein eigener Beschützer, mein eigener Vormund werden. Gloria Steinem gab Frauen einst den berühmten Rat, sie sollten sich bemühen, so zu werden wie die Männer, die sie immer hatten heiraten wollen. Erst seit kurzem aber ist mir klar, dass ich nicht nur mein eigener Ehemann, sondern auch mein eigener Vater sein muss. Und auch deswegen habe ich mich in dieser Nacht allein zu Bett geschickt. Weil es mir einfach zu früh erschien, einen Bewerber zu empfangen.

Und nach meinem Nein erwachte ich gegen zwei Uhr früh mit einem schweren Seufzer und einem physischen Hunger, der so heftig war, dass ich keine Ahnung hatte, wie ich ihn stillen sollte. Der irre Kater, der bei mir haust, erhob aus irgendeinem Grund ein lautes Geschrei, und ich sagte zu ihm: »Ich weiß genau, wie's dir geht.« Irgendetwas musste ich gegen mein Verlangen unternehmen, also stand ich auf, tappte im Nachthemd in die Küche, schälte ein Pfund Kartoffeln, kochte sie, schnitt sie in Scheiben, briet sie in Butter, salzte sie kräftig und aß sie restlos auf – wobei ich meinen Körper die ganze Zeit anflehte, die Befriedigung durch ein Pfund gebratene Kartoffeln doch bitte anstelle der sexuellen Befriedigung zu akzeptieren.

Erst nachdem ich das Essen restlos vertilgt hatte, erwiderte mein Körper: »Kommt nicht in Frage, Schätzchen.«

Also kletterte ich wieder ins Bett und begann zu …

Tja. Erlauben Sie mir ein paar Worte zur Masturbation. Zuweilen ist sie ja ein handliches (verzeihen Sie) Mittel, zu anderen Zeiten aber so überaus unbefriedigend, dass man sich im Anschluss daran nur noch mieser fühlt. Nach eineinhalb Jahren der Enthaltsamkeit, in denen ich immer wieder in meinem Einzelbett meinen eigenen Namen gestöhnt hatte, war ich diesen Sport allmählich satt. In dieser Nacht allerdings, in meinem rastlosen Zustand – was konnte ich da anderes tun? Die Kartoffeln hatten nicht gewirkt. Also kapitulierte ich und besorgte mir's mal wieder selbst. Wie üblich blätterte ich dabei im Geiste einen Berg erotischer Vorlagen durch und suchte nach der passenden Fantasie oder Erinnerung, die dazu beitragen würde, die Sache schnellstmöglich zu Ende zu bringen. An diesem Tag jedoch schien wirklich gar nichts zu fruchten – weder die Feuerwehrleute noch die Piraten, noch die perverse alte Bill-Clinton-Standby-Szene, mit der es gewöhnlich klappte, ja nicht einmal die viktorianischen Herren, in ihrem Salon und mit ihrer Taskforce geschlechtsreifer Nymphchen, halfen. Am Ende war ich erst zufrieden, als ich mir widerwillig den Gedanken gestattete, mein guter brasilianischer Freund steige mit mir in dieses Bett und schließlich auf mich …

Danach schlief ich ein. Ich erwachte bei blauem Himmel. Immer noch verstört und unausgeglichen, verbrachte ich einen großen Teil des Morgens mit dem Chanten der gesamten hundertzweiundachtzig Sanskritverse der *Gurugita*, der großen und reinigenden Haupthymne meines Ashrams in Indien. Dann meditierte ich eine Stunde lang in knochenkribbelnder Stille, bis ich sie wieder spürte: die besondere, stete, wolkenlose, von nichts abhängende, unveränderliche, namenlose und unwandelbare Vollkommenheit meines Glücks. Dieses Glücks, das wahrhaft besser ist als alles, was ich je auf Erden erfahren habe, einschließlich salziger, buttriger Küsse und noch salzigerer und buttrigerer Kartoffeln.

Ich war so froh, dass ich mich entschlossen hatte, allein zu bleiben.

Daher war ich am nächsten Abend ziemlich überrascht, als Felipe – nachdem er für mich gekocht und wir mehrere Stunden auf seiner Couch herumgelegen und alle möglichen Themen erörtert hatten – sich plötzlich für einen Moment zu mir herüberbeugte, an meinen Achseln schnüffelte und erklärte, wie sehr er meinen herrlichen Gestank liebe, um dann die Hand an meine Wange zu legen und zu sagen: »Und nun reicht's, Schätzchen. Los jetzt, ins Bett«, und ich ihm folgte.

Ja, ich folgte ihm in sein Bett, in das Schlafzimmer mit den großen geöffneten Fenstern, die auf die Nacht und die balinesischen Reisfelder hinausgingen. Er teilte den dünnen weißen Vorhang des Moskitonetzes, der sein Bett umgab, und geleitete mich hinein. Dann half er mir mit der Erfahrung eines Mannes, der offenbar viele entspannte Jahre damit verbracht hatte, seine Kinder zum Baden zu entkleiden, aus den Klamotten und erklärte mir, wie er sich das Ganze vorstelle: dass er nämlich absolut nichts von mir wolle, außer der Erlaubnis, mich so lange zu verehren, wie ich es wünsche. Konnte ich das akzeptieren? Da mir irgendwo zwischen Couch und Bett die Stimme abhanden gekommen war, nickte ich nur. Dann schob er einige Kissen zur Seite und rollte mich so, dass ich unter ihm zu liegen kam.

»Okay«, meinte er lächelnd. »Gehen wir die Sache mal ein bisschen geordnet an.«

Das war schon recht lustig, denn dieser Moment stellte im Grunde das Ende all meiner Bemühungen um Ordnung dar. Es war der Moment, in dem ich meine Versuche, jede Gefühlsregung zu kontrollieren, aufgab, in dem ich aufhörte, jede Entscheidung aus den zwanzig Blickwinkeln eines hypervorsichtigen Menschen zu betrachten, der nie wieder einen Fehler machen will. Stattdessen gestattete ich mir, von meinem bisherigen Kurs abzuweichen und mich in die Hände dieses Mannes zu begeben.

Später erzählte er mir, wie er mich in jener Nacht erlebt hatte. Ungeheuer jung sei ich ihm vorgekommen und hätte nicht im Geringsten jener selbstsicheren Frau geähnelt, die er bei Tageslicht kennen gelernt hatte. Entsetzlich jung, aber auch offen, aufgeregt, erleichtert, erkannt zu werden – und des ewigen Starkseins so überdrüssig. Dass ich sehr lange nicht mehr berührt worden sei, sei offensichtlich gewesen. Er erlebte mich ungeheuer bedürftig, aber auch dankbar, diese Bedürftigkeit zeigen zu können. Und wenn ich auch nicht behaupten kann, mich an all das zu erinnern, glaube ich es ihm, da er mich schrecklich genau zu beobachten schien. Am stärksten aber ist mir aus jener Nacht das sich rings um uns blähende weiße Moskitonetz im Gedächtnis geblieben. Es erinnerte mich an einen Fallschirm. Und ich hatte das Gefühl, als würde ich mit diesem Fallschirm aus der Maschine springen, die mich während der letzten Jahre in mein neues Leben befördert hatte. Denn mitten in der Luft war mein einmotoriger Flieger obsolet geworden, so dass ich den Notausgang nahm und mich von dem flatternden weißen Fallschirm durch die eigenartig leere Atmosphäre zwischen meiner Vergangenheit und meiner Zukunft tragen ließ und sicher auf dieser kleinen bettförmigen Insel landete, die nur von diesem gestrandeten Matrosen, diesem attraktiven Brasilianer, bewohnt war, der (da selbst schon so lange allein) so glücklich und von meiner Ankunft so überrascht war, dass er plötzlich sein ganzes Englisch vergaß und jedes Mal, wenn er mich ansah, nur diese fünf Worte stammeln konnte: *schön, schön, schön, schön, schön.*

Natürlich kamen wir nicht zum Schlafen. Und dann – es war wirklich lächerlich – musste ich gehen. Musste blödsinnigerweise schon frühmorgens zu mir zurück, weil ich dort mit meinem Freund Yudhi verabredet war. Schon vor einiger Zeit hatten wir geplant, in dieser Woche zu unserer gemeinsamen Balireise aufzubrechen. Eine Idee, die uns an einem der Abende in meinem Haus gekommen war, als wir, wie stets, über Yudhis Ausweisung aus den Vereinigten Staaten redeten und ich ihn fragte, was er am meisten vermisse. Neben seiner Frau und Manhattan fehlte ihm am meisten das Autofahren – einfach mit ein paar Freunden in den Wagen zu steigen und über die endlosen amerikanischen Highways zu brausen. »Okay«, sagte ich zu ihm, »dann lass uns hier auf Bali eine Reise im amerikanischen Stil machen.«

Das war uns beiden unwiderstehlich komisch erschienen – weil eine solche Reise auf Bali völlig undenkbar ist. Zunächst einmal gibt es auf einer Insel von der Größe Delawares keine gewaltigen Entfernungen. Und die »Highways« sind katastrophal. Gefährlich winden sie sich um Vulkane und durch den Dschungel, und zu einer geradezu surrealen Gefahr wird das Fahren in bevölkerten Gegenden durch die verrückte Vorherrschaft einer balinesischen Version des amerikanischen Familien-Mini-Van – eines kleinen Motorrads, auf dem sich fünf Personen drängen, wobei der Vater mit der einen Hand lenkt, mit der anderen (wie einen Fußball) den Säugling hält, während Mutti im knappen Sarong hinter ihm sitzt, einen Korb auf dem Kopf balanciert und ihre Kleinen ermahnt, nicht herunterzufallen. Meistens fahren diese Motorräder ohne Scheinwerfer auf der falschen Straßenseite. Helme werden in der Regel nicht getragen, sondern – warum, habe ich nie herausgefunden – in den Händen gehalten. Stellen Sie sich Dutzende dieser schwer beladenen Motorräder vor, die alle rücksichtslos dahinrasen, sich alle wie in einer Art wahnsinnigem motorisiertem Maitanz gegenseitig überholen oder einander ausweichen. Ich weiß eigentlich nicht, warum sich die Balinesen nicht alle längst zu Tode gefahren haben.

Aber Yudhi und ich hatten beschlossen, dennoch einen Wagen zu mieten und eine Woche lang die Insel zu erkunden und dabei so zu tun, als wären wir in Amerika, frei und ungebunden. Als wir den Trip vor einem Monat planten, war ich hellauf begeistert, jetzt aber – da ich mit Felipe im Bett liege und er meine Fingerspitzen, Unterarme und Schultern küsst und mich zum Bleiben auffordert – scheint mir der Zeitpunkt unglücklich gewählt. Aber ich muss gehen. Und in gewisser Weise will ich es auch. Nicht nur, um eine Woche mit meinem Freund Yudhi zu verbringen, sondern auch, weil ich eine Verschnaufpause brauche nach meiner langen Nacht mit Felipe, um mich zu sammeln und mich mit dem Gedanken anzufreunden, dass ich mir – wie es in Romanen so schön heißt – *einen Liebhaber genommen habe*.

Also setzt mich Felipe mit einer letzten leidenschaftlichen Umarmung vor meinem Haus ab, und mir bleibt gerade genug Zeit, um mich zu duschen und mich zusammenzureißen, ehe Yudhi mit unserem Mietwagen aufkreuzt. Er wirft mir nur einen kurzen Blick zu und sagt: »Mann, wann bist du denn gestern heimgekommen?«

»Ich bin gestern nicht heimgekommen, Mann.«

»Mannomann«, sagt er nur, beginnt zu lachen und denkt wahrscheinlich an das Gespräch, das wir vor etwa zwei Wochen geführt haben und in dem ich ernsthaft behauptet habe, dass ich möglicherweise mein ganzes Leben lang mit keinem Mann mehr schlafen würde. »Hast also die Waffen gestreckt, wie?«, spöttelt er.

»Yudhi«, erwidere ich, »ich will dir mal was sagen. Im letzten Sommer, kurz vor meiner Abreise aus den Staaten, hab ich meine Großeltern nördlich von New York besucht. Die Ehefrau meines Großvaters, seine zweite Frau, ist eine wirklich nette Lady – Gale heißt sie – und inzwischen in den Achtzigern. Und da schleppt sie ein altes Fotoalbum an und zeigt mir Fotos aus den dreißiger Jahren, als sie achtzehn war und mit ihren zwei besten Freundinnen und einer Anstandsdame für ein Jahr nach Europa reiste. Sie blättert in diesen Alben, zeigt mir die alten Fotos von Italien, und plötzlich stoßen wir auf das Bild eines wirklich süßen jungen Venezianers. Ich sage: ›Gale, wer ist denn dieser Adonis?‹ Und sie meint: ›Das ist der Sohn der Leute, denen das Hotel gehörte, in dem wir in Venedig abgestiegen waren. Er war mein Freund.‹ – ›Dein Freund?‹, frage ich sie. Und die niedliche Frau meines Großvaters guckt plötzlich ganz verschlagen, kriegt sexy Augen wie Bette Davis und sagt: ›Ich hatte das Kirchenbesichtigen satt, Liz.‹«

Yudhi hebt die Hand, um mit mir einzuschlagen. »Weiter so, Mann.«

Wir starten zu unserem »amerikanischen Roadtrip« quer durch Bali, ich und dieses coole exilierte Musikgenie, und auf der Rückbank unseres Wagens stapeln sich Gitarren, Bier und das balinesische Pendant amerikanischer Reisesnacks: frittierte Reiscracker und grässlich schmeckende Süßigkeiten. Die Erinnerungen an unsere Reise sind inzwischen ein bisschen verschwommen, verwischt durch meine ablenkenden Gedanken an Felipe und den seltsamen Nebel, der Autoreisen in allen Ländern der Welt charakterisiert. Ich erinnere mich noch daran, dass Yudhi und ich die ganze Zeit »Amerikanisch« redeten – eine Sprache, die ich lange nicht mehr gesprochen hatte. Eine Menge Englisch hatte ich natürlich das ganze Jahr über geredet, nicht aber *Amerikanisch*, und ganz sicher nicht dieses Hip-Hop-Amerikanisch, auf das Yudhi so abfährt. Also frönen wir dem Hip-Hop und verwandeln uns beim Fahren in zwei MTV-glotzende Heranwachsende, die einander aufziehen wie Teenager in Hoboken, sich »Mann« nennen oder »Typ« und zuweilen – sehr zärtlich – auch »Schwuchtel«. Über weite Strecken besteht unser Dialog aus lauter netten Beleidigungen und wechselseitigen Verunglimpfungen unserer Mütter.

»Mann, was hast du denn da mit der Karte gemacht?«

»Warum fragst du nicht deine Mutter?«

»Würd ich machen, Mann, aber sie ist zu fett.«

Und so weiter.

Wir dringen nicht mal ins Innere der Insel vor, fahren nur an der Küste entlang und sehen eine ganze Woche lang nur Strand, Strand, Strand. Manchmal nehmen wir ein kleines Fischerboot, um zu einer vorgelagerten Insel hinauszufahren und zu gucken, was es dort gibt. Bali hat so viele Arten von Strand. Einen Tag lang treiben wir uns am langen weißen »südkalifornischen« Sandstrand von Kuta herum, steuern dann die Felsenküste der Westseite an, passieren die unsichtbare balinesische Scheidelinie, die der gewöhnliche Tourist nie zu überqueren scheint, und fahren weiter zur Nordküste, in deren wilde Brandung sich nur Surfer vorwagen (und auch unter denen nur die verrückten). Wir sitzen am Strand und beobachten die gefährlichen Wellen, sehen zu, wie die sehnigen braunen und weißen, indonesischen und ausländischen Surfer übers Wasser gleiten wie Reißverschlüsse auf dem Rücken eines blauen Cocktailkleids. Sehen, wie die Surfer mit knochenbrecherischer Hybris an den Korallen oder Felsen zerschellen, nur um erneut hinauszuschwimmen und eine weitere Welle zu reiten, und wir japsen und sagen: »Mann, das ist ja völlig *krank*.«

Während wir in unserem Mietwagen dahinbrausen, uns

von Junkfood ernähren, amerikanische Lieder singen und Pizza essen, wo immer wir welche finden, versuchen wir (um Yudhis willen) zu vergessen, dass wir in Indonesien sind. Obwohl die balinesische Realität unverkennbar ist, versuchen wir, sie zu ignorieren, und tun, als wären wir in Amerika. »Welches ist die geeignetste Route, um an diesem Vulkan vorbeizukommen?«, frage ich, und Yudhi sagt: »Ich glaube, wir sollten die I-95 nehmen«, worauf ich erwidere: »Aber da landen wir doch mitten in der Bostoner Rushhour ...« Es ist zwar nur ein Spiel, aber irgendwie funktioniert es.

Manchmal entdecken wir ruhige Küstenabschnitte und schwimmen den ganzen Tag, trinken schon morgens um zehn die erste Flasche Bier (»Mann, ist doch gesund«), freunden uns mit jedem an, der uns begegnet. Yudhi ist jemand, der – wenn er den Strand entlangschlendert und einen Mann ein Boot bauen sieht – stehen bleibt und sagt: »Wow! Sie bauen ein Boot?« Und seine Neugierde ist so absolut gewinnend, dass wir, ehe wir uns es versehen, schon eingeladen sind, ein Jahr bei der Familie des Bootsbauers zu verbringen.

Seltsame Dinge geschehen an den Abenden. Am Ende der Welt stolpern wir in geheimnisvolle Tempelrituale und lassen uns von dem Chor aus Stimmen, Trommeln und Gamelan verzaubern. Wir entdecken ein Dorf am Meer, dessen gesamte Einwohnerschaft sich zu einem Geburtstagsfest in einer dunklen Gasse versammelt hat; Yudhi und ich werden aus der Menge geholt und als Ehrengäste aufgefordert, mit dem hübschesten Mädchen des Dorfs zu tanzen. (Es ist mit Gold und Edelsteinen behängt und in Weihrauch gehüllt und irgendwie ägyptisch geschminkt; wahrscheinlich ist es nicht älter als dreizehn, wiegt sich aber in den Hüften mit der Sinnlichkeit und dem Vertrauen eines Geschöpfs, das weiß, dass es jeden Gott verführen könnte.) Am folgenden Tag entdecken wir im selben Dorf ein seltsames Restaurant, dessen balinesischer Inhaber sich als Meister der thailändischen Küche anpreist – was er zwar mit Sicherheit nicht ist, was uns aber nicht davon abhält, den ganzen Abend dort zu verbringen, eiskalte Coca-Cola zu trinken, fettige *pad-thai* zu essen und mit dem effeminierten halbwüchsigen Sohn des Wirts Brettspiele zu spielen. (Erst später fällt uns auf, dass dieser hübsche Junge durchaus die schöne Tänzerin vom Vorabend gewesen sein könnte; die Balinesen sind Meister des rituellen Transvestismus.)

Jeden Tag rufe ich von jedem Telefon, das ich finden kann, Felipe an, und er fragt mich jedes Mal: »Wie oft muss ich noch zu Bett gehen, bis du zurückkommst?« Er genieße es, erzählt er mir, sich in mich zu verlieben. »Es fühlt sich so selbstverständlich an, als würde mir das alle Tage passieren, obwohl ich es seit fast dreißig Jahren nicht mehr erlebt habe.«

Da ich noch nicht so weit bin, nicht an dem Punkt, mich so ohne weiteres auf diese Liebe einzulassen, antworte ich nur zögernd und deute an, dass ich ja schon in wenigen Monaten wieder abreise. Felipe bekümmert das nicht. »Vielleicht«, meint er, »ist es ja nur so eine dumme romantische südamerikanische Idee, aber du solltest wissen, Darling: Für dich bin ich sogar bereit zu leiden. Was die Zukunft auch bringen mag, für das Vergnügen, jetzt mit dir zusammen zu sein, nehme ich auch Schmerzen in Kauf. Lass es uns genießen. Es ist so wunderbar.«

»Es ist schon komisch«, erzähle ich ihm, »aber vor unserer Begegnung habe ich ernsthaft geglaubt, ich würde bis zu meinem Tod das kontemplative Leben einer Nonne führen.«

»Überleg doch mal, Darling ...«, sagt er und beginnt, mir detailliert auszumalen, was er als Erstes, Zweites, Drittes, Viertes und Fünftes mit mir anstellen werde, sobald er mich wieder in seinem Bett habe. Etwas wacklig auf den Beinen, erheitert und bass erstaunt ob all der neuen Leidenschaft schwanke ich nach dem Telefonat von dannen.

Am letzten Tag unserer Reise faulenzen Yudhi und ich stundenlang an irgendeinem Strand und reden – wie so oft – über New York, darüber, wie toll die Stadt doch sei und wie sehr wir sie liebten. Spontan wischt Yudhi ein Fleckchen weißen Sand zwischen unseren Handtüchern glatt und skizziert die Umrisse von Manhattan darauf. »Zeichnen wir doch mal alles ein, woran wir uns erinnern.« Daraufhin markieren wir alle Avenues, die wichtigsten Querstraßen, das Durcheinander, das der Broadway anrichtet, indem er sich krumm über die Insel erstreckt, die Flüsse, das Village und den Central Park. Wir wählen eine hübsche Muschel als Symbol für das Empire State Building und eine zweite Muschel für das Chrysler Building. Respektvoll nehmen wir zwei Stöckchen und errichten die Twin Towers wieder auf ihrem Platz am unteren Ende der Insel.

Dann zeigen wir einander unsere Lieblingsplätze. Hier hat Yudhi die Sonnenbrille gekauft, die er jetzt trägt, und da habe ich die Sandalen aufgetrieben, die ich gerade anhabe. Hier habe ich zum ersten Mal mit meinem Exmann zu Abend gegessen, und da hat Yudhi seine Frau kennen gelernt. Hier gibt es das beste vietnamesische Essen der Stadt, da die besten Bagels, das ist der beste Nudelladen (»unmöglich, du Schwuchtel – das da ist der beste Nudelladen«). Ich zeichne mein altes verrufenes Viertel ein, und Yudhi meint: »Da oben kenn ich ein gutes Lokal.«

»*Tick-Tock*, *Cheyenne* oder *Starlight*?«, frage ich.

»*Tick-Tock*, Mann.«

»Schon mal Sahneeier im *Tick-Tock* probiert?«

Er stöhnt: »Oh mein Gott, ich weiß …«

Ich spüre seine Sehnsucht nach New York so stark, dass ich sie einen Moment lang für meine eigene halte. Sein Heimweh steckt mich derart an, dass ich kurzzeitig vergesse, dass ich ja – anders als er – jederzeit nach Manhattan zurückkehren kann. Er spielt mit den Twin-Tower-Stöckchen herum, steckt sie noch tiefer in den Sand, blickt dann hinaus auf den blauen Ozean und sagt: »Ich weiß, es ist schön hier … Aber glaubst du, dass ich Amerika jemals wiedersehen werde?«

Was kann ich ihm sagen?

Wir versinken in Schweigen. Dann spuckt er plötzlich den indonesischen Drops aus, auf dem er seit etwa einer Stunde herumlutscht, und meint: »Mann, dieses Bonbon schmeckt total *scheiße*. Wo hast du das her?«

»Von deiner Mutter, Mann«, antworte ich. »Von deiner Mutter.«

99

Als wir wieder in Ubud sind, gehe ich geradewegs zu Felipe und verlasse einen Monat lang nicht mehr sein Schlafzimmer. Und das ist nur eine ganz leichte Übertreibung. Niemals zuvor hat mich ein Mann so geliebt und angebetet, nie mit solcher Lust und totaler Konzentration. Nie hat man mich während des Liebesakts so entblättert und enthüllt, so entfaltet und durch Raum, Zeit und Gefühle geschleudert.

Wenn ich etwas über Intimität wirklich weiß, dann dies: dass das sexuelle Erleben zweier Menschen von bestimmten Naturgesetzen bestimmt wird, und dass diese Gesetze so unverrückbar und unverhandelbar sind wie die Schwerkraft. Mit einem anderen Menschen körperlich zu harmonieren ist keine Entscheidung, die einem irgendwie freistünde. Es hat sehr wenig damit zu tun, wie zwei Menschen denken oder handeln, reden oder gar aussehen. Entweder ist der geheimnisvolle Magnet, der irgendwo tief unterm Brustbein sitzt, vorhanden oder aber nicht. Ist die gegenseitige Anziehung nicht da, kann man sie (wie ich in der Vergangenheit schmerzhaft erfuhr) ebenso wenig forcieren, wie ein Chirurg den Körper eines Patienten zwingen kann, die Niere eines ungeeigneten Spenders zu akzeptieren. Meine Freundin Annie glaubt, dass sich alles auf die schlichte Frage reduziert: Willst du deinen Bauch für immer an den Bauch dieses Menschen schmiegen oder nicht?

Felipe und ich entdecken zu unserer Freude, dass wir eine genetisch perfekt aufeinander abgestimmte Bauch-an-Bauch-Erfolgsgeschichte sind. Unsere Haut erkennt die Haut des anderen und stößt sie nicht ab. Kein Teil unserer Körper reagiert »allergisch« auf Körperteile des anderen. Nichts ist gefährlich, nichts schwierig, nichts wird verweigert. Alles in unserem sinnlichen Universum findet seine – einfache und völlige – Entsprechung, Komplementierung. Und, ja, auch *Komplimente*.

»Schau dich an«, sagt Felipe und schiebt mich, nachdem wir erneut miteinander geschlafen haben, vor den Spiegel, deutet auf meinen nackten Körper und mein Haar, das aussieht, als käme ich gerade aus einer Weltraumtrainingszentrifuge der NASA, zeigt auf mein zufriedenes Lächeln, meine gerötete Haut. »Sieh dich an«, sagt er, »sieh mal, wie schön du bist … Jede Linie an dir ist eine Kurve … Du siehst aus wie die Sanddünen …«

Ich glaube nicht, dass mein Körper je so entspannt ausgesehen hat oder war, jedenfalls nicht seit meinem sechsten Lebensmonat, als ich mich – wie Mutters Schnappschüsse verraten – nach einem warmen Bad selig auf einem Handtuch auf dem Küchentisch räkelte. Mit meiner Freundin Sheryl habe ich mich häufig darüber unterhalten – über diese Intensität, diese Schönheit, die man nur dann erlangt, wenn man von einem Liebhaber angebetet wird. Wenn ich mit Felipe zusammen bin, hat mein Gesicht eine Ausstrahlung, die es nie zuvor besaß und die es ohne ihn und seinen Blick nicht hätte. Das heißt nicht, dass ich ohne Liebhaber nicht attraktiv oder glücklich sein kann; es handelt sich lediglich um eine besondere Facette menschlicher Erfahrung, die man allein nicht erleben kann. Es ist dieser winzige Fleck auf unserem Rücken, an dem wir uns selbst nicht kratzen können.

Dann führt er mich wieder zum Bett zurück und sagt auf Portugiesisch: »*Vem, gostosa.*«

Komm her, meine Köstliche.

Felipe ist der Meister der Liebesworte. Im Bett geht er dazu über, mich auf Portugiesisch zu liebkosen, so dass ich von seinem »süßen kleinen Darling« zu seiner *queridinha* (wörtliche Übersetzung: »süßes kleines Darling«) aufsteige. Ich war auf Bali zu faul, um Indonesisch oder Balinesisch zu lernen, aber Portugiesisch fällt mir plötzlich sehr leicht. Natürlich lerne ich nur Bettgeflüster, aber das ist eine gute Anwendung.

»Irgendwann, Darling, wirst du's satt haben«, sagt er. »Es wird dich langweilen, dass ich dich so oft berühre und dir unzählige Male am Tag sage, wie schön du bist.«

Probier's doch aus, Mister.

Unter seinen Laken, seinen Händen verschwindend, gehen mir ganze Tage durch die Lappen, und ich genieße es. Ich weiß nicht mehr, welches Datum wir haben. Mein geregelter Tagesablauf ist dahin und vom Winde verweht. Eines Nachmittags schaue ich, nach langer Unterbrechung, wieder mal bei meinem Medizinmann vorbei, und Ketut sieht mir den Grund für mein langes Fortbleiben an, noch ehe ich ein Wort gesagt habe.

»Du gefunden Freund in Bali«, sagt er.

»Ja, Ketut.«

»Schön. Pass auf, dass nicht schwanger wird!«

»Mach ich.«

»Er gute Mann?«

»Du hast es mir selbst gesagt, Ketut«, erwidere ich. »Du hast ihm aus der Hand gelesen. Ungefähr sieben Mal hast du es wiederholt.«

»Wirklich? Wann?«

»Im Juni. Ich hatte ihn mitgebracht. Du hast gesagt, dass du ihn magst.«

»Niemals«, beharrte er, und ich konnte ihn durch nichts vom Gegenteil überzeugen. Zuweilen entfallen Ketut Dinge, wie es auch Ihnen passieren würde, wenn Sie zwischen fünfundsechzig und hundertzwölf Jahre alt wären. Die meiste Zeit ist er zwar hellwach und auf Draht, dann aber wieder ist mir, als hätte ich ihn auf einer anderen Bewusstseinsebene oder in einem anderen Universum aufgestört. Vor ein paar Wochen sagte er aus heiterem Himmel zu mir: »Liss, du bist gute Freundin für mich. Treue Freundin. Liebe Freundin.« Dann seufzte er, starrte vor sich hin und fügte traurig hinzu: »Nicht wie Sharon.« (Wer zum Teufel ist Sharon? Was hat sie ihm angetan? Als ich ihn danach fragte, gab er mir keine Antwort. Tat plötzlich, als wisse er nicht, was ich meine. Als sei ich diejenige, die dieses Flittchen namens Sharon erwähnt hat.)

»Warum bringst du deine Freund nicht mit?«, fragt er nun.

»Aber das hab ich doch, Ketut. Wirklich. Und du hast mir gesagt, dass du ihn magst.«

»Weiß nicht. Reiche Mann, deine Freund?«

»Nein, Ketut. Reich ist er nicht. Aber er hat genug.«

»Mittelreich?« Der Medizinmann wünscht Einzelheiten zu hören.

»Es reicht.«

Meine Antwort schien Ketut zu irritieren. »Du gefragt, ob er dir Geld geben kann, oder nicht?«

»Ketut, ich will kein Geld von ihm.«

»Du jede Nacht bei ihm?«

»Ja.«

»Gut. Verwöhnt dich?«

»Sehr.«

»Gut. Du meditierst noch?«

Ja, immer noch meditiere ich beinahe täglich, gleite aus Felipes Bett hinüber zur Couch, wo ich schweigend sitzen und mich für mein Glück bedanken kann. Draußen, vor unserer Veranda, platschen die Enten quakend durch die Reisfelder. (Diese geschäftigen balinesischen Enten, meint Felipe, erinnerten ihn an die Brasilianerinnen, die laut schwatzend, einander permanent unterbrechend und stolz mit den Hinterteilen wackelnd an den Stränden Rios entlangstolzieren.) Ich bin jetzt derart entspannt, dass ich in die Meditation gleite, als wäre sie ein Bad, bereitet von meinem Liebhaber. Nackt in der Morgensonne, tauche ich mit nichts als einer leichten Decke über den Schultern in die Gnade ein.

Warum schien mir das Leben je schwierig?

Eines Tages rufe ich meine Freundin Susan in New York an und lausche, während im Hintergrund die typischen Polizeisirenen heulen, ihren Mitteilungen über ihre jüngste unglückliche Liebe. Meine Stimme hat den coolen weichen Tonfall eines Late-Night-Jazz-Radio-DJs, als ich ihr sage, dass sie einfach loslassen müsse, lernen müsse, dass alles schon vollkommen sei, so wie es ist, dass das Universum für uns sorge und da draußen nur Frieden und Harmonie herrschten …

Ich sehe geradezu, wie sie die Augen rollt, während sie sagt: »Du redest wie eine, die heute schon vier Orgasmen hatte.«

100

Schließlich aber fordern Spiel und Spaß ihren Tribut. Nach all den schlaflosen Nächten und den im Bett verbrachten Tagen schlug mein Körper zurück, und ich bekam eine unangenehme Blasenentzündung. Ein typisches Leiden der sexuell Unersättlichen, dem man vor allem dann zum Opfer fällt, wenn man die Unersättlichkeit nicht mehr gewöhnt ist. Eines Morgens ging ich durch die Stadt, um einige Besorgungen zu machen, als ich mich plötzlich krümmte vor brennendem Schmerz. Ich hatte schon früher, im Eigensinn meiner Jugend, mit diesen Entzündungen Bekanntschaft gemacht, so dass ich gleich wusste, woher die Schmerzen rührten. Einen Moment lang packte mich Panik, dann aber dachte ich: Gott sei Dank ist meine beste Freundin auf Bali Heilerin, und rannte in Wayans Laden.

»Ich bin krank!«, rief ich.

Sie warf mir nur einen kurzen Blick zu und meinte: »Ich weiß.«

Ich nahm vorsichtig Platz, und sie trat zu mir, schob ihre kühle Hand unter mein T-Shirt, betastete den heißen Bauch und dann den feuchten Rücken.

»Du krank wegen zu viel Sex, Liz«, sagte sie.

Ich stöhnte und verbarg verlegen das Gesicht in den Händen.

Sie lachte leise und meinte: »Vor Wayan gibt keine Geheimnisse …«

Es tat wahnsinnig weh. Jeder, der je an einer solchen Infektion gelitten hat, kennt das furchtbare Gefühl; jeder aber, der dieses spezielle Leiden nicht kennt – nun ja, der denke sich einfach eine eigene Metapher aus, die, wenn möglich, das Wort »Schürhaken« enthalten sollte.

Wayan blieb die Ruhe selbst. Methodisch begann sie

Kräuter zu hacken und Wurzeln zu kochen, lief zwischen mir und ihrer Küche hin und her und reichte mir mit der Aufforderung »Trink, Schätzchen ...« ein warmes braunes, giftig schmeckendes Gebräu nach dem anderen.

Zwischendurch setzte sie sich mir gegenüber, warf mir verschlagene Blicke zu und fragte: »Diese Felipe, ist er gute Mann? Ich schon vor dir gewusst, dass er Freund ist für dich. An Tag, als du bringst ihn erste Mal, ich hab gewusst. Du hast gesagt, nein, nein, nein, aber ich hab gewusst. Er war Mann, für den ich zu Gott gebetet habe. Nicht leicht, so gute Mann zu finden.«

»Hättest du nicht um einen etwas weniger maskulinen Burschen beten können?«

»Passt du auf, Liz, wegen Schwangerwerden?«

»Kann gar nicht schwanger werden, Wayan. Felipe hat eine Vasektomie vornehmen lassen.«

»Eine Vasektomie?«, fragte sie so ehrfürchtig, als habe sie gefragt: Felipe hat eine Villa am Gardasee? »Sehr schwer in Bali, zu überzeugen eine Mann von so was. Verhütung immer Problem von Frau.«

(Obwohl die indonesische Geburtenrate aufgrund eines genialen Verhütungsprogramms in den letzten Jahren gesunken ist: Jedem Mann, der sich freiwillig sterilisieren lässt, hat die Regierung ein nagelneues Motorrad versprochen ... Die Vorstellung jedoch, dass die Burschen ihr neues Motorrad *noch am selben Tag* nach Hause fahren müssen, finde ich ziemlich beängstigend.)

»Sex komisch«, sinnierte Wayan, während ich vor Schmerzen das Gesicht verzog und weiter ihrem selbst gebrauten Heiltrank zusprach.

»Ja, Wayan, danke. Ja, urkomisch.«

»Nein, Sex wirklich komisch«, fuhr sie fort. »Wegen Sex Leute machen komische Sache. Alle so, wenn Liebe frisch.

Wollen zu viel Glück, zu viel Spaß, bis Spaß macht uns krank. Auch für Wayan passiert, am Anfang von Liebesgeschichte. Gleichgewicht verloren. Jetzt wir heilen dich, bringen zurück in Gleichgewicht.«

Ich beschloss, Felipe anzurufen. Zu Hause hatte ich Antibiotika, einen Notvorrat, den ich auf Reisen immer dabeihabe. Da mir diese Entzündungen vertraut sind, weiß ich, wie ernst sie sein können und dass sie unter Umständen sogar die Nieren in Mitleidenschaft ziehen. Das wollte ich keinesfalls riskieren, nicht hier in Indonesien. Also rief ich ihn an, erzählte ihm, was passiert war (es war ihm entsetzlich peinlich), und bat ihn, mir die Pillen vorbeizubringen. Nicht, dass ich Wayans medizinischen Fähigkeiten nicht vertraut hätte …

»Du brauchst keine westliche Pillen, Liz«, meinte Wayan.

»Aber vielleicht ist es doch besser, nur um sicherzugehen …«

»Warte zwei Stunden«, sagte sie. »Wenn nicht besser, du kannst Pillen nehmen.«

Widerstrebend stimmte ich zu. Nach meiner Erfahrung dauert es mehrere Tage, bis diese Infektionen abklingen – sogar wenn man sie mit starken Antibiotika behandelt. Aber ich wollte Wayan nicht verärgern.

Tutti spielte im Laden, brachte mir immer wieder kleine Zeichnungen von Häusern, um mich aufzuheitern, und tätschelte mir mit dem Mitgefühl einer Achtjährigen die Hand. »Mama Elizabeth krank?« Wenigstens wusste sie nicht, was ich angestellt hatte, um so krank zu werden …

»Hast du dir schon ein Haus gekauft, Wayan?«, fragte ich.

»Noch nicht, Schätzchen. Nicht eilig.«

»Was ist mit diesem Grundstück, das dir so gefallen hat? Ich dachte, du wolltest es kaufen.«

»Land nicht zu verkaufen. Zu teuer.«

»Gibt es noch andere Grundstücke, die dir gefallen?«

»Keine Sorge jetzt. Lass mich machen, damit dir besser geht.«

Felipe erschien mit meinen Tabletten und einer Miene sanfter Zerknirschung, entschuldigte sich sowohl bei mir als auch bei Wayan dafür, dass er mir solche Schmerzen zugefügt habe – so sah er es wenigstens.

»Nicht schlimm«, sagte Wayan. »Keine Sorge. Ich bringe in Ordnung. Bald besser.«

Dann ging sie in die Küche und kehrte mit einer riesigen gläsernen Schüssel zurück. In dieser Schüssel schwammen in einem braunen Sud Blätter, Wurzeln, Beeren, Gelbwurz, eine zottige Masse, die nach Hexenhaar aussah, sowie das Auge eines Molchs. Das Gebräu stank nach Leiche.

»Trink, Schätzchen«, sagte Wayan. »Trink aus.«

Ich zwang es hinunter. Und in nicht mal zwei Stunden … Nun, wir alle wissen schon, wie die Geschichte endet. Nach knapp zwei Stunden ging es mir bestens, war ich gänzlich geheilt. Eine Entzündung, die wir Westler mit Antibiotika tagelang behandelt hätten, war mit einem Mal verschwunden. Ich wollte ihr Geld geben, aber sie lachte bloß. »Meine Schwester muss nicht zahlen.« Dann wandte sie sich an Felipe und sagte streng: »Aber du jetzt vorsichtig mit sie. Nur schlafen heute Nacht, nicht anfassen.«

»Findest du es nicht peinlich, Leute wegen solcher Probleme behandeln zu müssen?«, fragte ich sie.

»Liz – ich Heilerin. Ich behandle alle Probleme, mit Vagina von Frauen, mit Banane von Männer. Manchmal mache ich sogar für Frauen falsche Penis, zu Verkauf. Für Spaß. Nur für Sex.«

»Dildos?«, fragte ich schockiert.

»Nicht jede Frau hat brasilianische Freund, Liz«, wies sie mich mahnend zurecht. Dann blickte sie auf Felipe und meinte strahlend: »Wenn du mal Hilfe brauchst für Banane, ich kann Stärkungsmittel geben.«

Rasch versicherte ich Wayan, dass Felipe in dieser Hinsicht keinerlei Hilfe benötige; er allerdings – immer Geschäftsmann und Unternehmer – unterbrach mich, um sich bei ihr zu erkundigen, ob sich ihre bananenstärkende Therapie wohl in Flaschen abfüllen und vermarkten ließe. »Wir könnten ein Vermögen damit verdienen«, meinte er. Nein, das gehe nicht, erklärte sie ihm. All ihre Arzneien müssten frisch hergestellt werden, damit sie wirkten, und müssten außerdem von ihren Gebeten begleitet sein. Abgesehen davon seien innere Anwendungen nicht die einzige Methode, mit der sie die Banane eines Mannes aufzurichten verstehe, versicherte uns Wayan; sie könne das auch mittels Massage. Und dann beschrieb sie uns – die wir ihr verlegen und fasziniert lauschten – die verschiedenen Massagetechniken, mit denen sie die Bananen impotenter Männer behandelt, wie sie das Ding in die Hand nimmt und es – unter Rezitation spezieller Gebete – zur Anregung des Kreislaufs etwa eine Stunde lang schüttelt.

»Aber Wayan«, fragte ich sie, »was geschieht, wenn der Mann Tag für Tag wiederkommt und behauptet: ›Bin immer noch nicht kuriert, Doktor! Ich brauche noch eine Bananenmassage‹?« Sie lachte und gab zu, dass sie tatsächlich aufpassen müsse, nicht zu viel Zeit auf das Richten von Bananen zu verwenden, denn es löse auch bei ihr gewisse … Gefühle aus, die unter Umständen ihre Heilkräfte beeinträchtigen konnten. Und zuweilen, ja, gerieten die Männer außer Kontrolle. (Wie es wohl auch Ihnen passieren würde, wenn Sie jahrelang impotent gewesen wären und diese schöne Frau mit Mahagoniteint und langem schwarzem Seidenhaar es schaffen würde, die Maschine wieder in Gang zu setzen.) Sie erzählte uns von einem Mann, der während einer solchen Massage jäh aufsprang und sie mit den Worten »Ich brauche Wayan! Ich brauche Wayan!« durchs Zimmer jagte.

Aber auch damit sind Wayans Fähigkeiten noch nicht erschöpft. Manchmal, erzählte sie uns, werde sie auch als Sextherapeutin zu Paaren gerufen, die sich mit Impotenz oder Frigidität herumschlügen oder bei denen der Kindersegen ausbleibe. Sie müsse Zauberbilder auf ihre Laken zeichnen und ihnen erklären, welche Stellung an welchen Tagen des Monats die richtige sei. Falls ein Mann ein Kind zeugen wolle, sagte sie, müsse er »wirklich, wirklich hart« mit seiner Frau verkehren und das »Wasser aus seiner Banane wirklich, wirklich schnell in ihre Vagina spritzen«. Manchmal muss Wayan sogar beim Geschlechtsakt zugegen sein, um genau zu erklären, wie hart und wie schnell das zu geschehen habe.

»Und ist der Mann in der Lage, das Wasser wirklich schnell aus seiner Banane herauszuspritzen, wenn Dr. Wayan neben ihm steht und dabei zusieht?«, fragte ich.

Felipe ahmte scherzhaft nach, wie Wayan ein Paar beim Geschlechtsverkehr überwacht: »Schneller! Härter! Wollt ihr dieses Baby nun oder nicht?«

Ja, meinte Wayan, sie wisse schon, dass es verrückt sei, aber das sei nun mal ihre Aufgabe als Heilerin. Obwohl sie einräumte, dass eine ganze Anzahl von Reinigungszeremonien vor und nach dem Ereignis nötig seien, um ihren geheiligten Geist intakt zu halten, und sie tue es auch nicht allzu oft, weil sie sich »komisch« dabei fühle. Aber wenn ein Kind empfangen werden müsse, so kümmere sie sich darum.

»Und haben diese Paare jetzt alle Kinder?«, fragte ich.

»Haben Kinder!«, bestätigte sie stolz. Natürlich.

Dann aber vertraute uns Wayan etwas überaus Interessantes an. Wenn ein Paar trotz häufigen Geschlechtsakts kinderlos bleibe, untersuche sie sowohl den Mann als auch die Frau, um festzustellen, wer – sozusagen – daran schuld sei.

Ist es die Frau, dann kann Wayan das Problem mit uralten Heilverfahren beheben. Liegt es jedoch am Mann, so stellt dies in einer patriarchalischen Gesellschaft wie der balinesischen eine delikate Situation dar. Wayans medizinische Optionen sind hier begrenzt, denn es ist völlig undenkbar, einem Balinesen mitzuteilen, dass er zeugungsunfähig ist, denn zeugungsunfähige Männer gibt es nicht. Männer sind schließlich *Männer*. Wird die Frau nicht schwanger, muss es an ihr liegen. Und wenn die Frau ihrem Mann nicht ganz schnell ein Baby liefert, kann sie gewaltigen Ärger bekommen – geschlagen, gedemütigt oder verstoßen werden.

»Was machst du in einer solchen Situation?«, fragte ich, beeindruckt, dass eine Frau, die Sperma als »Bananenwasser« bezeichnet, Zeugungsunfähigkeit diagnostizieren konnte.

Wayan ließ uns nicht im Unklaren. Im Falle von Zeugungsunfähigkeit teile sie dem Mann mit, dass seine Frau unfruchtbar sei und sich jeden Nachmittag einer privaten »Heilsitzung« unterziehen müsse. Wenn die Frau dann allein in den Laden kommt, bittet Wayan einen jungen Burschen aus dem Dorf, sich ebenfalls einzufinden, mit der Frau zu schlafen und, hoffentlich, ein Baby zu zeugen.

Felipe war entsetzt: »Wayan! Nein!«

Aber sie nickte nur. »Doch. Das ist einzige Möglichkeit. Wenn Frau gesund, sie kriegt Baby. Und alle glücklich.«

Da Felipe im Städtchen lebt, wollte er sofort wissen: »Wer? Wen heuerst du dafür an?«

»Fahrer«, meinte Wayan.

Was uns alle zum Lachen brachte, weil Ubud voll ist von diesen jungen Burschen, diesen »Fahrern«, die an jeder Ecke herumlungern, vorbeikommende Touristen mit ihrem unaufhörlichen Geschrei (»Transport? Transport?«) belästigen und sich ein paar Dollar verdienen wollen, indem sie die Leute zu den Vulkanen, den Stränden oder den Tempeln chauffieren. Meist sind sie mit ihrer schönen Gauguin-Haut, den muskulösen Körpern, dem coolen langen Haar ziemlich gut aussehend. In Amerika könnte man mit einer »Fruchtbarkeitsklinik« für Frauen, bestückt mit so hübschen Jungs, eine schöne Stange Geld verdienen. (Tatsächlich genießen diese Burschen bereits einen guten Ruf als Lustknaben für westliche Frauen. Das geht so weit, dass man in Ubud tuschelt, Bali sei inzwischen der einzige Ort der Welt, der von *Sextouristinnen* frequentiert werde.) Das Beste an ihrer Unfruchtbarkeitsbehandlung – so Wayan – aber sei, dass die Fahrer oft nicht einmal ein Entgelt für ihre sexuellen Dienste verlangten, vor allem dann nicht, wenn die Frau hübsch sei. Felipe und ich pflichteten ihr bei – das sei recht großzügig von den Burschen und zeuge von Gemeinsinn. Und so läuft es dann, fünf Tage hintereinander: Die angeblich unfruchtbare, aber insgeheim ovulierende Ehefrau kommt zur Behandlung in Wayans Laden, Wayan bittet einen attraktiven jungen Mann dazu, der heimliche Akt, von dem der Gatte nie erfährt, wird vollzogen, der Fahrer hat einen vergnüglichen Nachmittag, die Ehefrau ein wenig Abwechslung, und neun Monate später wird ein hübsches Kind geboren. Und alle sind glücklich. Das Beste aber: »Die Ehe muss nicht geschieden werden.« Und wir alle wissen, wie schrecklich das ist, vor allem auf Bali.

Felipe stöhnte: »Mein Gott, was für Trottel wir Männer doch sind.«

Wayan aber hat kein Mitleid mit ihnen. Diese Behandlung sei nur deshalb nötig, weil man einem Balinesen unmöglich mitteilen könne, dass er zeugungsunfähig sei, ohne zu riskieren, dass er nach Hause gehe und seiner Frau etwas Furchtbares antue. Wären die Balinesen anders, könnte sie ihre Unfruchtbarkeit auch auf andere Weise kurieren. Doch so seien nun mal die kulturellen Gegebenheiten, und folglich laufe es eben so. Sie hat nicht das leiseste schlechte Gewissen deswegen. Ebenso wenig, wenn sie bei einem mittellosen, unverheirateten Mädchen, das vielleicht von seinem Onkel geschwängert wurde, eine Abtreibung vornehmen muss. Sie tue es nicht gerne, aber es sei unumgänglich, und wenn man den Eingriff mit den angemessenen spirituellen Opfern und rituellen Reinigungen begleite, ärgerten sich nicht einmal die Götter darüber. Außerdem, fügte sie hinzu, sei es manchmal schön für die Frau, mit einem dieser Fahrer zu schlafen, da die meisten Ehemänner auf Bali nicht wüssten, wie man eine Frau befriedigt.

»Meiste Männer sind wie Gockel oder Ziegenbock.«

»Vielleicht«, schlug ich ihr vor, »solltest du ja Sexualkunde unterrichten. Du könntest den Männern beibringen, wie man eine Frau zärtlich berührt, dann hätten die Frauen sicher auch mehr Spaß beim Sex. Denn wenn dich ein Mann wirklich sanft berührt, dich streichelt, dir hübsche Dinge sagt, dich überall küsst, sich Zeit lässt …, kann Sex schön sein.«

Auf einmal errötete sie. Wayan Nuriyasih, diese liebenswerte, Bananen massierende, Blasenentzündungen kurierende, Dildo verkaufende Kupplerin und Engelmacherin, errötete.

»Ich fühle mich komisch, wenn du so redest«, sagte sie und fächelte sich Luft zu. »Wenn du so redest …, ich fühl mich ganz *anders*. Sogar in meiner Unterhose fühl ich mich anders. Sprich nicht so über Sex. Geh nach Hause, geh in Bett, aber nur schlafen, okay? Nur schlafen!«

101

Auf der Heimfahrt fragte Felipe: »Hat sie inzwischen eigentlich schon ein Haus gekauft?«

»Noch nicht. Aber sie sieht sich um, sagt sie.«

»Es ist schon einen Monat her, dass du ihr das Geld gegeben hast, oder?«

»Ja, aber das Grundstück, das sie wollte, war unverkäuflich …«

»Sei vorsichtig, Darling«, sagte Felipe. »Pass auf, dass sich die Angelegenheit nicht zu sehr in die Länge zieht. Und sich zu etwas typisch Balinesischem auswächst.«

»Was soll das heißen?«

»Ich will mich ja nicht einmischen, aber ich lebe seit fünf Jahren in diesem Land und kenne die Verhältnisse.«

»Was willst du damit sagen, Felipe?«, fragte ich, und als er nicht sofort antwortete, zitierte ich einen seiner Lieblingssprüche: »Wenn du es mir langsam erzählst, kann ich es ganz schnell kapieren.«

»Ich will damit sagen, Liz, dass deine Freunde eine Menge Geld für diese Frau gespendet haben und dass das momentan alles auf Wayans Bankkonto liegt. Sorg dafür, dass sie mit diesem Geld wirklich ein Haus kauft.«

Der Juli neigte sich langsam dem Ende zu, und mein fünfunddreißigster Geburtstag stand kurz bevor. In ihrem Laden schmiss Wayan eine Geburtstagsparty für mich, die ganz anders war als alle, die ich bis dahin erlebt hatte. Den Morgen verbrachten Wayan, die Kinder und ich im Tempel, wo wir

Dutzende von Gebeten für mich sprachen. Wayan hatte mich in ein traditionelles balinesisches Geburtstagsgewand gekleidet: leuchtend purpurroter Sarong, trägerloses Bustier und eine lange Bahn goldfarbenen Stoffs, die, fest um meinen Oberkörper gewunden, ein so knappes Etui bildete, dass ich kaum atmen oder meinen Geburtstagskuchen essen konnte. Während sie mich in ihrem winzigen dunklen und mit allerlei Habseligkeiten voll gestopften Schlafzimmer wie eine Mumie in dieses exquisite Kostüm einwickelte, fragte sie mich, ohne mir in die Augen zu sehen: »Gibt es Aussicht, du heiratest Felipe?«

»Nein«, sagte ich. »Wir haben weder Aussichten noch Absichten. Ich will keinen Ehemann mehr, Wayan. Und ich glaube auch nicht, dass Felipe nochmals eine Ehefrau möchte. Aber ich bin gern mit ihm zusammen.«

»Schön von außen, du findest leicht, aber schön außen *und* innen – ist nicht leicht. Felipe hat beide.«

Ich pflichtete ihr bei.

Sie lächelte. »Und *wer* hat diese Mann gebracht, Liz? Wer hat jede Tag für diese Mann gebetet?«

Ich küsste sie. »Danke, Wayan. Das war toll von dir.«

Die Party begann. Wayan und die Kinder hatten das ganze Haus nicht nur mit Ballons und Palmwedeln geschmückt, sondern auch mit Schildern, auf denen handgeschriebene Endlosbotschaften standen, wie etwa: »Zum Geburtstag gratulieren wir eine liebe und süße Schatz, dir, unsere liebste Schwester, unsere geliebte Frau Elizabeth, herzlichen Glückwunsch zum Geburtstag, Friede mit dir immerdar und alle Gute.« Wayan hat einen Bruder, dessen Kinder begabte Tempeltänzer sind, und so kamen die kleinen Nichten und Neffen und tanzten vor mir im Restaurant, gaben eine beeindruckende Vorstellung, wie sie gewöhnlich den Priestern vorbehalten ist. Alle Kinder waren mit Goldschmuck herausgeputzt, trugen das grelle Make-up von Drag-Queens, hatten mächtig stampfende Füße und anmutige schlanke Hände.

Vereinfacht gesagt, funktionieren balinesische Partys nach dem Prinzip, dass man sich in seine schönsten Kleider wirft und dann herumsitzt und einander begafft. Im Grunde ganz ähnlich wie »Zeitschriften-Partys« in New York. »Oje, Darling«, stöhnte Felipe, als ich ihm erzählte, dass Wayan für mich eine balinesische Geburtstagsparty schmeißen wolle, »das wird todlangweilig ...« Es war aber nicht langweilig – nur still. Und ungewohnt. Alle trugen schöne Kleider, dann gab es die Tanzveranstaltung, und schließlich saßen wir da und begafften uns. Wayans gesamte Familie war gekommen und winkte und lächelte mir aus etwa einem Meter Entfernung ununterbrochen zu, während ich ihr Lächeln und Winken unausgesetzt erwiderte.

Zusammen mit der kleinen Ketut blies ich die Kerzen auf dem Geburtstagskuchen aus, denn ich hatte beschlossen, dass Ketut – die ja nicht wusste, wann sie geboren war – ihren Geburtstag von nun an ebenfalls am 18. Juli feiern sollte, da sie nie zuvor ihren Geburtstag gefeiert hatte. Nachdem wir die Kerzen ausgeblasen hatten, schenkte ich Klein-Ketut eine Barbie-Puppe, die sie erstaunt auspackte und dann betrachtete, als wäre sie ein Ticket für eine Reise auf den Jupiter – etwas, womit sie auch in sieben Milliarden Lichtjahren nicht gerechnet hätte.

Alles an dieser Party war irgendwie seltsam. Die Gäste bildeten eine eigentümliche Mischung unterschiedlicher Nationen und Generationen, bestehend aus einer Hand voll Freunde, Wayans Familie sowie einigen ihrer westlichen Kunden und Patienten, die ich noch nie gesehen hatte. Yudhi kam mit einem Sixpack zum Gratulieren, und auch der coole junge Hipster-Drehbuchschreiber aus L. A. namens

441

Adam schaute vorbei. Felipe und ich hatten Adam am Abend zuvor in einer Bar getroffen und ihn eingeladen. Adam und Yudhi vertrieben sich die Zeit, indem sie sich mit einem kleinen Jungen namens John unterhielten, dessen Mutter, eine deutsche Modedesignerin und Patientin von Wayan, mit einem auf Bali lebenden Amerikaner verheiratet ist. Der kleine John, sieben Jahre alt und wegen seines amerikanischen Dad »irgendwie amerikanisch«, wie er selbst sagte (obwohl er nie in Amerika war), der aber mit seiner Mutter Deutsch und mit Wayans Kindern Indonesisch spricht, war völlig vernarrt in Adam, denn er hatte gehört, dass er aus Kalifornien war und surfen konnte.

»Welches ist Ihr Lieblingstier, *Mister*?«, fragte John, und Adam erwiderte: »Der Pelikan.«

»Pelikan?«, fragte der kleine Junge, und Yudhi mischte sich ein und sagte: »Mann, weißt du nicht, was ein Pelikan ist? Geh nach Hause, Mensch, und frag deinen Dad. Pelikane sind geil, Mann.«

Da wandte sich John, der »irgendwie amerikanische« Junge, auf Indonesisch an Tutti (wohl um sie zu fragen, was ein Pelikan war), die, auf Felipes Schoß sitzend, meine Geburtstagskarten zu lesen versuchte. Felipe parlierte auf Französisch mit einem pensionierten Herrn aus Paris, der sich bei Wayan einer Nierenbehandlung unterzieht. Inzwischen hatte Wayan das Radio eingeschaltet, und Kenny Rogers sang *Coward of the County*, während drei japanische Mädchen, die sich zufällig in den Laden verirrt hatten, fragten, ob sie sich massieren lassen könnten. Während ich die Japanerinnen zu einem Stück Geburtstagskuchen zu überreden versuchte, schmückten die große und die kleine Ketut mein Haar mit den riesigen Sternenbaretts, die sie mir geschenkt und für deren Kauf sie ihre gesamten Ersparnisse zusammengelegt hatten. Wayans Nichten und Neffen, diese kleinen Tempeltänzer, Kinder von Reisbauern, rührten sich kaum von der Stelle und schauten, in Gold gewandet wie Miniaturgottheiten, zu Boden; sie erfüllten den Raum mit einer seltsamen und weltfernen Göttlichkeit. Draußen begannen die Hähne zu krähen, obwohl es noch nicht Abend war. Meine balinesische Tracht beengte mich wie eine leidenschaftliche Umarmung, und mir war, als sei dies die merkwürdigste – aber vielleicht auch die glücklichste – Geburtstagsparty meines Lebens.

103

Immer noch hat Wayan kein Haus gekauft, und allmählich mache ich mir Sorgen. Ich begreife nicht, warum in dieser Angelegenheit nichts passiert, und trotzdem muss etwas geschehen. Inzwischen sind Felipe und ich aktiv geworden. Haben einen Immobilienmakler gefunden, der uns herumführt und Grundstücke zeigt, doch bisher hat Wayan keines gefallen. Sagt ihr dann aber doch eines zu, so stellen wir fest, dass es zu teuer ist oder nicht zum Verkauf steht. Immer wieder schärfe ich ihr ein: »Wayan, es ist wichtig, dass wir was kaufen. Im September reise ich ab, und vorher muss ich meine Freunde wissen lassen, dass wir von ihrem Geld tatsächlich ein Haus für dich gekauft haben. Und du brauchst ein Dach über dem Kopf, ehe deine Wohnung zwangsgeräumt wird.«

»Land kaufen in Bali nicht so leicht«, erklärt sie mir immer wieder. »Nicht wie Bar gehen und Bier bestellen. Kann sehr, sehr lange dauern.«

»Wir haben aber nicht viel Zeit, Wayan. Wir haben nur noch etwa vier Wochen. Ich kann nicht nach Hause fahren und meinen Freunden gegenübertreten, ehe die Sache unter Dach und Fach ist.«

Sie zuckt nur die Achseln, und ich denke wieder einmal an den balinesischen Ausdruck »Gummizeit«, der bedeutet, dass Zeit ein sehr relativer und dehnbarer Begriff ist. »Vier Wochen« heißt für Wayan im Grunde nicht dasselbe wie für mich. Und ein Tag hat für sie auch nicht unbedingt vierundzwanzig Stunden; manchmal ist er länger, manchmal kürzer, je nach spirituellem und emotionalem Gehalt. Manchmal werden die Tage gezählt und manchmal gewogen.

In der Zwischenzeit stellt sich auch heraus, dass ich die Grundstückspreise auf Bali völlig unterschätzt habe. Weil hier alles so billig ist, möchte man meinen, dass auch Land preisgünstig zu haben ist, doch das ist eine irrige Annahme. Auf Bali – und insbesondere in Ubud – Land zu erwerben kann einen fast ebenso teuer zu stehen kommen wie Grundstückskäufe in Westchester County, in Tokio oder am Rodeo Drive. Man zahlt etwa fünfundzwanzigtausend Dollar für einen *aro* Land (ein *aro* bezeichnet eine Fläche, die minimal größer als der Parkplatz für einen Geländewagen ist), und dann kann man darauf einen kleinen Laden bauen, in dem man für den Rest seines Lebens täglich einem Touristen einen Batiksarong verkauft, an dem man etwa fünfundsiebzig Cent verdient. Die Investition macht sich also nie bezahlt.

Aber die Balinesen werten Landbesitz in einem Maße, das weit über die wirtschaftliche Vernunft hinausgeht. Sie schätzen Grund und Boden wie die Massai ihr Vieh oder meine fünfjährige Nichte Lipgloss – sprich, man kann nicht genug davon kriegen. Darüber hinaus ist es – wie ich im Laufe des Monats August während meiner Reise durch die Verzweigungen des indonesischen Immobilienhandels feststelle – fast unmöglich herauszufinden, wann wo welches Land zum Verkauf steht. Balinesen, die ihr Land verkaufen, wollen in der Regel nicht, dass andere Leute davon erfahren. Eigentlich sollte man meinen, es sei vorteilhaft, diese Absicht zu annoncieren, die Balinesen aber sehen das nicht so. Verkauft ein balinesischer Bauer sein Land, so heißt das, dass er dringend Geld benötigt, und das ist erniedrigend. Außerdem gehen Nachbarn und Verwandte, sobald sie vom Landverkauf erfahren, davon aus, dass der betreffende Mensch Geld hat, und hauen ihn darum an. Daher bekommt man von zum Verkauf stehendem Land nur gerüchteweise zu hören. Und all diese Grundstückshändel geschehen heimlich.

Die Westler, die hier leben – und gehört haben, dass ich für Wayan ein Grundstück kaufen will –, beginnen sich um mich zu scharen, mich mit Lehrbeispielen zu versorgen, die auf ihren eigenen albtraumhaften Erfahrungen beruhen. Sie warnen mich vor den Unwägbarkeiten hiesiger Immobiliengeschäfte. Das Land, das man »kaufe«, »gehöre« vielleicht gar nicht der Person, die es »verkaufe«. Der Bursche, der einem das Grundstück gezeigt habe, müsse nicht mal der Eigentümer sein, sondern sei vielleicht nur der verstimmte Neffe desselben, der seinem Onkel wegen irgendeines alten Familienstreits eins auswischen wolle. Erwarten Sie nie, dass die Grenzen Ihres Grundstücks klar und eindeutig abgesteckt sind. Das Land, das Sie für Ihr Traumhaus erworben haben, wird später möglicherweise als »zu nah bei einem Tempel gelegen« klassifiziert, so dass Sie keine Baugenehmigung erwirken können (und auf dieser kleinen Insel mit geschätzten zwanzigtausend Tempeln ist es schwierig, Land zu finden, das nicht zu nah bei einem Tempel liegt). Und die öffentliche Straße, die zu Ihrem Grundstück führt, ist vielleicht – wie sich im Nachhinein herausstellt – gar nicht öffentlich, sondern das Privateigentum irgendeines liebenswürdig lächelnden zahnlosen balinesischen Reisbauern von nebenan, der – nachdem er den Tag der Fertigstellung Ihres Traumhauses abgewartet hat – nun erklärt, dass Sie ihm für das Recht, seine Straße zu benutzen, zehntausend Dollar im Jahr schulden. Und die Behörden werden ihn dabei unterstützen. Zahlen Sie aber nicht, wird man Ihnen die Wasser- und Stromversorgung kappen.

Außerdem sollten Sie berücksichtigen, dass Ihr Haus mit hoher Wahrscheinlichkeit an den Hängen eines Vulkans steht und möglicherweise auch auf einer geologischen Verwerfungslinie. So idyllisch Bali auch sein mag, die Klugen behalten im Auge, dass Indonesien, die größte islamische Nation der Welt, instabil und korrupt vom höchsten Justizbeamten bis hinunter zum Burschen an der Zapfsäule ist (der nur so tut, als würde er Ihren Wagen voll tanken). Irgendein Umsturz ist hier jederzeit möglich, und alle Vermögenswerte, die man besitzt, könnten dann von den neuen Machthabern beansprucht werden. Und höchstwahrscheinlich mit vorgehaltener Waffe.

Um derart vertrackte Dinge auszuhandeln, fehlt mir jegliche Begabung. Ich hab ein Scheidungsverfahren im Staate New York hinter mir, gewiss; der hiesige Immobilienhandel ist zwar auch kafkaesk, hat aber dennoch ein ganz anderes Kaliber. Mittlerweile liegen die achtzehntausend Dollar, die ich, meine Familie und meine besten Freunde aufgebracht haben, auf Wayans Bankkonto, umgetauscht in indonesische Rupien, eine Währung, die immer wieder unangekündigt abgewertet wurde und sich in Nichts aufgelöst hat. Und im September, in etwa drei Wochen, kurz vor oder nach meiner Abreise, soll Wayan zwangsgeräumt werden.

Wayan ist für die Bewältigung dieser Schwierigkeiten kaum besser gerüstet als ich. Zum einen ist sie Heilerin und kein Immobilienhai; ihr fehlen die Reißzähne. Sie tut sich schwer, ein Stück Land zu finden, das sie für geeignet hält. Von allen praktischen Erwägungen einmal abgesehen, muss sie auch den *taksu* – den Geist – jedes Ortes prüfen. Da Wayan Heilerin ist, ist ihr Sinn für den *taksu* sehr stark ausgeprägt. Ich hatte einen Platz gefunden, den ich für perfekt hielt, Wayan aber behauptete, er sei von bösen Geistern besetzt. Das nächste Grundstück lehnte sie ab, weil es sich zu nah an einem Fluss befand, wo die Dämonen hausen. (Nach der Besichtigung des Landes, erzählte Wayan, habe sie in der Nacht von einer weinenden schönen Frau in zerrissenen Kleidern geträumt, und danach stand für sie fest: Wir können das Grundstück nicht kaufen.) Dann fanden wir einen hübschen kleinen Laden in Stadtnähe, samt Hinterhof und allem, was dazugehört, doch lag er an einer Straßenecke, und nur ein Mensch, der Bankrott gehen oder jung sterben will, würde je in ein Eckhaus ziehen. Wie ja allseits bekannt.

»Versuch gar nicht erst, ihr das auszureden«, riet mir Felipe. »Glaub mir, Darling. Misch dich nicht ein, wenn es um die Balinesen und ihr *taksu* geht.«

Letzte Woche dann fand Felipe einen Platz, der sämtliche Kriterien exakt zu erfüllen schien – ein kleines hübsches Stück Land, das nahe dem Stadtzentrum von Ubud an einer ruhigen Straße neben einem Reisfeld lag und reichlich Platz für einen Garten bot. Es war perfekt und durchaus erschwinglich. Als ich Wayan fragte: »Sollen wir es kaufen?«, erwiderte sie: »Weiß nicht, Liz. Solche Entscheidung braucht Zeit. Ich muss zuerst mit Priester sprechen.«

Sie müsse einen Priester zu Rate ziehen, erklärte sie mir, um einen glückbringenden Tag für den Erwerb des Grundstücks zu ermitteln – falls sie sich für den Kauf entscheide. Weil auf Bali nichts Wichtiges erledigt werden kann, bevor nicht ein glückverheißender Tag dafür bestimmt wurde.

Wer das für Unsinn hält, ziehe bitte Folgendes in Betracht: Alle hundert Jahre vollziehen die Balinesen an den Hängen des Mount Agung – des Muttervulkans – ihre wichtigste religiöse Zeremonie. Diese trägt den Namen *Eka Desa Rudra* und soll lediglich sicherstellen, dass sich die Erde ein weiteres Jahrhundert ordnungsgemäß um ihre Achse dreht. Im Jahr 1963 fand diese Zeremonie das letzte Mal statt; die Priester versammelten sich, befragten die Sterne und wählten ein glückbringendes Datum im März, um das Ereignis zu begehen. Der indonesische Diktator Sukarno erzwang jedoch eine Änderung dieses Datums, auf dass es mit einer Tagung internationaler Reiseunternehmer zusammenfalle, vor denen er – zur Förderung des Tourismus – mit der wunderbaren balinesischen Kultur zu prahlen gedachte. Den Priestern, die ja nicht verhaftet werden wollten, blieb nichts anderes übrig, als das Datum zu ändern. Am Tag der Zeremonie, dem von Sukarno gewählten Datum, entlud sich die Wut des (offensichtlich) erzürnten Vulkans und tötete Tausende, zerstörte unzählige Häuser und – Gott sei's geklagt – ruinierte den Urlaub der zu Besuch weilenden Reiseunternehmer.

Wenn Wayan daher sagt, sie warte auf ein glückverheißendes Datum, so meint sie das ernst. Allerdings kann sie den Priester erst dann nach dem Datum fragen, wenn sie sich definitiv entschieden hat, am besagten Ort zu leben. Wozu sie sich nicht durchringen kann, ehe sie nicht einen glückverheißenden Traum gehabt hat. Eingedenk meiner knapper werdenden Tage auf Bali fragte ich Wayan wie eine echte New Yorkerin: »Wie schnell lässt sich das arrangieren?«

Wayan erwiderte wie eine typische Balinesin: »Geht nicht schnell.« Obwohl, sinnierte sie, es hilfreich sein könnte, in einem der Haupttempel Balis ein Opfer darzubringen und die Götter um einen solchen Traum zu bitten …

»Okay«, sagte ich, »morgen kann Felipe dich zu einem der Haupttempel fahren, und du kannst ein Opfer darreichen und die Götter bitten, dir einen glückbringenden Traum zu bescheren.«

Sehr gerne täte sie das, meinte Wayan. Es sei eine großartige Idee. Nur ein Problem gebe es da noch: Sie dürfe vor Ablauf der Woche keinen Tempel betreten.

Weil sie ... ihre Regel hat.

104

Vielleicht kann ich nicht so recht vermitteln, was für ein Mordsspaß das alles ist. Es ist so seltsam und befriedigend und lustig, all diese kulturellen Eigenheiten kennen zu lernen. Aber vielleicht genieße ich diesen surrealen Moment meines Lebens auch nur deshalb so sehr, weil ich gerade zufällig in jemanden verliebt bin, denn das lässt die Welt ja bekanntlich – egal, wie verrückt sie eigentlich ist – in erfreulicherem Licht erscheinen.

Felipes Art, mit Wayans Immobiliensuche umzugehen, hat etwas, das uns zusammenwachsen lässt wie ein wirkliches Paar. Was aus dieser ausgeflippten balinesischen Medizinfrau wird, geht ihn ja eigentlich nichts an. Er ist Geschäftsmann. Er hat es geschafft, fünf Jahre lang auf Bali zu leben, ohne sich allzu sehr von den komplexen Ritualen der Balinesen beeindrucken zu lassen, auf einmal aber watet er mit mir knietief durch balinesische Reisfelder und versucht, einen Priester zu finden, der Wayan ein glückbringendes Datum nennen kann ... Er ist wirklich ein feiner Kerl. Wie seltsam das Leben doch manchmal spielt und zu welch eigenartigen Anlässen es zwei Menschen bisweilen zusammenführt. Wie kommt dieser nette Australier brasilianischer Herkunft dazu, einer New Yorkerin dabei zu helfen, für eine balinesische Geschiedene und ihre Waisenkinder ein Grundstück zu kaufen?

»Bevor du hier aufgekreuzt bist, war ich mit meinem langweiligen Leben völlig zufrieden.«

Früher habe er sich matt gefühlt, seine Zeit totgeschlagen wie eine Figur aus einem Roman von Graham Greene. Diese Trägheit habe aufgehört, als wir einander vorgestellt wurden. Und nun, da wir zusammen sind, erzählt er mir seine Version unserer ersten Begegnung, eine köstliche Geschichte. Erzählt, wie er mich – die ich ihm den Rücken zuwandte – auf jener Party erblickte und dass ich nicht einmal den Kopf wenden und ihm mein Gesicht zeigen musste und er schon tief in den Eingeweiden spürte: Das ist meine Frau. Um die zu kriegen, werde ich alles tun. Erzählt, dass er sich nie um eine Frau bemüht habe wie um mich, immer gewartet habe, bis die Frau sich in ihn verliebte. Aber mir habe er entschlossen den Hof gemacht und mich tatsächlich bekommen.

»Und es war kinderleicht«, sagt er. »Ich musste nur wochenlang bitten und betteln.«

»Du hast nicht gebettelt.«

Er spricht von jenem ersten Abend, als wir tanzen gingen und er zusehen musste, wie ich mich immer heftiger in diesen hübschen Schotten verguckte und wie er dabei immer mutloser wurde und dachte: Da lege ich mich ins Zeug, um diese Frau zu verführen, und jetzt schnappt sie mir dieser Frischling einfach weg und wird sie derart ins Chaos stürzen – ach, wenn sie nur wüsste, wie viel Liebe ich ihr zu geben habe.

Und das hat er. Er hat solche ungeheuren Reserven an Liebe und Zärtlichkeit. Er ist der zärtlichste Mensch, den ich je getroffen habe, mich selbst eingeschlossen. Er ist von Natur aus fürsorglich, und schon nach wenigen Tagen merke ich, wie er mich regelrecht zu umkreisen beginnt, seinen Kompass vor allem nach mir ausrichtet und immer mehr in die Rolle meines Kavaliers hineinwächst.

Es ist wunderbar, so verwöhnt zu werden. Aber es macht mir auch Angst. Manchmal höre ich ihn, während ich oben herumliege und lese, unten kochen, er pfeift eine fröhliche brasilianische Samba und ruft: »Darling, willst du noch ein Glas Wein?« Und ich frage mich, ob ich überhaupt imstande bin, jemandes Sonne, jemandes Ein und Alles zu sein. Bin ich denn inzwischen zentriert genug, um der Lebensmittelpunkt eines anderen zu sein? Ich weiß nicht, wie ich mit meinen Ängsten umgehen soll, doch als ich es eines Abends ansprach, meinte er: »Hab ich das etwa von dir verlangt, Darling? Hab ich dich gebeten, Mittelpunkt meines Lebens zu sein?«

Sofort schämte ich mich meiner Anmaßung, schämte mich, dass ich mir eingebildet hatte, er wolle, ich bliebe für immer, damit er in alle Ewigkeit meine Launen befriedigen könne.

»Tut mir Leid«, sagte ich. »Das war ein bisschen überheblich, nicht wahr?«

»Ein bisschen«, räumte er ein und küsste mich aufs Ohr. »Aber im Grunde nicht allzu sehr. Natürlich müssen wir darüber reden, Darling, denn die Wahrheit ist: Ich bin wahnsinnig in dich verliebt.« Ich erbleichte, und er machte schnell einen Witz, um mich zu beruhigen: »Ich meine das natürlich rein hypothetisch.« Doch dann sagte er ganz ernst: »Ich bin zweiundfünfzig Jahre alt, Darling. Ich weiß, wie es auf der Welt zugeht, glaub mir. Ich weiß, dass du mich noch nicht so liebst wie ich dich, aber das ist mir, ehrlich gesagt, egal. Ich wollte nie was anderes von dir als die Erlaubnis, dich so lange zu verehren, wie du es willst, weil ich es einfach so sehr genieße. Aus irgendeinem Grund empfinde ich für dich das Gleiche wie für meine Kinder, als sie noch klein waren – nicht sie mussten mich lieben, sondern ich sie. Du kannst fühlen und tun, was immer du willst, ich liebe dich trotzdem und werde dich immer lieben. Auch wenn wir uns nicht wiedersehen, weiß ich schon jetzt: Du hast mich wieder zum Leben erweckt, und das ist beachtlich. Natürlich würde ich gern mein Leben mit dir verbringen. Nur weiß ich nicht, welches Leben ich dir hier auf Bali überhaupt bieten kann.«

Diese Sorge hatte auch mich beschäftigt. Ich hatte die Ausländer in Ubud beobachtet und kann mit hundertprozentiger Sicherheit sagen, dass das kein Leben für mich ist. Überall in dieser Stadt trifft man auf Westler, denen das Leben so übel mitgespielt hat, dass sie beschlossen haben, sich auf unbestimmte Zeit auf Bali niederzulassen, wo sie für zweihundert Dollar im Monat in einem prächtigen Haus wohnen und vielleicht einen jungen Balinesen oder eine Balinesin zu sich nehmen können, wo sie sich schon vormittags betrinken können, ohne sich Probleme einzuhandeln, wo sie ein wenig Geld verdienen können, indem sie für irgendjemanden ein paar Möbelstücke exportieren. Im Allgemeinen aber tun sie nichts anderes als sicherzustellen, dass nie wieder jemand ernsthaft etwas von ihnen verlangt. Und das sind – wohlgemerkt – keine Penner. Das sind sehr gediegene Leute, talentiert und klug. Allerdings scheint mir, als ob jeder, den ich hier treffe, einmal etwas *war* (meist »verheiratet« oder »angestellt«); jetzt aber eint sie vor allem eins: der fehlende *Ehrgeiz*. Sie haben kapituliert, sind aus dem Rennen ausgeschieden. *Selbstverständlich* wird hier viel getrunken.

Und natürlich ist die schöne balinesische Stadt Ubud nicht der übelste Ort, um sein Leben zu verbummeln und die Tage verstreichen zu lassen. Darin ähnelt es wohl Orten wie Key West in Florida oder Oaxaca in Mexiko. Die meisten Westler in Ubud sind sich, wenn man sie danach fragt, nicht sicher, wie lange sie schon hier leben. Zum einen wissen sie nicht, wie viel Zeit vergangen ist, seit sie nach Bali zogen. Zum anderen scheinen sie sich nicht sicher zu sein, ob sie hier wirklich *leben*. Sie gehören nirgendwohin, sind nirgends verwurzelt. Einige von ihnen bilden sich gerne ein, dass sie nur vorübergehend hier leben, nur eine Weile mit abgeschaltetem Motor vor der Ampel stehen und darauf warten, dass sie auf Grün umspringt und das Glück zu ihnen zurückkehrt. Aber nach siebzehn Jahren ... Da fragt man sich als Außenstehende schon, ob hier eigentlich je wieder einer wegzieht.

Trotz allem sind diese müden Exilanten eine angenehme Gesellschaft. Sind witzig und großzügig auf ihre Art. Seit Felipe vor fünf Jahren nach Bali gezogen ist, gehören diese Leute zu seinen Freunden. Und seit ich mich mit ihm eingelassen habe, bin auch ich zuweilen mit ihnen zusammen. Es ist sehr vergnüglich in ihrer trägen Gesellschaft, man verbringt endlos lange Sonntagnachmittage Champagner trinkend und über Belangloses plaudernd beim Brunch. Trotzdem fühle ich mich in dieser Exilantenszene manchmal wie Dorothy in den Mohnfeldern von Oz. *Pass auf! Schlaf nicht ein auf dieser betäubenden Wiese, oder du verdöst hier den Rest deines Lebens!*

Was also wird aus Felipe und mir? Jetzt, wo es ein »Ich und Felipe« zu geben scheint? Erst vor kurzem hat er mir gesagt: »Manchmal wünsche ich mir, du wärst ein kleines Mädchen, das sich auf Bali verirrt hat, und ich könnte dich einfach hochheben und sagen: ›Komm und bleib bei mir, lass mich immer für dich sorgen!‹ Aber du bist kein kleines Mädchen, das sich verlaufen hat. Du bist eine berufstätige und ehrgeizige Frau. Bist unabhängig und frei. Im Grunde eine perfekte Schnecke: Du trägst dein Haus auf dem Rücken. Und diese Freiheit solltest du dir so lange wie möglich bewahren. Nur das sage ich dir: Wenn du diesen Brasilianer willst, kannst du ihn haben. Ich gehöre dir schon.«

Ich weiß nicht, was ich wirklich will. Bin ich tatsächlich eine Schnecke, die ihr Zuhause auf dem Rücken trägt? Jedenfalls ist es ein Bild von mir, das ich mag. Es schmeichelt mir, aber ich bin mir nicht sicher, wie sehr es wirklich auf mich zutrifft. Eins aber weiß ich: Etwas in mir hat sich immer gewünscht, dass ein Mann mir sagt: »Lass mich für immer für dich sorgen«, und keiner hat es mir bisher gesagt. Vor einigen Jahren hatte ich die Suche nach einem solchen Menschen schließlich aufgegeben und war dazu übergegangen, mich selbst mit diesem Satz aufzumuntern, vor allem in Zeiten der Angst. Aber ihn jetzt von einem anderen zu hören, von einem, der es ernst meint ...

Über all das habe ich gestern Abend, als Felipe eingeschlafen war und ich eingerollt neben im lag, nachgedacht und mich gefragt, was wohl aus uns werden würde. Wie könnte unsere Zukunft aussehen? Wo würden wir leben? Und würde ich, falls ich mich dauerhaft mit ihm einließ, meine spirituellen oder künstlerischen Vorhaben vernachlässigen? Würde diese Liebesgeschichte einen hohen Preis von mir fordern? Auch der Altersunterschied war zu berücksichtigen. Für Felipe schien er – natürlich – kein Problem darzustellen. Und als ich vorgestern meine Mutter anrief, um ihr zu erzählen, dass ich einen wirklich netten Mann kennen gelernt hätte, der aber – jetzt halt dich fest, Mom! – zweiundfünfzig ist, reagierte sie völlig unbeeindruckt und meinte lediglich: »Tja, Liz, auch ich hab Neuigkeiten für dich. *Du* bist inzwischen fünfunddreißig.« (Ausgezeichnet beobachtet, Mom. Ich hab Glück, wenn ich in diesem hohen Alter überhaupt noch einen abkriege ...) Ehrlich gesagt stört mich der Altersunterschied aber gar nicht. Es gefällt mir sogar, dass Felipe so viel älter ist. Ich finde es sexy. Und fühle mich irgendwie ... *französisch* dabei.

Was wird wohl aus uns werden?

Und warum mache ich mir überhaupt Sorgen?

Nach einer Weile hörte ich auf, über all das nachzudenken,

und umarmte ihn einfach, während er schlief. *Ich bin dabei, mich in diesen Mann zu verlieben.* Dann schlief auch ich ein und hatte zwei denkwürdige Träume.

Beide handelten von meinen Gurus. Im ersten Traum teilte mir meine Meisterin mit, dass sie ihren Ashram schließen wolle und dass sie in Zukunft weder Vorträge halten noch lehren noch Bücher veröffentlichen werde. Ihren Schülern hielt sie noch einen letzten Vortrag, in dem sie sagte: »Ihr habt jetzt genügend Lehren gehört. Ihr habt alles gelernt, was ihr braucht, um frei zu sein. Es wird nun Zeit für euch, in die Welt hinauszugehen und ein glückliches Leben zu führen.«

Der zweite Traum war sogar noch unmissverständlicher. In einem tollen New Yorker Restaurant saß ich mit Felipe beim Essen. Fröhlich plaudernd und lachend genossen wir ein wunderbares Dinner, bestehend aus Lammkoteletts, Artischocken und edlem Wein. Da ließ ich meinen Blick durch den Raum schweifen und entdeckte Swamiji, den seit 1982 verstorbenen Guru meiner Meisterin. An diesem Abend jedoch saß er quicklebendig in diesem schnieken New Yorker Restaurant! Mit ein paar Freunden (natürlich ebenfalls New Yorker) aß er zu Abend, und so fröhlich plaudernd und lachend, wie sie da saßen, schienen sie sich prächtig zu amüsieren. Unsere Blicke begegneten sich, und Swamiji lachte zu mir herüber, hob sein Weinglas und prostete mir zu.

Und dann formte dieser kleine indische Guru, der in seinem Leben wenig Englisch gesprochen hatte, ganz deutlich mit den Lippen die Worte:

Genieß es!

105

Wie lange habe ich Ketut Liyer schon nicht mehr gesehen! Seit mich die Beziehung zu Felipe und der Versuch, für Wayan ein Haus oder Grundstück zu finden, derart in Anspruch nehmen, gehören die langen Nachmittage auf der Veranda des Medizinmanns, die ziellos mäandernden Gespräche über Spiritualität der Vergangenheit an. Zwar habe ich noch ein paar Mal bei ihm vorbeigeschaut, um Hallo zu sagen und seiner Frau Obst vorbeizubringen, aber seit Juni haben wir kein richtiges Gespräch mehr geführt.

Mir fehlt der Alte, so dass ich an diesem Morgen bei ihm vorbeischaue. Wie immer begrüßt er mich mit einem strahlenden Lächeln und meint: »Ich freue mich sehr, dich kennen zu lernen!« (Ich kann es ihm einfach nicht abgewöhnen.)

»Ich freue mich auch, dich zu *sehen*, Ketut.«

»Du reist bald ab, Liss?«

»Ja, Ketut. In knapp zwei Wochen. Deswegen bin ich heute gekommen. Ich wollte dir danken für alles. Ohne dich wäre ich nie nach Bali zurückgekehrt. Und Bali hat mich so glücklich gemacht.«

»Sowieso du kommst wieder nach Bali«, sagt er völlig überzeugt und ohne jedes Pathos. »Du meditierst noch mit vier Brüder, wie ich dir gezeigt?«

»Ja.«

»Immer noch schlechte Träume?«

»Nein.«

»Jetzt glücklich mit Gott?«

»Sehr.«

»Du liebst neue Freund?«

»Ich glaube, ja.«

»Dann du musst verwöhnen. Und er dich.«

»Okay«, verspreche ich ihm.

»Du gute Freundin für mich. Besser als Freundin. Du wie meine Tochter«, sagt er.

Nicht wie Sharon ...

»Wenn ich sterbe, du kommst zurück nach Bali, kommst zu meine Verbrennung. Balinesische Verbrennung große Spaß – gefällt dir bestimmt.«

»Okay«, verspreche ich ihm erneut, diesmal ganz erstickt.

»Lass dich von deine Gewissen leiten. Wenn du hast westliche Freunde, kommen nach Bali, bring mir für Handlesen. Ich sehr leer in meine Bank seit Bombe. Willst du mitkommen zu Baby-Zeremonie heute?«

Und so nahm ich schließlich an der Segnung eines Kindes teil, welches das Alter von sechs Monaten erreicht hatte und somit bereit war, zum ersten Mal mit den Füßen den Boden zu berühren. Während der ersten sechs Lebensmonate verwehren die Balinesen ihren Kindern jeden Bodenkontakt, weil Neugeborene als vom Himmel gesandte Götter gelten, und man lässt einen Gott schließlich nicht auf dem Fußboden, zwischen all den Zigarettenkippen und abgeschnittenen Zehennägeln, herumkrabbeln. Also werden balinesische Babys während der ersten sechs Monate herumgetragen und als kleine Gottheiten verehrt. Stirbt ein Baby vor Ablauf dieses halben Jahres, wird es feierlich eingeäschert. Die Urne wird jedoch nicht auf dem Friedhof der Menschen beigesetzt – denn dieses Wesen war nie menschlich –, sondern an einem besonderen Ort. Überlebt das Baby seinen sechsten Monat jedoch, so wird eine große Zeremonie abgehalten, seine Füße dürfen zum ersten Mal den Boden berühren, und der kleine Gott wird zum Menschen.

Die Zeremonie an diesem Tag fand im Haus eines Nachbarn statt. Und das fragliche Baby war ein Mädchen mit dem Kosenamen Putu. Seine Mutter war ein wunderschönes Mädchen, vielleicht sechzehn Jahre alt, und der Vater ein ebenso hübscher, etwa gleichaltriger Junge und Enkel eines Mannes, der wiederum Ketuts Cousin war ... oder so ähnlich. Ketut trug zu diesem Ereignis seine besten Kleider – einen weißen (goldbesetzten) Satinsarong und eine weiße, langärmlige Button-down-Jacke mit Goldknöpfen und Nehru-Kragen. Er ähnelte einem Kofferträger oder auch einem Bediensteten in einem eleganten Hotel. Um den Kopf hatte er einen weißen Turban. Die Hände waren, wie er mir stolz zeigte, auf Zuhälterart mit riesigen Goldringen und Zaubersteinen geschmückt. Insgesamt waren es etwa sieben. Ausnahmslos mit heiligen Kräften ausgestattet. Für das Einberufen der Geister hatte er noch die schimmernde Messingglocke seines Großvaters dabei, und er wollte, dass ich viele Fotos von ihm schoss.

Gemeinsam wanderten wir zum Anwesen des Nachbarn. Es war eine ansehnliche Strecke, und eine Weile mussten wir auf der verkehrsreichen Hauptstraße gehen. Fast vier Monate war ich nun schon auf Bali und hatte nicht *ein*mal erlebt, dass Ketut sein Anwesen verließ. Es war beunruhigend zu sehen, wie er zwischen all den rasenden Autos und Motorrädern die Straße hinunterging. Er wirkte so winzig und verletzlich. Wirkte inmitten des modernen Straßenverkehrs so fehl am Platz. Aus irgendeinem Grund hätte ich am liebsten geheult.

Bei unserer Ankunft waren schon etwa vierzig Gäste im Haus des Nachbarn versammelt, und auf dem Familienaltar häuften sich die Opfergaben – stapelweise Körbe aus geflochtenen Palmblättern, gefüllt mit Reis, Blumen, Weihrauch, gebratenen Schweinchen, einigen toten Gänsen und Hühnern, Kokosnüssen und Geldscheinen, die in der Brise flatterten. Alle trugen ihre elegantesten Seiden- und Spitzengewänder. Ich hingegen war in meinem zerrissenen, verschwitzten T-Shirt definitiv *underdressed*. Doch hieß man mich dennoch willkommen. Alle lächelten freundlich, um mich dann zu ignorieren und mit jenem Teil der Feier zu beginnen, bei dem man herumsitzt und die Kleider der übrigen Gäste bewundert.

Die von Ketut vorgenommene Zeremonie zog sich über Stunden hin. Und nur ein Völkerkundler mit einem ganzen Team von Dolmetschern hätte erklären können, was da alles vor sich ging, einige der Rituale aber verstand ich aufgrund früherer Erklärungen Ketuts und der Bücher, die ich gelesen hatte, recht gut. Während der ersten Segnungsrunde hielt der Vater das Baby, die Mutter aber ein Bildnis des Kindes – eine Kokosnuss, die so in Tücher gewickelt war, dass sie einem Säugling glich. Diese Kokosnuss wurde ebenso wie das Baby in heiliges Wasser getaucht und dann, ehe die Füße des Babys zum ersten Mal die Erde berührten, auf den Boden gelegt; auf diese Weise sollten die Dämonen genarrt werden, die nun das »falsche« Baby angriffen und das »echte« in Ruhe ließen.

Allerdings wurde, bevor die Füße des Säuglings tatsächlich den Boden berührten, noch stundenlang gesungen. Ketut ließ seine Glocke ertönen, chantete endlos seine Mantras, und die jungen Eltern strahlten vor Freude und Stolz. Gäste kamen und gingen, sie schwatzten ein wenig, folgten eine Weile der Zeremonie, brachten ihre Gaben dar und zogen dann weiter. Trotz der uralten ritualistischen Förmlichkeit lief die Feier merkwürdig zwanglos ab. Die Mantras, die Ketut für das Baby chantete, klangen so lieblich wie eine Mischung aus dem Heiligen und dem Zärtlichen. Während die Mutter den Säugling hielt, wedelte Ketut mit verschiedensten Dingen vor dessen Nase herum, mit Wasser, Blumen, Früchten, Glöckchen, einem gebratenen Hühnerflügel, einem Stück Schweinefleisch, einer geöffneten Kokosnuss, und sang der Kleinen etwas vor. Und das Baby lachte vor

Vergnügen und klatschte in die Hände, und Ketut lachte ebenfalls und sang weiter.

Und Folgendes könnte er gesungen haben:

»Oh, kleiner Spatz, das ist ein Brathühnchen für dich! Eines Tages wirst du Brathühnchen lieben, und wir hoffen, dass du viele davon zu essen bekommst! Oh, kleiner Fratz, das ist ein Batzen gekochter Reis, mögest du immer Reis haben, so viel dein Herz begehrt, mögest du damit überschüttet werden. Oh, kleiner Spatz, das ist eine Kokosnuss. Sieht sie nicht lustig aus, diese Kokosnuss? Eines Tages wirst du viele, viele Kokosnüsse essen! Oh, kleiner Spatz, das ist deine Familie, siehst du nicht, wie dich alle vergöttern! Oh, kleiner Spatz, du Schatz des ganzen Universums! Unsere Einser-Schülerin! Unser putziges Häschen! Du bist ein schnuckliges Klümpchen aus weichem Wachs! Oh, *little baby*, du bist der Sultan des Swing, du süßes, süßes Ding …«

Immer wieder wurden alle Anwesenden mit in heiliges Wasser getunkten Blütenblättern gesegnet. Die ganze Familie wechselte sich darin ab, die Kleine herumzureichen und ihr etwas vorzugurren, während Ketut die uralten Mantras rezitierte. Sogar ich – in meinen Jeans – durfte das Baby eine Zeit lang halten und flüsterte ihm, während alle sangen, meine persönlichen Segenswünsche zu. Es war brütend heiß – sogar im Schatten. Die junge Mutter, in ihrem sexy Bustier unter der Seidenbluse, schwitzte. Ebenso der junge Vater, der keinen anderen Gesichtsausdruck draufzuhaben schien als dieses enorm stolze Grinsen. Die diversen Großmütter fächelten sich Luft zu, wurden müde, setzten sich hin, standen wieder auf, fummelten an den gebratenen Opferschweinchen herum, verscheuchten Hunde. Alle wirkten abwechselnd interessiert, desinteressiert, müde, heiter, ernst. Doch Ketut und das Baby schienen wie gefangen in ihrer gemeinsamen Erfahrung, wie gefesselt voneinander. Den ganzen Tag lang wandte die Kleine keinen Blick von dem alten Mann. Wer hat je von einem sechs Monate alten Kind gehört, das vier geschlagene Stunden in brütender Hitze weder weint noch quengelt, weder schläft noch lacht, sondern nur neugierig einen anderen Menschen betrachtet?

Ketut machte seine Sache gut, das Baby nicht minder. Während der Verwandlungszeremonie, ihrer »Menschwerdung«, war die Kleine voll präsent. Und erledigte ihre Pflichten mit Bravour, war schon jetzt ein braves balinesisches Mädchen, durchdrungen von Ritualen, voller Glaubenszuversicht, fügte sich in die Zwänge ihrer Kultur.

Als das Singen vorbei war, hüllte man die Kleine in ein langes sauberes weißes Tuch, das weit über ihre kurzen Beinchen hinabhing, so dass sie groß und königlich wirkte. Ketut zeichnete die vier Richtungen des Universums auf den Boden einer Keramikschale, füllte die Schale mit heiligem Wasser und stellte sie auf den Boden. Dieser handgezeichnete Kompass markierte den heiligen Flecken Erde, den die Füße des Babys als Erstes berühren sollten.

Dann versammelte sich die ganze Familie um das Kind, alle schienen es gleichzeitig zu halten, und – hopp! – tauchten sie seine Füße in die Schale heiligen Wassers, direkt über der magischen Zeichnung, welche das gesamte Universum umfasste, und tupften dann zum ersten Mal seine Sohlen auf die Erde. Als sie die Kleine wieder in die Luft hoben, blieben winzige feuchte Fußabdrücke von ihr auf dem Boden zurück und fügten sie so endlich ein ins große balinesische Raster, legten fest, wer sie war, indem sie bestimmten, wo sie sich befand. Begeistert klatschten alle Beifall. Das kleine Mädchen war nun eine von uns. Ein menschliches Wesen – mit all den Risiken und Aufregungen, die diese Inkarnation nach sich zieht.

Die Kleine blickte auf, schaute um sich und lächelte. Sie

war nun keine Gottheit mehr. Es schien ihr nichts auszumachen. Sie zeigte keinerlei Furcht. Und schien mit all ihren bisherigen Entscheidungen völlig zufrieden.

106

Wayan konnte sich nicht für das Grundstück erwärmen, das Felipe für sie gefunden hatte, die hübsche Parzelle mit dem halb fertigen Haus darauf. Als ich Wayan fragte, woran es liege, erzählte sie mir irgendetwas von einer verlorenen Übertragungsurkunde. Allmählich wurde ich panisch. »Wayan, in knapp zwei Wochen muss ich nach Amerika abreisen. Ich kann meinen Freunden, die mir all das Geld gegeben haben, nicht gegenübertreten und ihnen erzählen, dass du immer noch kein Haus hast. Du musst etwas kaufen.«

»Aber Liz, wenn Platz hat kein gute *taksu* …«

Jeder fühlt sich von anderen Dingen bedrängt.

Wenige Tage später jedoch kam Wayan, fast schwindlig vor Glück, bei Felipe vorbei. Sie hatte ein anderes Grundstück gefunden, und von dem war sie nun restlos begeistert. Ein smaragdgrünes Reisfeld an einer ruhigen Straße, etwas außerhalb der Stadt. Den guten *taksu* sah man ihm schon von weitem an. Das Land gehöre einem Bauern, erzählte uns Wayan, einem Freund ihres Vaters, der unbedingt Bargeld benötige. Insgesamt habe er sieben *aro* zu verkaufen, doch er sei (da er rasch Geld brauche) bereit, ihr auch nur die zwei *aro* zu überlassen, die sie sich leisten könne. Sie liebt das Grundstück. Ich liebe es. Felipe liebt es. Tutti, die mit ausgestreckten Armen wie eine balinesische Julie Andrews im Kreis herumwirbelt, liebt es ebenfalls.

»Kauf es«, sagte ich zu Wayan.

Doch wieder vergingen einige Tage, und immer noch zögerte sie den Kauf hinaus. Und nun begriff ich wirklich nicht mehr, was sie wollte. »Willst du hier leben oder nicht?«, fragte ich sie immer wieder.

Und dann serviert sie mir noch mal etwas Neues. An diesem Morgen, erzählt sie, habe der Bauer sie angerufen, um ihr zu sagen, dass er sich nicht mehr sicher sei, ob er ihr lediglich zwei *aro* verkaufen könne; er wolle ihr lieber das komplette Grundstück verkaufen ... Es sei wegen seiner Frau, sie mache Probleme. Der Bauer müsse mit seiner Frau reden und sie fragen, ob sie mit der Aufteilung des Landes einverstanden sei ...

»Vielleicht wenn ich mehr Geld hätte ...«, meint Wayan.

Mein Gott, sie will, dass ich noch so viel Geld auftreibe, dass sie auch die restlichen fünf *aro* kaufen kann. Obwohl ich schon darüber nachdenke, wie ich wohl atemberaubende zusätzliche zweiundzwanzigtausend amerikanische Dollar aufbringen könnte, sage ich ihr: »Wayan, das kann ich nicht. Ich hab das Geld nicht. Kannst du dich nicht irgendwie mit dem Mann einigen?«

Und dann tischt mir Wayan, die mir nun nicht mehr direkt in die Augen sieht, eine komplizierte Geschichte auf. Am Vortag, erzählt sie mir, habe sie eine Mystikerin besucht, welche ihr in Trance mitgeteilt habe, dass Wayan dieses sieben *aro* große Grundstück unbedingt kaufen müsse, um ein Heilzentrum darauf zu bauen ... Das Schicksal wolle es so ... Und außerdem könne Wayan, wenn sie das ganze Land habe, dort vielleicht eines Tages ein hübsches elegantes Hotel hochziehen ...

Ein hübsches elegantes Hotel?

Ah.

Und da werde ich plötzlich taub, und alles steht still; ich sehe zwar noch, wie sich Wayans Mund bewegt, höre ihr aber nicht mehr zu, weil mich auf einmal – jäh und grell – ein Gedanke durchfährt: *Sie verarscht dich, Groceries.*

Ich stehe auf, verabschiede mich von ihr, gehe langsam nach Hause und frage Felipe, ob ich ihn kurz sprechen könne. Dann frage ich ihn unumwunden nach seiner Meinung: »Verarscht sie mich?«

»Darling«, sagt er freundlich. »*Selbstverständlich* verarscht sie dich.«

Das Herz wird mir zentnerschwer.

»Aber nicht auf bösartige Weise«, fügt er schnell hinzu. »Du musst das balinesische Denken begreifen. Die Leute haben es sich hier angewöhnt, die Touristen nach Strich und Faden zu schröpfen. So überleben sie. Also erfindet sie jetzt Geschichten über diesen Bauern. Darling, seit wann muss ein Balinese seine Frau fragen, wenn er ein Geschäft machen will? Hör zu, der Bursche will ihr ganz dringend ein kleines Stück Land verkaufen; er hat es ja schon gesagt. Sie aber will jetzt das ganze Land. Und sie will, dass du es für sie kaufst.«

Mich schaudert – aus zwei Gründen. Zunächst einmal hasse ich den Gedanken, dass Wayan heimtückisch sein könnte. Zweitens hasse ich die in seinen Worten enthaltenen kulturellen Implikationen, den kolonialistischen Mief, dieses gönnerhafte »So-sind-diese-Leute-eben«.

Aber Felipe ist kein Kolonialist; er ist Brasilianer. »Hör zu«, erklärt er mir, »ich bin in Südamerika in armen Verhältnissen aufgewachsen. Meinst du, ich begreife die Kultur der Armut nicht? Du hast Wayan mehr Geld gegeben, als sie in ihrem ganzen Leben gesehen hat, und jetzt dreht sie durch. Was sie betrifft, bist du ihre wundertätige Gönnerin, und das hier könnte ihre letzte Chance sein, ihrem Leben die entscheidende Wende zu geben. Also versucht sie, vor deiner Abreise noch so viel wie möglich herauszuholen. Vor vier Monaten hatte die arme Frau nicht einmal genug Geld, um ihrem Kind etwas zu essen zu kaufen, und jetzt will sie ein Hotel.«

»Was soll ich tun?«

»Ärgere dich nicht. Wenn du dich ärgerst, verlierst du sie, und das wäre jammerschade, denn sie ist eine wunderbare Person, und sie liebt dich. Es ist ihre Überlebenstechnik, akzeptier's einfach. Denk nicht schlecht von ihr oder dass sie und die Kinder nicht wirklich deine Hilfe brauchen. Aber lass auch nicht zu, dass sie dich ausnutzt. Ich hab das schon so oft erlebt, Darling. Die Westler, die schon lange hier leben, enden in der Regel in einem von zwei Lagern. Die einen spielen weiterhin Tourist, schwärmen: ›Oh, diese Balinesen, wie bezaubernd sie sind, wie freundlich …‹, und lassen sich ausnehmen wie Weihnachtsgänse. Die anderen sind durch die ständige Abzocke irgendwann so frustriert, dass sie anfangen, die Balinesen zu hassen. Und das ist schade, weil man dann all diese wunderbaren Freunde verliert.«

»Aber was soll ich tun?«

»Du musst die Situation wieder in den Griff bekommen. Du musst ihr ein bisschen Angst einjagen. Spiel ein Spielchen mit ihr, so wie sie es mit dir macht. Droh ihr etwas an, das sie zum Handeln zwingt. Du tust ihr einen Gefallen damit; sie braucht eine Wohnung.«

»Ich will keine Spielchen spielen, Felipe.«

Er küsst mich auf den Scheitel. »Dann kannst du nicht hier leben, Darling.«

Am nächsten Morgen lege ich mir meinen Plan zurecht. Es ist nicht zu fassen – nach einjährigem Bemühen um Tugend und Ehrlichkeit bin ich jetzt dabei, mir eine faustdicke Lüge auszudenken. Stehe im Begriff, meine beste Freundin hier, die wie eine Schwester für mich ist, einen Menschen, der mir die *Nieren* gereinigt hat, zu beschwindeln. Um Himmels willen, ich werde Tuttis Mammi belügen!

Ich spaziere in die Stadt und betrete Wayans Laden. Wayan will mich umarmen. Doch ich weiche zurück und spiele die Verärgerte.

»Wayan«, sage ich. »Wir müssen ein Wörtchen miteinander reden. Ich habe ein ernstes Problem.«

»Mit Felipe?« Sie ist besorgt.

»Nein. Mit dir.«

Sie sieht aus, als würde sie gleich in Ohnmacht fallen.

»Wayan«, sage ich. »Meine Freunde in Amerika sind sehr sauer auf dich.«

»Auf mich? Warum, Süße?«

»Weil sie dir vor drei Monaten eine Menge Geld geschenkt haben, damit du ein Haus kaufst, und du hast immer noch keins. Jeden Tag schicken sie mir E-Mails und fragen mich: ›Wo ist Wayans Haus? Wo ist mein Geld?‹ Und jetzt glauben sie, dass du ihr Geld stiehlst und es für etwas anderes verwendest.«

»Ich stehle nicht!«

»Wayan«, sage ich. »Meine Freunde in Amerika glauben, dass du ein *bullshit*, eine Angeberin und Lügnerin, bist.«

Sie japst, als habe man ihr die Kehle zugedrückt. Sie wirkt so verwundet, dass ich einen Augenblick fast versucht bin, sie beruhigend in die Arme zu nehmen und zu sagen: »Nein, nein, ist gar nicht wahr! Ich hab mir das nur ausgedacht!« Doch ich muss die Sache zu Ende bringen. Aber, mein Gott, sie ist jetzt wirklich angeschlagen. *Bullshit* ist ein Wort, das auch ins Balinesische Eingang gefunden hat. Jemanden als *bullshit* zu bezeichnen ist eine der schlimmsten Beleidigungen, die man einem Balinesen an den Kopf werfen kann. In einer Kultur, in der sich die Menschen schon vor dem Frühstück ein Dutzend Mal über den Tisch ziehen, in der *bullshitting* ein Sport, eine Kunst, eine Gewohnheit und eine Überlebenstechnik darstellt, ist es eine entsetzliche Sache, jemanden rundheraus Lügner beziehungsweise *bullshit* zu nennen. Es ist etwas, was im alten Europa garantiert zu einem Duell geführt hätte.

»Schätzchen«, sagt sie mit tränenden Augen. »Ich bin keine *bullshit*!«

»Ich weiß, Wayan. Deswegen bin ich ja so sauer. Ich versuche, meinen Freunden in Amerika klarzumachen, dass Wayan keine Betrügerin ist, aber sie glauben mir nicht.«

Sie legt ihre Hand auf die meine. »Tut mir Leid, dass ich dich in Klemme gebracht.«

»Wayan, das ist eine ganz gewaltige Klemme. Meine Freunde sind verärgert. Sie sagen, dass du ein Grundstück kaufen musst, ehe ich nach Amerika zurückkomme. Sonst, sagen sie, müssen sie ... das *Geld wieder zurückfordern*.«

Jetzt sieht sie nicht mehr aus, als würde sie gleich in Ohnmacht fallen; sie sieht aus, als müsste sie sterben. Während ich der armen Frau – die offenbar nicht weiß, dass ich das Geld genauso wenig von ihrem Konto holen kann, wie ich ihr ihre indonesische Staatsbürgerschaft aberkennen kann – diesen Bluff auftische, fühle ich mich wie das größte Arschloch aller Zeiten. Doch woher sollte sie es auch wissen? Schließlich habe ich das Geld auf ihr Sparbuch gezaubert, nicht wahr? Konnte ich es da nicht ebenso leicht wieder verschwinden lassen?

»Glaub mir«, sagt sie, »ich finde Land. Sofort, mach kein Sorge, ich finde Land, sehr schnell. Bitte, mach kein Sorge ... Vielleicht in nächste drei Tage alles fertig, ich verspreche.«

»Das musst du auch, Wayan«, sage ich mit nicht nur gespieltem Ernst. Und das *muss* sie wirklich. Ihre Kinder brauchen ein Heim. Sie steht kurz vor der Zwangsräumung. Das ist nicht die Stunde der Lügner und Schaumschläger.

»Ich gehe jetzt wieder zurück zu Felipe«, sage ich. »Melde dich, wenn du etwas gekauft hast.«

Dann lasse ich sie stehen und weiß, dass sie mir nachblickt, vermeide es aber, mich noch einmal nach ihr umzusehen. Während des ganzen Heimwegs schicke ich die seltsamsten Stoßgebete gen Himmel: »Bitte, lieber Gott, mach, dass sie mich belogen hat.« Denn wenn sie das nicht getan hat, wenn sie wirklich nicht in der Lage ist, trotz einer Bargeldspritze von achtzehntausend Dollar ein Grundstück zu finden, dann haben wir hier wirklich ein dickes Problem, und ich wüsste nicht, wie diese Frau je in der Lage sein sollte, sich aus ihrer Armut zu befreien. Aber wenn sie mich belogen hat, dann war da ein Hoffnungsschimmer. Dann hätte sie bewiesen, dass sie über eine gewisse Gerissenheit verfügt und sich in dieser unehrlichen Welt letztlich behaupten würde.

Ich gehe zu Felipe und fühle mich entsetzlich. Ich habe schon so lange nicht mehr gelogen, und das war nun wirklich eine faustdicke Lüge. »Wenn Wayan nur wüsste, was für hinterhältige Pläne ich hinter ihrem Rücken ...«

»... zu ihrem eigenen Nutzen aushecke«, beendet er meinen Satz.

Vier Stunden später klingelt bei Felipe das Telefon. Es ist Wayan. Völlig außer Atem. Sie will mich wissen lassen, dass die Sache erledigt ist. Sie hat dem Bauern (dessen »Frau« mit der Aufteilung des Grundstücks einverstanden war) die zwei *aro* abgekauft. Wie sich herausstellt, waren auch keinerlei Zauberträume, priesterliche Interventionen oder *taksu*-Strahlungstests nötig. Wayan hat sogar schon eine Besitzurkunde, hält sie in ihren Händen! Und notariell beglaubigt ist das Ganze auch! Auch habe sie, wie sie mir versichert, bereits Baumaterial für ihr Haus bestellt, und Anfang nächster Woche – also noch vor meiner Abreise – würden die Arbeiter mit dem Bau beginnen. So dass ich sogar Fotos machen könne! Sie hoffe, dass ich ihr nicht mehr böse sei. Ich müsse wissen, dass sie mich mehr liebe als ihr Leben, mehr als die ganze Welt.

Ich sage ihr, dass auch ich sie liebe. Und es kaum erwarten könne, sie eines Tages in ihrem schönen neuen Haus zu besuchen. Und dass ich gern eine Fotokopie von dieser Besitzurkunde hätte.

Als ich auflege, meint Felipe nur: »Braves Mädchen.«

Ich weiß nicht, ob er sie oder mich meint. Doch er öffnet eine Flasche Wein, und wir trinken auf unsere liebe Freundin Wayan, die balinesische Landbesitzerin.

Und dann meint Felipe: »Können wir jetzt bitte in Urlaub fahren?«

107

Der Ort, für den wir uns schließlich entscheiden, ist eine winzige Insel namens Gili Meno, vor der Küste von Lombok gelegen, der östlichen Nachbarinsel Balis. Ich kenne Gili Meno schon von einem früheren Besuch und möchte die Insel Felipe, der noch nie dort war, gerne zeigen.

Für mich ist Gili Meno einer der wichtigsten Orte der Welt. Als ich vor zwei Jahren zum ersten Mal auf Bali war, hatte ich sie allein besucht. Es war während jener Reise, bei der ich im Auftrag einer Zeitschrift über Yogaferien schrieb, und ich hatte gerade zwei Wochen ungeheuer aufbauenden Yogaunterricht hinter mir. Ich beschloss, nachdem der Auftrag erledigt war, meinen Aufenthalt in Indonesien zu verlängern. Eigentlich wollte ich nur einen abgeschiedenen Ort finden und mir zehn Tage Einsamkeit und Stille gönnen.

Blicke ich auf die vier Jahre zurück, die seit dem Tag, an dem meine Ehe zu zerbrechen begann, bis zu dem Tag, als ich endlich geschieden wurde, verstrichen sind, so habe ich eine ausführliche Schmerzenschronik vor Augen. Und der

Moment, als ich allein auf diese winzige Insel kam, war der schlimmste meiner gesamten düsteren Reise durch das Tal der Tränen. Ich hatte beschlossen – indem ich dem Befehl meiner Meisterin, auf die Lehre der Stille zu lauschen, gehorchte –, mein kaputtes Leben und mein gebrochenes Herz dorthin zu bringen und den Versuch zu machen, beides zu heilen. Mein Inneres war ein Schlachtfeld widerstreitender Dämonen. Und meinen einander bekriegenden Gefühlen und Gedanken sagte ich: »Passt auf, Leute, wir sind hier ganz auf uns zurückgeworfen. Und entweder einigen wir uns auf irgendetwas, oder aber wir gehen früher oder später alle gemeinsam zugrunde.«

Als ich auf dem winzigen Fischerboot zu der stillen Insel hinübersegelte und wusste, dass ich zehn Tage allein sein und schweigen würde, hatte ich Angst wie nie zuvor in meinem Leben. Nicht einmal Bücher hatte ich mitgenommen, nichts, was mich hätte ablenken können. Vor Angst schlotterten mir buchstäblich die Knie.

Für ein paar Dollar am Tag mietete ich mir eine kleine Strandhütte, presste die Lippen zusammen und gelobte, den Mund erst dann wieder zu öffnen, wenn sich etwas verändert hatte. Gili Meno war meine letzte Chance auf Wahrheit und Versöhnung. Mein letzter Versuch, mich an den eigenen Haaren aus dem Treibsand zu ziehen. Dass ich für dieses Vorhaben den richtigen Ort gewählt hatte, dessen war ich mir sicher. Die Insel ist winzig klein, unberührt, nichts als Sand, blaues Meer und Palmen. Das gesamte Eiland lässt sich in einem etwa einstündigen Fußmarsch umrunden. Da es fast am Äquator liegt, gleicht ein Tag dem anderen. Morgens um halb sieben geht auf der einen Inselseite die Sonne auf und um halb sieben abends auf der anderen wieder unter. Bewohnt wird Gili Meno von einer Hand voll muslimischer Fischer und ihren Familien – armen, aber liebenswürdigen

Menschen. Auf der ganzen Insel gibt es keinen Flecken, von dem aus man den Ozean nicht hören würde. Motorisierte Transportmittel fehlen; die Fischer bewegen sich zu Fuß, auf Booten, in kleinen Ponywagen fort. Elektrizität wird mit einem Generator erzeugt, und das lediglich in den Abendstunden. Gili Meno ist der ruhigste Ort, den ich kenne.

Jeden Morgen bei Sonnenaufgang umrundete ich die Insel und tat es bei Sonnenuntergang ein zweites Mal. Die ganze übrige Zeit beobachtete ich nur. Beobachtete meine Gedanken, meine Gefühle, die Fischer. Alles Leid eines Menschenlebens, behaupten die yogischen Weisen, werde durch Worte verursacht, ebenso wie alle Freude. Wir schaffen Worte, um unsere Erfahrung wiederzugeben, und diese Worte sind von Gefühlen begleitet, die uns herumzerren, als seien wir Marionetten. Die Weisen nutzen Worte und Ideen zur Erweiterung ihres Bewusstseins, die meisten von uns aber errichten sich daraus nur Gefängnisse, die uns in einem ständigen Schrumpfungsprozess festhalten. Von unseren eigenen Mantras (*Ich bin ein Versager ... Ich bin einsam ... Ich bin ein Versager ... Ich bin einsam*) verführt, werden wir zu Denkmälern dieser Worte. Eine Weile nicht zu reden ist daher ein Versuch, die Worte zu entmachten, uns nicht mehr durch Worte – seien es die eigenen oder fremde – zu sabotieren und zu zerstreuen.

Ich brauchte eine Weile, um in das wirkliche Schweigen einzutauchen. Auch nachdem ich das Sprechen aufgegeben hatte, summten noch tagelang die Worte in mir. Noch lange, nachdem ich das Reden eingestellt hatte, vibrierten meine Organe – Gehirn, Kehlkopf, Brust, Nacken – von den Nachwirkungen. Im Nachhall der Worte tanzte mein Kopf einen Shimmy, so wie ein Hallenbad ewig vom Echo der Geräusche und Schreie widerzuhallen scheint – obwohl die Kinder schon längst nach Hause gegangen sind. Es dauerte überraschend lange, bis das Pulsieren nachließ, bis die Geräusche abgeklungen waren.

Und dann kam nach und nach alles hoch. In dieser Stille gab es nun Platz für all das Verhasste, Beängstigende, das mir jetzt durch den leer gefegten Kopf schoss. Ich weinte viel. Und ich betete. Es war schwer und es war erschreckend, aber so viel war sicher: Keine Sekunde lang wünschte ich mir, nicht hier zu sein, und nie wünschte ich mir, dass jemand bei mir wäre. Ich wusste, was ich zu tun hatte, und dass ich es allein tun musste.

Die einzigen anderen Touristen waren einige Paare, die hier Romantikurlaub machten. (Gili Meno ist viel zu hübsch und abgelegen, als dass sich irgendjemand außer einer verrückten Mittdreißigerin hierher verirren würde.) Ich beobachtete diese Paare und war auch neidisch auf ihr Glück, wusste jedoch: »Das ist jetzt keine Zeit für Zweisamkeit, Liz. Du hast hier was anderes zu erledigen.« Ich hielt mich völlig abseits. Aß jeden Tag im selben kleinen palmblättergedeckten Café, deutete auf der Speisekarte auf das gewünschte Gericht, das ich dann ohnehin kaum anrührte. Ich hatte keinen Appetit mehr. Die Inselbewohner ließen mich in Frieden. Ich wirkte wohl ein bisschen sonderbar auf sie. Schon das ganze Jahr über war es mir nicht gut gegangen. Man kann nicht so lange so wenig schlafen und so viel weinen, ohne irgendwann wie eine Psychotikerin auszusehen. Ich wog ungefähr achtzig Pfund und lief mit permanent bekümmerter Miene und gerunzelter Stirn herum. Folglich sprach mich auch keiner an.

Das stimmt nicht ganz. Einer quatschte mich an, und zwar jeden Tag: ein kleiner Junge, einer aus einer Bande von Bengeln, die am Strand hin und her laufen und den Touristen frisches Obst verkaufen wollen. Er war vielleicht neun Jahre alt und schien der Anführer zu sein. Er war zäh, streitlustig, ein cleverer Gassenjunge, hätte es auf der Insel Gassen gegeben. Und so musste man ihn wohl einen cleveren Beach-Boy nennen. Irgendwie hatte er Englisch gelernt, wahrscheinlich durch das Belästigen sonnenbadender Westler. Und er ließ mir keine Ruhe, dieser Knabe. Keiner sonst fragte mich, wer ich sei, keiner nervte mich, nur dieses eigensinnige Kind, das einfach Tag für Tag irgendwann eintrudelte, sich am Strand neben mich pflanzte und wissen wollte: »Warum sagst du nichts? Warum bist du so komisch? Tu nicht so, als würdest du mich nicht hören – ich weiß, dass du mich hörst. Warum bist du immer allein? Warum gehst du nicht schwimmen? Wo ist dein Freund? Warum hast du keinen Mann? Was ist los mit dir?«

Mein Gefühl war: *Hau ab, Kind! Was bist du eigentlich? Ein Protokoll meiner peinlichsten Gedanken?*

Jeden Tag versuchte ich, ihn freundlich anzulächeln und ihn mit einer Geste abzuwimmeln, doch er ließ nicht locker, ehe er mich auf die Palme gebracht hatte. Und selbstverständlich gelang ihm das immer. Einmal brüllte ich ihn an: »Ich rede nicht, verdammt noch mal, weil ich auf einer spirituellen Reise bin, du ungewaschener kleiner Knirps – und jetzt verzieh dich!«

Lachend rannte er davon. Nachdem er mir einmal diese Reaktion entlockt hatte, rannte er jeden Tag lachend davon. Aber auch ich lachte gewöhnlich – sobald er außer Sicht war. Ich fürchtete die kleine Nervensäge und freute mich gleichzeitig auf sie. Der Junge war die einzige komische Unterbrechung in dieser wirklich schwierigen Lebensphase. Der heilige Antonius äußerte sich einmal über seinen Rückzug in die Stille der Wüste, wo er von allen möglichen Visionen heimgesucht wurde – sowohl Teufeln als auch Engeln. In seiner Einsamkeit, sagte er, seien ihm manchmal Teufel erschienen, die Engeln glichen, und dann wieder Engel, die Teufeln ähnelten. Gefragt, wie er sie unterschieden habe, erklärte der Heilige, dass man sie nur an dem Gefühl, das sich nach ihrem Verschwinden einstelle, unterscheiden könne. Sei man entsetzt, dann sei es ein Teufel gewesen. Fühle man sich erleichtert, spreche alles für einen Engel.

Ich glaube, ich weiß, was der kleine Pimpf war.

An meinem neunten Schweigetag meditierte ich bei Sonnenuntergang am Strand und erhob mich erst nach Mitternacht wieder. »Das ist deine Chance«, sagte ich zu meinem Geist. »Zeig mir alles, was dich bedrückt. Ich will alles sehen. Halt nichts zurück.« Nacheinander hoben all die traurigen Gedanken und Erinnerungen die Hand, standen auf und sagten ihre Namen. Ich betrachtete jeden Gedanken, jeden Kummer, nahm ihn an und spürte (ohne mich davor schützen zu wollen) seinen furchtbaren Schmerz. Dann sagte ich zum ersten Kummer: »Es ist gut. Ich liebe dich. Ich akzeptiere dich. Komm in mein Herz. Es ist vorbei.« Und tatsächlich spürte ich, wie dieser Kummer (als sei er ein lebendiges Wesen) in mein Herz eintrat (als sei dieses ein realer Raum). Dann rief ich: »Der Nächste, bitte!« Und der nächste Kummer erschien. Ich sah ihn mir an, spürte ihn, segnete ihn und lud auch ihn in mein Herz ein. Und so verfuhr ich mit allen schmerzlichen Gedanken, die ich jemals gehabt hatte, bis keiner mehr übrig war.

Dann sagte ich zu meinem Geist: »Und nun zeig mir deinen Zorn.« Eines nach dem anderen traten sämtliche Ärgernisse meines Lebens vor mich hin, machten sich bekannt. Jede Ungerechtigkeit, jeder Betrug, jeder Verlust, jeglicher Zorn. Ich empfing sie alle, einen nach dem anderen, und akzeptierte sie. Empfand jeden Ärger in seiner Gänze, als ob er mich zum ersten Mal heimsuchte, und sagte dann: »Komm in mein Herz. Hier kannst du ausruhen. Hier bist du in Sicherheit. Es ist vorbei. Ich liebe dich.« Das alles zog sich über

Stunden hin, und ich durchlebte ein Wechselbad der Gefühle, empfand einen erschütternden Moment lang ein jedes Ärgernis und im Anschluss daran die Gelassenheit, sobald die Wut, die wie durch eine Tür in mein Herz getreten war, sich niederlegte, an ihre Brüder schmiegte und das Kämpfen aufgab.

Schließlich kam der schwierigste Teil. »Zeig mir deine Scham«, bat ich meinen Geist. Mein Gott, welche Schrecken ich da zu Gesicht bekam. Eine erbärmliche Prozession all meiner Schwächen, Lügen, meines Egoismus und meiner Eifersucht. Aber ich fasste sie ins Auge. »Zeig mir das Schlimmste«, bat ich. Als ich diese beschämenden Gefühle dann in mein Herz einlud, zögerte jedes von ihnen an der Schwelle und sprach: »Nein – du willst mich bestimmt nicht da drinnen haben ... Weißt du denn nicht, was ich getan habe?« Und ich entgegnete: »Ich will dich. Auch dich will ich. Ich heiße dich sogar ausdrücklich willkommen. Es ist gut. Dir ist vergeben. Du kannst dich ausruhen. Es ist vorbei.«

Danach fühlte ich mich leer. Nichts kämpfte mehr in mir. Ich betrachtete mein Herz, meine Güte, sah ihr Potenzial. Ich erkannte, dass das Leistungsvermögen meines Herzens nicht einmal annähernd erschöpft war, nicht einmal, nachdem es all diese elenden Schmerz-, Wut- und Schamgören aufgenommen und versorgt hatte; mein Herz hätte noch weit mehr in sich aufnehmen und verzeihen können. Seine Liebe war unendlich.

Damals wurde mir klar, dass wir auf diese Weise von Gott geliebt und willkommen geheißen werden, dass es keine Hölle gibt in dieser Welt, es sei denn in unserem verängstigten Bewusstsein. Denn wenn schon ein »beschädigtes« und eingeschränktes Menschenwesen eine derartige Erfahrung absoluter Vergebung und Selbstbejahung machen konnte, dann möge man sich doch einmal vergegenwärtigen, was Gott in seiner ewigen Barmherzigkeit alles vergeben und bejahen kann.

Klar war mir auch, dass diese innere Ruhe etwas Vorübergehendes war. Es war nicht für immer vorbei, irgendwann würden mein Zorn, meine Traurigkeit und meine Scham wieder hervorgekrochen kommen, sich aus meinem Herzen davonstehlen und aufs Neue mein Denken bestimmen. Immer wieder würde ich mich mit diesen Gedanken auseinander setzen müssen, bis ich entschlossen mein ganzes Leben umkrempelte. Es würde schwierig werden und große Anstrengungen kosten. Doch im Dunkel und in der Stille dieses Strandes sprach mein Herz zu meinem Geist: »Ich liebe dich, ich werde dich nie verlassen, ich werde mich immer um dich kümmern.« Dieses Versprechen erhob sich aus meinem Herzen, und ich schnappte danach, behielt es im Mund und kostete es, als ich zu meiner kleinen Hütte zurückging. Ich fand ein leeres Notizbuch, schlug die erste Seite auf – und erst da öffnete ich die Lippen, sprach die Worte, ließ sie frei. Ich hörte, wie die Worte mein Schweigen durchbrachen, und erlaubte meinem Stift, sie schwarz auf weiß festzuhalten:

»Ich liebe dich, ich werde dich nie verlassen, ich werde mich immer um dich kümmern.«

Dies waren die ersten Worte, die ich in jenes private Notizbuch schrieb, das ich von da an bei mir trug und auf das ich in den folgenden zwei Jahren häufig zurückgriff, stets Hilfe suchend und Hilfe findend, auch wenn ich zu Tode betrübt oder verängstigt war. Und dieses ganz im Zeichen jenes immerwährenden Versprechens stehende Notizbuch war schlicht und einfach der einzige Grund, weshalb ich die nächsten Jahre meines Lebens überstand.

108

Und jetzt komme ich unter ganz anderen Umständen nach Gili Meno zurück. Seit ich das letzte Mal hier war, habe ich die Welt umrundet, mich scheiden lassen, meine letzte Trennung von David überstanden, sämtliche Spuren stimmungsverändernder Medikamente aus meinem Körper getilgt, eine neue Sprache gelernt, ein paar unvergessliche Momente lang auf Gottes Hand gesessen und einer Balinesin, die dringend einer Unterkunft bedurfte, ein Heim gekauft. Ich fühle mich glücklich, gesund und ausgeglichen. Und, ja, es ist nicht zu übersehen, diesmal segle ich mit meinem brasilianischen Liebhaber zu dieser schönen Tropeninsel. Was – zugegebenermaßen – ein fast märchenhaftes Ende für diese Geschichte ist, ein regelrechter Hausfrauentraum. (Vielleicht sogar mein eigener Traum von vor einigen Jahren.) Was mich jedoch davor bewahrt, mich gänzlich in diesem Märchenzauber zu verlieren, ist die unumstößliche Wahrheit, mit der ich mir während der letzten Jahre wirklich so etwas wie ein Rückgrat verschafft habe: Nicht ein Prinz hat mich gerettet, sondern ich selbst habe es getan.

Bei dieser Gelegenheit kommt mir etwas in den Sinn, das ich einmal gelesen habe und das Zen-Buddhisten glauben. Eine Eiche, so sagen sie, werde durch zwei Kräfte gleichzeitig erschaffen. Zum einen natürlich durch die Eichel, mit der alles seinen Anfang nimmt, durch den Samen, der das gesamte Potenzial enthält und zu einem Baum heranwächst. Das ist jedem ersichtlich. Nur wenige aber können erkennen, dass auch noch eine andere Kraft am Werk ist, nämlich der künftige Baum selbst, den es so unbedingt in die Existenz drängt, dass er die Eichel ins Sein zieht, der durch seine Sehnsucht den Sämling aus der Leere zieht und die Evolution aus dem Nichts zur Reife geleitet. So betrachtet, behaupten die Zen-

Buddhisten, sei es die Eiche, welche die Eichel erschafft, aus der sie entstanden ist.

Ich mache mir Gedanken über die Frau, die ich in den letzten Jahren geworden bin, über das Leben, das ich jetzt führe, und wie sehr ich mir immer gewünscht habe, diese Person zu sein und – befreit vom Drang, jemand anders zu sein, als ich bin – dieses Leben zu leben. Ich denke an alles, was ich vor meiner Ankunft auf Gili Meno durchgemacht habe, und frage mich, ob denn ich es war, ich meine dieses glückliche und ausgeglichene Ich – das jetzt auf dem Deck dieses kleinen indonesischen Fischerboots döst –, welches das andere, jüngere, verwirrtere und ringende Ich in all diesen schweren Jahren in die Zukunft gezogen hat. Das jüngere Ich war die Eichel voller Potenzial, aber das ältere, die mächtige Eiche, hat andauernd gedrängt: »Ja, wachse! Verändere dich! Entwickle dich! Komm und triff mich hier, wo ich schon in meiner Reife und Ganzheit existiere! Du musst *ich* werden!« Und vielleicht war es dieses gegenwärtige und voll realisierte Ich, das vier Jahre lang über jener verheirateten schluchzenden jungen Frau auf dem Badezimmerboden schwebte, und vielleicht war es dieses Ich, das der verzweifelten Frau liebevoll ins Ohr flüsterte: »Geh wieder ins Bett, Liz« – weil es bereits wusste, dass alles gut werden würde, dass uns letztendlich alles an diesen Punkt führen würde. An diese Stelle und zu diesem Augenblick, wo ich schon immer ruhig und gelassen gewartet hatte, gewartet auf seine Ankunft.

Und dann erwacht Felipe. Den ganzen Nachmittag sind wir – aneinander geschmiegt – an Deck des Fischerboots wieder und wieder eingedöst. Die Sonne scheint, der Ozean wiegt uns. Felipe erzählt mir, dass ihm, während ich geschlafen habe, eine Idee gekommen sei. »Ich muss natürlich weiterhin auf Bali leben«, sagt er, »das weißt du. Meine Firma ist hier, und es ist nicht weit nach Australien, wo meine Kinder leben. Aber ich muss auch oft in Brasilien sein, denn da sind die Steine, und ich hab auch Familie dort. Du wiederum musst naturgemäß die meiste Zeit in New York sein, weil du dort deine Arbeit hast, weil deine Familie und deine Freunde dort leben. Und deshalb hab ich darüber nachgedacht ..., ob wir nicht vielleicht versuchen sollten, uns ein Leben aufzubauen, das sich irgendwie zwischen Amerika, Australien, Brasilien und Bali abspielt.«

Ich muss lachen, denn ... das ist vielleicht verrückt genug, um zu funktionieren. Und warum eigentlich *nicht*? Ein solches Leben wäre zwar total verrückt, sähe mir aber ungeheuer ähnlich. Schon jetzt hat es etwas Vertrautes. Kaum, dass er die Idee vorbringt, sehe ich schon vor mir, wie ich genau *so* mit diesem Mann leben werde, und sehr glücklich obendrein. Und auch für die Poesie dieser Idee bin ich empfänglich. Das ist ganz wörtlich gemeint. Nach diesem Jahr, das ich ganz der Erforschung der einzelnen, unerschrockenen »I« beziehungsweise »Ichs« gewidmet habe, eröffnet mir Felipe eine völlig neue »Theorie« des Reisens:

Australien, Amerika, Bali, Brasilien = a, a, b, b.

Wie ein klassisches Gedicht, wie zwei Reimpaare ...

Das kleine Fischerboot ankert direkt vor der Küste von Gili Meno. Die Insel hat keinen Hafen. Man muss die Hosenbeine hochkrempeln, ins Wasser springen und durch die Brandung an Land waten. Das schafft man nicht, ohne pitschnass zu werden oder sich gar an den Korallen die Beine zu stoßen, aber es lohnt sich, weil der Strand hier so wunderbar, so außergewöhnlich ist. Also ziehen mein Liebhaber und ich die Schuhe aus, setzen uns die kleinen Taschen mit unseren Habseligkeiten auf den Kopf und machen uns bereit, gemeinsam über den Bootsrand ins Meer zu springen.

Wissen Sie, was komisch ist? Dass Italienisch die einzige

romanische Sprache ist, die Felipe zufällig nicht spricht. Aber egal, ich tu's trotzdem, sage es, als wir uns gerade anschicken zu springen.

»*Attraversiamo*«, rufe ich.

Gehen wir rüber.